COLLECTION FOLIO

André Gide

Voyage au Congo

suivi de

Le retour du Tchad

CARNETS DE ROUTE

Gallimard

« Je naquis le 22 novembre 1869 », écrit André Gide dans *Si le grain ne meurt*.

Son père, professeur de droit romain, meurt alors qu'André Gide n'a pas onze ans. Il est élevé par sa mère qui lui transmet une rigueur toute protestante.

Passionné de littérature et de poésie, il se lie avec Pierre Louÿs — qui s'appelait encore Pierre Louis — et Paul Valéry. Ses premiers textes, *Les cahiers d'André Walter*, paraissent en 1891, suivis d'œuvres d'inspiration symboliste : *Le traité du Narcisse* (1891), *La tentative amoureuse* (1893) et *Paludes* (1895).

En 1897, après un long voyage en Afrique du Nord avec sa cousine qu'il a épousée en 1895, Gide publie *Les nourritures terrestres*. Commence alors une vie de voyages et d'écriture rythmée par la parution d'œuvres importantes : *L'immoraliste* (1902), *La porte étroite* (1909), *Les caves du Vatican* (1914), *La symphonie pastorale* (1919), *Si le grain ne meurt* (1921) et *Les faux-monnayeurs* (1925).

En 1909, il participe à la création de la *Nouvelle Revue Française* avec ses amis André Ruyters, Jacques Copeau, Jean Schlumberger et joue un rôle de plus en plus marquant dans la vie littéraire française.

Après la parution des *Faux-monnayeurs*, Gide s'embarque pour l'Afrique avec Marc Allégret. Ensemble ils visitent le Congo et le Tchad. À son retour, André Gide dénonce le colonialisme. Peu à peu la politique l'attire et il prend position. Éprouvant une sympathie croissante pour le communisme, il est invité en 1936 en U.R.S.S., mais dès son retour il proclame sa déception.

Durant toutes ces années, il publie des pages de son *Journal* dont le premier volume paraît dans la Bibliothèque de la Pléiade en 1939. Il passe une partie de la guerre de 1939-1945 dans le sud de la France puis en Afrique du Nord. En 1946, paraît son dernier grand texte, *Thésée*.

Il est reçu docteur *honoris causa* de l'Université d'Oxford en 1947 et se voit attribuer, la même année, le Prix Nobel de Littérature.

André Gide meurt à Paris le 19 février 1951.

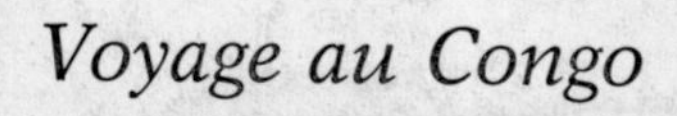
Voyage au Congo

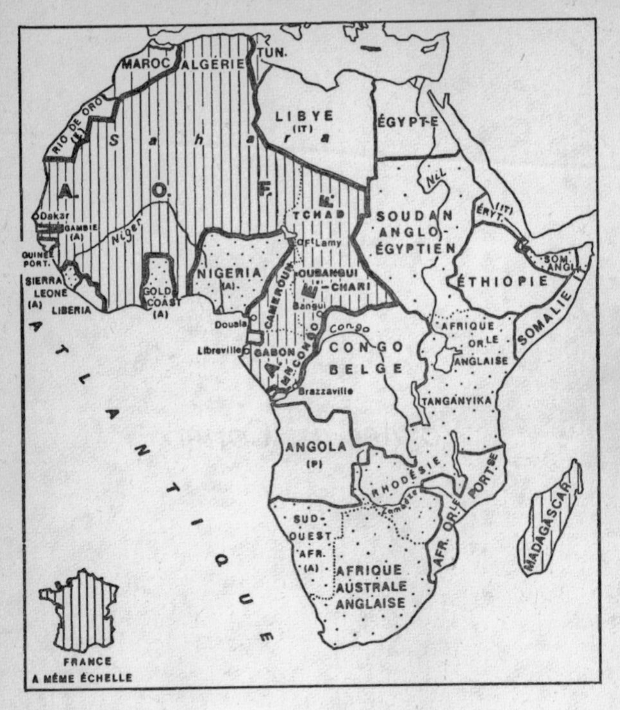

Carte générale

À la Mémoire de Joseph Conrad

Better be imprudent moveables than prudent fixtures.

KEATS.

CHAPITRE PREMIER

Les escales — Brazzaville

21 juillet. — Troisième jour de traversée.

Indicible langueur. Heures sans contenu ni contour.

Après deux mauvais jours, le ciel bleuit ; la mer se calme ; l'air tiédit. Un vol d'hirondelles suit le navire.

On ne bercera jamais assez les enfants, du temps de leur prime jeunesse. Et même je serais d'avis qu'on usât, pour les calmer, les endormir, d'appareils profondément bousculatoires. Pour moi, qui fus élevé selon des méthodes rationnelles, je ne connus jamais, de par ordre de ma mère, que des lits fixes ; grâce à quoi je suis aujourd'hui particulièrement sujet au mal de mer. Pourtant je tiens bon ; je tâche d'apprivoiser le vertige, et constate que, ma foi, je tiens mieux que nombre de passagers. Le souvenir de mes six dernières traversées (Maroc, Corse, Tunisie) me rassure.

Compagnons de traversée : administrateurs et commerçants. Je crois bien que nous sommes les seuls à voyager « pour le plaisir ».

— Qu'est-ce que vous allez chercher là-bas ?

— J'attends d'être là-bas pour le savoir.

Je me suis précipité dans ce voyage comme Curtius dans le gouffre. Il ne me semble déjà plus que précisément je l'aie voulu (encore que depuis des mois ma volonté se soit tendue vers lui) ; mais plutôt qu'il s'est imposé à moi par une sorte de fatalité inéluctable — comme tous les événements importants de ma vie. Et j'en viens à presque oublier que ce n'est là qu'un « projet de jeunesse réalisé dans l'âge mûr » ; ce voyage au Congo, je n'avais pas vingt ans que déjà je me promettais de le faire ; il y a trente-six ans de cela.

Je reprends, avec délices, depuis la fable I, toutes les fables de La Fontaine. Je ne vois pas trop de quelle qualité l'on pourrait dire qu'il ne fasse preuve. Celui qui sait bien voir peut y trouver trace de tout ; mais il faut un œil averti, tant la touche, souvent, est légère. C'est un miracle de culture. Sage comme Montaigne ; sensible comme Mozart.

Hier, inondation de ma cabine, au petit matin, lors du lavage du pont. Un flot d'eau sale où nage piteusement le joli petit Goethe *letherbound*, que m'avait donné le Comte Kessler (où je relis les *Affinités*).

25 juillet.

Ciel uniformément gris ; d'une douceur étrange. Cette lente et constante descente vers le sud doit nous amener à Dakar ce soir.

Hier des poissons volants. Aujourd'hui des troupeaux de dauphins. Le commandant les tire de la passerelle. L'un d'eux montre son ventre blanc d'où sort un flot de sang.

En vue de la côte africaine. Ce matin une hirondelle de mer contre la lisse. J'admire ses petites pattes palmées et son bec bizarre. Elle ne se débat pas lorsque je la prends. Je la garde quelques instants dans ma main ouverte ; puis elle prend son vol et se perd de l'autre côté du navire.

26 juillet.

Dakar la nuit. Rues droites désertes. Morne ville endormie. On ne peut imaginer rien de moins exotique, de plus laid. Un peu d'animation devant les hôtels. Terrasses des cafés violemment éclairées. Vulgarité des rires. Nous suivons une longue avenue, qui bientôt quitte la ville française. Joie de se trouver parmi des nègres. Dans une rue transversale, un petit cinéma en plein air, où nous entrons. Derrière l'écran, des enfants noirs sont couchés à terre, au pied d'un arbre gigantesque, un fromager sans doute. Nous nous asseyons au premier rang des secondes. Derrière moi un grand nègre lit à haute voix le texte de l'écran. Nous ressortons. Et longtemps nous errons encore ; si fatigués bientôt que nous ne songeons plus qu'à dormir. Mais à l'hôtel de la Métropole, où nous avons pris une chambre, le vacarme d'une fête de nuit, sous notre fenêtre, empêche longtemps le sommeil.

Dès six heures, nous regagnons l'*Asie*, pour prendre un appareil de photo. Une voiture nous conduit au marché. Chevaux squelettiques, aux flancs rabotés et sanglants, dont on a badigeonné les plaies au bleu de Prusse. Nous quittons ce triste équipage pour une auto, qui nous mène à six kilomètres de la ville, traversant des terrains vagues que hantent des hordes de charognards. Certains perchent sur le toit des maisons, semblables à d'énormes pigeons pelés.

Jardin d'Essai. Arbres inconnus. Buissons d'hibiscus en fleurs. On s'enfonce dans d'étroites allées pour prendre un avant-goût de la forêt tropicale. Quelques beaux papillons, semblables à de grands machaons, mais portant, à l'envers des ailes, une grosse macule nacrée. Chants d'oiseaux inconnus, que je cherche en vain dans l'épais feuillage. Un serpent noir très mince et assez long glisse et fuit.

Nous cherchons à atteindre un village indigène, dans les sables, au bord de la mer ; mais une infranchissable lagune nous en sépare.

27 juillet.

Jour de pluie incessante. Mer assez houleuse. Nombreux malades. De vieux coloniaux se plaignent : « Journée terrible ; vous n'aurez pas pire »... Somme toute, je supporte assez bien. Il fait chaud, orageux, humide ; mais il me semble que j'ai connu pire à Paris ; et je suis étonné de ne pas suer davantage.

Le 29, arrivée en face de Konakry. On devait débarquer dès sept heures ; mais depuis le lever du jour, un épais brouillard égare le navire. On a perdu le point. On tâtonne et la sonde plonge et replonge. Très peu de fond ; très peu d'espace entre les récifs de corail et les bancs de sable. La pluie tombait si fort que déjà nous renoncions à descendre, mais le commandant nous invite dans sa pétrolette.

Très long trajet du navire au wharf, mais qui donne au brouillard le temps de se dissiper ; la pluie s'arrête.

Le commissaire qui nous mène à terre nous avertit que nous ne disposons que d'une demi-heure, et qu'on ne nous attendra pas. Nous sautons dans un pousse, que tire un jeune noir « mince et vigoureux ». Beauté des arbres, des enfants au torse nu, rieurs, au regard languide. Le ciel est bas. Extraordinaire quiétude et douceur de l'air. Tout ici semble promettre le bonheur, la volupté, l'oubli.

31 juillet.

Tabou. — Un phare bas, qui semble une cheminée de steamer. Quelques toits perdus dans la verdure. Le navire s'arrête à deux kilomètres de la côte. Trop peu de temps pour descendre à terre ; mais, du rivage s'amènent deux grandes barques pleines de Croumens. L'*Asie* en recrute soixante-dix pour renforcer l'équipage — qu'on rapatriera au retour. Hommes admirables pour la plupart, mais qu'on ne reverra plus que vêtus.

Dans une minuscule pirogue, un nègre isolé chasse l'eau envahissante, d'un claquement de jambe contre la coque.

1er août.

Image de l'ancien « Magasin Pittoresque » : la barre à Grand-Bassam. Paysage tout en longueur. Une mer couleur thé, où traînent de longs rubans jaunâtres de vieille écume. Et, bien que la mer soit à peu près calme, une houle puissante vient, sur le sable du bord, étaler largement sa mousse. Puis un décor d'arbres très découpés, très simples, et comme dessinés par un enfant. Ciel nuageux.

Sur le wharf, un fourmillement de noirs poussent des wagonnets. À la racine du wharf, des hangars ; puis, de droite et de gauche, coupant la ligne d'arbres, des maisons basses, aplaties, aux couvertures de tuiles rouges. La ville est écrasée entre la lagune et la mer. Comment imaginer, tout près, sitôt derrière la lagune, l'immense forêt vierge, la vraie...

Pour gagner le wharf, nous prenons place à cinq ou six dans une sorte de balancelle qu'on suspend par un crochet à une élingue, et qu'une grue soulève et dirige à travers les airs, au-dessus des flots, vers une vaste barque, où le treuil la laisse lourdement choir.

On imagine des joujous requins, des joujous épaves, pour des naufrages de poupées. Les nègres nus crient, rient et se querellent en montrant des dents de cannibales. Les embarcations flottent sur le thé, que griffent et bêchent de petites pagaies en forme de pattes de canard, rouges et vertes, comme on en voit aux fêtes nautiques des cirques. Des plongeurs happent et emboursent dans leurs joues les piécettes qu'on leur jette du pont de l'*Asie*. On attend que les barques soient pleines ; on attend que le médecin de Grand-Bassam soit venu donner je ne sais quels certificats ; on attend si longtemps que les premiers passagers, descendus trop tôt dans les nacelles, et que les fonctionnaires de Bassam, trop empressés à les accueillir, balancés, secoués, chahutés, tombent malades. On les voit se pencher de droite et de gauche, pour vomir.

Grand-Bassam. — Une large avenue, cimentée en son milieu ; bordée de maisons espacées, de maisons basses. Quantité de gros lézards gris fuient devant nos pas et regagnent le tronc de l'arbre le plus proche, comme à un jeu des quatre coins. Diverses sortes d'arbres inconnus, à larges feuilles, étonnement du voyageur. Une race de chèvres très petite et basse sur jambes ; des boucs à peine un peu plus grands que des chiens terriers ; on dirait des chevreaux, mais déjà cornus et qui dardent par saccade un très long aiguillon violâtre.

Transversales, les rues vont de la mer à la lagune ; celle-ci, peu large en cet endroit, est coupée d'un pont qu'on dirait japonais. Une abondante végétation nous attire vers l'autre rive ; mais le temps manque. L'autre extrémité de la rue se perd dans le sable d'une sorte de dune ; un groupe de palmiers à huile ; puis la mer, qu'on ne voit pas, mais que dénonce la mâture d'un grand navire.

Lomé (2 août).

Au réveil, un ciel de pluie battante. Mais non ; le soleil monte ; tout ce gris pâlit jusqu'à n'être plus qu'une buée laiteuse, azurée ; et rien ne dira la douceur de cette profusion d'argent. L'immense lumière de ce ciel voilé, comparable au pianissimo d'un abondant orchestre.

Cotonou (2 août).

Combat d'un lézard et d'un serpent d'un mètre de long, noir lamé de blanc, très mince et agile, mais si occupé par la lutte que nous pouvons l'observer de très près. Le lézard se débat, parvient à échapper, mais abandonnant sa queue, qui continue longtemps de frétiller à l'aveuglette.

Conversations entre passagers.

Je voudrais comme dans le *Quotidien* ouvrir une rubrique, dans ce carnet : « Est-il vrai que... »

Est-il vrai qu'une société américaine, installée à Grand-Bassam, y achète l'acajou qu'elle nous revend ensuite comme « mahogany » du Honduras ?

Est-il vrai que le maïs que l'on paie 35 sous en France ne coûte que... etc.

Libreville (6 août), Port-Gentil (7 août).

À Libreville, dans ce pays enchanteur,

où la nature donne
Des arbres singuliers et des fruits savoureux,

l'on meurt de faim. L'on ne sait comment faire face à la disette. Elle règne, nous dit-on, plus terrible encore à l'intérieur du pays.

La grue de l'*Asie* va cueillir à fond de cale les caisses qu'elle enlève dans un filet à larges mailles, puis déverse dans le chaland transbordeur. Des indigènes les reçoivent et s'activent avec de grands cris. Coincée, heurtée, précipitée, c'est merveille si la caisse arrive entière. On en voit qui éclatent comme des gousses, et répandent comme des graines leur contenu de boîtes de conserve. J'en saisis une. F., agent principal d'une entreprise d'alimentation, à qui je la montre, reconnaît la marque et m'affirme que c'est un lot de produits avariés qui n'a pu trouver acheteur sur le marché de Bordeaux.

8 août.

Mayoumba. — Lyrisme des pagayeurs, au dangereux franchissement de la barre. Les couplets et les refrains de leur chant rythmé se chevauchent [1].

1. Je retrouverai ce chevauchement si particulier, dans les chants de la région du Tchad.

À chaque enfoncement dans le flot, la tige de la pagaie prend appui sur la cuisse nue. Beauté sauvage de ce chant semi-triste ; allégresse musculaire ; enthousiasme farouche. À trois reprises la chaloupe se cabre, à demi dressée hors du flot ; et lorsqu'elle retombe un énorme paquet d'eau vous inonde, que vont sécher bientôt le soleil et le vent.

Nous partons à pied, tous deux, vers la forêt. Une allée ombreuse y pénètre. Étrangeté. Clairières semées de quelques huttes de roseaux. L'administrateur vient à nous en tipoye[1], et en met aimablement deux autres à notre disposition. Il nous emmène, alors que nous étions déjà sur le chemin du retour ; et nous rentrons de nouveau dans la forêt. À vingt ans je n'aurais pas eu joie plus vive. Cris et bondissements des porteurs. Nous revenons par le bord de la mer. Sur la plage, fuite éperdue des troupeaux de crabes, hauts sur pattes et semblables à de monstrueuses araignées.

9 août, 7 heures du matin.

Pointe-Noire[2]. — Ville à l'état larvaire, qui semble encore dans le sous-sol.

1. Fauteuil suspendu entre deux palmes du gigantesque palmier-ban.

2. C'est à ce point de la côte, que doit aboutir le chemin de fer de Brazzaville-Océan, seul moyen d'obvier à l'embouteillage de notre colonie. Le Congo serait un débouché naturel pour les richesses de l'intérieur ; mais, non loin de la côte, ce fleuve traverse une région montagneuse, il cesse d'être navigable à partir de Matadi et ne le redevient qu'au Staney Pool (Brazzaville-Kinshassa). Matadi est relié à Kinshassa par le chemin de fer que le roi Léopold fit exécuter en Congo belge, sur les indications et sous la

9 août, 5 heures du soir.

Nous entrons dans les eaux du Congo. Gagnons Banane dans la vedette du commandant. Chaque occasion de descendre à terre nous trouve prêts. Retour à la nuit tombante.

La joie est peut-être aussi vive ; mais elle entre en moi moins avant ; elle éveille un écho moins retentissant dans mon cœur. Ah ! pouvoir ignorer que la vie rétrécit devant moi sa promesse... Mon cœur ne bat pas moins fort qu'à vingt ans.

Lente remontée du fleuve dans la nuit. Sur la

direction du colonel Thys. Ce chemin de fer qui fonctionne depuis 1900 traverse la région que J. Conrad devait encore traverser à pied en 1890 et dont il parle dans *Cœur de Ténèbres* — livre admirable qui reste encore aujourd'hui profondément vrai, j'ai pu m'en convaincre, et que j'aurai souvent à citer. Aucune outrance dans ses peintures : elles sont cruellement exactes ; mais ce qui les désassombrit, c'est la réussite de ce projet qui, dans son livre, paraît si vain. Si coûteux qu'ait pu être, en argent et en vies humaines, l'établissement de cette voie ferrée, à présent elle existe pour l'immense profit de la colonie belge — et de la nôtre. Mais désormais elle est insuffisante ; à quel point, c'est ce que cette lettre du Président de la Chambre de Commerce belge à Kinshassa, laisse entrevoir :

« La situation, au point de vue du "cargo général magasin", (c'est-à-dire : marchandises de commerce emballées en caisses) est plus inextricable qu'elle ne l'a jamais été. Au 1er janvier 1926, il y avait dans les magasins de la Manucongo à Matadi 6 089 200 kilos de marchandises en souffrance. Dans ce stock, on comptait 694 tonnes du *Rogier* parti en octobre. Ce dernier steamer était à Matadi depuis plus de soixante-dix jours, et pas un seul colis n'avait encore été déchargé au moment où je me trouvais à Matadi.

« Les chargements des 4 steamers français : *Alba, Europe, Tchad, Asie,* comportant près de 80 000 dames-jeannes et un nombre considérable de caisses de vin, restaient en souffrance dans les magasins de la Manucongo. »

rive gauche, au loin, quelques lumières ; un feu de brousse, à l'horizon ; à nos pieds l'effrayante épaisseur des eaux.

(10 août).

Un absurde contretemps m'empêche, en passant à Bôma (Congo belge), d'aller présenter mes respects au Gouverneur. Je n'ai pas encore bien compris que, chargé de mission, je représente, et suis dès à présent un personnage officiel. Le plus grand mal à me gonfler jusqu'à remplir ce rôle.

Matadi [1] *(10 août), 6 heures du soir.*

Partis le 12, à 6 heures du matin — arrivés à Thysville à 6 h 30 du soir.

Nous repartons vers 7 heures du matin, pour n'arriver à Kinshassa qu'à la nuit close.

Le lendemain traversée du Stanley-Pool. Arrivée vendredi 14 à 9 heures du matin à Brazzaville [2].

1. « La seule raison d'être de cette ville est sa position au point terminus de la navigation et à la tête de ligne du chemin de fer. Construite en toute hâte au milieu des rochers, dans des conditions aussi peu hygiéniques que possible, elle laisse la plus détestable impression à tous les Français, qui sont obligés d'y séjourner, malgré l'obligeance des fonctionnaires du chemin de fer belge. » A. Chevalier, *L'Afrique centrale française*, p. 3.

2. « La voie ferrée (de Matadi à Kinshassa) qui se continue pendant 400 km à travers une véritable Suisse africaine, a exigé un grand nombre de travaux d'art et coûté environ 70 millions. Elle est entièrement l'œuvre du Colonel Thys, qui en présenta le projet dès 1887. Les premiers travaux de terrassement furent commencés en mars 1890, mais ce n'est que huit ans plus tard, en mars 1898,

Brazzaville.

Étrange pays, où l'on n'a pas si chaud que l'on transpire.

À chasser les insectes inconnus, je retrouve des joies d'enfant. Je ne me suis pas encore consolé d'avoir laissé échapper un beau longicorne vert pré, aux élytres damasquinés, zébrés, couverts de vermiculures plus foncées ou plus pâles ; de la dimension d'un bupreste, la tête très large, armée de mandibules-tenailles. Je le rapportais d'assez loin, le tenant par le corselet, entre pouce et index ; sur le point d'entrer dans le flacon de cyanure, il m'échappe et s'envole aussitôt.

Je m'empare de quelques beaux papillons porte-queue, jaune soufré maculés de noir, très communs ; et d'un autre un peu moins fréquent, semblable au machaon, mais plus grand, jaune zébré de noir (que j'avais vu au Jardin d'Essai de Dakar).

Ce matin, nous sommes retournés au confluent du Congo et du Djoué, à six kilomètres environ de Brazzaville. (Nous y avions été hier au coucher du soleil.) Petit village de pêcheurs. Bizarre lit de rivière à sec, tracé par une incompréhensible

que la locomotive arriva au Stanley-Pool. Actuellement la compagnie fait plus d'un million de recettes par mois. Non seulement elle draine tous les produits de l'intérieur du Congo belge, mais elle est aussi l'unique voie actuellement praticable pour accéder dans le Moyen-Congo, dans la Sangha, dans l'Oubangui et dans les territoires du Tchad. » Chevalier, *ibid.*, p. 3.

accumulation de « boulders » presque noirs ; on dirait la morène d'un glacier. Nous bondissons de l'une à l'autre de ces roches arrondies, jusqu'aux bords du Congo. Petit sentier, presque au bord du fleuve ; crique ombragée, où une grande pirogue est amarrée. Papillons en grand nombre et très variés ; mais je n'ai qu'un filet sans manche et laisse partir les plus beaux. Nous gagnons une partie plus boisée, tout au bord de l'affluent, dont les eaux sont sensiblement plus limpides. Un fromager énorme, au monstrueux empattement, que l'on contourne ; de dessous le tronc, jaillit une source. Près du fromager, un amorphophallus violet pourpré, sur une tige épineuse de plus d'un mètre. Je déchire la fleur et trouve, à la base du pistil, un grouillement de petits asticots. Quelques arbres, auxquels les indigènes ont mis le feu, se consument lentement par la base.

J'écris ceci dans le petit jardin de la très agréable case que M. Alfassa, le Gouverneur général intérimaire, a mis à notre disposition. La nuit est tiède ; pas un souffle. Un incessant concert de grillons et, formant fond, de grenouilles.

23 août.

Troisième visite aux rapides du Congo. Mais cette fois, nous nous y prenons mieux, et du reste guidés avec quelques autres par M. et Mme Chaumel, nous traversons un bras du Djoué en pirogue et gagnons le bord même du fleuve, où la hauteur des vagues et l'impétuosité du courant sont particulièrement sensibles. Un ciel radieux impose sa sérénité à ce spectacle, plus majestueux que romantique. Par instants, un remous creuse un sillon profond ; une gerbe d'écume bondit. Aucun rythme ; et je m'explique mal ces inégalités du courant.

— « Et croiriez-vous qu'un pareil spectacle attend encore son peintre ! » s'écrie un des invités, en me regardant. C'est une invite à laquelle je ne répondrai point. L'art comporte une tempérance et répugne à l'énormité. Une description ne devient pas plus émouvante pour avoir mis dix au lieu d'un. On a blâmé Conrad, dans le *Typhon*, d'avoir escamoté le plus fort de la tempête. Je l'admire au contraire d'arrêter son récit précisément au seuil de l'affreux, et de laisser à l'imagination du lecteur libre jeu, après l'avoir mené, dans l'horrible, jusqu'à tel point qui ne parût pas dépassable. Mais c'est une commune erreur, de croire que la sublimité de la peinture tient à l'énormité du sujet. Je lis dans le bulletin de la Société des recherches Congolaises (n° 2) :

« Ces tornades, dont la violence est extrême, sont, à mon avis, la plus belle scène de la nature intertropicale. Et je terminerai en exprimant le regret qu'il ne se soit pas trouvé, parmi les coloniaux, un musicien né pour les traduire en musique. » Regret que nous ne partagerons point.

24 et 25 août.

Procès Sambry.

Moins le blanc est intelligent, plus le noir lui paraît bête.

L'on juge un malheureux administrateur, envoyé trop jeune et sans instructions suffisantes, dans un poste trop reculé. Il y eût fallu telle force de caractère, telle valeur morale et intellectuelle, qu'il n'avait pas. À défaut d'elles, pour imposer aux indigènes, on recourt à une force précaire, spasmodique et dévergondée. On prend peur ; on s'affole ; par manque d'autorité naturelle, on cherche à régner par la terreur. On perd prise, et bientôt plus rien ne suffit à dompter le mécontentement grandissant des indigènes, souvent parfaitement doux, mais que révoltent et poussent à bout les injustices, les sévices, les cruautés [1].

Ce qui paraît ressortir du procès, c'est surtout l'insuffisance de surveillance. Il faudrait pouvoir n'envoyer dans les postes reculés de la brousse, que des agents de valeur déjà reconnue. Tant qu'il n'aura pas fait ses preuves, un administrateur encore jeune demande à être très étroitement encadré.

L'avocat défenseur profite de cette affaire, pour faire le procès de l'administration en général, avec de faciles effets d'éloquence et des gestes à la Daumier, que j'espérais hors d'usage depuis longtemps. Prévenu de l'attaque, et pour y faire face, M. Prouteaux, chef de cabinet du Gouverneur, avait courageusement pris place aux côtés du ministère public ; ce que certains ne manquèrent pas de trouver « déplacé ».

À noter l'effarante insuffisance des deux interprètes ; parfaitement incapables de comprendre

1. Si graves que puissent être les faits reprochés à Sambry, hélas ! nous verrons pire, par la suite.

les questions posées par le juge, mais que toujours ils traduisent quand même, très vite et n'importe comment, ce qui donne lieu à des confusions ridicules. Invités à prêter serment, ils répètent stupidement : « Dis : je le jure », aux grands rires de l'auditoire. Et lorsqu'ils transmettent les dépositions des témoins, on patauge dans l'à-peu-près.

L'accusé s'en tire avec un an de prison et le bénéfice de la loi Bérenger.

Je ne parviens pas à me faire une opinion sur celle des nombreux indigènes qui assistent aux débats et qui entendent le verdict. La condamnation de Sambry satisfait-elle leur idée de justice ?...

Durant la troisième et dernière séance de ce triste procès, un très beau papillon est venu voler dans la salle d'audience, dont toutes les fenêtres sont ouvertes. Après de nombreux tours, il s'est inespérément posé sur le pupitre devant lequel j'étais assis, où je parviens à le saisir sans l'abîmer.

Le lendemain, je reçois la visite de M. X, l'un des juges assesseurs.

— « Voulez-vous le secret de tout ceci ? me dit-il ; Sambry couchait avec les femmes de tous les miliciens à ses ordres. Il n'y a pas pire imprudence. Dès qu'on ne les tient plus en main, ces gardes indigènes deviennent terribles. Presque toutes les cruautés qu'on reproche à Sambry sont leur fait. Mais tous ont déposé contre lui, vous l'avez vu. »

Je prends ces notes trop « pour moi » ; je m'aperçois que je n'ai pas décrit Brazzaville. Tout m'y charmait d'abord : la nouveauté du climat, de la lumière, des feuillages, des parfums, du chant des oiseaux, et de moi-même aussi parmi cela, de sorte que par excès d'étonnement, je ne trouvais plus rien à dire. Je ne savais le nom de rien. J'admirais indistinctement. On n'écrit pas bien dans l'ivresse. J'étais grisé.

Puis, passé la première surprise, je ne trouve plus aucun plaisir à parler de ce que déjà je voudrais quitter. Cette ville, énormément distendue, n'a de charmant que ce qu'elle doit au climat et à sa position allongée près du fleuve. En face d'elle Kinshassa paraît hideuse. Mais Kinshassa vit d'une vie intense ; et Brazzaville semble dormir. Elle est trop vaste pour le peu d'activité qui s'y déploie. Son charme est dans son indolence. Surtout je m'aperçois qu'on ne peut y prendre contact réel avec rien ; non point que tout y soit factice ; mais l'écran de la civilisation s'interpose, et rien n'y entre que tamisé.

Et je ne doute pas qu'il n'y aurait beaucoup à apprendre sur le fonctionnement des rouages de l'administration en particulier ; mais pour le bien comprendre, il faudrait connaître déjà le pays. Ce qui pourtant commence à m'apparaître, c'est l'extraordinaire complication, l'enchevêtrement de tous les problèmes coloniaux. La question de chemin de fer de Brazzaville à Pointe-Noire serait particulièrement intéressante à étudier ; mais je n'en puis connaître que ce que l'on m'en raconte, et tous les récits que j'entends se contredisent ; ce qui m'amène à me méfier de tous et de chacun. On parle beaucoup de désordre, d'imprévoyance et d'incurie... Je ne veux tenir pour certain que ce que j'aurai pu voir moi-même, ou pu suffisamment contrôler. Sans interprète, comment interroger les « Saras » que je rencontre, ces grands et forts Saras que l'on fait venir de la région du Tchad pour les travaux de la voie ferrée ? Et ceux-ci ne savent rien encore : ils arrivent. Ils sont là, devant la mairie, en troupeau, répondant à l'appel et attendant une distribution de manioc, que d'autres indigènes apportent dans de grands paniers. Comment savoir s'il est vrai que, parmi ceux qui les ont précédés sur les chantiers, la mortalité a été, comme on nous le dit, consternante ?... Je suis trop neuf dans le pays [1].

Nous engageons, au petit bonheur, deux boys et un cuisinier. Ce dernier, qui répond au nom ridi-

1. Je ne pouvais prévoir que ces questions sociales angoissantes, que je ne faisais qu'entrevoir, de nos rapports avec les indigènes, m'occuperaient bientôt jusqu'à devenir le principal intérêt de mon voyage, et que je trouverais dans leur étude ma raison d'être dans ce pays. Ce qu'en face d'elles je sentais alors, c'est surtout mon incompétence. Mais j'allais m'instruisant.

Pour le voyageur nouveau venu dans un pays où pour lui tout est neuf, une indécision l'arrête. S'intéressant à tout également, il ne peut suffire et d'abord il ne note rien, faute de pouvoir tout noter. Heureux le sociologue qui ne s'intéresse qu'aux mœurs ; le peintre qui ne consent à voir du pays que l'aspect ; le naturaliste qui choisit de ne s'occuper que des insectes ou que des plantes ; heureux le spécialiste ! Il n'a pas trop de tout son temps pour son domaine limité. Vivrais-je une seconde vie, j'accepterais, pour mon bonheur, de n'étudier que les termites. (C'est à Brazzaville que je rencontrai les premiers ; si prévenu que je fusse, ils ouvrirent devant moi de larges avenues de surprise. J'y reviendrai). Que l'on m'excuse donc si je ne savais encore poser sur tout ce que m'offrait la nouveauté, qu'un regard incertain et vague.

cule de Zézé, est hideux. Il est de Fort-Crampel. Les deux boys, Adoum et Outhman, sont des Arabes du Ouadaï, que ce voyage vers le nord va rapprocher de leur patrie.

30 août.

Engourdissement, peut-être diminution. La vue baisse ; l'oreille durcit ; aussi bien portent-elles moins loin des désirs sans doute plus faibles. L'important, c'est que cette équation se maintienne entre l'impulsion de l'âme et l'obéissance du corps. Puissé-je, même alors et vieillissant, maintenir en moi l'harmonie. Je n'aime point l'orgueilleux raidissement du stoïque ; mais l'horreur de la mort, de la vieillesse et de tout ce qui ne se peut éviter, me semble impie. Je voudrais rendre à Dieu quoi qu'il m'advienne, une âme reconnaissante et ravie.

2 septembre.

Congo-Belge. — Nous prenons une auto pour Léopoldville. Visite au Gouverneur Engels. Il nous conseille de pousser jusqu'à Coquillatville (Equateurville) et propose de mettre une baleinière à notre disposition, pour nous ramener à Liranga, que nous pensions d'abord gagner directement.

Notre véranda est encombrée de caisses et de colis. Le bagage doit être fractionné en charges de vingt à vingt-cinq kilos [1]. Quarante-trois cais-

1. « Chacun portant une charge de trente livres » lisons-nous

settes, sacs ou cantines, contenant l'approvisionnement pour la seconde partie de notre voyage, seront expédiés directement à Fort Archambault, où nous avons promis à Marcel de Coppet d'arriver pour la Noël. Nous n'emporterons avec nous, pour le crochet en Congo belge, que le « strict nécessaire » ; nous retrouverons le reste à Liranga, apporté par le *Largeau*, dans dix jours. Brazzaville ne nous offre plus rien de neuf ; nous avons hâte d'aller plus loin.

dans la traduction de *Cœur des Ténèbres* (p. 118). C'est trente kilos qu'il faudrait lire. (a 60 lb load, dit le texte anglais ; soit exactement : 27 kilos 21, la lb anglaise étant de 453 grammes.)

CHAPITRE II

La lente remontée du fleuve

5 septembre.

Ce matin, au lever du jour, départ de Brazzaville. Nous traversons le Pool pour gagner Kinshassa où nous devons nous embarquer sur le *Brabant*. La duchesse de Trévise, envoyée par l'Institut Pasteur, vient avec nous jusqu'à Bangui, où son service l'appelle.

Traversée du Stanley-Pool. Ciel gris. S'il faisait du vent, on aurait froid. Le bras du pool est encombré d'îles, dont les rives se confondent avec celles du fleuve ; certaines de ces îles sont couvertes de buissons et d'arbres bas ; d'autres, sablonneuses et basses, inégalement revêtues d'un maigre hérissement de roseaux. Par places, de larges remous circulaires lustrent la grise surface de l'eau. Malgré la violence du courant, le cours de l'eau semble incertain. Il y a des contre-courants, d'étranges vortex, et des retours en arrière, qu'accusent les îlots d'herbe entraînés. Ces îlots sont parfois énormes ; les colons s'amusent à les appeler des « concessions portugaises ». On nous a dit et répété que cette remontée du Congo, interminable, était indiciblement monotone. Nous mettrons un point d'honneur à ne pas le reconnaître. Nous avons tout à apprendre et épelons le paysage lentement. Mais nous ne cessons pas de sentir que ce n'est là que le prologue d'un voyage qui ne commencera vraiment que lorsque nous pourrons prendre plus directement contact avec le pays. Tant que nous le contemplerons du bateau, il restera pour nous comme un décor distant et à peine réel.

Nous longeons la rive belge d'assez près. À peine si l'on distingue, là-bas, tout au loin, la rive française. Énormes étendues plates, couvertes de roseaux, où mon regard cherche en vain des hippopotames. Sur le bord, par instants, la végétation s'épaissit ; les arbrisseaux, les arbres remplacent les roseaux ; mais toujours, arbre ou roseau, la végétation empiète sur le fleuve — ou le fleuve sur la végétation du bord, comme il advient en temps de crue (mais dans un mois les eaux seront beaucoup plus hautes, nous dit-on). Branches et feuilles baignent et flottent, et le remous du bateau, comme par une indirecte caresse, en passant les soulève doucement.

Sur le pont, une vingtaine de convives à la table commune. Une autre table, parallèle à la première, où l'on a mis nos trois couverts.

Une montagne assez haute ferme le fond du pool, devant laquelle le pool s'élargit. Les remous se font plus puissants et plus vastes ; puis le *Bra-*

bant s'engage dans le « couloir ». Les rives deviennent berges et se resserrent. Le Congo coule alors entre une suite rompue d'assez hautes collines boisées. Le faîte des collines est dénudé, ou du moins semble couvert d'herbes rases, à la manière des « chaumes » vosgiens ; pacages où l'on s'attend à voir des troupeaux.

Arrêt devant un poste à bois, vers deux heures (j'ai cassé ma montre hier soir). Aimables ombrages des manguiers. Peuple indolent, devant quelques huttes. Je vois pour la première fois des ananas en fleur. Surprenants papillons, que je poursuis en vain avec un filet sans monture, car j'ai perdu le manche à Kinshassa. La lumière est glorieuse ; il ne fait pas trop chaud.

Le navire s'arrête à la tombée du jour sur la rive française, devant un misérable village : vingt huttes clairsemées autour d'un poste à bois, où le *Brabant* se ravitaille. Chaque fois que le navire accoste, quatre énormes nègres, deux à l'avant, deux à l'arrière, plongent et gagnent la rive pour y fixer les amarres. La passerelle est rabattue ; elle ne suffit pas, et de longues planches la prolongent. Nous gagnons le village, guidés par un petit vendeur de colliers qui fait avec nous le voyage ; une bizarre résille bleue marbrée de blanc couvre son torse et retombe sur une culotte de nankin. Il ne comprend pas un mot de français mais sourit, lorsqu'on le regarde, d'une façon si exquise que je le regarde souvent. Nous parcourons le village, profitant des dernières lueurs. Les indigènes sont tous galeux ou teigneux, ou rogneux, je ne sais ; pas un n'a la peau nette et saine. Vu pour la première fois l'extraordinaire fruit des « barbadines » (passiflores).

La lune encore presque pleine transparaît derrière la brume, exactement à l'avant du navire, qui s'avance tout droit dans la barre de son reflet. Un léger vent souffle continûment de l'arrière et rabat de la cheminée vers l'avant une merveilleuse averse d'étincelles : on dirait un essaim de lucioles. Après une contemplation prolongée, il faut me résigner à regagner ma cabine, à étouffer et suer sous la moustiquaire. Puis lentement l'air fraîchit, le sommeil vient... De curieux cris me réveillent : je me relève et descends sur le premier pont à peine éclairé par les lueurs du four où les cuisiniers préparent le pain avec de grands rires et des chants. Je ne sais comment les autres, étendus tout auprès, font pour dormir. À l'abri d'un amoncellement de caisses, éclairés par une lanterne-tempête, trois grands nègres autour d'une table jouent aux dés ; clandestinement, car les jeux d'argent sont interdits.

5 et 6 septembre.

Je relis l'oraison funèbre d'Henriette de France. À part l'admirable portrait de Cromwell et certaine phrase du début sur les limites que Dieu impose au développement du schisme, je n'y trouve pas beaucoup d'excellent, du moins à mon goût. Je relève pourtant cette phrase : « ... parmi les plus mortelles douleurs, on est encore capable de joie » ; et : « ... entreprise... dont le succès paraît infaillible, tant le concert en est juste ». Abus de citations flasques.

L'oraison d'Henriette d'Angleterre, que je relis sitôt ensuite, me paraît beaucoup plus belle, et plus constamment. Ici je retrouve mon admiration la plus vive. Mais quel spécieux raisonnement ! Imagine-t-on quelqu'un qui dirait à un voyageur : « Ne regardez donc pas le fuyant paysage, contemplez plutôt la paroi du wagon, qui elle, du moins, ne change pas. » Eh parbleu ! lui répondrais-je, j'aurai tout le temps de contempler l'immuable, puisque vous m'affirmez que mon âme est immortelle ; permettez-moi d'aimer bien vite ce qui disparaîtra dans un instant.

Après une seconde journée un peu monotone, nous avons passé la nuit devant la mission américaine de Tchoumbiri, où nous avions amarré dès six heures. (La nuit précédente le *Brabant* ne s'était pas arrêté.) Le soleil se couchait tandis que nous traversions le village ; palmiers, bananiers abondants, les plus beaux que j'aie vus jusqu'ici, ananas, et ces grands arums à rhizomes comestibles (taros). L'aspect de la prospérité. Les missionnaires sont absents. Tout un peuple était sur la rive, attendant le débarquement du bateau ; car avant d'accoster nous avions longé quantité d'assez importants villages.

Nous sommes redescendus à terre après le dîner, à la nuit close, escortés par un troupeau d'enfants provocants et gouailleurs. Sur les terres basses, au bord du fleuve, d'innombrables lucioles paillettent l'herbe, mais s'éteignent dès qu'on veut les saisir. Je remonte à bord et m'attarde sur le premier pont, parmi les noirs de l'équipage, assis sur une table auprès du petit vendeur de colliers qui somnole, la main dans ma main et la tête sur mon épaule.

Lundi matin, 7 septembre.

Au réveil, le spectacle le plus magnifique. Le soleil se lève tandis que nous entrons dans le pool de Bolobo. Sur l'immense élargissement de la nappe d'eau, pas une ride, pas même un froissement léger qui puisse en ternir un peu la surface ; c'est une écaille intacte, où rit le très pur reflet du ciel pur. À l'orient quelques nuages longs que le soleil empourpre. Vers l'ouest, ciel et lac sont d'une même couleur de perle, un gris d'une délicatesse attendrie, nacre exquise où tous les tons mêlés dorment encore, mais où déjà frémit la promesse de la riche diaprure du jour. Au loin, quelques îlots très bas flottent impondérablement sur une matière fluide... L'enchantement de ce paysage mystique ne dure que quelques instants ; bientôt les contours s'affirment, les lignes se précisent ; on est sur terre de nouveau.

L'air parfois souffle si léger, si suave et voluptueusement doux, qu'on croit respirer du bien-être.

Tout le jour nous avons circulé entre les îles ;

certaines abondamment boisées, d'autres couvertes de papyrus et de roseaux. Un étrange enchevêtrement de branches s'enfonce épaissement dans l'eau noire. Parfois quelque village, dont les huttes se distinguent à peine ; mais on est averti de sa présence par celle des palmiers et des bananiers. Et le paysage, dans sa monotonie variée, reste si attachant que j'ai peine à le quitter pour la sieste.

Admirable coucher de soleil, que double impeccablement l'eau lisse. D'épaisses nuées obscurcissent déjà l'horizon ; mais un coin de ciel s'ouvre, ineffablement, pour laisser voir une étoile inconnue.

8 septembre.

Il est réjouissant de penser que c'est précisément à ses qualités les plus profanes et qui lui paraissaient les plus vaines, que l'orateur sacré doit sa survie dans la mémoire des hommes.

Je m'attendais à une végétation plus oppressante. Épaisse, il est vrai, mais pas très haute et n'encombrant ni l'eau ni le ciel. Les îles, ce matin, se disposent sur le grand miroir du Congo d'une manière si harmonieuse qu'il semble que l'on circule dans un parc d'eau.

Parfois quelque arbre étrange domine le taillis épais de la rive et fait solo dans la confuse symphonie végétale. Pas une fleur ; aucune note de couleur autre que la verte, un vert égal, très sombre et qui donne à ce paysage une tranquillité solennelle, semblable à celle des oasis monochromes, une noblesse où n'atteint pas la diversité nuancée de nos paysages du Nord [1].

Hier soir, arrêt à N'Kounda, sur la rive française. Étrange et beau village, que l'imagination embellit encore ; car la nuit est des plus obscures. L'allée de sable où l'on s'aventure luit faiblement. Les cases sont très distantes les unes des autres ; voici pourtant une sorte de rue, ou de place très allongée ; plus loin, un défoncement de terrain, marais ou rivière, qu'abritent quelques arbres énormes d'essence inconnue ; et, tout à coup, non loin du bord de cette eau cachée, un petit enclos où l'on distingue trois croix de bois. Nous grattons une allumette pour lire leur inscription. Ce sont les tombes de trois officiers français. Auprès de l'enclos une énorme euphorbe candélabre se donne des airs de cyprès.

Terrible engueulade du colon « Léonard », sorte de colosse court, aux cheveux noirs plaqués à la Balzac, qui retombent par mèches sur son visage plat. Il est affreusement ivre et, monté sur le pont du *Brabant*, fait d'abord un raffut de tous les diables au sujet d'un boy qu'un des passagers

1. Dans sa très remarquable relation de voyage, Auguste Chevalier, qui remontait le Congo en août (1902), peint au contraire cette partie de la forêt comme très fleurie. Même dans la région équatoriale, la saison des fleurs ne dure qu'un temps assez court.
Lorsque nous traverserons le Cameroun au printemps, nous admirerons des champs couverts de grands amaryllis, que nous n'aurions pu voir quelques jours plus tard ou plus tôt.

vient d'engager et dont il prétend se ressaisir. On tremble pour le boy, s'il y parvient. Puis c'est à je ne sais quel Portugais qu'il en a et vers lequel il jette ses imprécations ordurières. Nous le suivons dans la nuit, sur la rive, jusqu'en face d'un petit bateau que, si nous comprenons bien, le dit Portugais vient de lui acheter, mais qu'il n'a pas encore payé.

« Il me doit quatre-vingt-six mille francs, ce fumier, cette ordure, ce Ppportugais. C'est même pas un vrai Portugais. Les vrais Portugais, ils restent chez eux. Il y a trois espèces de Portugais, les vrais Portugais ; et puis les Portugais de la merde ; et puis la merde de Portugais. Lui, c'est de la merde de Portugais. Fumier ! Ordure ! Tu me dois quatre-vingt-six mille francs... » Et il recommence, répétant et criant à tue-tête les mêmes phrases, exactement les mêmes, dans le même ordre, inlassablement. Une négresse se suspend à son bras ; c'est sa « ménagère », sans doute. Il la repousse brutalement, et l'on croit qu'il va cogner. On le sent d'une force herculéenne...

Une heure plus tard, le voici qui rapplique sur le pont du *Brabant*. Il veut trinquer avec le commandant ; mais, comme celui-ci, très ferme, lui refuse le champagne qu'il demande, s'abritant derrière un règlement qui interdit de servir des consommations passé neuf heures, l'autre s'emporte et l'enguirlande. Il descend enfin, mais, de la rive, invective encore, tandis que, reculé dans la nuit à l'autre bout du pont, le pauvre commandant à qui je vais tenir compagnie, tout tremblant et les larmes aux yeux, boit la honte sans souffler mot. C'est un Russe, de la suite du Tsar, condamné à mort par le tribunal révolutionnaire, qui a pris du service en Belgique, laissant à Léningrad sa femme et ses deux filles.

Après que Léonard est enfin parti, rentrant dans la nuit, cette pauvre épave proteste : « Amiral ! Il me traite d'amiral... Mais je n'ai jamais été amiral... » Il craint que la duchesse de Trévise n'ait ajouté foi aux perfides accusations de Léonard. Le lendemain, il nous dira qu'il n'a pas pu dormir un seul instant. Et par protestation, par sympathie, les passagers, qui jusqu'alors l'appelaient simplement : « capitaine », ce matin lui donnent du « commandant » à qui mieux mieux.

Le spectacle se rapproche de ce que je croyais qu'il serait ; il devient *ressemblant*. Abondance d'arbres extrêmement hauts, qui n'opposent plus au regard un trop impénétrable rideau ; ils s'écartent un peu, laissent s'ouvrir des baies profondes de verdure, se creuser des alcôves mystérieuses et, si des lianes les enlacent, c'est avec des courbes si molles que leur étreinte semble voluptueuse et pour moins d'étouffement que d'amour.

8 septembre.

Mais cette orgie n'a pas duré. Ce matin, tandis que j'écris ces lignes, les îles entre lesquelles nous voguons n'offrent plus qu'une touffe uniforme.

Hier, nous avions navigué toute la nuit. Ce soir,

à la nuit tombante, nous jetons l'ancre au milieu du fleuve pour repartir aux premières lueurs.

Hier, l'escale à Loukoléla fut particulièrement émouvante. Profitant de l'heure d'arrêt, tous trois nous avons gravi en hâte le bel escalier de bois qui relie l'importante scierie de la rive au village qui la domine ; puis, suivant le sentier devant nous, qui pénètre dans la forêt, nous nous sommes enfoncés presque anxieusement dans une Broceliande enchantée. Ce n'était pas encore la grande forêt ténébreuse, mais solennelle déjà, peuplée de formes, d'odeurs et de bruits inconnus.

J'ai rapporté quelques très beaux papillons ; ils volaient en grand nombre sur notre sentier, mais d'un vol si fantasque et rapide qu'on avait le plus grand mal à les saisir. Certains, azurés et nacrés comme des *morphos*, mais aux ailes très découpées et portant queue, à la manière des *flambés* de France.

Parfois d'étroits couloirs liquides s'ouvrent profondément sous les ramures, où l'on souhaite s'aventurer en pirogue ; et rien n'est plus attirant que leur mystère ténébreux. La liane la plus fréquente est cette sorte de palmier flexible et grimpant qui dispose en un rythme alterné, tout au long de sa tige courbée, de grandes palmes-girandoles, d'une grâce un peu maniérée.

12 septembre.

Arrivés le 9 à Coquillatville. J'ai perdu prise. Je crains de me désintéresser de ce carnet si je ne le tiens pas à jour. Le gouverneur a mis à notre disposition une auto et l'aimable M. Jadot, procureur du Roi, nous accompagne à travers les quartiers de cette vaste et encore informe ville. On admire non tant ce qu'elle est, que ce que l'on espère qu'elle sera dans dix ans. Remarquable hôpital indigène, non encore achevé, mais où déjà presque rien ne manque [1].

Le directeur de cet hôpital est un Français, un Algérien d'aspect énergique, médecin de grande valeur, paraît-il, et qu'il est bien regrettable qu'un traitement suffisant n'ait pas pu retenir au Congo français, où l'assistance médicale fait si grand défaut [2].

Le 11, visite au jardin d'essai d'Eala, le vrai but de ce détour en Congo belge. M. Goosens, le directeur de ce jardin, présente à notre émerveillement les plus intéressants de ses élèves : cacaoyers, caféiers, arbres à pain, arbres à lait, arbres à bougies, arbres à pagnes, et cet étrange bananier de Madagascar, l'« arbre du voyageur », dont les larges feuilles laissent sourdre, à la base de leur pétiole qu'un coup de canif a crevé, un verre d'eau pure pour le voyageur altéré. Déjà nous avions passé à Eala, la veille, quelques heures exquises. Inépuisable science de M. Goosens, et complaisance inlassable à satisfaire notre insatiable curiosité.

1. Pour ne point se désoler trop en lui comparant notre triste hôpital Brazzaville, on est bien forcé de se répéter que les Belges n'ont qu'une colonie et qu'ils peuvent porter sur elle tout leur effort ; que le Congo par contre est notre colonie la plus pauvre et que l'on commence heureusement, en France, à se préoccuper de sa détresse.

2. C'est un médecin français également qui dirige, et pour les mêmes raisons budgétaires, l'hôpital modèle de Kinshassa.

13 septembre.

Les journées les plus intéressantes sont précisément celles où le temps manque pour rien noter. Hier, interrompu par l'auto qui vient nous prendre de bon matin pour nous mener à Eala, où nous nous embarquons en baleinière. Une tornade, durant la nuit, avait un peu rafraîchi l'atmosphère ; néanmoins il faisait encore une belle chaleur. Nous remontons la « Bousira », et débarquons parmi les roseaux en face de Bolombo, dépendance d'Eala, où M. Goosens a établi ses plus importantes pépinières et vergers de palmiers à huile. Sur ma demande, on nous promène dans la forêt durant deux heures, le long d'un très petit sentier presque indistinct, où nous précède un indigène armé d'une machette pour frayer la route. Si intéressante que soit cette circulation parmi les végétaux inconnus, il faut bien avouer que cette forêt me déçoit. J'espère trouver mieux ailleurs. Celle-ci n'est pas très haute ; je m'attendais à plus d'ombre, de mystère et d'étrangeté. Ni fleurs, ni fougères arborescentes ; et lorsque je les réclame, comme un numéro du programme que la représentation escamote, on me répond que « ce n'est pas la région ».

Vers le soir, remontée en pirogue jusqu'à X... où nous attendent les autos. De grandes étendues de roseaux étalent au bord de la rivière un vert plus tendre. La pirogue circule sur une plaque d'ébène à travers les nymphéas blancs, puis s'enfonce sous les branches dans une clairière inondée ; les troncs se penchent sur leur reflet ; des rayons obliques trouent les feuillages. Un long serpent vert court de branche en branche, que nos boys poursuivent, mais qui se perd au plus épais du taillis.

14 septembre.

Départ de Coquillatville à huit heures sur un petit huilier qui devait nous mener au lac Tomba ; mais l'obligation de retrouver le *Largeau* à Liranga, le 17, nous presse. Le lac est « dangereux » ; nous pourrions être retardés par une tornade. Nous quitterons le *Ruby* à Irébou, où nous passerons le 15, et d'où une baleinière nous mènera à Liranga. Le ciel est très chargé. Hier soir, de monstrueux éclairs trifourchus illuminaient le ciel ; beaucoup plus grands, m'a-t-il semblé, que ceux d'Europe, mais muets ou trop distants pour nous permettre d'entendre leur tonnerre. À Coquillatville, nous avions été dévorés par les moustiques. La nuit on suffoquait sous la moustiquaire, trempé de sueur. D'énormes blattes s'ébattaient sur nos objets de toilette.

Hier, au marché, vente à la criée de viande d'hippopotame : puanteur insoutenable. Foule grouillante et hurlante ; beaucoup de discussions, de disputes, entre femmes surtout, mais qui toujours se terminent par des rires.

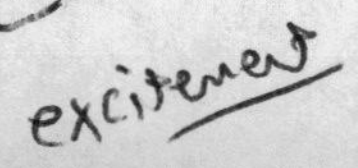

Le *Ruby* est flanqué de deux baleinières aussi longues que lui, chargées de bois, de caisses et de nègres. Il fait frais, moite et terriblement orageux. Dès que le *Ruby* se met en marche, trois nègres commencent un assourdissant tam-tam, sur une calebasse et un énorme tambour de bois, long comme une couleuvrine, grossièrement sculpté et peinturluré.

Relu l'oraison funèbre de Marie-Thérèse d'Autriche. Admirables passages ; je crois bien que je la préfère à celles des deux Henriettes.

15 septembre.

Le *Ruby* nous a débarqués à Irébou, à la nuit tombante. Reçus par le commandant Mamet, qui dirige le campement militaire, un des plus anciens du Congo belge. Une belle avenue de palmiers de trente ans, longeant le fleuve (ou du moins le bras qui alimente le lac Tomba), nous mène à la case qu'on nous a réservée. Dîner chez le commandant. Dévorés de moustiques.

Ce matin, promenade en baleinière vers le lac Tomba. Admirables chants des pagayeurs. La caisse de métal, à l'arrière de la baleinière, sert de tambour, sur laquelle, avec une grosse bûche, tape un des noirs, inlassablement ; et la baleinière, toute de métal, vibre toute ; on dirait le rythme régulier d'un piston, réglant l'effort des pagayeurs. Derrière celui qui tape la grosse caisse, un indigène plus jeune, armé d'une baguette, brise le rythme implacable par un système régulier de syncopes dans l'entre-temps.

Arrêt à Makoko (Boloko), petit village sur le large chenal qui relie le Congo au lac Tomba. Le temps manque pour pousser jusqu'au lac. Il fait très chaud. Le soleil de midi tape dur. Sur la rive, je poursuis de grands papillons noirs lamés d'azur. Puis, tandis que notre déjeuner se prépare, je m'enfonce, avec mes deux compagnons, dans la forêt qui touche au village. De grands papillons inconnus naissent devant nos pas, nous précèdent d'un vol fantasque dans le sentier sinueux, puis se perdent dans l'entrelacs des lianes où ne peut les atteindre mon filet. Il y en a d'énormes, et j'enrage de ne pouvoir m'en saisir. (J'en capture pourtant quelques-uns ; mais les plus surprenants m'échappent). Ce petit coin de forêt nous paraît plus beau que tout ce que nous avons vu dans notre longue promenade aux environs d'Eala. Nous parvenons à un contrebas inondé ; l'eau noire double la profondeur de la voûte ; un arbre au tronc monstrueux élargit son empattement ; et tandis que l'on s'en approche, un chant d'oiseau jaillit des profondeurs de l'ombre, lointain, tout chargé d'ombre, de toute l'ombre de la forêt. Étrange descente chromatique de son garulement prolongé.

16 septembre.

Départ d'Irébou en baleinière. Liranga est presque en face, un peu en aval ; mais le Congo, en cet endroit, est extrêmement large, et encombré d'îles ; la traversée prend plus de quatre heures. Les pagayeurs rament mollement. On traverse de grands espaces où l'eau semble parfaitement immobile, puis, par instants, et particulièrement au bord des îles, le courant devient brusquement si rapide que tout l'effort des pagayeurs a du mal à le remonter. Car nous sommes descendus trop bas, je ne sais pourquoi ; les pagayeurs semblent connaître la route, et sans doute la traversée plus en amont est-elle moins sûre.

Un Portugais, prévenu de notre arrivée par dépêche de Brazzaville, seul blanc demeuré à Liranga, nous accueille. Le Père qui dirige l'importante mission de Liranga, malade, a dû quitter son poste le mois dernier pour aller se faire soigner à Brazzaville, emmenant avec lui les enfants les plus malades de cette contrée que décime la maladie du sommeil. La mission, où nous devons loger, est à plus d'un kilomètre du point d'atterrissage ; au bord du fleuve encore, mais dont la berge rocheuse empêche ici l'approche des navires d'un certain tonnage, en temps de basses eaux du moins. Le village, coupé de vergers, s'étend le long de la rive.

Après une belle avenue de palmiers, on parvient devant une église de brique, à côté de la grande bâtisse basse qui va nous héberger. Un « catéchiste » noir nous ouvre les portes et, comme toutes les pièces sont mises à notre disposition, nous serons fort à l'aise. Il fait terriblement chaud, humide, orageux. On étouffe. La salle à manger est heureusement très aérée. Après le repas, sieste ; d'où je me relève ruisselant. Promenade le long d'un sentier, qui se rétrécit après avoir traversé de grands vergers de bananiers à très larges feuilles, différents de ceux que j'ai vus jusqu'à présent, et très beaux ; puis s'enfonce dans la forêt. On marcherait ainsi pendant des heures, requis tous les vingt pas par une surprise nouvelle. Mais la nuit tombe. Un orage effrayant se prépare, et l'enchantement cède à la crainte.

Trois fois par jour, catéchisme d'une heure, en langue indigène. Cinquante-sept femmes et quelques garçons répètent mécaniquement les réponses aux questions que répète monotonement le catéchiste instructeur. On distingue parfois les mots que l'on n'a pu traduire : « Saint Sacrement ; Extrême-Onction ; Eucharistie... »

18 septembre.

La température n'est pas très élevée (elle ne dépasse pas 32°), mais l'air est chargé d'électricité, de moiteur, de tsé-tsés et de moustiques. C'est aux jambes particulièrement que ces derniers s'attaquent ; aux chevilles, que ne protègent pas les souliers bas ; ils s'aventurent dans le pantalon, attaquent les mollets ; même à travers l'étoffe on a les genoux dévorés. La sieste est impossible. C'est du reste l'heure des papillons. Je commence à les connaître à peu près tous ; lorsqu'un nouveau paraît, la joie en est plus vive.

19 septembre.

Le *Largeau*, vainement attendu depuis deux jours, s'amène au petit matin. Nous arborons un drapeau blanc en face de la mission, et le *Largeau* s'arrête au petit débarcadère, ce qui épargne le difficile trimballement de notre bagage en pirogue. Le harcèlement constant des moustiques et des tsé-tsés nous fait abandonner Liranga sans regrets.

Le *Largeau* est un navire de cinquante tonnes ; fort agréable ; bonnes cabines ; salon à l'avant ; grande salle à manger ; électricité partout. Il est flanqué de deux chalands-baleinières, selon l'usage de ce pays. En plus du capitaine Gazangel, nous sommes les seuls blancs à bord ; mais voyage avec nous le « fils Mélèze », un mulâtre assez agréable d'aspect et de manières. Son père est l'un des plus célèbres colons du « couloir ».

Nous quittons le Congo pour l'Oubangui. Les eaux chargées de limon prennent une couleur de café crème.

Vers deux heures, une tornade nous force d'accoster pendant une heure à l'avant d'une île. Aspect préhistorique du paysage. Trois noirs superbes ont gagné la rive à la nage. Ils circulent à travers l'enchevêtrement de la forêt inondée et cherchent à couper de grandes gaules pour le sondage.

Vers le soir, une pirogue très étroite vient à nous. C'est W., le propriétaire du prochain poste à bois, qui voudrait savoir si nous ne lui apportons pas de courrier. Il gagne Coquillatville pour se faire soigner, ayant reçu, dit-il, « cinq ou six *coups de godiche* bien tapés ». C'est ainsi qu'on appelle ici les accès de fièvre.

Arrêt à Boubangui pour la nuit. Le peuple qui s'empresse n'est ni beau, ni sympathique, ni étrange. L'on nous confirme ce que nous disait le fils Mélèze : les cases de ce village, à l'époque des crues, sont inondées durant un mois et demi. On a de l'eau jusqu'à mi-cuisses. Les lits sont alors juchés sur des pilotis. On cuisine au sommet de petits monticules de terre. On ne circule plus qu'en pirogue. Comme les cases sont en torchis, l'eau désagrège le bas des murs.

Le capitaine nous affirme que certains villages restent inondés pendant trois mois.

20 septembre.

En excellente humeur de travail. Le monotone aspect du pays y invite. J'achève un petit livre de Cresson : *Position actuelle des problèmes philosophiques*. Son exposé de la philosophie de Bergson me persuade que j'ai longtemps été bergsonien sans le savoir. Sans doute trouverait-on même dans mes *Cahiers d'André Walter* telles pages que l'on dirait inspirées directement par *l'Évolution Créatrice*, si les dates permettaient de le croire. Je me méfie beaucoup d'un système qui vient à point pour répondre aux goûts d'une époque et doit une partie de son succès à ce qu'il offre de flatteur.

21 septembre.

Traité de la Concupiscence. Rien à en retenir que précisément ce que Bossuet considérait comme la qualité la plus vaine, de sorte qu'il en va à l'encontre de son affirmation.

Je le sais de reste, et pour m'être souvent prêté à ce jeu : il n'est rien, dans la vie d'un peuple, aussi bien que dans notre vie particulière, qui ne puisse prêter à une interprétation mystique, téléologique, etc. où l'on ne puisse reconnaître, si l'on y tient vraiment, l'action contrebattue de Dieu et du démon ; et même cette interprétation risque de paraître la plus satisfaisante, simplement parce qu'elle est la plus imagée. Tout mon esprit, aujourd'hui, se révolte contre ce jeu complaisant qui ne me paraît pas très honnête. Au demeurant la langue de ce « traité » est des plus belles et Bossuet ne s'est montré nulle part meilleur écrivain ni plus grand artiste.

22 septembre.

Pluie presque sans arrêt depuis deux jours. Le *Largeau* s'est arrêté cette nuit devant Bobolo, sur la rive belge ; poste à bois et briqueterie.

Arrivés ce matin à Impfondo, à huit heures. Une longue et belle avenue s'élargit en jardin public le long du rivage. En amont et en aval, villages indigènes ; cases minables et délabrées ; mais toute la partie française du moins est riante, bien ordonnée et d'aspect prospère. Elle laisse entrevoir ce que pourraient des soins intelligents et continus. M. Augias, l'administrateur, en tournée, ne doit arriver que demain. Les alentours d'Impfondo sont beaux ; criques au bord du fleuve, où s'abritent des pirogues ; inattendues perspectives des jeux de la terre et de l'eau. Sitôt ensuite, la forêt prend un plus grand air. Mais il faut bien avouer que cette remontée de l'Oubangui est désespérément monotone.

Le ciel est très couvert, sans être bas. Depuis trois jours il pleut fréquemment ; pluie fine que le vent promène ; puis, par instants, averse épaisse. Et rien n'est plus triste que le lever d'un de ces jours pluvieux. Le *Largeau* avance avec une lenteur désespérante ; nous devions coucher à Bétou ; par suite de la mauvaise qualité du bois de chauffage, nous n'y arriverons sans doute que demain vers midi. Les postes à bois, non surveillés, ne nous livrent qu'un bois pourri. L'insuffisance de personnel se fait partout sentir. Il faudrait plus de sous-ordres. Il faudrait plus de main-d'œuvre. Il faudrait plus de médecins. Il faudrait d'abord plus d'argent pour les payer. Et partout les médicaments manquent. Partout on se ressent d'une pénurie lamentable qui laisse triompher et s'étendre même les maladies dont on pourrait le plus aisément triompher. Le service de santé, si l'on réclame des remèdes, n'envoie le plus souvent, avec un immense retard, que de l'iode, du sulfate de soude, et de... l'acide borique[1] !

On rencontre, dans les villages le long du fleuve,

1. C'est du moins ce que l'on nous dit.

bien peu de gens qui ne soient pas talés, tarés, marqués de plaies hideuses (dues le plus souvent au pian). Et tout ce peuple résigné rit, s'amuse, croupit dans une sorte de félicité précaire, incapable même d'imaginer sans doute un état meilleur.

Arrêt à Dongou pour la nuit. C'est à Dongou qu'on a transporté le poste administratif d'Impfondo. Nous débarquons à la tombée du jour. Il y a là, devant des habitations d'Européens disposées de manière à se faire face, et les séparant mais sans les isoler suffisamment, une sorte de jardin public. Des orangers en avenue plient sous le poids des oranges vertes (car, ici, même les oranges et les citrons perdent leur couleur, leur éclat, pour se confondre dans une sombre verdure uniforme). Les arbres sont encore jeunes, mais ce jardin pourra devenir très beau dans quelques années. En face du débarcadère, un écriteau porte : « Impfondo ; 45 kilomètres ». La route qui y mène se prolonge dans l'autre sens jusqu'au village indigène où nous nous rendons à la nuit.

23 septembre.

La forêt change un peu d'aspect ; les arbres sont plus beaux ; désencombrés de lianes, leurs troncs sont plus distincts ; de leurs branches pend une profusion de lichen vert tendre, comme on en voit aux mélèzes de l'Engadine. Certains de ces arbres sont gigantesques, d'une taille qui doit dépasser de beaucoup celle de nos arbres de France ; mais dès qu'on se trouve à quelque distance, et tant le fleuve est immense, on ne peut en juger. Le palmier-liane, si fréquent il y a quelques jours, a disparu.

Vers le soir, le ciel s'éclaircit enfin ; on revoit l'azur avec ravissement et la surface libre des eaux reflète, non vers le couchant, mais vers l'est, une apothéose dorée, où de tendres nuances pourpres se mêlent.

Couché devant Laenza. Au crépuscule, nous parcourons ce médiocre petit village sans intérêt. Dans une case, une femme vient d'accoucher. L'enfant n'a même pas encore commencé à crier ; il tient encore au placenta. Devant nous une sage-femme tranche avec un couteau de bois le cordon ; elle en laisse à l'enfant une longueur qu'elle mesure soigneusement à la nuque après avoir fait passer le cordon par-dessus la tête du petit. Le placenta est alors enveloppé dans une feuille de bananier ; sans doute doit-il être enterré selon certains rites. À la porte se pressent des curieux ; elle est si basse qu'il faut se baisser beaucoup pour entrer. Nous donnons un « pata » (cinq francs) pour fêter la venue au monde de la petite Véronique, et remontons à bord, où nous sommes bientôt assaillis par une horde de charmantes petites cigales vertes. Le *Largeau* repart à deux heures du matin. La lune est à son premier quartier ; le ciel est très pur ; l'air est tiède.

24 septembre.

Relu les trois premiers actes du *Misanthrope*. Ce n'est pas, à beaucoup près, la pièce de Molière que je préfère. À chaque lecture nouvelle se précise mon jugement. Les sentiments qui font les ressorts de l'intrigue, les ridicules que Molière satirise, comporteraient une peinture plus nuancée, plus délicate, et supportent assez mal ce grossissement et cette « érosion des contours » que j'admire tant dans le *Bourgeois*, le *Malade*, ou *l'Avare*. Le caractère d'Alceste me paraît un peu fabriqué, et, précisément parce qu'il y met du sien, l'auteur s'y montre moins à l'aise. Souvent on ne sait trop de quoi ni de qui il se moque. Le sujet prêtait au roman plutôt qu'au théâtre où il faut extérioriser trop ; les sentiments d'Alceste souffrent de cette expression forcée qui ajoute à son caractère un ridicule de surface et de moins bonne qualité. Les meilleures scènes sont peut-être celles où lui-même ne paraît pas. Enfin l'on ne voit pas, mise à part sa franchise (qui n'est le plus souvent qu'une insupportable brutalité), quelles sont ces éminentes qualités qui, nous est-il donné à entendre, le rendraient digne de hauts emplois.

Arrêt à dix heures devant Bétou. Les indigènes, de race Modjembo, sont plus sains, plus robustes, plus beaux ; ils paraissent plus libres, plus francs. Tandis que mes deux compagnons gagnent le village le long de la rive, je m'achemine vers le poste de la Compagnie Forestière. Une escouade de très jeunes filles est occupée à sarcler le terrain devant le poste. Elles travaillent en chantant ; vêtues d'une sorte de tutu fait de fibres de palmes tressées ; beaucoup ont des anneaux de cuivre aux chevilles. Le visage est laid, mais le torse admirable. Longue promenade solitaire, à travers des champs de manioc, à la poursuite d'extraordinaires papillons.

Le village, où je vais ensuite, est énorme, mais sans attraits. Plus loin, à demi perdue dans la brousse, l'église, abandonnée depuis deux ans, car ce peuple n'a jamais consenti à écouter l'enseignement des missionnaires, ni à se soumettre à leur morale. L'église, porte et fenêtres ouvertes, est déjà tout envahie par les herbes. Le long du fleuve, un peuple d'enfants s'amuse à plonger du haut de la berge.

Vers deux heures, le fils Mélèze nous quitte. Il gagne en pirogue la rive belge, à Boma-Matangué, avec sa « ménagère » et un petit boy de douze ans, chargé d'espionner la femme, et de faire office de rapporteur.

25 septembre.

Nous accostons à la rive belge, au pied d'un arbre énorme, pour passer la nuit. Arrivés devant Mongoumba vers onze heures. Un monumental escalier de bois, bordé de manguiers, mène au poste. La berge est haute d'une quinzaine de mètres.

Le cours de l'Oubangui devient beaucoup plus rapide, et la marche du *Largeau* en est d'autant retardée. De très beaux arbres ne parviennent pas à rompre la monotonie de la forêt riveraine. Nous apercevons dans les branches quatre singes noir et blanc, de ceux qu'on appelle, je crois, des « capucins ».

Je relis le *Master of Ballantrae*.

Il y a chaque jour, entre une et quatre, quelques heures assez pénibles ; mais nous lisons, dans le paquet de journaux que nous prête le commandant, qu'on a eu jusqu'à 36 degrés à Paris, à la fin de juillet.

La belle demi-lune, comme une coupe au-dessus du fleuve, verse sur les eaux sa clarté. Nous avons accosté au flanc d'une île ; le projecteur du navire éclaire fantastiquement le maquis. La forêt vibre toute d'un constant crissement aigu. L'air est tiède. Mais bientôt les feux du *Largeau* s'éteignent. Tout s'endort.

26 septembre.

Nous approchons de Bangui. Joie de revoir un pays dégagé des eaux. Les villages, ce matin, se succèdent le long de la rive, d'aspect moins triste, moins délabrés. Les arbres, dont plus aucun taillis ne cache la base, paraissent plus hauts. Bangui, qu'on aperçoit depuis une heure, s'étage jusqu'à mi-flanc de la très haute colline qui se dresse devant le fleuve et incline son cours vers l'est. Maisons riantes, à demi cachées par la verdure. Mais il pleut, une pluie qui va bientôt devenir diluvienne. Les paquets sont faits, les cantines sont refermées. Dans un quart d'heure nous aurons quitté le *Largeau*.

CHAPITRE III

En automobile

10 heures.

M. Bouvet, chef de cabinet, monte à bord pour nous saluer de la part du Gouverneur qui nous attend à déjeuner. Laissant nos bagages aux soins de notre boy Adoum, nous prenons place dans deux autos et, sous la pluie qui ne cesse pas, l'on nous mène aux deux cases qui nous ont été réservées. Celle de Mme de Trévise est charmante ; la nôtre, très agréable, vaste et bien aérée. J'écris ces lignes tandis que Marc est allé s'occuper de notre bagage. Dans un grand fauteuil de jonc, près d'une fenêtre ouverte, je regarde l'averse noyer le paysage ; puis me replonge dans le *Master of Ballantrae*.

28 septembre.

Très réconfortante conversation avec le Gouverneur Lamblin, qui nous invite à prendre avec lui tous nos repas. Combien me plaît cet homme

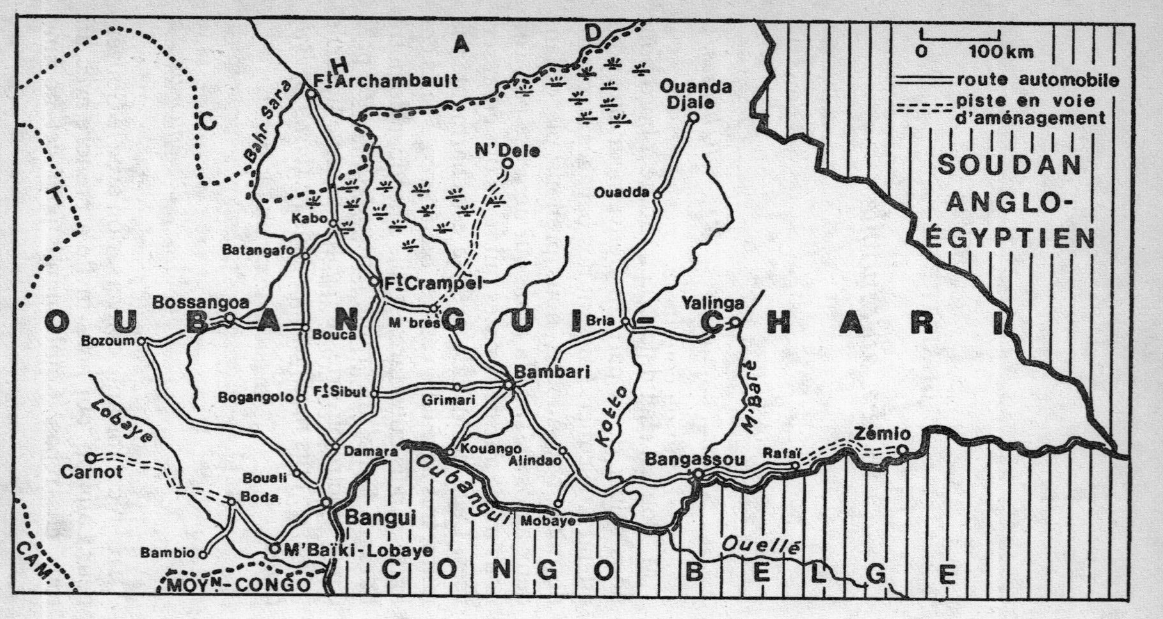

Carte du réseau routier en Oubangui-Chari

modeste, dont l'œuvre admirable montre ce que pourrait obtenir une administration intelligente et suivie.

Visite aux villages du bord du fleuve, en aval de Bangui. Je regarde longuement la préparation de l'huile de palme, cette première huile qu'on extrait de la pulpe ligneuse. Une autre huile [1] sera plus tard extraite de l'amande, après écrasement du noyau. Mais d'abord il s'agit de séparer celui-ci de la pulpe qui l'enveloppe. Pour cela l'on fait bouillir la graine, puis on la pile dans un mortier, avec le manche du pilon qui offre si peu de surface que la coque dure fuit de côté tandis que son enveloppe froissée se détache. Elle forme bientôt une étoupe couleur safran qui, pressée entre les doigts, laisse échapper son huile. Les femmes qui se livrent à ce travail se récompensent en chiquant le tourteau. Tout cela n'est pas bien intéressant à dire (encore que fort intéressant à observer) ; j'abandonne le reste aux manuels.

Partis en auto ce matin à 9 heures pour les chutes de la M'Bali. Une camionnette nous accompagne, avec notre attirail de couchage, car nous ne devons rentrer que le lendemain. Mme de Trévise, que sa mission appelait à Bambari, a obtenu, pour nous accompagner, que son départ soit remis de deux jours. Route admirable ; ce mot revient souvent sous ma plume, surtout après une nuit de bon sommeil. Je me sens le cœur et

1. Cette huile, de qualité supérieure, est proprement ce que nous appelons l'huile de palme. Mais elle ne peut être obtenue qu'à l'aide de concasseurs spéciaux.

l'esprit légers, point trop bête, et tout ce que je vois me ravit. La route s'enfonce bientôt sous une futaie très haute, spacieuse. Le tronc des arbres, que n'engonce plus le taillis, apparaît dans toute sa noblesse. Ils sont extraordinairement plus grands que nos arbres d'Europe. Nombre d'entre eux portent, au point d'épanouissement de leur ramure — car le fût s'élance sans branche aucune et d'un seul jet jusqu'au couronnement de verdure — d'énormes fougères épiphytes vert pâle, semblables à des oreilles d'éléphant. Tout le long de la route, des groupes d'indigènes, hommes et femmes, s'empressent vers la ville, portant sur la tête les produits de leur lointain village : manioc, farine de mil, on ne sait, dans de grands paniers recouverts de feuilles. Tous ces gens, à notre passage, se mettent au port d'arme et font le salut militaire, puis, pour peu qu'on leur réponde, poussent des grands cris et des éclats de rire. Si j'agite ma main vers des enfants, en traversant un des nombreux villages, c'est un délire, des trépignements frénétiques, une sorte d'enthousiasme joyeux. Car la route, au sortir de la forêt, s'engage dans une région très cultivée, où tout semble prospère, où le peuple paraît heureux.

Nous nous arrêtons pour déjeuner, à l'extrémité d'un des plus importants villages, dans la case des passagers [1], et bientôt, tout le long de la balus-

1. Sur toutes les routes de l'Afrique équatoriale, l'administration a pris soin de faire construire, tous les vingt kilomètres environ, des gîtes d'étape qui rendent la tente inutile. Ces gîtes sont composés d'ordinaire de deux vastes huttes dont les portes se font face ; un même toit les relie, qui déborde et forme véranda. Ces gîtes sont presque toujours à proximité immédiate d'un village où trouver de la nourriture pour les porteurs. D'autres huttes, où les porteurs peuvent s'abriter, entourent la case principale.

trade qui ceinture la case, le troupeau des enfants se rassemble ; j'en compte quarante. Ils restent à nous regarder manger, comme la foule, au Jardin d'Acclimatation, se presse pour assister au repas des otaries. Puis, peu à peu, encouragés par nous, ils s'enhardissent, envahissent l'enceinte, et viennent se grouper contre nous. L'un deux, qui s'agenouille devant ma chaise, porte une grande plume au sommet de la tête, à la manière des Mohicans.

Avant le déjeuner, nous avions été, sous un soleil de feu, jusqu'à un autre village, dépendant du premier, le touchant presque, dans une clairière de la forêt : village si beau, si étrange qu'il nous semblait trouver ici la raison de notre voyage, entrer au cœur de son sujet.

Et, peu de temps avant la halte, il y avait eu un étonnant passage de rivière. Un peuple de noirs était sur la berge ; en face, sur l'autre rive, un autre peuple attendait. Trois grandes pirogues conjuguées forment bac ; sur le plancher qui les rejoint, les deux autos s'installent. Un câble de métal, dont s'emparent les nautoniers, est tendu d'une rive à l'autre et permet de résister à la violence du courant.

Les chutes de la M'Bali, si l'on était en Suisse, d'énormes hôtels se seraient élevés tout autour. Ici, la solitude ; une hutte, deux huttes au toit de paille, où nous allons coucher, ne déparent pas la sauvage majesté du pays. À cinquante mètres de la table où j'écris, la cascade, grand rideau vaporeux qu'argente la clarté de la lune entre les branches des grands arbres.

Bouali, 29 septembre.

Première nuit dans le lit de camp, où l'on dort mieux que dans aucun autre. Au lever du soleil, la chute d'eau, que dore le rayon oblique, est de la plus grande beauté. Un vaste îlot de verdure divise le courant et l'eau forme vraiment deux cascades, disposées de telle sorte qu'on ne les puisse contempler à la fois. Et l'on reste surpris lorsqu'on comprend que celle que l'on admire ne doit sa majesté, son ampleur, qu'à la moitié des eaux du fleuve. Celle que l'on découvre en s'approchant du bord, et que cachait un repli des roches, reste dans l'ombre et comme enfouie à demi sous l'abondance de la végétation. Arbustes et plantes d'aspect, à vrai dire, fort peu exotique et, sans un étrange îlot de pandanus aux racines aériennes, un peu en amont de la chute, rien ne rappellerait ici qu'on est presque au cœur de l'Afrique.

Soir du même jour. Bangui.

Retour sans autre épisode qu'une tornade, qui nous surprend heureusement tandis que nous achevions de déjeuner au même poste et aussi agréablement que la veille. Le vent subit abat un petit arbre près de nous. Pluie diluvienne pendant près d'une heure, que nous occupons à organiser des jeux avec le peuple d'enfants qui nous entoure. Exercices de gymnastique, chants et danses. Tout se termine par un grand monôme. J'oubliais de dire que d'abord il y avait eu des baignades sous la pluie qui ruisselait du toit, de sorte que les premiers exercices avaient pour but de réchauffer les enfants un peu transis au sortir de la douche.

Bangui, 30 septembre.

Départ de Mme de Trévise avec le docteur Bossert. Ils vont expérimenter, dans la région de Grimari, l'action préventive du « 309 Fourneau », sur la maladie du sommeil. Le Gouverneur Lamblin nous propose une tournée en auto, de deux semaines [1]. La région très cultivée, que nous nous proposons de retraverser plus tard à pied, il souhaite que nous la voyions avant la récolte, de manière à mieux juger de sa prospérité. Il ne peut nous accompagner lui-même, mais son chef de cabinet, M. Bouvet nous fera les honneurs du pays.

1er octobre.

L'auto qui doit nous emmener rentre de Fort-Sibut en mauvais état. Des réparations nous retiennent à Bangui jusqu'à six heures. La camionnette qui nous suit est à ce point encombrée de bagages, que nos deux boys doivent se mettre « en lapin » dans notre auto. La nuit

1. Voir appendice du chap. III.

tombe vite et nous n'avons pas de phares ; mais bientôt la pleine lune qui monte dans un ciel très pur, nous permet de continuer notre route. J'admire la résistance de notre chauffeur, le brave Mobaye, un indigène formé par Lamblin. Il rentrait à peine d'une très fatigante tournée ; il repart sans avoir pris aucun repos. À plusieurs reprises nous lui demandons s'il ne préfère pas que nous couchions en route, à la prochaine étape. Il fait signe que non, qu'il peut « tenir ». Et nous ne nous arrêtons que, vers minuit, le temps de dévorer un insuffisant petit poulet, arrosé de pinard sur une table vite dressée au milieu de la route, au clair de lune. Arrivons à Fort-Sibut à 3 heures du matin, fourbus. Trop fatigués pour dormir.

2 octobre.

Par une heureuse chance nous tombons à Sibut le jour du marché mensuel. Affluence des indigènes ; ils apportent, dans de grands paniers, leur récolte de caoutchouc (de *céaras*, dont les récentes plantations, grâce à l'initiative de Lamblin, couvrent les régions en bordure des routes), sous forme des lanières jaunâtres, semblables à des nids d'hirondelles, ou à des algues séchées. Cinq commerçants, accourus en autos, attendent l'ouverture du marché. La région n'a pas été concédée ; le marché reste libre [1] et les enchères

1. Du reste, les Grandes Compagnies Concessionnaires, dont nous aurons à reparler plus tard, n'ont pas droit au caoutchouc de culture, mais seulement à celui que les indigènes vont récolter en forêt, caoutchouc de rhizomes et de lianes.

sont ouvertes. Nous sommes surpris de les voir s'arrêter aussitôt. Mais l'on ne tarde pas à comprendre que ces messieurs sont « de mèche ». L'un d'eux se porte acquéreur de la totalité de la récolte, à raison de sept francs cinquante le kilo ; ce qui peut paraître un prix fort raisonnable à l'indigène qui ne vendait le caoutchouc, récemment encore, que trois francs ; mais à Kinshassa, où les commerçants le revendent, les cours se maintiennent depuis quelque temps entre trente et quarante, ce qui laisse une jolie marge. Que vont donc faire ces messieurs ? Sitôt l'affaire conclue avec l'indigène, ils se réunissent à huis clos dans une petite salle, où commencent d'autres enchères, dont ne profitera pas l'indigène, dont ils sauront se partager entre eux le bénéfice. Et l'administrateur reste impuissant devant des enchères clandestines qui, pour paraître illicites, ne tombent pourtant pas sous le coup de la loi, paraît-il.

Ces petits commerçants, jeunes pour la plupart, n'ont souvent qu'une existence assez hasardeuse et précaire, sans magasins propres et, partant, sans frais généraux. Ils sont venus dans le pays avec l'idée bien arrêtée d'y faire fortune, et rapidement. Au grand dam de l'indigène et du pays, ils y arrivent.

De Fort-Sibut à Grimari, pays un peu monotone ; sur le bord de la route, plantations presque continues de céaras ; ceux de plus de quatre ans forment déjà de beaux ombrages ; ce n'est qu'à cet âge que l'on commence à les saigner à des périodes déterminées. Cette opération, qui les épuise assez vite, laisse le long du tronc de longues cicatrices obliques.

Parfois un petit cours d'eau coupe la plaine ; c'est alors, dans le vallonnement, un étroit rappel de forêt où règne une fraîcheur exquise. De très beaux papillons hantent les endroits ensoleillés des rives.

Bambari, 3 octobre.

Bambari est situé sur une élévation de terrain d'où l'on domine toute la contrée, par-delà la Ouaka qui coule à trois cents mètres du poste, et que nous avons traversée en bac hier soir. Ce matin, visites à l'école et au dispensaire. C'est le jour du marché mensuel. Nous nous y rendons, curieux de voir si ces messieurs d'hier y viendront et si le même scandale s'y reproduira. Mais aujourd'hui n'a lieu que la pesée ; à demain les enchères. Le caoutchouc se payait ici seize francs cinquante le mois dernier, nous dit-on.

Marché de Bambari. 5 octobre.

Les enchères montent à 18 francs pour un caoutchouc de qualité égale à celui que nous avons vu vendre 7,50 F la veille. M. Brochet, représentant de la Compagnie du Kouango, important commerçant établi à Bambari, tient tête aux trafiqueurs. L'un de ceux-ci, qui sait que Brochet désire la récolte et veut du moins la lui faire payer cher, pousse l'enchère. Mais Brochet abandonne brusquement, et l'autre se trouve quinaud, car il en a pour plus gros que sa bourse ; de sorte qu'ensuite il doit revendre le tout à Brochet.

Bangassou, 8 octobre.

Je n'ai pu trouver le temps de rien noter ces derniers jours. Le pays a changé d'aspect. De très étranges mamelons mouvementent la plaine ; sortes de collines basses, régulièrement arrondies, dômes que M. Bouvet nous dit formés par d'anciennes termitières. Et je ne vois point quelle autre explication donner à ces soulèvements du sol. Mais ce qui me surprend, c'est de ne voir dans toute la contrée aucune termitière monumentale récente ; celles, immenses, dont ont pu se former ces tumulus, doivent, désertées depuis longtemps, vraisemblablement être vieilles de plusieurs siècles ; l'action des pluies n'a pu que très lentement désagréger ces sortes de châteaux forts ou de cathédrales aux murs quasi verticaux et durs comme de la brique, que j'admirais dans la forêt des environs d'Eala. Ou bien est-ce là l'œuvre de termites d'une race différente ? Et ces termitières ont-elles été de tout temps arrondies ? Toutes, pourtant, semblent déshabitées depuis longtemps. Pourquoi ? Il semble qu'une autre race de termites à petites constructions soit ici venue occuper le sol à la place des termites monumentaux. Certains de ces tumulus, que je vois un peu plus tard tranchés net pour laisser passer la route, montrent leur mystère intérieur : couloirs, salles, etc. Je peste contre l'auto qui ne me laisse pas le loisir d'examiner un peu mieux cela.

Tout le long de la route, sur un parcours de 50 kilomètres, suite presque ininterrompue de villages, et de cultures des plus variées : céaras, riz, mil, maïs, ricin, manioc, coton [1], sésame, café,

1. Les plantations de coton sont particulièrement intéressantes ; c'est un essai. Il réussit au-delà de toute espérance.

Les plantations de coton de la subdivision de Ouango, par exemple, ont, à elles seules, couvert une superficie de 275 hectares, dont le rendement a été, pour cette première récolte, de 44 018 kil.

Trois tonnes 1/2 de graines suffisent à ensemencer 300 hectares.

Les pluies continues, régulières, et sans tornades ont assuré le succès de cet essai. Les rendements les meilleurs de beaucoup ont été obtenus sur les terrains récemment défrichés et pris à même la forêt. Tandis que les cultures faites en savane donnaient un rendement de 250 à 300 kil. à l'hectare, telle petite plantation d'un hectare conquis sur la forêt, (à Biandé, sur la route de Foroumbala) a fourni 800 kil. Par contre, sur les terrains sablonneux, l'échec a été absolu.

Certains théoriciens prétendaient que le coton ne pouvait prospérer en A.E.F. Cette année, de nombreuses plantations du Bas-M'Bomou ont égalé et même dépassé les meilleurs rendements américains.

Il faut reconnaître que les fibres de ce coton n'atteignent pas la longueur de celles du coton d'Amérique. Mais peut-être par la sélection et un meilleur choix de graines, y parviendront-elles. Ce n'est là, encore une fois, qu'un premier essai.

Il est à noter — et ceci est très important — que ces cultures de coton n'ont pas été collectives, mais individuelles. C'est-à-dire que, si les travaux de défrichement, d'assolement, de plantation, ont été le fait du village entier, le champ a été, sitôt ensuite, partagé de manière à ce que chaque famille, sinon chaque individu, se trouvât possesseur de tel lopin et prît intérêt particulier à le cultiver.

Le paiement des produits, après vente, a été fait, non au chef de village, ainsi que le voulait d'abord la coutume, mais à chaque possesseur partiel ! — avec ristourne proportionnelle au chef de village, celui-ci touchant 0,10 ou 0,15 sur 1,25 F payé, par kilo, à l'indigène, de manière à intéresser également le chef et à maintenir son indispensable autorité.

Le résultat obtenu par ce nouveau régime a été tout autre que

taro (grand arum aux rhizomes comestibles), palmiers à huile et bananiers. Des deux côtés bordée de citronnelles, la route semble une allée de parc. Et, cachée à demi dans le feuillage, tous les trente mètres environ, une hutte de roseaux en forme de casque à pointe. Ces cités-jardins, étalées le long de la route, forment un décor sans épaisseur. La race qui les habite et les surpeuple n'est pas très belle ; soumise depuis deux ans seulement, elle vivait éparse dans la brousse ; les vieux demeurent farouches ; accroupis à la manière des macaques, c'est à peine s'ils regardent passer la voiture ; l'on n'obtient d'eux aucun salut [1]. Par contre les femmes accourent, secouant et brinquebalant leurs balloches ; le sexe ras, parfois caché par un bouquet de feuilles, dont la tige, ramenée en arrière et pincée entre les fesses est rattachée à la ceinture, puis retombe ou se dresse en formant une sorte de queue ridicule. Quantité d'enfants ; certains, à l'approche de la voiture, courent s'asseoir ou se coucher au milieu de la route ; par jeu ? par défi ? Bouvet croit à de la curiosité : « Ils veulent voir comment ça marche. »

Le 6 nous avons couché à 20 km de Mobaye, où nous préférions ne pas arriver à la nuit. Devant le gîte d'étape de Moussareu, ahurissant tam-tam ; d'abord à la clarté de photophores, tenus à bras tendus par nos boys ; puis au clair de la pleine

celui des premières cultures collectives, que les indigènes de la région appelaient : « les plantations-je-m'en-fous ».

1. Les jeunes gens des Moroubas, qui reconnaissent volontiers la domination française, renvoient de leurs villages les vieux irréductibles, dont ils ne veulent ni subir l'influence ni écouter les conseils.

lune. D'admirables chants alternés rythment, soutiennent et tempèrent l'enthousiasme et la frénésie du pandémonium. Je n'ai rien vu [1] de plus déconcertant, de plus sauvage. Une sorte de symphonie s'organise ; chœur d'enfants et soliste ; la fin de chaque phrase du soliste se fond dans la reprise du chœur. Hélas ! notre temps est compté. Nous devrons repartir avant le jour.

Le 7, au petit matin, nous ne quittons ce poste qu'avec l'espoir d'y revenir dans quelques mois, à notre retour d'Archambault. L'aube argentée se mêle au clair de lune. Le pays devient accidenté ; collines rocheuses de 100 à 150 mètres de haut, que contourne la route. Nous arrivons à Mobaye vers 10 heures.

Le poste est admirablement situé sur les bords du fleuve qu'il domine. En amont, les rapides de l'Oubangui, dont les hautes eaux inondent presque, sur la rive belge, un charmant petit village de pêcheurs qu'abrite un groupe de palmiers.

Le docteur Cacavelli nous fait visiter son dispensaire-hôpital. Les malades viennent de villages parfois lointains se faire opérer de l'éléphantiasis des parties génitales, très fréquent dans ces régions. Il nous présente quelques cas monstrueux qu'il se dispose à opérer ; et l'on reste saisi de stupeur, sans comprendre aussitôt ce que peut bien être ce sac énorme, que l'indigène trimballe sous lui... Comme nous nous étonnons, le docteur Cacavelli nous dit que les éléphantiasis que nous voyons ici ne pèsent sans doute pas plus de 30 à 40 kg. Les masses de tissu conjonctif hypertro-

1. Et nous ne verrons rien par la suite.

phié, dont il débarrasse les patients, atteignent parfois 70 kg, s'il faut l'en croire. Il aurait même opéré un cas de 82 kg. « Et, ajoute-t-il, ces gens trouvent encore le moyen de faire, à pied, quinze à vingt kilomètres pour venir se faire soigner. » J'admets, sans plus pouvoir comprendre.

Un des malades de ce matin, tout jeune encore, a tenté de s'opérer lui-même et s'est abominablement charcuté, lardant de coups de couteau cette poche affreuse, qu'il croyait pleine de pus et espérait pouvoir vider.

— « Ce qu'il y a dedans ? Vous voulez le voir ? »

Et Cacavelli nous mène, près de la table d'opération, devant un baquet presque plein d'une sorte de maton sanguinolent et blanchâtre, premier résultat du travail de ce jour. Bien faite, nous dit-il, l'opération respecte et ménage la virilité du patient, enfouie dans l'excès du tissu conjonctif, mais nullement endommagée. Et c'est ainsi que depuis trois ans il a fait recouvrer la puissance procréatrice à 236 impotents.

— « Allons, 237 ; approchez »...

Nous le quittons bien vite, désireux de garder quelque appétit.

Sitôt après déjeuner, départ pour Foroumbala. Pays mouvementé mais pas très intéressant. Le peuple des villages traversés est laid. L'auto fait fuir quelques pintades. Un effrayant orage menace ; mais se détourne au dernier moment. Arrivée à Foroumbala vers 5 heures. Poste inoccupé [1], belle position sur la Kotto ; quelques

1. Sur 31 postes de subdivision, que compte la colonie de l'Oubangui-Chari, 22 restent inoccupés, faute de personnel suffisant.

arbres admirables. Sur la place ombragée, devant le gîte d'étape, les enfants de l'école, comme on leur apprend à filer, chacun tient une petite quenouille d'où pend, comme une araignée au bout de son fil, la bobine qu'un coup de pouce fait tourner. Tous en rang, le sourire aux lèvres, on s'attend à les entendre entonner un chœur de Gounod. Puis, exercices de gymnastique sous la surveillance d'un maître indigène. Puis, football très joyeux auquel nous prenons part ; une orange tient lieu de ballon. Ces enfants parlent tous un peu le français.

Je les retrouve après dîner qui dansent à la clarté d'un feu de paille, avec les femmes des miliciens absents. Un de ces enfants, d'aspect très misérable, se tient dans l'ombre, loin des autres ; comme la nuit est un peu froide et qu'il semble grelotter, je le fais s'approcher du feu. Mais les autres aussitôt s'écartent. C'est un lépreux. Chassé de son village [1], à trois jours de marche, il ne connaît ici personne. Marc qui me rejoint me dit l'avoir rencontré déjà, et lui avoir donné à manger. Même il a laissé à une femme indigène de quoi assurer la nourriture de ce petit paria pour huit jours ; la femme a promis d'y veiller. Nous devons repasser par ici et saurons si elle a tenu sa promesse. Mais hélas ! si l'enfant ne doit pas guérir, que sert de prolonger sa triste vie...

Le 8, sitôt au sortir de Foroumbala, traversée en barque de la Kotto débordée. Assez vastes champs de coton coupés de champs de manioc, carrés et

1. Non point, semble-t-il, en tant que lépreux, mais parce qu'il « portait la guigne » au village.

réguliers comme nos cultures de France. Par places, quantité de gourdes parfaitement rondes, comme des coloquintes, de la grosseur d'un œuf d'autruche, jonchent le sol ; sortes de courges dont, nous dit-on, les indigènes mangent la graine.

Tandis que l'on approche de Bangassou, l'on commence à rencontrer des gens coiffés de façon extrêmement bizarre : un côté de la tête est rasé, l'autre couvert de petites tresses flottantes, ramenées en avant. Ce sont des N'Zakaras, une des tribus les plus intéressantes des Sultanats.

Bangassou, 8 octobre.

J'écris ces lignes sous la véranda de notre case. Bangassou me déçoit un peu. La ville se ressent sans doute de l'occupation militaire et a beaucoup perdu de son étrangeté. Mauvaise journée. J'ai commencé par me casser une dent ; puis, extraction pénible d'une chique monstre, qui me laisse le pied tout endolori. J'ai mal à la tête et la visite à la mission américaine où m'entraîne M. Bouvet, m'exténue. Interminable déjeuner chez M. Eboué, chef de la circonscription, originaire de la Guyane, (auteur d'une petite grammaire sango que je travaille depuis huit jours) homme remarquable et fort sympathique... Mais mon mal de tête augmente ; je grelotte ; c'est un accès de fièvre ; je rentre me coucher, laissant Marc aller seul au tam-tam que va bientôt disperser une formidable tornade.

9 octobre.

J'ai pu dormir et me sens assez dispos ce matin pour accompagner mes compagnons à Ouango. Poste pittoresquement situé sur une élévation qui domine un coude du M'Bomou (nom que prend l'Oubangui dans son cours supérieur). M. Isambert, qui l'administre, vient de se convertir au protestantisme et occupe son peu de loisirs à poursuivre des études d'exégèse et de théologie. Je suis trop fatigué, malheureusement, pour pouvoir causer avec lui comme je le voudrais. Du reste, et de plus en plus, toute conversation m'exténue. Je fais semblant. On ne parvient à s'entendre que sur le plus banal, ou le « matter of fact », et encore. J'ai du mal à finir mes phrases, tant est grande ma crainte que celles où j'exprimerais vraiment ma pensée, ne puissent trouver un écho.

Ici toutes les femmes qui viennent danser au tam-tam sont vêtues de cotonnades aux couleurs vives et seyantes, formant corsages et jupes. Toutes sont propres, ont le visage riant, l'air heureux. Devons-nous en conclure que tout ce peuple noir n'attend qu'un peu d'argent pour se vêtir [1] ?

1. Encore faudrait-il qu'il pût trouver à acheter, dans les factoreries de l'intérieur, des étoffes, et qu'elles lui plaisent.

L'on peint le peuple noir comme indolent, paresseux, sans besoins, sans désirs. Mais je crois volontiers que l'état d'asservissement et la profonde misère dans laquelle ces gens restent plongés, expliquent trop souvent leur apathie. Et quel désir pourrait avoir quelqu'un qui ne voit jamais rien de désirable ? Chaque fois qu'une factorerie bien approvisionnée présente à l'indigène des couvertures, des étoffes, des ustensiles de ménage, des instruments de travail, etc., l'on est tout naïvement surpris de voir s'éveiller ses

10 octobre.

Je me sens assez bien pour me lancer dans la longue course de Rafaï à laquelle je me désolais de devoir renoncer. Le sultanat de Rafaï est le dernier de l'Oubangui-Chari qui ait encore son sultan. Avec Hetman (qui a pris le pouvoir en 1909) s'éteindra définitivement le régime. On laisse à celui-ci un semblant de cour et de pouvoir. Il est inoffensif. Il accepte la situation en souriant et ne revendique le pouvoir pour aucun de ses fils. Le gouvernement de l'A.E.F. a inventé pour lui un bel uniforme d'opérette qu'il semble revêtir volontiers. Les trois aînés de ses fils ont fait un an d'étude dans l'île de Gorée, en face de Dakar (où les fils de chefs et de notables indigènes reçoivent une éducation française, en prévision d'un commandement) ; l'un d'eux est à Bangui, le second sert dans l'armée à Fort-Lamy ; le troisième, qui n'a pas vingt ans, est revenu à Rafaï où il reste auprès de son père. C'est un grand garçon timide, qui vient nous serrer la main, puis se retire. La résidence du sultan est sur une éminence qui fait face à celle du poste. Nous nous y

désirs, — si d'autre part une rémunération équitable de son travail lui donne les moyens de les satisfaire.

Ceci est également vrai pour d'autres régions. Je lis dans un rapport de la circonscription de Fort-Archambault (1925) :

« Le Sara va chercher seulement l'argent de l'impôt ; pas davantage. Comme aucun commerçant ne lui offre rien à acheter, il n'achète rien (à part des chevaux, qu'il revend ensuite). Le jour où des maisons de commerce apporteraient des marchandises, le Sara deviendrait un excellent acheteur. »

rendons en auto, deux heures après notre arrivée. (Mais déjà le sultan nous avait devancés et s'était assis quelques instants sur notre terrasse). Sur le plateau, c'est d'abord une grande esplanade où un peuple, qui fait haie d'un seul côté de la route, nous acclame. Puis on entre dans la sorte de zaouïa où se tiennent les familiers du sultan.

11 octobre.

Le sultan vient nous dire adieu, flanqué de toute sa maisonnée et de son escorte ordinaire. Assez piteux spectacle de cette cour déchue. Quelques joueurs de flûte, survivants derniers de sa splendeur, semblent sortir d'une mascarade. Les flûtes verticales sont ornées de deux ceintures de longs poils, qui s'épanouissent en corolles dès que l'on souffle dans l'instrument.

Le poste même de Rafaï, abandonné depuis six mois par insuffisance de personnel, est délabré ; l'aspect des pièces est sordide ; vastes et agréablement disposées, mais emplies d'un *rubbish* innommable, instruments détériorés, meubles vermoulus et brisés, le tout épaissement recouvert de poussière. On coucherait sous la véranda, n'étaient les panthères qui, nous dit-on, ne craignent pas de venir dans le village et qui récemment ont dévoré un indigène dans sa case, à cinquante mètres du poste.

Pourtant nous ne quitterons Rafaï qu'à regret. La terrasse où s'étend le jardin du poste, dominant le cours majestueux du Chinko, est très belle. Je crois même que je la préfère à celle de Ouango.

12 octobre.

Retour de Rafaï [1]. Arrêt à Bangassou d'où nous sommes repartis ce matin. Nous couchons de nouveau à Foroumbala ; les voitures ont besoin d'être nettoyées. Le poste est agréable ; mais le peuple galeux à l'excès. Mon pied me fait mal et je ne puis me chausser. Forcé de demeurer assis, je continue le *Master of Ballantrae.*

Le petit orphelin lépreux, abandonné de tous, à qui Marc avait assuré huit jours de manioc (mais la femme qui devait le nourrir n'a pas tenu parole)... de ma vie je n'ai vu créature plus misérable.

1. À Rafaï (ou à quelques kilomètres plus à l'Est) s'arrête la route automobilisable. Plus loin l'on entre sur l'ex-sultanat de Zémio, subdivision-frontière de notre colonie, bordée à l'Est par le Soudan anglo-égyptien, et au sud par le Congo belge dont le M'Bomou (cours supérieur de l'Oubangui) nous sépare.

C'est par Zémio et la forêt du Congo belge que nous nous proposions de revenir au retour de Fort-Archambault, pour regagner ainsi la région des Grands Lacs, puis la côte africaine orientale. C'est l'itinéraire que nous eussions suivi sans doute, si nous n'avions pas été entraînés vers le Nord, jusque sur les bords du lac Tchad, par mon ami Marcel de Coppet, que sa désignation comme Gouverneur intérimaire du Tchad força de gagner précipitamment Fort-Lamy, quittant Fort-Archambault où nous nous attardions près de lui.

La randonnée en auto que, grâce à l'obligeance du Gouverneur Lamblin, nous poussions hâtivement vers l'Est, n'était, ne devait être, qu'une sorte de parenthèse, ne devait nous donner du pays qu'une entrevision provisoire. N'étant plus à un âge où pouvoir espérer beaucoup, ni projeter grand nombre de nouveaux voyages, je me console difficilement, malgré tout mon *amor fati*, d'avoir dû préférer, par la suite, la morne traversée du Cameroun au ténébreux mystère de la forêt du Congo belge et aux énigmes de Zémio.

Bambari, 13 octobre.

Hanté par le souvenir du petit lépreux, par le son grêle et comme déjà lointain de sa voix — de Foroumbala à Alindao, où nous déjeunons ; puis à Bambari où nous n'arrivons qu'à la nuit tombante (soit dix heures de Ford) maints menus accidents tout le long de la route ; pannes diverses ; un pont crève sous nous et je ne sais comment nous ne culbutons pas dans la rivière.

Bambari, 14 octobre.

Ce matin, dès l'éveil, danse des Dakpas [1]. Vingt-huit petits danseurs, de 8 à 13 ans, badigeonnés de blanc de la tête aux pieds ; coiffés d'une sorte de casque que hérissent une quarantaine de dards noirs et rouges ; sur le front une frange de petits anneaux de métal. Chacun tient à la main un fouet fait en jonc et cordes tressées. Certains ont les yeux encerclés d'un maquillage en damier noir et rouge. Une courte jupe en fibre de rafia

1. C'est elle que l'on peut voir, admirablement présentée, dans le film de la mission Citroën. Mais les membres de la mission ont-ils pu croire vraiment qu'ils assistaient à une mystérieuse et très rare cérémonie ? « Danse de la circoncision », nous dit l'écran. Il est possible que cette danse ait eu primitivement quelque signification rituelle, mais aujourd'hui les Dakpas, soumis depuis 1909, ne se refusent pas à en donner le spectacle aux étrangers de passage qui s'en montrent curieux. Sur demande, ils descendent de leur village, ou plus exactement des grottes où ils gîtent, dans les rochers, au nord de Bambari, et s'exhibent, contre rétribution.

complète cet accoutrement fantastique. Ils dansent en file indienne, gravement, aux sons de vingt-trois trompes de terre ou de bois d'inégales longueurs (trente centimètres à un mètre cinquante) dont chacune ne peut donner qu'une note. Une autre bande de douze Dakpas, plus âgés, ceux-ci tout noirs, déroule ses évolutions en sens inverse de la première. Une douzaine de femmes se mêlent bientôt à la danse. Chaque danseur avance à petits pas saccadés qui font tinter les bracelets de ses chevilles. Les joueurs de trompe forment cercle ; au milieu d'eux une vieille femme bat la mesure avec un plumeau de crins noirs. À ses pieds un grand démon noir se tord dans la poussière, en proie à de feintes convulsions, sans cesser de souffler dans sa trompe. Le vacarme est assourdissant, car, dominant le beuglement des trompes, tous, à la seule exception des petits danseurs blancs, chantent, hurlent à tue-tête, inlassablement, un air étrange (que par ailleurs j'ai noté).

Départ vers deux heures pour les Moroubas. Beau temps. Peuple très beau ; enfin des peaux nettes et saines. Très beau village. Les cases rondes seraient toutes semblables, n'étaient les peintures qui les décorent extérieurement ; sortes de fresques sommaires à trois couleurs, noir, rouge et blanc, représentations schématiques, parfois élégantes, d'hommes, d'animaux et de voitures automobiles. Ces décorations sont abritées par le toit de chaume, qui déborde amplement, couvrant une sorte de couloir circulaire tout autour de la case.

Admirables graminées, des deux côtés de la route, semblables à des avoines gigantesques, en vieil argent doré.

En pleine brousse, émouvante rencontre du Gouverneur Lamblin.

Une heure plus tard ; nous retrouvons, à vingt kilomètres des Moroubas où nous devons passer la nuit, Mme de Trévise et le docteur Bossert, fort occupés à recenser les indigènes qu'ils viennent de vacciner.

15 octobre.

Coucher aux Moroubas [1].

Lamblin, hier, nous a conseillé de pousser jusqu'à Fort-Crampel, au lieu de gagner directement Fort-Sibut.

La contrée change d'aspect : forêt clairsemée ; arbres pas plus hauts que les nôtres, ombrageant

1. Je relève, dans un rapport administratif d'octobre 1925, ces quelques chiffres sur l'état de la population dans la région des Moroubas (160 km x 100 km).

Hommes	1 990
Femmes	2 091
Garçons	756
Filles	596
Vieux	62
Sommeilleux	46
Naissances en 3 ans	263
Décès : Enfants de 0 à 5 ans	146
Décès : Enfants de 5 à 12 ans	74
Décès : Adultes	377

Dans un seul village (Takobanda) de la région des Moroubas, sur 114 femmes, 48 n'ont pas eu d'enfants. Les 66 autres ont eu 99 enfants dont 63 sont morts en bas âge (maladies intestinales ou pulmonaires, et syphilis).

de hautes graminées, et une nouvelle sorte de fougère. Déjeuner aux M'Bré. Paysage très pittoresque, entouré de rochers ; on se croirait aux environs de Fontainebleau. De mon premier coup de fusil, j'abats un grand vautour, perché tout au sommet d'un arbre mort. N'ayant encore jamais chassé, je suis émerveillé de ce succès [1].

Entre les M'Bré et Fort-Crampel, rencontre d'une bande de cynocéphales ; ils se laissent approcher de très près ; quelques-uns sont énormes.

Villages assez beaux, mais très pauvres. Dans l'un d'eux, une soixantaine de femmes pilonnent les rhizomes à caoutchouc en chantant ; travail interminable, très misérablement rémunéré.

À Fort-Crampel, une formidable et subite tornade, à la tombée de la nuit, couche bas quantité de céaras fragiles, dont on voit s'envoler au loin les ramures, tout autour du poste et particulièrement entre notre gîte et la demeure de M. Griveau, l'administrateur chez qui nous dînons. La tornade nous surprend au moment où nous traversons cet espace. Elle est si violente qu'emportés à demi par le vent, aveuglés par les éclairs et par l'averse, nous nous trouvons séparés Marc et moi, comme dans un film de Griffith, et, tout

1. J'aurais été moins fier si j'avais su qu'il n'est pas d'usage en A.E.F. de tirer sur les aigles, vautours, ou charognards, que l'on considère (ces derniers surtout) comme animaux utiles, affectés au service d'hygiène du pays. Les carcasses des plus gros gibiers sont nettoyées par eux en quelques heures ; en plus des immondices d'un village, ils font bien disparaître aussi quelques poulets, mais il suffit qu'il en reste assez pour satisfaire aux appétits du blanc qui passe...

submergés, ne parvenons à nous rejoindre qu'au poste.

Adoum et Outhman, qui ont retrouvé ici des amis d'Abécher, demandent, à notre retour, une permission de nuit et s'en vont festoyer dans le village arabe, sur l'autre rive de la Nana. Nous ne les entendons pas rentrer ; mais, au petit jour, ils sont à l'œuvre, cuisant le pain, repassant notre linge, etc.

Fort-Sibut, 16 octobre.

Violente tornade à mi-route. Les changements de paysage (je veux dire : de l'aspect du pays) sont très lents à se produire ; sinon à l'approche du moindre cours d'eau, marigots, dévalements, où reparaissent soudain les très grands arbres à empattements, à racines aériennes, l'enchevêtrement des lianes, et tout le mystère humide du sous-bois. Durant de longs espaces, entre deux « galeries forestières », les bois peu élevés, les taillis, sont à ce point couverts de plantes grimpantes, qu'on ne distingue plus qu'une sorte de capiton continu. Ces intumescences vertes ne s'interrompent que pour faire place à des cultures de maïs ou de riz, lesquelles dégagent le tronc des arbres demeurés abondants parmi la culture ; quantité de ces arbres sont morts, d'une mort qui ne semble pas toujours due à l'incendie. Même dans les marigots, de larges groupes d'arbres morts m'intriguent. Leur écorce, souvent, est complètement tombée, et l'arbre prend l'aspect d'un perchoir à vautours. Je doute si, dans quelques années, ce déboisement continu, systématique et volontaire, ou accidentel, n'amènera pas de profonds changements dans le régime des pluies.

Toujours des saluts enthousiastes de femmes et d'enfants à la traversée des villages. Tous accourent ; les enfants s'arrêtent net sur le rebord du fossé de la route et nous font une sorte de salut militaire ; les plus grands saluent en se penchant en avant, comme on fait dans les music-halls, le torse un peu de côté et rejetant la jambe gauche en arrière, montrant toutes leurs dents dans un large sourire. Lorsque, pour leur répondre, je lève la main, ils commencent par prendre peur et s'enfuient ; mais dès qu'ils ont compris mon geste (et je l'amplifie de mon mieux, y joignant tous les sourires que je peux) alors ce sont des cris, des hurlements, des trépignements, de la part des femmes surtout, un délire d'étonnement et de joie que le voyageur blanc consente à tenir compte de leurs avances, y réponde avec cordialité.

17 octobre.

Lever dès 4 heures. Mais il faut attendre les premières lueurs de l'aube pour partir. Que j'aime ces départs avant le jour ! Ils n'ont pourtant pas, dans ce pays, l'âpre noblesse et cette sorte de joie farouche et désespérée que j'ai connue dans le désert.

Retour à Bangui vers 11 heures.

APPENDICE AU CHAPITRE III

Le réseau routier établi en Oubangui-Chari par le Gouverneur Lamblin, depuis qu'il a pris en main la direction de la colonie en 1917, est de 4 200 km.

Au Gabon, le grand nombre de Gouverneurs qui s'y sont succédé, n'a pas su donner à cette colonie plus de 12 km de routes (praticables pour l'automobile). Aussi voyons-nous sévir encore dans cette contrée les obligations du portage.

Je sais bien que le Gouverneur Lamblin a été particulièrement servi par la nature du terrain et le peu de relief du sol. Mais, quoi que ce soit de grand que l'homme entreprenne, il peut sembler toujours, après l'accomplissement, avoir été « servi » par quelque chose. Le plus remarquable, dans cet énorme travail entrepris, c'est qu'il a été mené à bien sans l'assistance des ingénieurs, agents-voyers, etc. [1] Les budgets très restreints de la colonie ne pouvaient faire face aux dépenses qu'auraient entraîné les conseils et la direction des techniciens. J'admire le Gouverneur Lamblin pour avoir fait confiance aux indigènes et s'être persuadé qu'ils pourraient suffire aux difficiles travaux qu'il leur proposait. Les équipes qu'il a formées ont fait leurs preuves ; elles ont montré que l'ingéniosité et l'industrie des noirs savent être à la hauteur d'un travail dont ils comprennent le but et l'utilité. Si le nombre des journées de prestation a parfois été dépassé, peu m'importe ; l'indigène lui-même ne proteste pas contre un travail dont il est le premier à recueillir le bénéfice.

1. La route de Fort-Sibut à Fort-Crampel (250 km), entreprise en 1914 par les officiers d'artillerie coloniale, coûta deux millions. (On comptait 25 F le mètre). Le réseau routier établi par Lamblin revient à 150 F le kilomètre.

(Il accepte moins volontiers, par contre, de se soumettre à ce travail dans les régions où il sait que les routes, périodiquement inondées, et par conséquent sans cesse à refaire, ne le récompenseront jamais de ses peines. Ce sont les régions précisément où, d'autre part, le transport fluvial est praticable.)

Pour comprendre à quelle agonie le réseau routier de l'Oubangui-Chari a mis fin, il n'est que de se reporter à la situation faite aux indigènes par le régime obligatoire du portage.

Nous lisons dans un rapport de 1902 :

« Depuis plus d'un an la situation devient de jour en jour plus difficile. Les Mandjias épuisés n'en peuvent plus et n'en veulent plus. Ils préfèrent tout, actuellement, même la mort, au portage...

« Depuis plus d'un an la dispersion des tribus est commencée. Les villages se désagrègent, les familles s'égaillent, chacun abandonne sa tribu, son village, sa famille et ses plantations, va vivre dans la brousse comme un fauve traqué, pour fuir le recruteur. Plus de cultures, partant plus de vivres... La famine en résulte et c'est par centaines que, ces derniers mois, les Mandjias sont morts de faim et de misère... Nous en subissons nous-mêmes le rude contrecoup ; Fort-Crampel est plus que jamais menacé de se trouver à court de vivres. Il est nourri par les postes du Kaga M'Brès et de Batangafo, qui viennent en 5 jours de marche lui porter de la farine et du mil ; d'où, pour chaque porteur de vivres, un déplacement mensuel moyen de 10 à 12 jours de marche.

« Les recruteurs doivent se livrer, pour trouver des porteurs, à une véritable chasse à l'homme, à travers les villages vides et les plantations abandonnées. Il n'est pas de mois où des gardes régionaux, des auxiliaires même du pays, Mandjias à notre service envoyés au recrutement *dans leur propre pays*, ne soient attaqués, blessés, fréquemment tués et mangés.

« Refoulés partout au Nord, à l'Est, à l'Ouest et au Sud, par nos petits postes "manu militari" pour s'opposer à leur exode en masse au-delà de la Fafa et de l'Ouam, le Mandjia reste caché, comme un solitaire traqué, dans un coin de brousse, ou se réfugie dans les cavernes de quelques "Kafa" inaccessible, devenu troglodyte, vivant misérablement de racines jusqu'à ce qu'il meure de faim plutôt que de venir prendre des charges.

« Tout a été tenté... *Il le fallait*. (C'est moi qui souligne.) Le ravitaillement prime toute autre considération. Les armes, les munitions, les marchandises d'échange devaient passer. Douceur et encouragements, menaces, violences, répressions, cadeaux, salaires, tout échoue aujourd'hui devant l'affolement terrible de cette race Mandjia, *il y a quelques années, quelques mois encore, riche, nombreuse et groupée en immenses villages*.

« Quelques mois encore et toute la partie du cercle de Gribingui comprise entre le Gribingui à l'Est, la Fafa à l'Ouest, les Ungourras au Sud et Crampel au Nord, ne sera plus qu'un désert, semé de villages en ruine et de plantations abandonnées. Plus de vivres et de main-d'œuvre ; la région est perdue.

« Si dans un délai très rapproché le portage n'est pas entièrement supprimé, entre Nana et Fort-Crampel au moins, le cercle de Gribingui est irrémédiablement perdu, et il ne nous restera qu'à évacuer un pays désert, ruiné, sans bras et sans vivres... »

Et dans le « rapport de M. l'Administrateur-adjoint Bobichon — sur la situation politique pour les mois de juillet et d'août 1904 » :

« ... Dans la zone de Nana, la question du portage devient de plus en plus ardue. Les Mandjias de Nana sont épuisés ; ils font et feront tout pour fuir le portage dont ils ne veulent plus. Ils préfèrent tout actuellement, même la mort, au portage.

« Les groupes se disloquent les uns après les autres sans qu'il soit possible de faire quoi que ce soit pour arrêter ces migrations qui ont fait un vrai désert d'un pays autrefois riche en cultures et où était installé une nombreuse population.

« Cette année, contrairement aux promesses faites antérieurement, la tâche demandée à ces populations, au lieu de diminuer, n'a fait qu'augmenter. Comme supplément de corvée, c'est d'abord le recrutement de nombreux travailleurs pour les travaux de la route, le passage de la relève et de son matériel, un convoi de cartouches qui doit être enlevé en une seule fois, enfin le transport du "d'Uzès". À cela il faut ajouter des demandes de vivres plus importantes et plus fréquentes, à ces indigènes qui n'ont même pas le nécessaire pour subvenir à leurs propres besoins. Tous ces efforts sont demandés en pleine saison des pluies et au moment où l'indigène a le plus besoin de s'occuper de ses cultures.

« Si nous compulsons les rapports de nos prédécesseurs, nous y trouvons qu'en 1901, 1902 et 1903 un repos de deux mois avait été laissé aux Mandjias pour leur permettre de s'occuper de leurs plantations. Cette année, rien... aucun repos. Ces malheureux meurent de faim et de fatigue ; n'étant jamais chez eux, ils ne peuvent faire de plantations.

« Cet état de choses a été maintes fois exposé dans les rapports de M. l'Administrateur Bruel, commandant de la région, et de mes prédécesseurs MM. Thomasset, de Roll, et Toqué.

« Nous ne sortirons de cette fausse situation qu'en poussant activement les travaux de la route et en commandant sans retard en France le matériel nécessaire aux transports et devant supprimer le portage [1]. »

1. Cette situation abominable depuis longtemps n'existe plus dans toutes les régions ci-dessus mentionnées. Je crains qu'on ne la retrouve encore au Gabon, actuellement si dépeuplé que l'on ne peut plus trouver la main-d'œuvre indispensable pour l'exploitation des inestimables richesses forestières. Les indigènes recrutés par les petits concessionnaires sont arrachés à leurs villages souvent extrêmement distants. Et la Guinée espagnole, colonie voisine, se peuple au dépens de notre colonie, que désertent en masse les indigènes, pour se soustraire aux trop dures corvées.

Le portage existe, et existera longtemps encore dans certaines parties du Cameroun où les routes automobilisables sont particulièrement difficiles à établir. Ici le portage reste nécessaire, et ce

« *Il le fallait...* » J'ai souligné plus haut ces mots tragiques.

Il le fallait, pour l'entretien, la subsistance des postes de l'intérieur. Il le fallait, sous peine de laisser péricliter l'œuvre entreprise, et de voir tourner à néant le résultat d'immenses efforts. Le service d'autos, régulièrement organisé, qui rend aujourd'hui le portage inutile, c'est ce portage même, et ce portage seul qui d'abord l'a permis ; car ces autos, il *fallait* les transporter là-bas, et seuls ont pu les faire parvenir à destination des navires qu'il *fallait* transporter, démontés, à dos d'hommes, au Stanley-Pool, par-delà les premiers rapides du Congo tout d'abord, puis dans le bassin du Tchad. Ce régime affreux, mais provisoire, était consenti en vue d'un plus grand bien, tout comme les souffrances et la mortalité qu'entraîne nécessairement l'établissement d'une voie ferrée. Le pays entier, les indigènes mêmes, en fin de compte et en dernier ressort, en profitent.

L'on ne peut en dire autant du régime abominable imposé aux indigènes par les Grandes Compagnies Concessionnaires. Au cours de notre voyage, nous aurons l'occasion de voir que la situation faite aux indigènes, aux « Saigneurs de caoutchouc », comme on les appelle, par telle ou telle de ces Compagnies, n'est pas beaucoup meilleure que celle que l'on nous peignait ci-dessus ; et ceci pour le seul profit, pour le seul enrichissement de quelques actionnaires.

Qu'est-ce que ces Grandes Compagnies, en échange, ont fait pour le pays ? Rien [1]. Les concessions furent accordées dans l'espoir que les Compagnies « feraient valoir » le pays. Elles l'ont *exploité*, ce qui n'est pas la

n'est point contre lui qu'il sied de protester, mais contre les étapes parfois trop longues, et contre l'espacement trop grand des postes administratifs qui, ne permettant pas des relais suffisants, entraînent les porteurs indigènes trop loin de leurs villages respectifs et de leurs cultures ; ce à quoi il serait aisé de remédier.

1. Elles n'ont même pas payé leurs redevances à l'État. Il a fallu l'huissier et l'énergie du Gouverneur Général actuel pour faire rentrer un million d'arriéré.

même chose ; saigné, pressuré comme une orange dont on va bientôt rejeter la peau vide [1].

« Ils traitent ce pays comme si nous ne devions pas le garder », me disait un Père missionnaire.

Il n'y a plus ici d'*il le fallait* qui tienne. Ce mal est inutile et *il ne le faut pas*.

Par ses plantations de céaras qui permettent aux indigènes de se soustraire aux exigences des Compagnies (puisque celles-ci n'ont pas droit au caoutchouc *de culture*, mais seulement à celui *de brousse*), le Gouverneur Lamblin a rendu aux indigènes, et, partant, à la colonie, un aussi grand service que par l'établissement de son réseau routier.

Je lis à l'instant le rapport de M. D.R., président du conseil d'administration de la Société du Haut-Ogooué (assemblée ordinaire du 9 novembre 1926). Je n'ai pas circulé au Gabon et ne connais la lamentable situation du pays que par ouï-dire. Je ne sais rien de la Société du Haut-Ogooué et veux la croire à l'abri de tous reproches, de tous soupçons. Mais j'avoue ne rien comprendre à ces quelques phrases du rapport :

« Un redressement momentané du marché nous a permis de poursuivre nos opérations, et nous nous en sommes réjouis, *car sans cette source d'activité économique, la seule existant dans ces régions, nous nous demandons avec anxiété ce que deviendrait le sort des indigènes dont votre Société ne s'est désintéressée à aucun moment de sa longue existence*. À qui mettrait en doute cette affirmation, il nous serait facile de répondre par des chiffres officiels et de montrer que la concession de la Société de Haut-Ogooué a été la sauvegarde

1. « Qu'ont fait les colons en A.E.F. ? Assez peu de chose et ce n'est pas à eux qu'il faut s'en prendre, mais au régime détestable qui a été imposé à l'Afrique Équatoriale, le régime des Grandes Concessions.

... Dans peu de temps les Compagnies Concessionnaires auront quitté définitivement l'Afrique... L'Afrique sera un peu moins riche qu'avant leur venue. » (M. Augagneur : Conférence à l'École des Hautes Études Sociales).

et est aujourd'hui le réservoir de la population indigène au Gabon [1]. »

Allons, tant mieux ! Cette société diffère donc des autres et fait preuve de louables soucis. Mais, tout de même, aller jusqu'à dire : Que deviendraient sans nous les indigènes ? me paraît faire preuve d'un certain manque d'imagination.

1. En effet. Je lis par ailleurs : « Les exploitants forestiers du Gabon s'adressent à une Grande Compagnie : la *Société du Haut-Ogooué* qui s'engage à fournir des travailleurs moyennant une commission de 200 francs par *tête de pipe.* »

CHAPITRE IV

La grande forêt entre Bangui et Nola

18 octobre.

Matinée brumeuse ; il ne pleut pas, mais le ciel est couvert, tout est gris. Marc me dit : « Pas plus triste qu'en France » ; mais en France un pareil temps vous replie vers la méditation, la lecture, l'étude. Ici, c'est vers le souvenir.

Ma représentation imaginaire de ce pays était si vive (je veux dire que je me l'imaginais si fortement) que je doute si, plus tard, cette fausse image ne luttera pas contre le souvenir et si je reverrai Bangui, par exemple, comme il est vraiment, ou comme je me figurais d'abord qu'il était.

Tout l'effort de l'esprit ne parvient pas à recréer cette émotion de la surprise qui ajoute au charme de l'objet une étrangeté ravissante. La beauté du monde extérieur reste la même, mais la virginité du regard s'est perdue.

Nous devons quitter Bangui définitivement

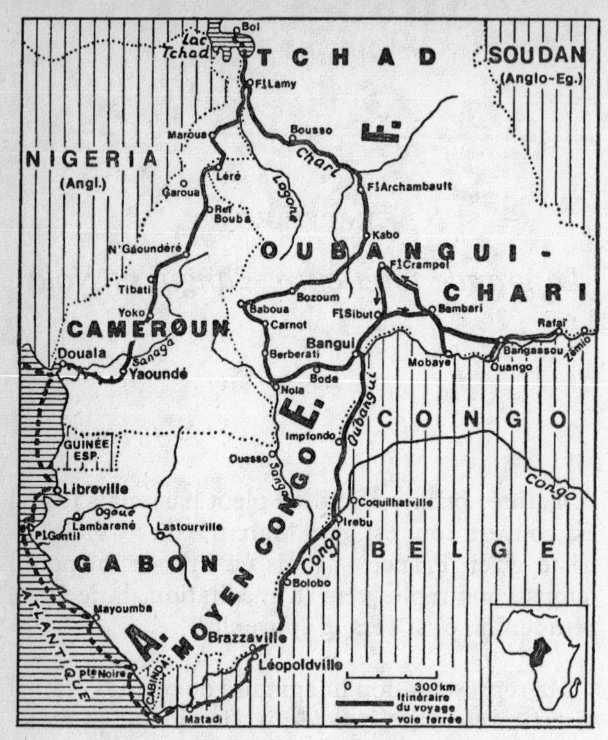

Carte de l'Oubangui-Chari et du Tchad

dans cinq jours. À partir de quoi commencera vraiment le voyage. Il est aisé de gagner Archambault, où nous attend Marcel de Coppet, par une route beaucoup plus courte ; et plus aisée surtout ; c'est celle que suivent les colis postaux et les gens pressés : deux jours d'auto jusqu'à Batangafo, et quatre ou cinq jours de bateau. Quittant le bassin de l'Oubangui, on rejoint à Batangafo les eaux qui se jettent dans le lac Tchad ; on n'a qu'à se laisser porter. Mais ce n'est pas cela qui nous tente, et nous ne sommes pas pressés. Ce que nous voulons, c'est précisément quitter les routes usuelles ; c'est voir ce que l'on ne voit pas d'ordinaire, c'est pénétrer profondément, intimement, dans le pays. Ma raison me dit parfois que je suis peut-être un peu vieux pour me lancer dans la brousse et dans l'aventure ; mais je ne le crois pas.

20 octobre.

À la tombée du jour, j'ai repris, seul, hier, cette route qui, sitôt au sortir de Bangui, gagne le haut de la colline en s'enfonçant dans la forêt. Je ne me lasse pas d'admirer l'essor vertigineux de ces fûts énormes et leur brusque épanouissement. Les derniers rayons éclairaient encore leurs cimes. Un grand silence d'abord ; puis, tandis que l'ombre augmentait, la forêt s'est emplie de bruits étranges, inquiétants, cris et chants d'oiseaux, appels d'animaux inconnus, froissements de feuillage. Sans doute une troupe de singes agitait ainsi les ramures non loin de moi, mais je ne parvenais pas à les voir. J'avais atteint le haut de la colline. L'air était tiède ; je ruisselais.

Aujourd'hui je suis retourné aux mêmes lieux, une heure plus tôt. J'ai pu m'approcher d'une troupe de singes et contempler longtemps leurs bonds prodigieux. Capturé quelques papillons admirables.

21 octobre.

En auto jusqu'à M'Baïki, admirable traversée de forêt. L'auto passe trop rapidement. Ce trajet, que nous serons heureux de refaire dans quelques jours, méritait d'être fait à pied [1]. Dans la forêt avoisinant M'Baïki, les arbres sont d'une prodigieuse hauteur. Certains, les fromagers, ont un empattement gigantesque [2]. On dirait les plis d'une robe. On dirait que l'arbre est en marche.

1. Hélas ! Ce seront les étendues les plus monotones et les moins belles, celles où l'on souhaiterait précisément l'auto, qu'il nous faudra plus tard parcourir le plus lentement.

2. Disons pour ceux qui l'ignorent qu'on appelle empattement un extraordinaire élargissement de la base du tronc, qui souvent commence à se dessiner à près de dix mètres du sol. L'empattement obvie à l'insuffisance des racines et donne quelque assiette à un fût qui s'élève parfois à plus de 50 mètres de haut. D'autres arbres, les parasoliers en particulier, remplacent l'empattement par des racines aériennes, en manière d'arcs-boutants. En outre, l'épaisseur du taillis, le voisinage des autres arbres, les lianes-câbles qui les relient entre eux, les protègent contre les coups de vent des tornades. Ces forêts sont des associations.

Les parasoliers, m'avait appris Auguste Chevalier, dans l'excellente relation de son voyage en Afrique Centrale, ne poussent que dans la forêt dite « secondaire » c'est-à-dire celle qui s'élève à la place de la grande forêt primitive, une fois dévastée par quelque plus ou moins ancien incendie. C'est cette forêt primitive que je désirais voir, que nous pensions trouver plus loin, que j'ai partout vainement cherchée.

Soulevant l'écorce à demi pourrie d'un fromager abattu, je découvre quantité de grosses larves de coléoptères. Séchées et fumées, elles servent, paraît-il, de nourriture aux indigènes.

À M'Baïki, visite à M. B..., représentant de la Compagnie Forestière. Nous trouvons, assis sous sa véranda, devant des apéritifs, deux Pères missionnaires.

Que ces agents des Grandes Compagnies savent donc se faire aimables ! L'administrateur qui ne se défend pas de leur excès de gentillesse, comment, ensuite, prendrait-il parti contre eux ? Comment, ensuite, ne point prêter la main, ou tout au moins fermer les yeux, devant les petites incorrections qu'ils commettent ? Puis devant les grosses exactions ?

Les huttes des indigènes dans les villages aux environs de M'Baïki, sont très différentes de celles que nous avions vues dans la région des Sultanats ; beaucoup moins belles, moins propres ; souvent même sordides. On reconnaît à ceci que nous ne sommes déjà plus dans l'Oubangui-Chari, où le gouverneur Lamblin exige la réfection des cases indigènes selon un type à peu près unique adopté par l'administration. Certains protestent contre cette indiscrète exigence et voudraient qu'on laissât les noirs construire des cases à leur goût ; mais ces dernières semblent donner raison à Lamblin. Reliées les unes aux autres en une seule longue file, sans doute pour économiser le travail ; murs droits en torchis, maintenus par des bambous horizontaux ; toits très bas. Et peut-être, après tout, ces affreux corons sont-ils également construits par ordre. (Nous ne rencontrerons nulle part, par la suite, villages d'aspect moins exotique, ni plus laids.)

Bangui, 26 octobre.

Grands préparatifs de départ. Nous envoyons directement à Archambault trente-quatre caisses. Les colis qui doivent voyager avec nous prennent place dans deux camionnettes. Adoum monte dans la Ford avec nous. Départ de Bangui à trois heures. La nuit nous surprend en pleine forêt. Malgré le clair de lune, on distingue à peine la route.

Dîner très agréable chez M. Bergos, chef de subdivision de M'Baïki.

27 octobre.

Déjeuner à Boda avec le sinistre Pacha (v. plus loin) et M. Blaud, administrateur de Carnot, qui rentre en France. Pacha n'a pas le sourire. Certainement c'est un malade.

Départ de Boda vers trois heures. Dans les villages que l'on traverse, l'on ne voit que des vieillards, des enfants et des femmes.

La route s'élève lentement. Tout à coup le terrain dévale ; on domine une immense étendue de forêts. La nuit est close quand nous arrivons à N'Goto.

N'Goto est sur une hauteur ; simple pli de terrain, mais qui domine une assez vaste contrée. La Forestière y a un poste ; maison inhabitée que des représentants de la Compagnie nous avaient indiquée comme un endroit possible pour un séjour. Nous sommes plutôt un peu déçus par l'aspect du pays. En outre, nous voulons ne rien devoir à la Forestière. Nous ne songeons qu'à repartir. Mais les autos manquent d'essence et d'huile. Nous nous reposions sur l'assurance que nous avait donnée M. Bergos, que l'on pourrait se ravitailler en route. Rien à Boda ; non plus qu'à N'Goto. Force sera d'abandonner ici deux voitures. Mobaye, le chauffeur de Lamblin, qui déjà nous accompagnait à Rafaï, nous mènera en camion jusqu'au point terminus, avec Zézé notre cuisinier et nos sacs de couchage, puis retournera seul à M'Baïki, chercher l'huile et l'essence qu'il rapportera aux deux autres voitures en panne. Nos deux boys partent en avant vers six heures, avec les soixante porteurs qu'on a mis à notre disposition. Nous les retrouverons, partie au « Grand Marigot », point terminus de la route automobile ; partie à Bambio, où ils arriveront vers midi après avoir marché toute la nuit. C'est ici que va commencer vraiment le voyage.

Invités à dîner par M. Garron, grand chasseur [1], établi depuis quatre mois à N'Goto, qu'il songe à quitter du reste, car la chasse y est peu fructueuse, et il s'y ennuie à périr.

1. Dans ce pays « chasseur » tout court veut dire chasseur d'éléphants, tout comme, dans certains milieux, « fumer » signifie fumer l'opium.

Retirés de bonne heure, nous dormions tous deux d'un profond sommeil, à l'abri de nos moustiquaires, dans la case des passagers. Vers deux heures du matin un bruit de pas et de voix nous réveille. Quelqu'un veut entrer. Nous crions en sango : « Zo niè ? » (Qui est là ?). C'est un important chef indigène, qui déjà s'était présenté durant notre dîner. Craignant alors de nous gêner, il avait d'abord remis au lendemain l'entretien qu'il se promettait d'avoir avec nous ; mais un messager que Pacha, l'administrateur de Boda, lançait à ses trousses venait de lui transmettre l'ordre de regagner aussitôt son village. Il ne pouvait qu'obtempérer. Mais, désolé de voir s'échapper l'espoir qu'il avait eu de nous parler, il avait pris sur lui de venir nous trouver à cette heure indue. Il parlait avec une volubilité extrême, dans une langue dont nous ne comprenions pas un mot. Nous le priâmes de nous laisser dormir. Il reviendrait plus tard, quand nous aurions un interprète. Nous prenions la responsabilité de ce retard, lui promettant de le couvrir auprès du terrible Pacha. Quel intérêt avait celui-ci à empêcher Samba N'Goto, le chef en question, de nous délivrer son message, c'est ce que nous devions comprendre sans peine lorsque, au matin, à travers Mobaye interprète, nous apprîmes de Samba N'Goto ceci :

Le 21 octobre dernier (il y avait donc de cela six jours) le sergent Yemba fut envoyé par l'administrateur de Boda à Bodembéré pour exercer des sanctions contre les habitants de ce village (entre Boda et N'Goto). Ceux-ci avaient refusé d'obtempérer à l'ordre de transporter leurs gîtes sur la route de Carnot, désireux de n'abandonner point leurs cultures. Ils arguaient, en outre, que les gens établis sur la route de Carnot, sont des Bayas, tandis qu'eux sont des Bofis.

Le sergent Yemba quitta donc Boda avec trois gardes (dont nous prîmes soigneusement les noms [1]). Ce petit détachement était accompagné de Baoué, capita, et de deux hommes commandés par ce dernier. En cours de route, le sergent Yemba réquisitionna deux ou trois hommes dans chaque village traversé, et les emmena après les avoir enchaînés. Arrivés à Bodembéré, les sanctions commencèrent : on attacha douze hommes à des arbres, tandis que le chef du village, un nommé Cobelé prenait la fuite. Le sergent Yemba et le garde Bonjo tirèrent sur les douze hommes ligotés et les tuèrent. Il y eut ensuite grand massacre de femmes, que Yemba frappait avec une machette. Puis, s'étant emparé de cinq enfants en bas âge, il enferma ceux-ci dans une case à laquelle il fit mettre le feu. Il y eut en tout, nous dit Samba N'Goto, trente-deux victimes.

Ajoutons à ce nombre le capita de M'Biri, qui s'était enfui de son village (Boubakara, près de N'Goto) et que Yemba retrouva à Bossué, premier village au nord de N'Goto.

Nous apprîmes aussi que Samba N'Goto regagnait Boda, où il réside et y était presque arrivé lorsqu'il croisa sur la route l'auto du Gouverneur

1. Il était bon de préciser et d'aider à l'enquête administrative qui devait s'ouvrir, provoquée par la lettre que j'écrivis bientôt après à M. Alfassa, Gouverneur Général intérimaire.

Lamblin qui nous emmenait à N'Goto. C'est alors qu'il avait rebroussé chemin, croyant avoir affaire au Gouverneur lui-même, désireux d'en appeler à lui. Il avait dû marcher bien vite, puisqu'il était arrivé à N'Goto très peu de temps après nous. Cette occasion inespérée d'en appeler au chef des blancs, il ne voulait pas la laisser échapper [1].

28 octobre.

La déposition de Samba N'Goto avait duré plus de deux heures. Il pleuvait. Ce n'était point la passagère averse des tornades. Le ciel était épaissement couvert ; la pluie installée pour longtemps. Nous partîmes néanmoins vers dix heures. J'étais assis à côté de Mobaye ; Marc et Zézé, dans l'intérieur du camion, s'installèrent tant bien que mal sur les sacs de couchage, étouffant un peu sous la bâche. La route était profondément détrempée et l'auto n'avançait qu'avec une désespérante lenteur. Aux moindres montées, aussi bien qu'aux passages où la route était trop sablon-

1. Il va sans dire que Samba N'Goto fut jeté en prison sitôt de retour à Boda. Une lettre pour Pacha que je lui avais donnée, afin d'excuser son retard, et de le protéger si possible, n'y fit rien. Il fut jeté en prison, ainsi que quelques membres de sa famille, dont Pacha se put facilement saisir, tandis que Pacha partait en tournée, précisément avec Yemba, dont les hauts faits n'avaient donc entraîné nullement la disgrâce.

Je me hâte de dire que cette impunité ne fut pas de longue durée, non plus que l'incarcération de Samba N'Goto. Au reçu de ma lettre, le Gouverneur ordonna une enquête administrative. Elle fut confiée à M. Marchessou, inspecteur de l'Oubangui-Chari, qui apporta confirmation de tout ce que dessus ; d'où la mise en accusation de Pacha.

neuse, nous devions mettre pied à terre, sous la pluie, et pousser le camion qui s'enlisait.

Nous avions le cœur si serré par la déposition de Samba N'Goto et par les récits de Garron, qu'à la rencontre que nous fîmes d'un groupe de femmes en train de travailler à la réfection de la route, nous ne pouvions même plus leur sourire. Ce pauvre bétail ruisselait sous l'averse. Nombre d'entre elles allaitaient tout en travaillant. Tous les vingt mètres environ, aux côtés de la route, un vaste trou, profond de trois mètres le plus souvent ; c'est de là que *sans outils appropriés*, ces misérables travailleuses avaient extrait la terre sablonneuse pour les remblais. Il était arrivé plus d'une fois que le sol sans consistance s'effondrât, ensevelissant les femmes et les enfants qui travaillaient au fond du trou. Ceci nous fut redit par plusieurs [1]. Travaillant le plus souvent trop loin de leur village pour pouvoir y retourner le soir, ces femmes se sont construit dans la forêt des huttes provisoires, perméables abris de branches et de roseaux. Nous avons appris que le milicien qui les surveille les avait fait travailler toute la nuit pour réparer les dégâts d'un récent orage et permettre notre passage.

Arrivés au « Grand Marigot », point terminus de la route carrossable. Là nous attend le gros des porteurs. Nos boys ont pris les devants avec le reste de la troupe que nous ne devons retrouver

1. À noter que cette route, qui fut particulièrement difficile à établir, (en raison de la nature du sol) et meurtrière, ne sert exclusivement qu'à l'auto qui mène une fois par mois, au marché de Bambio, M. M. représentant de la Forestière, accompagné de l'administrateur Pacha.

qu'à Bambio. Il est deux heures. La pluie a cessé. Nous dévorons rapidement un poulet froid et repartons. Dix kilomètres seulement nous séparent de Bambio. Nous les ferons sans peine. En général, nous n'userons que très peu des tipoyes [1], autant par amour de la marche, que pour épargner nos tipoyeurs piteux.

Le « Grand Marigot » est admirable ; encore rien vu de si étrange et de si beau dans ce pays. Cette sorte de grand marais, que l'on traverse sur d'étroites passerelles de lianes et de branches, écarte une forêt pas très haute ; des plantes d'eau le couvrent, inconnues pour la plupart ; d'énormes arums dressent leurs cornets entr'ouverts et laissent paraître un secret blanc, tigé de pourpre sombre ; tiges aux cannelures épineuses. Cinq cents mètres plus loin, on atteint la rivière. Un mystérieux silence traversé de chants d'oiseaux invisibles. Quantité de palmiers bas se

1. Le *tipoye* est un fauteuil suspendu, non entre deux tiges de bambou, comme on pourrait le croire d'abord, mais entre deux palmes du gigantesque palmier-ban. Entre ces brancards se glissent les porteurs, deux à l'avant, deux à l'arrière. Reliés aux brancards, deux supports, un pour chaque couple de porteurs, pèsent sur l'épaule de ceux-ci, assumant le poids de l'ensemble. Je n'ai pas mesuré ces palmes-brancards ; mais on pourra présumer leur longueur en imaginant l'un derrière l'autre quatre porteurs, en ajoutant l'espace qu'il faut pour un fauteuil-lit. Elles sont de l'épaisseur d'un mât de cocagne. J'ai vainement cherché dans la forêt un palmier qui fût capable d'en fournir de cette taille. Au-dessus du fauteuil, des nattes, posées sur des tiges arquées, forment toiture : c'est le *Shimbeck*. Il préserve des rayons du soleil, mais empêche de voir, fait pencher de côté toute la machine lorsqu'il n'est pas parfaitement équilibré, et parfois se replie sur vous de la manière la plus gênante.

À cause des tsé-tsés et, partant, de la maladie du sommeil, il n'y a pas de chevaux dans cette partie de l'Afrique.

penchent et trempent leurs palmes dans l'eau courante. On gagne l'autre rive de la M'Baéré en pirogue. Ici la forêt vous enveloppe et se fait plus charmante encore ; l'eau la pénètre de toutes parts, et la route sur pilotis est constamment coupée de petits ponts de bois. Quelques fleurs enfin : des balsamines mauves et d'autres fleurs qui rappellent les épilobes de Normandie. J'avance dans un état de ravissement et d'exaltation indicibles (sans me douter hélas ! que nous ne reverrions rien d'aussi beau). Ah ! pouvoir s'arrêter ici, pouvoir y revenir sans cette escorte de porteurs qui fait s'enfuir au loin tout le gibier... Parfois cette constante compagnie m'importune, m'excède. Désireux de goûter ma solitude et l'enveloppement étroit de la forêt, je presse le pas, m'échappe en courant, tâchant de distancer les porteurs. Mais aussitôt ils partent tous au petit trot pour me rejoindre. Impatienté je m'arrête, les arrête, trace un trait sur le sol qu'ils ne devront dépasser qu'à mon coup de sifflet lorsque je serai déjà loin. Mais un quart d'heure après il faut retourner en arrière, les chercher ; car ils n'ont pas compris et tout le convoi reste en panne.

Peu de temps avant Bambio, la forêt cesse, ou du moins des clairières s'ouvrent. Des cris, des chants, nous avertissent de la proximité du village. Un peuple de femmes et d'enfants accourt à notre rencontre. Nous serrons la main de quelques chefs alignés et au port d'armes — et même, par enthousiasme et par erreur, la main de quelques simples plantons. Nous jouons aux grands chefs blancs, très dignes, avec des saluts de la main et des sourires de ministres en tournée. Un énorme gaillard affublé de peaux de bêtes tape sur un gigantesque xylophone qu'il porte pendu à son cou ; il dirige la danse des femmes qui chantent, poussent des hurlements sauvages, balaient la route devant nous, agitent de grandes tiges de manioc, ou les brisent sous nos pas en fouettant le sol bruyamment ; c'est un délire. Les enfants bondissent et trépignent. La traversée du village est glorieuse. Notre cortège nous mène à la case des passagers où nous retrouvons enfin nos braves boys et le premier convoi des porteurs.

29 octobre.

Ce matin, j'étais allé voir l'un des chefs indigènes venus hier à notre rencontre. Ce soir, il me rend ma visite. Longue conversation. Adoum sert d'interprète, assis à terre, entre le chef et moi.

Les récits du chef de Bambio confirment tout ce que Samba N'Goto m'avait appris. Il me raconte en particulier le « bal » du dernier marché de Boda. J'en transcris ici le récit, tel que je l'ai copié d'un carnet intime de Garron.

« À Bambio, le 8 septembre, dix récolteurs de caoutchouc, (vingt, disent les renseignements complémentaires [1]) de l'équipe de Goundi, travaillant pour la Compagnie Forestière — pour n'avoir pas apporté de caoutchouc le mois précédent

1. Ils ont tous été frappés d'une amende égale au prix de leur travail. Par conséquent, ils ont travaillé deux mois pour rien. L'un d'eux, qui a voulu « causer » a été en outre frappé d'un mois de prison.

(mais, ce mois-ci, ils apportaient double récolte, de 40 à 50 kilogrammes) — furent condamnés à tourner autour de la factorerie sous un soleil de plomb et porteurs de poutres de bois très pesantes. Des gardes, s'ils tombaient, les relevaient à coups de chicotte.

« Le "bal" commencé dès huit heures, dura tout le long du jour sous les yeux de MM. Pacha et Maudurier, agent de la Forestière. Vers onze heures, le nommé Malingué, de Bagouma, tomba pour ne plus se relever. On en avertit M. Pacha, qui dit simplement : "Je m'en f..." et fit continuer le "bal". Tout ceci se passait en présence des habitants de Bambio rassemblés, et de tous les chefs des villages voisins venus pour le marché [1]. »

1. J'arrêtai ici ma citation du Journal de Garron, désireux, je l'ai dit, de n'avancer rien dont je n'aie pu contrôler l'exactitude, sinon *de visu*, du moins par recoupements divers ; et l'enquête administrative que motiva ma lettre au Gouverneur, apporte confirmation de tous les faits relatés plus haut.

Mais d'autre part je pus apprendre, par la suite, que M. Pacha lui-même, dans un rapport officiel, n'hésitait point à citer Garron, à s'abriter derrière son témoignage. La confiance qu'il accorde à celui-ci, confiance parfaitement motivée sans doute, (et je reconnais pour exacts les propos de moi qu'il rapporte) m'invite à copier encore cette page de son journal :

« M. Pacha annonce qu'il a terminé ses répressions chez les "Bayas" des environs de Boda. Il estime (de son aveu) le nombre des tués à un millier de tout âge et des deux sexes. Les gardes et les partisans étaient obligés, pour justifier leurs faits de guerre, d'apporter au "Commandant" les oreilles et parties génitales des victimes ; les villages étaient brûlés, les plantations arrachées. L'origine de l'affaire remonte au mois de juillet 1924.

« Les indigènes de la région ne voulaient plus faire de caoutchouc. L'administrateur de l'époque, M. Bouquet, envoie quatre miliciens, accompagnés d'un sergent indigène, pour contraindre les gens au travail. D'où bagarre. Un milicien tire. À ce moment les miliciens sont enveloppés par les indigènes qui les ligotent. Ils sont tués 24 heures plus tard par quelques exaltés, peu nombreux, et qu'il aurait suffi d'arrêter pour liquider l'affaire. Au lieu de quoi on

Le chef nous parle encore du régime de la prison de Boda, de la détresse des indigènes, de leur exode vers une moins maudite contrée...

Et certes je m'indigne contre Pacha, mais le rôle de la Compagnie Forestière, plus secret, m'apparaît ici bien autrement grave. Car enfin, elle n'ignorait rien (Je veux dire les représentants de ladite). C'est elle (ou ses agents) qui profitait de

attendit l'arrivée de Pacha, au début de 25, qui commença les répressions avec une sauvagerie terrible.

« La cause de tout cela, c'est la C.F.S.O. (Compagnie Forestière Sanga-Oubangui) qui, avec son monopole du caoutchouc et avec la complicité de l'administration locale, réduit tous les indigènes à un dur esclavage. Tous les villages, sans exception aucune, sont forcés de fournir caoutchouc et manioc pour la C.F.S.O., le caoutchouc au prix d'un franc le kilo, et le manioc à un franc le panier de dix kilos. Il est à remarquer que dans la colonie de l'Oubangui-Chari, le caoutchouc est payé de 10 à 12 francs le kilo aux indigènes et le manioc 2,50 F le panier. Un indigène, pour récolter 10 kilos de caoutchouc, est obligé de passer un mois en forêt, souvent environ à 5 ou 6 jours de marche de tout village ; par conséquent ils n'ont pas beaucoup d'enthousiasme pour cette récolte, qui leur assure une maigre rétribution mensuelle ; ils préfèrent travailler à la récolte des noix palmistes, beaucoup plus facile, à proximité de leur village, et qui leur sont payées *vu la concurrence* (ce produit n'étant pas concédé à la C.F.S.O.) jusqu'à un franc le kilo, et souvent davantage. Un indigène peut, sans fatigue, et en retournant coucher chaque nuit dans son village, en fournir 30 kilos mensuellement. »

Et ceci encore :

« Les prestations et portages sont faits par les femmes, malgré l'arrêté du Gouverneur Général.

« Les routes de la région sont tracées sur un terrain sablonneux où n'existe pas de cailloux. Toutes les femmes des villages travaillent toute l'année du matin au soir pour apporter de la terre sur la chaussée ; cette terre, elles vont la chercher assez loin la plupart du temps ; elles n'ont pas d'outils pour l'extraire, et transportent cette terre sur la tête dans des paniers. La plupart de ces femmes ont des enfants au sein. D'où mortalité infantile et dépeuplement.

« Ce travail, considéré comme prestation, n'est pas payé, et ces travailleuses ne sont pas nourries. »

cet état de choses. Ses agents approuvaient Pacha, l'encourageaient, avaient avec lui partie liée. C'est sur leur demande que Pacha jetait arbitrairement en prison les indigènes de rendement insuffisant ; etc. [1].

Désireux de mener à bien ma lettre au Gouverneur, je décide de remettre au surlendemain notre départ. Le peu de mois que j'ai passés en A.E.F., m'a déjà mis en garde contre les « récits authentiques », les exagérations et les déformations des moindres faits. Hélas ! cette scène de « bal » n'eut, je le crains, rien d'exceptionnel, s'il faut en croire divers témoins directs que j'interroge tour à tour. La terreur que leur inspire Pacha les fait me supplier de ne les point nommer. Sans doute, ils se « défileront » par la suite, nieront avoir rien vu. Lorsqu'un Gouverneur parcourt le pays, ses subordonnés se présentent, et présentent dans leurs rapports, de préférence, les faits qu'ils jugent les mieux capables de contenter. Ceux que je dois rapporter au Gouverneur risquent d'échapper à son investigation, je le crains, et l'on étouffera soigneusement les voix qui pourraient les lui faire connaître. Voyageant en simple touriste, je me persuade qu'il peut m'arriver parfois de voir et d'entendre ce qui est trop bas pour l'atteindre.

En acceptant la mission qui me fut confiée, je

1. Qu'est devenue cette « affaire Pacha » ? C'est ce qu'il serait intéressant de savoir. Est-il vrai que mon... indiscrétion ait valu à M. Garron maintes brimades et le retrait ruineux de son permis de chasse ?

Combien « la vérité coûte cher en brousse », ainsi que le disait un chef indigène, c'est ce que nous n'aurons que trop d'occasions de constater.

ne savais trop tout d'abord à quoi je m'engageais, quel pourrait être mon rôle, et en quoi je serais utile. À présent, je le sais, et je commence à croire que je ne serai pas venu en vain.

Depuis que me voici dans la colonie, j'ai pu me rendre compte du terrible enchevêtrement de problèmes qu'il ne m'appartient pas de résoudre. Loin de moi la pensée d'élever la voix sur des points qui échappent à ma compétence et nécessitent une étude suivie. Mais il s'agit ici de certains faits précis, complètement indépendants des difficultés d'ordre général. Peut-être le chef de circonscription en est-il avisé d'autre part. D'après ce que me disent les indigènes, il semblerait qu'il les ignore. La circonscription est trop vaste ; un seul homme, et sans moyens de transport rapide, ne peut suffire à tout surveiller. L'on se heurte ici, comme partout en A.E.F. à ces deux constatations angoissantes : insuffisance de personnel ; insuffisance d'argent.

Deux hommes, venus de N'Goto (environ 48 kilomètres), me rapportent mon écorçoir que j'avais égaré là-bas. Ils paraissent stupéfaits quand je leur donne un « matabiche [1] ».

Au clair de lune, sur la vaste arène qui s'étend derrière le gîte d'étape, grande revue des porteurs. Marc les dénombre ; les range par groupes de 10 ; leur apprend à se compter. Grands éclats de rire de ceux qui comprennent, devant l'incompréhension de certains autres. Nous distribuons à

1. Pourboire.

chaque homme une cuillerée de sel ; d'où reconnaissance lyrique et protestations enthousiastes.

30 octobre.

Impossible de dormir. Le « bal » de Bambio hante ma nuit. Il ne me suffit pas de me dire, comme l'on fait souvent, que les indigènes étaient plus malheureux encore avant l'occupation des Français. Nous avons assumé des responsabilités envers eux auxquelles nous n'avons pas le droit de nous soustraire. Désormais, une immense plainte m'habite ; je sais des choses dont je ne puis pas prendre mon parti. Quel démon m'a poussé en Afrique ? Qu'allais-je donc chercher dans ce pays ? J'étais tranquille. À présent je sais ; je dois parler.

Mais comment se faire écouter ? Jusqu'à présent, j'ai toujours parlé sans aucun souci qu'on m'entende ; toujours écrit pour ceux de demain, avec le seul désir de durer. J'envie ces journalistes dont la voix porte aussitôt, quitte à s'éteindre sitôt ensuite. Circulais-je jusqu'à présent entre des panneaux de mensonges ? Je veux passer dans la coulisse, de l'autre côté du décor, connaître enfin ce qui se cache, cela fût-il affreux. C'est cet « affreux » que je soupçonne, que je veux voir.

Journée toute occupée à la rédaction de ma lettre.

31 octobre.

Levés avant cinq heures. Thé sommaire. On plie bagages. Sur l'arène, derrière la maison, sont groupés nos porteurs (60 hommes, plus un milicien, un guide indigène, nos deux boys et le cuisinier ; plus encore trois femmes, accompagnant le milicien et le guide). Le chef est venu nous dire adieu. Clair de lune brumeux. Nous partons dans la douteuse clarté d'avant l'aube, précédant le gros de la troupe, avec nos boys, nos tipoyeurs, le guide, le garde, et les porteurs de nos sacs.

L'interminable forêt met à l'épreuve notre inépuisable patience. Je n'ai pu achever hier ma lettre au Gouverneur. Hélas ! impossible d'écrire, ni même de prendre des notes ou de lire en tipoye. Je ne me résigne à y monter qu'après cinq heures de marche assez fatigante, car le terrain, sablonneux d'abord, devient, durant les derniers kilomètres, argileux et glissant. Après un court repos en tipoye, cinq kilomètres de marche encore. Pas de poste intermédiaire. Si longue que soit l'étape, il faut la fournir, car on ne peut passer la nuit en forêt, sans gîte, sans nourriture pour les porteurs. Forêt des plus monotones, et très peu exotique d'aspect. Elle ressemblerait à telle forêt italienne, celle d'Albano par exemple, ou de Némi, n'était parfois quelque arbre gigantesque, deux fois plus haut qu'aucun de nos arbres d'Europe, dont la cime s'étale loin au-dessus des autres arbres, qui, près de lui paraissent réduits en taillis. Les troncs de ces derniers, à demi couverts de mousse, semblent des troncs de chênes verts, ou de lauriers. Les petites plantes vertes qui bordent la route rappellent nos myrtilles ; d'autres, les « herbes à Circé » ; tout comme, dans le marigot d'avant-hier, des plantes d'eau rappelaient nos épilobes et nos balsamines du Nord. Nos châtaignes ne sont pas moins bizarres, pas moins belles que ces graines dont on ne voit à terre que les cosses velues. Pas de fleurs. Pourquoi nous signalait-on cette partie de la forêt comme particulièrement intéressante et belle ?

À l'extrémité du parcours, le terrain, jusqu'alors parfaitement plan, dévale faiblement jusqu'à une petite rivière peu profonde, ombragée ; l'eau claire coule sur un lit de sable blanc. Nos porteurs se baignent.

Les bains, dit-on, sont dangereux dans ce pays. Je ne parviens pas à le croire, lorsqu'il n'y a lieu de redouter ni crocodiles, ni insolations. Il ne s'agit pas de cela, disent certains docteurs, (et Marc me le répète après eux) mais bien de congestion du foie, de fièvre, de filariose... Hier, déjà je me suis baigné. Qu'en est-il résulté ? Un grand bien-être. Aujourd'hui, je ne résiste pas davantage à l'appel de l'eau et me plonge délicieusement dans sa transparente fraîcheur. Je n'ai jamais pris de bain plus exquis.

Des chefs viennent à notre rencontre, avec deux tam-tams portés par des enfants. Deux importants villages de « Bakongos » (l'on appelle indifféremment ainsi les indigènes qui travaillent pour la Forestière). Un tout petit village à côté, N'Délé, habité seulement aujourd'hui par cinq hommes valides (qui sont dans la forêt à récolter le caoutchouc) et cinq impotents qui s'occupent des plantations. Inutile de dire que ces hommes dans la forêt, non surveillés, ne se livrent que le moins possible à un travail qui leur est si mal rétribué. De là les châtiments par lesquels le représentant de la Forestière s'efforce de les rappeler au sentiment du *devoir*.

Longue conversation avec les deux chefs du village bakongo. Mais celui qui parlait d'abord, lorsqu'il était seul avec nous, se tait aussitôt qu'approche l'autre. Il ne dira plus rien ; et rien n'est plus émouvant que ce silence et cette crainte de se compromettre lorsque nous l'interrogeons sur les atrocités qui se commettent dans la prison de Boda où il a été lui-même enfermé. Il nous dira plus tard, de nouveau seul avec nous, qu'il y a vu mourir par suite de sévices, dix hommes en un seul jour. Lui-même garde des traces de coups de chicotte, des cicatrices, qu'il nous montre. Il confirme, ce que l'on nous disait déjà [1], que les prisonniers ne reçoivent pour toute nourriture, une seule fois par jour, qu'une boule de manioc, grosse comme (il montre son poing).

Il parle des amendes que la Compagnie Forestière a coutume d'infliger aux indigènes (j'allais dire : de prélever sur ceux-ci), qui n'apportent pas de caoutchouc en quantité suffisante, — amendes de quarante francs ; c'est-à-dire tout ce qu'ils peuvent espérer toucher en un mois. Il ajoute que, lorsque le malheureux n'a pas de quoi payer l'amende, il ne peut éviter la prison qu'en emprun-

1. Et ce que va confirmer à son tour l'enquête administrative.

tant à un plus fortuné que lui, s'il en trouve — et encore est-il parfois jeté en prison « par-dessus le marché ». La terreur règne et les villages des environs sont désertés. Plus tard, nous parlerons à d'autres chefs. Quand on leur demande : « Combien y a-t-il d'hommes dans ton village ? » ils font le dénombrement en les nommant et pliant un doigt pour chacun. Il y en a rarement plus de dix. Adoum sert d'interprète.

Adoum est intelligent, mais ne sait pas très bien le français. Lorsque nous nous arrêtons en forêt, c'est, dit-il, que nous avons trouvé « un palace » (pour : une place). Il dit : « un nomme » et quand, à travers lui, nous demandons à quelque chef : « Combien y en a-t-il de ton village qui se sont enfuis, ou qui ont été mis en prison ? » Adoum répond : « Ici, dix *nommes* ; là-bas, six *nommes*, et huit *nommes* un peu plus loin. »

Beaucoup de gens viennent nous trouver. Tel demande un papier attestant qu'il est grand sorcier de beaucoup de villages ; tel, un papier l'autorisant à aller plus loin « faire petit village tout seul ». Quand on s'informe sur le nombre de prisonniers qu'enferme la prison de Boda, la seule réponse que j'obtiens, quel que soit celui qui me la donne : « Beaucoup ; beaucoup ; trop ; peux pas compter. » Il y aurait parmi les incarcérés nombre de femmes et d'enfants.

1er novembre.

Trop préoccupé pour pouvoir dormir. Départ avant cinq heures. Étape de 25 à 28 kilomètres sans user des tipoyes un seul instant. L'on ne peut évaluer la longueur d'une route non jalonnée, que d'après le temps mis à la parcourir. Nous devons faire, en moyenne, de cinq à six kilomètres par heure. Les derniers kilomètres, dans le sable et en plein soleil, ont été particulièrement fatigants. La forêt est de nouveau très monotone, et sans rien de particulier d'abord, puis, tout à coup, à mi-route, une large et profonde rivière aux eaux admirablement claires ; on voyait, à plus de cinq mètres de profondeur je pense, d'abondantes plantes d'eau s'agiter au-dessous d'un pont sinueux, incertain, d'apparence extrêmement fragile, formé de tiges rondes retenues par des lianes et mal fixées, presque à ras de l'eau, sur de grands pilotis. On eût dit l'un de ces petits couloirs de branches et de bûches qui permettent de traverser à pied sec les fondrières, et l'on ne se penchait point sans vertige au-dessus de l'inquiétante profondeur. Passé la rivière (la Bodangué ?), durant un kilomètre ou deux la forêt est de nouveau des plus étranges et des plus belles. J'associe volontiers dans ce carnet ces deux épithètes, car le paysage vient-il à cesser d'être *étrange*, il rappelle aussitôt quelque paysage européen, et le souvenir qu'il évoque est toujours à son désavantage. Peut-être, si j'avais vu Java ou le Brésil, en irait-il de même pour ce sous-bois encombré de fougères épiphytes et de grands arums ; mais, comme il ne me rappelle rien, je puis le trouver merveilleux.

On traverse, avant d'arriver à Dokundja-Bita, où nous campons, trois misérables petits villages. Rien que des femmes. Les hommes, comme toujours, sont au caoutchouc. Les chefs viennent d'assez loin à notre rencontre, avec trois tam-tams frappés par un vieux hors d'usage et des enfants. Puis, un peu avant Dokundja, réception par les femmes et les mioches ; vociférations suraiguës, chants, trémoussements frénétiques. Les plus vieilles sont les plus forcenées ; et ce gigotement saugrenu des dames mûres est assez pénible. Toutes ont à la main des palmes, et de grandes branches avec lesquelles elles nous éventent ou balaient le sol que nous allons fouler. Très « entrée à Jérusalem ». Les femmes n'ont d'autre vêtement qu'une feuille (ou un chiffon) cache-sexe dont la tige, passant entre les fesses, rejoint par-derrière la ficelle qui sert de ceinture. Et certaines portent, par-derrière, un gros coussinet de feuilles fraîches, ou sèches, pas beaucoup plus ridicule après tout que le « pouf » ou tournure à la mode vers 1880. Mais, dans le dernier village où nous nous arrêtons, elles sont, en plus, toutes parées de lianes.

Un coureur parti de Bambio, nous a précédés de deux jours, pour annoncer notre arrivée. À l'entrée et à la sortie des villages, sur plusieurs centaines de mètres, parfois, (et parfois en pleine forêt ou en pleine brousse, on ne sait trop pourquoi) on a sarclé, coupé les herbes, et répandu du sable sur la route. Par endroits, à ras du sable, d'admirables fleurs mauves qui rappellent les cattléyas (et que j'avais déjà vues dans notre promenade en forêt aux environs d'Eala). Ne serait-ce pas elles qui donnent ces gros fruits couleur corail, de la forme d'une gousse d'ail, que l'on trouve, eux aussi, à ras du sol, et dont les indigènes mangent l'intérieur, une pulpe blanche au goût anisé. Tout auprès, la feuille, semblable à une petite palme, d'un mètre 50 environ. Ces fleurs se sont-elles ouvertes depuis que l'on a nettoyé la route ? ou plutôt ne les a-t-on pas laissées intentionnellement ? J'aime à le croire et j'admire cette piste de sable, où l'on a tout ôté, sauf les fleurs.

À chaque arrêt dans un village, nous parlons au chef et le persuadons de ne laisser le caoutchouc que si la Compagnie Forestière consent à le payer 2 francs le kilo, comme elle le doit. Car il nous est dit qu'elle ne le paie souvent qu'un franc cinquante, qu'elle n'accepte de le payer deux francs qu'à partir du vingtième kilo. Et, de plus, nous voudrions persuader les indigènes d'apprendre à peser le caoutchouc eux-mêmes ; car ils ne connaissent que les mesures de volume (ils comptent par paniers) ce qui permet au représentant de la Forestière de les tromper sur le poids, pour peu qu'il ne soit pas honnête, et que l'administrateur ne soit pas là pour protester [1].

1. « La convention entre le Gouvernement et la Forestière stipulait, en plus du paiement du caoutchouc provenant de la concession au tarif de 2 francs le kilo, ce qu'on nommait un “sursalaire” qui consistait en une ristourne consentie aux collectivités indigènes lorsque la production dépassait un certain poids et que la vente en Europe *était réalisée dans des conditions favorables* (dont je n'ai pas le détail). Donc, une sorte de participation des producteurs aux bénéfices de la Compagnie. En réalité, je crains bien que ces “conditions favorables” n'aient été, ces dernières années, jamais obtenues et que l'indigène n'ait rien touché en fait de sursalaire.

« La nouvelle convention, annoncée télégraphiquement au Bas-Oubangui (décembre 1925) supprimerait cette participation aux bénéfices ; le caoutchouc serait désormais payé au producteur

Dès que nous sommes arrêtés, un tas d'hommes s'empressent pour en appeler à nous, nous soumettre des différends, se faire soigner, etc. Tel, flanqué de son frère et de sa sœur, nous demande de faire payer un voisin qui a couché avec sa femme enceinte de trois mois, ce qui, dit-il, a fait avorter la femme. Il demande 50 francs d'indemnité pour la mort de l'enfant, etc.

2 francs le kilo "tout venant", et 3 francs pour le caoutchouc sec. La pratique de ce pays me laisse penser que les factoriens ne trouveront jamais le caoutchouc assez sec pour le payer 3 francs. On le paiera donc 2 francs dans la plupart des cas, et l'espoir d'une ristourne en cas de vente lucrative sur les marchés d'Europe, est retiré au producteur » — m'écrit-on.

D'après M. X..., « la moyenne de la production dans les pays de la Lobaye et de la Sangha est d'environ 20 kilogrammes par mois et par récolteur, soit un salaire de 40 francs, sur lequel le factorien prélève le coût des articles plus ou moins utiles (sel, tabac, etc.) fournis par lui aux récolteurs dans le cours du mois, et dont le montant serait de 8 à 10 francs ». (J'ai pu me rendre compte par la suite que le commerçant trouvait le moyen de gagner également sur la fourniture de ces articles dont parfois il majore extraordinairement la valeur. « En échange de caoutchouc évalué à un prix dérisoire, les indigènes reçoivent des marchandises évaluées à un prix exorbitant », écrivait en 1902 Félicien Challaye dans son remarquable ouvrage : « *Le Congo Français*, p. 187, où il parle on ne peut mieux des grandes Compagnies concessionnaires.) « J'ai oublié de faire préciser si ces articles représentent la "ration" obligatoirement due *sous forme d'aliments* aux travailleurs engagés par contrat. » (La phrase de mon correspondant est peu claire, la Compagnie doit-elle la nourriture aux travailleurs qu'elle emploie ? En prélève-t-elle le coût sur leur salaire et trouve-t-elle là une occasion de plus de les exploiter ? Le travailleur doit-il payer lui-même sa nourriture ? Je ne sais. Il est facile de s'informer.) « J'ai déjà vu des abus de ce genre et je me souviens d'une distribution de "rations" à Bangassou, il y a dix ans, sous la forme de *cadenas* remis à des travailleurs habitant des cases de paille fermées par des claies. C'était à eux de monnayer les cadenas, et d'acheter ensuite leurs aliments. »

2 novembre.

Il est plus de midi quand nous arrivons à Katakouo ; partis de Dokundja-Bita à 5 heures, nous avons marché sans arrêt durant 7 heures, dont une demi-heure en tipoye. Un seul très beau passage de rivière, sur des tiges reliées par des lianes ; une petite liane couverte de fourmis sert de rampe. Partout ailleurs, monotone contrée ; steppe de graminées hautes, semée de petits arbres semblables à des chênes-lièges, parfois en lisière de forêt, et sans doute longeant le cours caché d'une rivière.

Énormes champs de manioc *non récolté* formant taillis ; et plus loin des champs de ricin également non récolté, tous les hommes étant au caoutchouc, ou en prison, ou morts, ou en fuite. Après avoir quitté le dernier village de cette maudite subdivision de Boda, un énorme gaillard, qui nous accompagnait depuis l'entrée du précédent village, qui marchait près de moi, la main dans la main (je croyais avoir affaire à un chef), déclare soudain qu'il ne veut plus retourner en arrière, rentrer dans son village et continuer plus longtemps à faire du caoutchouc. Il prétend ne plus nous quitter. Mais son frère (du même père et de la même mère, dit-il avec insistance, car dans ce pays on appelle bien souvent « frère » un simple ami) qui est capita, s'efforce de s'opposer à ce départ. Long palabre. « C'est sur lui que ça va retomber. C'est lui qu'on va f... en prison, etc. » Un matabiche le calme et le décide à s'en retourner seul.

Katakouo (Katapo sur certaines cartes). On reconnaît qu'on n'est plus dans la subdivision de Boda, à ceci qu'on revoit des hommes. Le chef du village s'empresse de nous présenter son livret, sur lequel nous lisons : « Chef incapable ; sans aucune énergie ; ne peut être remplacé ; pas d'indigène supérieur dans le village. »

Katakouo est un énorme village de près d'un kilomètre de long. Une seule rue, si l'on peut appeler ainsi cette interminable place oblongue aux côtés de laquelle toutes les cases sont alignées.

Vers le soir, gagnant une petite rivière ombragée, je me suis baigné, me laissant glisser d'un grand tronc d'arbre mort dans un clair bassin au fond de sable blanc. Un petit écureuil est venu me regarder, semblable aux écureuils de nos pays, mais de pelage beaucoup plus sombre.

3 novembre.

Départ de Katakouo bien avant l'aube ; durant longtemps, nous cheminons dans la forêt, si obscure que, sans le guide qui nous précède, nous ne pourrions distinguer le sentier sinueux. Très lente venue du jour, un jour gris, terne, indiciblement triste. Monotonie de la forêt ; quelques futaies assez belles (mais beaucoup de troncs morts) au milieu des cultures de manioc — de nouveau non récolté, bien que nous ne soyons plus sur Boda. Je tâche d'interroger le chef d'un village où nous nous arrêtons, homme stupide (comme le chef du village précédent et du suivant) qui tend un livret où je lis de nouveau : « Chef incapable, n'a aucune autorité sur ces gens. » Cela se voit du reste. Impossible d'obtenir une réponse à ma question : « Pourquoi n'a-t-on pas récolté le manioc en temps voulu ? » En général, le « pourquoi » n'est pas compris des indigènes ; et même je doute si quelque mot équivalent existe dans la plupart de leurs idiomes. Déjà j'avais pu constater, au cours du procès à Brazzaville, qu'à la question : « *Pourquoi* ces gens ont-ils déserté leurs villages ? », il était invariablement répondu « comment, de quelle manière... ». Il semble que les cerveaux de ces gens soient incapables d'établir un rapport de cause à effet [1] ; (et ceci, j'ai pu le constater maintes fois dans la suite de ce voyage).

Danses de femmes à l'entrée de chaque village. Extrêmement pénible, le trémoussement éhonté des matrones sur le retour. Les plus vieilles sont toujours les plus frénétiques. Certaines se démènent comme des forcenées.

Un de nos porteurs est malade. Un comprimé Dower le soulage beaucoup ; mais il ne peut marcher ; on le porte dans un hamac ; Marc soigne le pied d'un autre. Nous n'avons pas du tout usé de nos tipoyes ; Outhman qui s'est coupé profondément le pied a occupé l'un d'eux assez longtemps. Rien à noter, sinon la descente vers la rivière, à la fin du jour (nous étions arrivés à Kongourou vers midi). Raté plusieurs coups de fusil, ce qui

1. Ce que confirme, commente et explique fort bien Lévy-Bruhl, dans son livre sur *La mentalité primitive*, que je ne connaissais pas encore.

m'enlève beaucoup de mon assurance. D'avoir réussi mes premiers coups m'avait empli de superbe. Je ne visais déjà plus.

4 novembre.

Arrivés à Nola vers trois heures, ayant brûlé l'étape de Niémélé, et fait plus de 40 kilomètres dont une bonne trentaine à pied. La lune, au départ, était encore presque au zénith — « à midi » comme disait Adoum. — (Il n'était pas plus de 4 heures.) Rien de plus triste, de plus morne, que l'abstraite clarté grise qui la remplace. Matinée très brumeuse ; mais la steppe boisée, que l'on traverse durant des heures, doit une grâce passagère à l'abondance de grandes graminées très légères, que cette brume charge de rosée. Ces hautes herbes se penchent sur la route et mouillent le front, les bras nus du passant. Bientôt on est trempé comme par une averse. Abondance de traces sur la route sablonneuse (biches, sangliers, buffles), mais on ne voit aucun gibier. Le bruit, et sans doute le parfum, de notre escorte, fait tout fuir. Nous ratons quelques coups de fusil contre des oiseaux trop distants. Au passage d'une rivière, un peuple de cigales fait un vacarme assourdissant. Le milicien s'empare de la grande sagaie du petit boy qui nous accompagne depuis deux jours (avec son maître, le messager du chef Yamorou) — et cloue contre un tronc d'arbre un de ces insectes énormes, aux ailes tigrées, à reflets d'émeraude (les ailes de dessous sont pourprées). Hier au soir, nous étions arrivés à la nuit close dans le village où nous avons dû camper ; à trois kilomètres de Kongourou où se trouve le gîte d'étape, mais où venait de descendre un voyageur de commerce, raflant tout le manioc qu'on avait réservé pour nos porteurs. C'est ce que nous avions appris lorsque, ce même soir, désespérant d'attendre les rations promises, nous avions été retrouver le chef de Kongourou, nous collant ainsi 6 kilomètres supplémentaires. Ce chef était venu nous saluer ; vêtu à l'arabe ; extrêmement sympathique ; il nous explique qu'il n'a pu faire autrement que de servir d'abord les premiers arrivés, ce que nous admettons sans peine ; mais nos porteurs ont besoin de manger. À force de courir de case en case, armés de torches, nous parvenons, aidés du chef, à réunir une quantité de manioc suffisante, et nous rentrons exténués.

Quelques kilomètres avant d'arriver à Nola, le sentier, sortant de la forêt épaisse, débouche brusquement sur l'Ekéla (qui devient plus loin la Sangha). Nous quittons un instant nos tipoyes et nous nous asseyons sur un tronc de rônier, à l'ombre d'une case, dans le petit village de pêcheurs construit sur le bord de la rivière, à regarder danser six pauvres femmes ; par politesse, car elles sont vieilles et hideuses. Encore trois kilomètres de sentier dans la steppe et dans les cultures de bananiers et de quelques cacaoyers ; puis on arrive en face de l'étrange Nola, dont on aperçoit quelques toits, de l'autre côté du fleuve que nous traversons en pirogue. Nous touchons au but. Il était temps. Nous sommes recrus de fatigue, tous. Mais somme toute aucun accroc sérieux, durant ces cinq jours de marche. (Hier, par prudence, nous avions recruté cinq tipoyeurs de renfort, car les nôtres font pitié.)

Le capita prêté par le chef Yamorou (de Bambio) pour nous montrer la route, avait mission de lui ramener de Nola une de ses femmes qu'un milicien avait enlevée. Arrivés à Nola, nous apprenons que le milicien et la femme sont partis la veille pour Carnot.

CHAPITRE V

De Nola à Bosoum

5 novembre.

Crise du portage. Nos porteurs veulent tous repartir ; du moins les soixante recrutés par l'administration. On a apporté pour eux, hier, une grande quantité de bananes, mais très peu de manioc, ce qui cause un grand mécontentement. L'Administration paie 1,25 F par journée d'homme avec charge, et 75 centimes l'homme non chargé ; mais souvent, la somme est remise globalement au chef, de sorte qu'il arrive que les intéressés ne touchent rien. C'est, affirment nos porteurs, ce qui va se passer. Nous voici fort embarrassés, car, dans l'absence de tout représentant de l'autorité française, il est extrêmement difficile de trouver ici des remplaçants ; et d'autre part il nous paraît inhumain d'emmener ces gens beaucoup trop loin de leurs villages. Nous pensions d'abord pouvoir remonter la rivière en pirogue jusqu'à Nola, mais l'Ekela, grossie par les pluies, coule à pleines eaux et n'est plus navigable qu'à la descente ; les rapides sont dangereux.

Force sera de revenir sur nos pas jusqu'à Kongourou et de gagner Nola par la rive gauche, car, nous dit-on, l'autre route est abandonnée. Dès qu'une route n'est pas entretenue, la végétation qui l'envahit la rend à peu près impraticable.

Nos porteurs, à l'aide d'une très longue baguette de bambou, dont l'extrémité est fendue en fourche, s'emparent avec une grande habileté des nids des « mouches-maçonnes » suspendus aux poutrelles de la toiture qui abrite notre véranda ; ce sont de petites colonies d'une vingtaine d'alvéoles ; les larves, ou les chrysalides lorsqu'elles sont encore d'un blanc de lait, sont, nous disent nos gens, délectables. Nous les avons vus également se jeter sur les termites ailés qu'attire par essaims notre lampe-phare, et les croquer aussitôt sans même les plumer de leurs énormes ailes.

6 novembre.

Difficulté de trouver du manioc pour nos gens. On finit par en apporter ; mais il n'est pas pilé ; les porteurs boudent. Pour permettre le recrutement d'un nouveau contingent, nous décidons de ne partir qu'après-demain. Toutefois nous n'osons congédier déjà ceux-ci, qui cependant se démoralisent et s'encouragent à l'insoumission.

Vers le soir nous traversons l'Ekela en pirogue. Visite à l'établissement de la Forestière que dirigent deux très sympathiques et tout jeunes agents. Ils paraissent honnêtes [1]. Nous achetons diverses fournitures à leurs « magasins ». Puis

1. Qu'ils ne se fassent pas d'illusions : leur honnêteté leur nuira. La Compagnie leur préférera nécessairement des agents qui feront rentrer dans la caisse plus d'argent qu'eux ne le pourront faire *honnêtement*. Rien n'éclairera mieux ma pensée que ces propos d'un agent de la même compagnie, entendus ensuite et dans une tout autre région. On comprendra de reste les raisons qui me font préférer ne point mettre ici de noms propres de personnes, ni de localité. Cet agent avait fait avec nous la traversée ; amusé de nous retrouver, il se mit à nous parler sans crainte, sans soupçonner d'abord le dégoût que ses propos soulevaient en nous, et que nous cachions de notre mieux, par crainte de l'interrompre.

Il nous dit avoir d'abord servi longtemps dans la Gold Coast ; et comme nous lui demandons s'il préfère ce pays-ci :

— Parbleu ! s'écrie-t-il. En Gold Coast on ne peut rien faire. Songez donc : là-bas, les nègres savent presque tous lire et écrire.

Il engage les indigènes à raison de 25 francs par mois, plus 1 franc de « ration » tous les samedis, non nourris, non logés, pour exploiter un caoutchouc que, naturellement, il ne paie pas. Ce sont des « engagés volontaires », qui préfèrent encore cette situation lamentable à la réquisition de l'administration. Celle-ci les terrifie au point qu'ils désertent leurs villages et se cachent dans les endroits perdus de la brousse. — « Un autre moyen pour eux d'échapper aux corvées (nous dit-il en riant) c'est la blennorragie. Ces farceurs savent que l'administration ne prend pas les blennorragiques ; et ils connaissent des femmes qui se chargent de leur donner la maladie. »

Il gagne (nous dit-il) 4 000 francs par mois, « plus les primes ». Cette année l'administration de la compagnie lui aurait accordé une gratification (ou participation aux bénéfices) de 12 000 francs.

Il ne cache pas sa fureur contre les commerçants anglais, qui commettent la maladresse de payer directement à l'indigène le prix que la marchandise vaut au marché, ce qui « gâche le métier ». Il avoue cyniquement que, lorsque l'on ne peut pas gagner suffisamment sur la marchandise, « on se rattrape en truquant les poids ».

Comme je propose de donner cent francs de matabiche (récompense) au chef indigène qui me procurerait un nouveau dindiki (petit animal dont je parlerai plus loin), il hausse les épaules :

— Ne donnez donc rien du tout.

— Il est pourtant juste que...

— Rien du tout.

— Pourquoi ?

— Ces gens-là, quand on leur donne un matabiche, ils s'ima-

gagnons un grand village au bord du fleuve, à l'endroit où la Kadei rejoint l'Ekela pour former la Sanga. En face du village, un mont aux pentes brusques, couvertes d'une forêt épaisse. On la dit hantée de singes de toutes sortes ; en particulier quantité de gorilles énormes, que l'on chasse au filet. Les gens du village nous montrent ces filets robustes aux larges mailles, pendus aux portes de leurs cases. À l'entrée du village, un piège à panthères.

Brusque retournement de la crise du portage. On vient nous persuader que nous pourrons remonter l'Ekela en baleinière jusqu'à Bania, et que cela ne nous prendra pas plus de quatre jours.

7 novembre.

Deux indigènes viennent de tuer à coups de machettes un serpent d'un mètre cinquante de long, très gros proportionnellement à la longueur. Fâcheux que les coups de machettes aient endommagé la peau. Elle est très belle ; marquetée sur le

ginent aussitôt qu'on les vole. Ainsi, tenez, le chef dont je vous parlais m'a apporté un jour un chimpanzé, que j'ai revendu tout aussitôt 1 500 francs à Douala...

— Et vous ne lui avez rien donné ?

— Moi ! Je l'ai tout au contraire engueulé... Eh bien ! quelques jours plus tard, il m'a apporté un second chimpanzé. Vous voyez bien.

Il se plaint beaucoup de l'administration « qui tue le commerce » ; mais c'est de la haute administration qu'il s'agit ; par contre il chante les louanges du chef de la subdivision où il opère : « Un nègre peut bien venir se plaindre ; allez ! il sait vite vous le remettre à sa place. »

Il en eût dit plus long, s'il n'avait surpris dans nos regards je ne sais quoi qui n'était pas de la sympathie.

dos, non de losanges, mais de rectangles très réguliers gris clair, encerclés de noir dans une parenthèse plus pâle ; variété de python que je n'ai revue nulle part ailleurs.

Nous avons à déjeuner le Docteur B... et un représentant de la Compagnie Wial, qui fait le commerce des peaux [1]. Tous deux reviennent de Bania. Le Docteur nous parle longuement de la Compagnie Forestière, qui trouve le moyen, nous dit-il, d'échapper aux sages règlements médicaux, éludant les visites sanitaires et se moquant des certificats pour tous les indigènes qu'elle recrute de village en village et dont elle forme les groupements « bakongos » à son service ; d'où propagation de la maladie du sommeil, incontrôlable [2]. Il considère que la Forestière ruine et dévaste le pays. Il a envoyé à ce sujet des rapports confidentiels adressés au Gouverneur, mais est convaincu que ceux-ci restent embouteillés à Carnot (dont, faute de personnel administratif, Nola dépend provisoirement), de sorte que le Gouverneur continue d'ignorer la situation.

Dans la nuit d'hier, une tornade avortée ; on

1. Dans la bonne saison (la saison sèche), il prétend expédier jusqu'à quinze mille peaux de petites antilopes par mois. Inutile de dire que je ne garantis pas ces chiffres. Je les donne tels qu'ils m'ont été donnés.

2. « Il est à noter que cette région (de Bilolo) jusqu'à maintenant passait pour être exempte de la maladie du sommeil. Dans cette région la Compagnie Forestière recrute de nombreux récolteurs, qu'elle *refuse* d'engager régulièrement, les soustrayant ainsi au contrôle médical et favorisant l'extension de la maladie dans une contrée jusqu'alors préservée. » (Extrait d'un rapport.)

étouffe ; on espère en vain une averse qui rafraîchisse un peu l'atmosphère. Le ciel est encombré. Quantité d'éclairs, mais dans des régions supérieures si reculées, que l'on n'entend aucun tonnerre ; ils éclairent de revers et dénoncent soudain de compliquées superpositions de nuages. Je me suis relevé, vers minuit, et reste longtemps assis devant la case dans la contemplation de ce spectacle admirable.

Deux nuits de suite, un grand singe (?) est venu danser sur notre case, faisant des bonds à crever la toiture.

On n'imagine rien de plus morne, de plus décoloré, de plus triste que les matinées de ciel gris sous les tropiques. Pas un rayon, pas un sourire du ciel avant le milieu du jour.

Dîné hier chez le Docteur B..., avec le représentant de la Compagnie Wial. Vers le milieu du repas, on entend sonner « la générale ». Serait-ce un incendie ? Ils sont fréquents dans ce pays où l'indigène met le feu à la brousse sans beaucoup se soucier des cases que la flamme pourrait atteindre. Grand bruit de voix qui se rapprochent. Et tout à coup fait irruption sous la véranda où nous sommes installés, le Portugais d'une factorerie voisine, où nous avions été acheter du tabac pour nos porteurs, dans la matinée. Il n'a pour tout costume que son pantalon. Avec une grande exaltation et comme hors de lui, il nous explique que les miliciens veulent lui « casser la gueule », parce que son cuisinier s'est emparé de la femme d'un garde, etc., etc. Le Docteur lui parle avec la plus grande fermeté, fort bien ma foi ; et le renvoie. Il se découvre, à l'examen, que la femme en question est précisément celle que le garde a enlevée à Yamorou et que le capita Boboli, qui nous accompagnait, avait mission de lui ramener. Ce dernier est reparti hier sans la femme, après qu'on lui eut dit que la femme et le garde avaient émigré à Carnot.

Ce matin nous faisons comparaître les délinquants. Le garde séducteur, un autre garde-interprète (celui de notre escorte) affligé d'un bégaiement incoercible, le cuisinier du Portugais, et la femme enfin, sa maîtresse depuis quatre jours. Celle-ci n'a pour vêtement qu'un petit paquet de feuilles maintenu par une ceinture de perles. Très Ève, « éternel féminin » ; elle est belle, si l'on accepte les seins tombants ; la ligne des hanches, du bassin et des jambes, d'une courbe très pure. Elle se tient devant nous, les bras levés prenant appui sur les bambous de la toiture qui abrite notre véranda. Interminable interrogatoire. Tous les indigènes baragouinent le français avec une volubilité incompréhensible. Il ressort pourtant qu'il n'y a, dans toute l'histoire, comme presque toujours, qu'une question d'argent. Yamorou ne réclame point tant la femme que les 150 francs qu'il a payés aux parents pour l'avoir. Il y a en plus 10 francs d'impôt pour la femme, que le garde a payés, que le cuisinier lui a remboursés... On s'y perd. Nous décidons que la femme doit retourner à Yamorou, puisque ni le garde, ni le cuisinier ne consentent à donner à Yamorou les 150 francs qu'elle a coûté. La femme écoute d'un air indiciblement résigné ses deux derniers maris lui dire qu'elle est trop putain pour qu'on cherche à la conserver. Le garde dit même : « Elle est devenue trop crapule. » Nous faisons rendre néanmoins à la femme le pagne qu'elle avait lorsqu'elle a quitté Yamorou, plus 5 francs — mi-donnés par garde et cuisinier — pour assurer sa nourriture pendant le voyage. Tout cela prend un temps infini.

Ensuite nous examinons longuement des entonnoirs de fourmis-lions, où nous faisions dégringoler de petites fourmis en pâture.

Hier soir j'ai pu lire avec délices quelques pages du *Master of Ballantrae*.

8 novembre.

Décidément nous renonçons à la baleinière, mais du même coup renonçons à Bania ; nous gagnerons Carnot par Berberati. Nous avons licencié nos soixante-cinq porteurs ; on nous en promet une quarantaine d'autres, qui devront suffire. Presque tout le temps est pris par divers soins matériels et par la révision et dactylographie de ma longue lettre au Gouverneur. Un coureur m'apporte hier soir une lettre de Marcel de Coppet, laquelle m'attendait depuis plus de deux mois à Mongoumba. Ce coureur, hier soir, racontait à un garde l'emprisonnement de Samba N'Goto, que j'avais prévu ; mais lorsque, ce matin, nous interrogeons le coureur, il nie tout, et même d'avoir parlé. Prenant du sable à terre, il le porte à son front et jure que Samba N'Goto est en liberté.

On le sent terrifié à l'idée des représailles possibles.

Nous partons demain.

9 novembre.

Gama, sur l'Ekela. Mokélo en face, de l'autre côté du fleuve ; car je n'ose appeler rivière un cours d'eau qui ferait honte à la Seine. Quelques huttes sur un terrain en pente, dont la très vaste que nous occupons. Désagréablement chatouillés par des essaims de très petites mouches, des « fourous » sans doute. L'intérieur de la hutte, les bambous et le chaume de la toiture sont complètement lustrés, laqués par la fumée ; cela donne à cette hutte sordide un aspect luisant et propre. Il s'est mis à pleuvoir dès notre arrivée et la nuit est presque aussitôt tombée. L'étape était beaucoup plus longue qu'on ne nous avait dit et, partis à huit heures, nous n'avons atteint Gama que le soir. Certains de nos porteurs étaient recrus de fatigue ; un pauvre vieux en particulier nous montrait les ganglions de son aine, gros comme des œufs de poule. Nous n'avions pu obtenir que quarante porteurs, de sorte que quelques charges, portées par deux jusqu'alors, devaient être assumées par un seul. Cette question du portage, et même celle des tipoyeurs, me gâte le voyage ; tout le long de la route je ne puis cesser d'y penser.

Traversée de forêt beaucoup plus intéressante que celle avant Nola, à cause des fréquents petits ruisseaux qui la coupent. Le sentier dévale vers eux brusquement. La forêt elle-même est plus étrange ; une grande plante dont j'ignore le nom, à très larges et belles feuilles, donne au taillis une apparence très exotique. Quelques arbres admirables, au large empattement. La température est accablante ; non qu'il fasse très chaud, mais l'air est si lourd, si vaporeux, que l'on ruisselle. Mon gilet, que je quitte, est trempé ; ma chemise, que je quitte également, est à tordre. Je les suspends aux tipoyes, mais ils ne sécheront pas de tout le jour. Le ciel est bas, uniformément gris ; tout est terne ; on circule comme en un rêve oppressant, un cauchemar. Quantité de chants d'oiseaux, bizarres, inquiétants, font battre le cœur si l'on s'arrête — comme j'ai fait, seul, ayant pris de l'avance sur le reste de la troupe, perdu dans cette immensité.

Je voudrais bien laisser ici quelques traces de la fantastique soirée d'hier. Nous dînions chez le Docteur B..., avec A..., le jeune agent de la Société Wial (il n'a que 22 ans) et L..., capitaine de navigation fluviale qui venait d'arriver de Brazzaville. Nous ne tardâmes pas à nous apercevoir que le Docteur n'était pas dans son état normal ; en plus de ses propos exaltés, je remarquai que, lorsqu'il m'offrait à boire, j'avais quelque peine à maintenir mon verre sous le goulot de la bouteille, qu'il voulait toujours diriger *au-delà*. Et, à plusieurs reprises, il posa sur la nappe sa fourchette avec la bouchée qu'il avait piquée dans son assiette, au lieu de la porter à sa bouche. Il ne s'exalta que peu à peu, sans pourtant beaucoup boire ; mais peut-être avait-il déjà beaucoup bu, pour fêter l'arrivée du navire. Et pourtant je soupçonnais autre chose que la boisson. La veille, je lui avais donné connaissance de ma lettre au Gouverneur Alfassa, contenant les lourdes charges contre Pacha ; il avait paru s'indigner, puis pris de peur sans doute lorsque je parlais imprudemment d'envoyer le double de cette lettre au ministre, et par une sorte de sentiment de solidarité, le voici, ce soir, qui proteste que nombre d'administrateurs et de fonctionnaires étaient des travailleurs honnêtes, dévoués, consciencieux, remarquables. Je protestai à mon tour que je n'en avais jamais douté, et que j'en connaissais maint exemple ; mais qu'il importait d'autant plus que certaines fâcheuses exceptions (et j'ajoutais que, sur le grand nombre de fonctionnaires de tous grades que j'avais vus, je n'en avais rencontré qu'une) ne risquassent pas de déconsidérer l'ensemble des autres.

— Mais vous n'empêcherez pas, s'écria-t-il, que l'attention du public ne soit attirée surtout par l'exception ; et c'est sur elle que va se former l'opinion. C'est déplorable.

Il y avait, dans ce qu'il disait là, beaucoup de vrai, à quoi, certes, j'étais sensible. Il m'apparaissait aussi qu'il craignait d'avoir été trop loin dans l'approbation, la veille, après lecture de ma lettre, et que c'est contre cette approbation même qu'il protestait. Car, sitôt après, il versa dans l'approbation de la politique brutale envers les noirs, affirmant qu'on n'obtenait rien d'eux qu'avec des coups, des exemples, fussent-ils sanglants. Il alla jusqu'à dire que lui-même, certain jour, avait tué un nègre ; puis ajouta bien vite que c'était un cas de légitime défense, non de lui-même, mais d'un ami, qui sinon eût été sûrement sacrifié. Puis dit qu'on ne pouvait se faire respecter des noirs qu'en se faisant craindre, et parla d'un confrère, le docteur X..., celui même qui l'avait précédé à Nola, qui, traversant pacifiquement le village de Katakuo (ou Catapo) que nous avions traversé la veille, fut pris, ligoté, mis à nu, peinturluré de la tête aux pieds, et qu'on força de danser au son du tam-tam deux jours durant. Il ne put être délivré que par une escouade envoyée de Nola... Tout cela, de plus en plus bizarre, de plus en plus incohérent, exalté. Nous nous taisions tous ; il n'y avait plus que B... qui parlât. Et si nous n'avions enfin levé la séance, ayant à faire nos paquets pour le départ du lendemain, il eût sans doute parlé bien davantage. Peu s'en fallait qu'il n'approuvât Pacha ; du moins tout ce qu'il en disait était avec une arrière-pensée d'excuse, et de se désolidariser d'avec moi. Il nous dit encore (et, si vrai, ceci est très important) que les chefs reconnus des villages ne sont le plus souvent que des hommes ne jouissant d'aucune considération parmi les indigènes qu'ils sont censés commander, d'anciens esclaves, des hommes de paille, choisis pour endosser les responsabilités, subir les peines, les « sanctions », et que tous les habitants de leurs villages se réjouissaient lorsqu'ils étaient foutus en prison. Le vrai chef était un chef secret, que le gouvernement français n'arrivait pas, le plus souvent, à connaître.

Je ne puis, ici, que rapporter à peu près les

propos ; je ne puis donner l'atmosphère inquiétante, fantastique, de la soirée. On ne pourrait y arriver qu'avec beaucoup d'art ; et j'écris au courant de la plume. À noter que le Docteur était tout brusquement entré dans le sujet par une attaque directe, évidemment préméditée, me demandant, dès le potage : « Êtes-vous allé visiter le cimetière de Nola ? » et, sur ma réponse négative : « Eh bien ! il y a là, déjà, les tombes de seize blancs, etc. »

10 novembre.

Les panthères abondent dans la région et, nous dit-on, ne répugnent pas aux visites domiciliaires. Mais on étouffe dans la case et, plutôt que de manquer d'air en ramenant l'énorme opercule d'écorce, nous dressons nos chaises de bord en travers de la porte.

Dans l'absence de montre, ma vigilance fait du zèle et me lève beaucoup trop tôt ; mais ne lève que moi. La nuit est encore trop sombre, il faut attendre ; se recoucher.

Nous partons à l'aube encore ivres de sommeil, cette étape, qu'on nous disait très courte, nous a paru interminable entre toutes. Nous n'avons atteint le gîte de M'Bengué que vers quatre heures, après un court arrêt vers midi. La quinzaine de kilomètres que j'ai faite à pied, ce fut avec un effort extrême ; mais je prends de plus en plus en horreur le tipoye, où l'on est inconfortablement secoué et où je ne puis perdre un instant le sentiment de l'effort des porteurs. Chaque jour nous nous enfonçons un peu plus dans l'étrange. J'ai vécu tout aujourd'hui dans un état de torpeur et d'inconscience,

as though of hemlock I had drunk

perdant notion du temps, du lieu, de moi-même.

Le ciel s'est un peu éclairci vers le soir et, tandis que j'écris ceci, la nuit monte dans un ciel admirable. Enfin nous échappons à l'oppression de la forêt. Par moments, elle était très belle et les arbres gigantesques, aux troncs dont la base semble atteinte d'éléphantiasis, se montraient de plus en plus nombreux. Mais, dans l'absence de rayons, elle semblait toute endormie, désespérément triste. Toutes les feuilles sont luisantes et fermes, analogues à celles du laurier, de l'yeuse ; pas d'équivalent de celles du coudrier, par exemple, dont la consistance molle et feutrée, comme spongieuse à la lumière, donne au rayon qui les traverse une coloration verdorée, et fait aux halliers normands leur mystère. L'humidité, jusqu'au milieu du jour, était telle que les branchages ruisselaient, rendant la glaise du sentier incertaine et la marche des plus pénibles. À trois reprises, mes tipoyeurs se sont plaqués. Parfois la traversée d'une rivière où l'on eût voulu s'attarder. M'Bengué, de même que Gama, est établi sur un vaste champ libre, conquis sur la forêt qui l'enveloppe de toutes parts, une brusque savane de très hautes graminées, parmi lesquelles, si l'on avance, on disparaît. Je rate trois coups de fusil contre des oiseaux bizarres que j'aurais bien voulu voir de près.

Nos boys sont d'une obligeance, d'une prévenance, d'un zèle au-dessus de tout éloge ; quant à notre cuisinier, il nous fait la cuisine la meilleure que nous ayons goûtée dans le pays. Je continue de croire, et crois de plus en plus, que la plupart des défauts que l'on entend reprocher continuellement aux domestiques de ce pays, vient surtout de la manière dont on les traite, dont on leur parle. Nous n'avons qu'à nous féliciter des nôtres — à qui nous n'avons jamais parlé qu'avec douceur, à qui nous confions tout, devant qui nous laissons tout traîner et qui se sont montrés jusqu'à présent d'une honnêteté parfaite. Je vais plus loin : c'est devant tous nos porteurs, devant les habitants inconnus des villages, que nous laissons traîner les menus objets les plus tentants pour eux, et dont le vol serait le plus difficilement vérifiable — ce que, certes, nous n'aurions jamais osé faire en France — et rien encore n'a disparu. Il s'établit, entre nos gens et nous, une confiance et une cordialité réciproques, et tous, sans exception aucune, se montrent jusqu'à présent aussi attentionnés pour nous, que nous affectons d'être envers eux [1].

1. Ce jugement qui pourrait sembler peu mûri n'a fait que se confirmer par la suite. Et j'avoue ne comprendre pas bien pourquoi les blancs, presque sans exception, tant fonctionnaires que commerçants, et tant hommes que femmes, croient devoir rudoyer leurs domestiques — en paroles tout au moins, et même alors qu'ils se montrent réellement bons envers eux. Je sais une dame, par ailleurs charmante et très douce, qui n'appelle jamais son boy que « tête de brute », sans pourtant jamais lever la main sur lui. Tel

Je continue mes leçons de lecture à Adoum, qui fait preuve d'une émouvante application et progresse de jour en jour ; et je m'attache à lui

est l'usage et : « Vous y viendrez aussi, vous verrez. Attendez seulement un mois. » — Nous avons attendu dix mois, toujours avec les mêmes domestiques, et nous n'y sommes pas venus. Par une heureuse chance, avons-nous été particulièrement bien servis ? Il se peut... Mais je me persuade volontiers que chaque maître a les serviteurs qu'il mérite. Et tout ce que j'en dis n'est point particulier au Congo. Quel est le serviteur de nos pays qui tiendrait à cœur de rester honnête, lorsqu'il entendrait son maître lui dénier toute vertu ? Si j'avais été le boy de M. X... je l'aurais dévalisé le soir même, après l'avoir entendu affirmer que tous les nègres sont fourbes, menteurs et voleurs.

— « Votre boy ne comprend pas le français ? demandai-je un peu inquiet.

— Il le parle admirablement... Pourquoi ?

— Vous ne craignez pas que ce qu'il vous entend dire... ?

— Ça lui apprend que je ne suis pas sa dupe. »

À ce même dîner, j'entendais un autre convive affirmer que toutes les femmes (et il ne s'agissait plus des négresses) ne songent qu'à leur plaisir, aussi longtemps qu'elles peuvent mériter nos hommages, et qu'on n'a jamais vu de dévote sincère avant l'âge de quarante ans.

Ces Messieurs certainement connaissent les indigènes comme ils connaissent les femmes. Il est bien rare que l'expérience nous éclaire. Chacun se sert de tout pour s'encourager dans son sens, et précipite tout dans sa preuve. L'expérience, dit-on... Il n'est pas de préjugé si absurde qui n'y trouve confirmation.

Prodigieusement malléables, les nègres deviennent le plus souvent ce que l'on croit qu'ils sont — ou ce que l'on souhaite, ou que l'on craint qu'ils soient. Je ne jurerais pas que, de nos boys également, l'on n'eût pu faire aisément des coquins. Il suffit de savoir s'y prendre, et le colon est pour cela d'une rare ingéniosité. Tel apprend à son perroquet : « Sors d'ici, sale nègre ! » Tel autre se fâche parce que son boy apporte des bouteilles de vermouth et d'amer lorsque, après le repas, il lui demande des liqueurs : — « Triple idiot, tu ne sais pas encore ce que c'est que des apéritifs !... » On l'engueule parce qu'il croit devoir échauder, avant de s'en servir, la théière de porcelaine dont il se sert pour la première fois ; ne lui a-t-on pas enseigné en effet que l'eau bouillante risque de faire éclater les verres ? Le pauvre boy, qui croyait bien faire, est de nouveau traité d'imbécile devant toute la tablée des blancs.

chaque jour un peu plus. De quelle sottise, le plus souvent, le blanc fait preuve, quand il s'indigne de la stupidité des noirs ! Je ne les crois pourtant capables, que d'un très petit développement, le cerveau gourd et stagnant le plus souvent dans une nuit épaisse — mais combien de fois le blanc semble prendre à tâche de les y enfoncer !

11 novembre.

Enfin une étape courte ; partis vers six heures, nous arrivons deux heures et demie plus tard, après une assez belle traversée de forêt, à Sapoua. Réapparition du palmier-liane.

Fait la route à pied. Sapoua, triple ou quadruple village, de plus d'un kilomètre de long, dans un grand espace de savane, semé de grands palmiers rôniers — encerclé lointainement par la forêt. Quantité d'enfants ; certains exquis, que nous retenons près de nous. Un joueur d'instrument bizarre : une calebasse, qu'on tient entre les jambes, au milieu d'un bambou, comme un arc tendu sur six (?) cordes. Il chante avec beaucoup de subtilité, de délicatesse, de nuances, ce que notre interprète traduit : « J'ai tellement de chiques dans mon pied, que je ne peux plus marcher. »

Vers le soir je traverse la savane accompagné de quatre enfants, et gagne la lisière de la forêt. Bain général dans les eaux couleur de thé d'une claire rivière à fond de sable blanc. D'autres enfants m'apportent une quantité de jolis petits hannetons. J'admire combien, quoique de même espèce et de même sexe, ceux-ci peuvent différer les uns des autres. Au muséum, l'on m'avait déjà montré divers exemples de cette diversité, à laquelle ne semblent avoir droit que les mâles. Serait-elle particulière aux régions tropicales ?

Il fait une chaleur étouffante.

Arrivée du manioc pour nos porteurs. Vingt-quatre petits paniers, portés par vingt-quatre petites filles. Sur chaque pain de manioc, une poignée de chenilles frites ; quelques cannes à sucre. « Il y en a pour 5 francs », dit le caporal ; j'en donne le double — car j'ai compris depuis hier, que l'on fait payer au blanc un prix établi fort au-dessous de la valeur réelle. C'est ainsi que le poulet, pour lequel le blanc donne 1 franc, est payé 3 francs par l'indigène. Un de nos porteurs, hier, nous demandait d'acheter à sa place un poulet, que lui paierait trois fois plus cher [1].

On nous apporte des crevettes de rivière ; très grosses, semblables à du « bouquet », n'étaient les pattes de devant, extrêmement longues et terminées par de très petites pinces. Cuites, leur chair reste molle et gluante.

12 novembre.

Cette nuit, médiocre tam-tam, commandé par nous ; que je quitte vite, mais qui retient Marc jusqu'à une heure tardive. Nuit très médiocre ;

1. V. appendice au chapitre VII.

bêlements incessants des chèvres autour de notre case. Lever à cinq heures et demie ; aube pure, ciel lavé où baigne, presque au zénith, un quartier de lune. Quantité d'énormes palmiers rôniers (tronc renflé, feuilles en éventail ; grappes d'énormes pommes orangées) donnent à la steppe un aspect noble et étrange. Pas un souffle n'agite les hautes herbes ; la route que nous devons suivre est une allée de sable blanc. Départ un peu difficile car nous avons, hier soir, renvoyé quatre hommes prêtés par M'Bengué, sur l'assurance qui nous fut donnée par les chefs, que Sapoua les pourrait remplacer. Les quatre hommes attendus ne sont pas présents à l'appel. Il faut partir. Nous laissons le garde derrière nous. Ce n'est qu'à la première étape (je veux dire au premier village traversé, à dix kilomètres de Sapoua), que nous constatons que les quatre nouveaux porteurs sont des femmes, tous les hommes valides, nous dit le garde, s'étant esquivés dans la brousse au dernier moment, pour échapper à la réquisition. Ce qui ajoute à notre indignation, c'est que les charges laissées aux femmes par nos autres porteurs, sont de beaucoup les plus lourdes. Souvent, les types les plus costauds s'emparent ainsi des charges légères et partent vite de l'avant, pour éviter le contrôle. Nous donnons à chaque femme un billet de cent sous, espérant par notre générosité provoquer le regret des hommes ; — espoir bien vain, car, sitôt de retour dans leur village, les femmes remettront aux hommes ces billets.

La marche de ce matin eut une allure triomphale ; dès le premier village, réception enthousiaste ; chants, cris admirablement rythmés ; peuple d'aspect propre et vigoureux ; nous mettons pied à terre ; les porteurs de mon tipoye ont pris de l'avance. Ce n'est plus de la marche, c'est une sorte de course, escortée de tam-tams, d'une troupe d'enfants rieurs ; plusieurs se proposent comme boys. À partir de ce village, et jusqu'à Pakori, où nous arrivons vers onze heures pour camper, une escorte se forme ; les chants (chœurs alternés) des tipoyeurs, des gens des villages, ne cessent plus. On traverse, avant Pakori, quatre ou cinq villages, de plus en plus étranges, aux habitants toujours plus exaltés. De tout cela, je crains de ne garder qu'un souvenir confus ; c'est trop étrange. Nous sommes enfin sortis du cauchemar de la forêt. La savane prend l'aspect d'un bois clairsemé ; arbres pas très grands, semblables à des chênes-lièges et que souvent une belle plante grimpante, on dirait un pampre, recouvre. Beaucoup de pintades, nous a-t-on dit ; mais les hurlements de tout ce peuple en délire font tout fuir. Les habitants de ce pays, je l'ai dit, ont l'aspect heureux et robuste ; les hommes portent presque tous un étrange tatouage [1] qui, parti du sommet du front, trace jusqu'au bas du nez une ligne médiane, d'un relief très accentué.

Notre escorte (quarante porteurs, plus huit femmes de porteurs, dont trois avec leur nourrisson suspendu au flanc) s'est démesurément grossie. On ne s'y reconnaît plus. C'est le « nous par-

1. Qu'ils obtiennent par des incisions, puis en introduisant dans la cicatrice je ne sais quelles poudres qui provoquent un soulèvement de la peau.

tîmes cinq cents... » Même les chefs veulent nous suivre ; jusqu'au village suivant, tout au moins. On s'arrête pour serrer des mains, en signe d'adieux. Mais quelques kilomètres plus loin l'on retrouve encore ceux dont on avait cru prendre congé.

À Pakori, le plus beau des villages vus jusqu'à présent, où l'on s'arrête, la quantité d'enfants est inimaginable. Je tâche de les dénombrer ; à cent quatre-vingt je m'arrête, pris de vertige ; ils sont trop. Et tout ce peuple vous enveloppe, s'empresse pour la joie de serrer la main qu'on leur tend ; tous avec des cris et des rires, une sorte de lyrisme dans les démonstrations d'amour. C'est presque du cannibalisme.

Pakori ; au soir. Ce grand village est merveilleux. Il a du style, de l'allure ; et le peuple y paraît heureux. L'énorme rue-place (qu'on se figure une Piazza Navone prolongée) est une arène de sable fin. Les cases ne sont plus ces huttes sordides, insalubres et uniformément laides des environs de M'Baîki ; mais vastes, de bel aspect, différenciées ; certaines sont plus grandes, dont celle que nous occupons, où l'on accède par six marches, bâties sur des sortes de monticules, de formation que je ne m'explique guère, semblables à ceux qu'on croit être d'anciennes termitières, qui mamelonnent la plaine entre Mobaye et Bambari. Nous avons longuement parlé avec le sergent-infirmier de Fort-Archambault, en congé de six mois (resté depuis 1906 sans permission, dont dix ans avec le docteur Ouzio). Nous apprenons qu'ici, que dans tout le pays avoisinant [1] (et je pense, dans toute la subdivision de Carnot), on laisse l'indigène vaquer à ses cultures après qu'il s'est acquitté de l'impôt, c'est-à-dire après qu'il a récolté dans la forêt la quantité de caoutchouc suffisante à en assurer le paiement — ce qui lui prend un mois environ. Il ne cultive ici que manioc, sésame, patates et un peu de ricin.

Il est vrai, nous dit l'infirmier, que le blanc paie beaucoup moins cher que l'indigène les cabris et les poulets — qu'il ne les paierait du moins, car celui-ci n'en achète jamais, ou du moins ne les consomme jamais, presque jamais. (De même qu'il ne mange jamais les œufs. Tout au plus donne-t-il aux enfants les œufs gâtés — et pour les autres, ceux qui sont soustraits à la couvée, il les réserve pour le blanc qui passe.) Cabris et poulets sont objets d'échange. La monnaie, encore récemment, encore aujourd'hui, c'est le fer de sagaie, qu'il forge lui-même, estimé cinq francs la pièce. Le cabri vaut de quatre à huit fers de sagaie. On achète une femme indifféremment avec des sagaies ou des cabris (de dix à cinquante fers de sagaie, soit de cinquante à deux cent cinquante francs). Le blanc n'est pas censé acheter le cabri que lui présente le chef. Celui-ci le donne ; puis le blanc, qui en principe ne doit rien, donne un matabiche notoirement inéquivalent, mais que le chef doit toujours accepter avec reconnaissance. Pourtant un certain tarif s'établit : 1 franc par poulet ; 4 à 5 francs par cabri. Il est établi que

1. Pays non concédé aux Grandes Compagnies ; d'où cette aisance.

l'indigène ne sait la vraie valeur de rien. Il n'y a, dans tout le pays, aucun marché, aucune offre, aucune demande. D'un bout à l'autre du village, il n'est pas un indigène qui possède quoi que ce soit d'autre que ses femmes, son troupeau, et peut-être quelques bracelets ou fers de sagaies. Aucun objet, aucun vêtement, aucune étoffe, aucun meuble — et, quand bien même il aurait de l'argent, rien à acheter ne se présente pour éveiller aucun désir.

13 novembre.

Vers 11 heures, nous sommes arrivés à Berberati. Pays tout différent ; même le ciel est changé, la qualité de l'air. Enfin l'on respire. Belle traversée de lande, savane aux graminées hautes de 3 mètres ; coupée par instants de reprises de forêt. Le pays assez puissamment vallonné ; la vue s'étend au loin. Le poste même, maison de l'administrateur, où nous couchons (abandonné faute de personnel), est fort bien situé, sur un revers de plateau, d'où l'on domine une vaste contrée ; mais, comme toujours dans ce pays démesuré, rien ne fait centre ; les lignes fuient éperdument dans tous les sens ; tout est illimité. Seuls, les villages parfois s'organisent. Ils ne sont plus établis seulement le long de la route ; des perspectives se creusent, et les cases sont groupées, non plus en ligne, mais forment divers petits hameaux, parfois charmants.

Le chef de Zaoro Yanga, premier village après Pakori, nous a fait cadeau d'un petit animal bizarre, enfermé dans cette sorte de panier en palmes tressées, qui sert ici de cage à poules. Je crois que c'est un « paresseux » [1]. Il n'a que quatre doigts aux pattes de devant ; l'index restant atrophié ; les pattes de derrière sont prenantes, les pouces nettement opposés au reste des doigts. Les vertèbres cervicales ont des apophyses aiguës, qui soulèvent la peau. Il a la taille d'un chat, une queue très courte ; les oreilles comme coupées. Très lent de mouvements. Très maladroit lorsqu'il marche sur le sol, et disgracieux, mais fort habile à grimper et à se suspendre la tête en bas, à n'importe quel support. Il mange volontiers ce que nous lui offrons, des confitures, du pain, du miel, et se montre particulièrement friand de lait concentré.

On est venu m'apporter un énorme « goliath » que j'ai le plus grand mal à faire entrer dans mon flacon de cynanure, si large que soit son embouchure.

Visite à la mission, où les Pères nous reçoivent très aimablement et nous régalent d'un lait excellent.

De retour au poste, nous observons longuement l'extraordinaire travail de la mouche maçonne (celle-ci a l'étranglement de son abdomen jaune canari, et non noir comme l'espèce la plus commune). En quelques minutes, elle a complète-

1. J'ai su plus tard le vrai nom de ce charmant petit animal ; c'est un *pérodictique potto*.

ment muré une araignée dans l'alvéole de terre où elle l'avait forcée d'entrer. D'un coup de couteau, j'ai défait ce travail, découvrant, à côté de la grosse araignée, plusieurs petites ; quelques instants après, les dégâts étaient réparés. Le soir, je me suis emparé de la construction tout entière, la détachant avec peine d'une latte de bambou, où elle était fortement maçonnée. Le tout, gros comme un œuf de pigeon, formé de quatre alvéoles oblongues ; en terre dure comme de la brique, ou presque. Chaque alvéole que j'ai crevée contenait quatre ou cinq araignées assez petites, mais dodues ; toutes fraîches, et qui semblaient moins mortes qu'endormies ; parmi elles, un seul ver, de la taille et de l'aspect d'un asticot. Certainement, c'est là le garde-manger des larves, et je pense que la mouche maçonne (n'est-ce pas un sphex ?) avait pondu, à côté des araignées, ou dans l'abdomen des araignées, un œuf, dont déjà le ver en question provenait. Malheureusement, ma vue baisse beaucoup, et je ne parviens plus à « mettre au point » les objets un peu délicats.

Magistrale engueulade de Marc à l'un des « gardes » du poste, qui s'est permis de gifler notre cuisinier.

14 novembre.

Sur l'aimable insistance du Père de la Mission, nous nous sommes décidés à demeurer à Berberati un jour de plus. Notre *paresseux* a trouvé moyen, pendant la nuit, de dénouer la ficelle qui lui tenait la patte et de s'enfuir. Après quelques recherches, on le retrouve juché sous le toit de la véranda. On nous envoie deux chevaux de la mission, où nous sommes attendus à déjeuner.

Il a fallu, ce matin, congédier nos quarante porteurs. Certains d'entre eux étaient de si bon naturel que les larmes me venaient aux yeux en leur disant adieu. Ceux-ci nous accompagnaient depuis Nola. L'un en particulier, une sorte de grand diable, l'air d'un Mohican, une plume du faucon que nous avions tué passée dans un trou de l'oreille, dégingandé, un peu clown, blagueur — qui voulait nous accompagner jusqu'à Carnot et lui aussi était aux regrets de nous quitter. Quand on lui montrait les traces d'un gibier, empreintes sur le sable de la route, il disait : « C'est petit la viande... »

Très intéressante conversation avec le Père Supérieur de la Mission. Avant le déjeuner il nous mène, à deux kilomètres de là, voir l'important troupeau de vaches zébus qu'il a fait venir de N'Gaoundéré. Nous ne quittons la mission que le soir.

16 novembre.

Pas pu prendre de notes hier ; arrivés trop fatigués au poste de Bafio, vers le soir. Étape de trente-cinq kilomètres, faite pourtant presque entièrement en tipoye. Rien de plus lassant que ce mode de locomotion, lorsque les tipoyeurs ne sont pas supérieurement dressés. C'est un menu trot qui secoue comme celui d'un mauvais cheval.

Impossible de lire. Le pays a changé. Plus profondément vallonné. Grands plateaux. Depuis Berberati, plus de tsé-tsés, plus de maladie du sommeil ; d'où les troupeaux de la mission, et les chevaux des chefs de villages. Ceux-ci ne sont plus uniformément établis le long des routes en longues suites rectilignes ; les cases, non plus carrées, mais rondes, aux murs de terre et au toit pointu de chaume et de roseaux. L'influence arabe commence à se faire sentir ; les chefs ont enfin un costume et ne sont plus ridiculement affublés de dépouilles européennes. Ils portent le boubou des Bornouans ou des Haoussas, bleu ou blanc, orné de broderies. Chose assez déconcertante : à notre passage dans les villages, c'est bien à notre occasion que l'on organise le tam-tam, mais c'est autour du chef que les danses se groupent ; ce n'est plus à nous, c'est à lui que les habitants des villages rendent les honneurs. Ces chefs, le plus souvent, sont à cheval ; un cheval qu'ils se plaisent à faire galoper, piaffer ; c'est déjà presque la fantasia arabe ; ils ont de l'allure, de la noblesse et sans doute une incommensurable vanité. L'un d'eux, à qui je tends un billet de cinq francs, en plus du paiement du manioc apporté pour nos hommes, et des œufs ou poulets pour nous, prend avec morgue le billet et le passe aussitôt, dédaigneusement, à un serviteur qui l'accompagne. Un autre, qui n'a pas de cheval, est porté sur les épaules de ses sujets, comme en triomphe ; toutes les acclamations vont vers lui. Les deux fils de Bafio [1], fort beaux, propres (en apparence) et

1. Selon l'usage du pays, le nom du chef et celui de son village se confondent.

dignes, sont venus à cheval à notre rencontre. En arrivant ici, ils ont soif et demandent à boire. Me trompé-je ? L'un d'eux *se signe* avant d'approcher la calebasse de ses lèvres. Fort intrigué je m'informe. Serait-ce un « converti » ?... Mais non. Il n'a pas abjuré l'Islam. S'il se signe, c'est en surplus. Tous deux jeunes encore, et d'une courtoisie charmante. Le père a le menton enveloppé dans une lehfa qui l'enturbanne ; on nous dit que c'est pour cacher sa barbe, à la manière des Haoussas (?).

De très beaux papillons, à chaque passage de rivière. Ils sont par « bancs » ; et, pour la première fois, hier, je vois un banc de porte-queue, la plupart noirs zébrés d'azur ; un, que je vois pour la première fois, noir, largement lamé de sinople ; le revers des ailes porte une ligne courbe de taches d'*or* ; c'est la première fois que je vois de l'*or* sur les ailes d'un papillon ; non point du jaune, mais de l'or. Ces papillons sont en essaim, à terre, probablement sur une trace d'excrément, si pressés que leurs ailes se touchent, bien que refermées ; immobiles et si occupés ou si engourdis qu'ils se laissent saisir entre le pouce et l'index — et non point par les ailes qu'on risquerait ainsi de détériorer, mais par le corselet. Et j'en capture ainsi une dizaine d'admirables, dans un état de fraîcheur parfaite.

Chose ahurissante : une quantité d'abeilles se promènent et s'activent sur le bord de leurs ailes, sur le tranchant ; il me semble d'abord qu'elles les mordillent et les coupent ; mais non ; tout au plus les sucent-elles... je crois ; les papillons les laissent faire, et tout cela reste incompréhensible [1].

Marc, qui a dû attraper un coup de soleil, est assez souffrant. L'atmosphère est étouffante ; il ne fait pas très chaud, mais l'air semble chargé d'électricité, de je ne sais quoi qui le rend difficilement respirable. Nous décidons de nous reposer ici tout un jour.

Je passe un temps considérable, ce matin, à apprivoiser mon paresseux, qui se montre extrêmement sensible à la caresse, et qu'il n'y a plus moyen de déloger de mon giron lorsqu'il s'y est blotti.

Hier, à dix kilomètres environ de Bafio, en pleine brousse, un exprès dépêché de Carnot est venu nous apporter le plus inattendu des courriers de France.

Carnot, 19 novembre.

Carnot ne ressemble en rien à ce que je l'imaginais.

Le bourg s'étale sur l'épaule de la colline d'où l'on domine le pays, par-delà la Mambéré ; mais le paysage reste informe ; immenses vagues d'un terrain couvert de forêts. Incertitude même de la pente générale, de la direction : une sorte de difficulté d'option pour la répartition des eaux.

Le grand événement du 17 (avant-hier) ç'a été la

1. Je pense que ces papillons venaient d'éclore — je veux dire de sortir de leurs chrysalides — et que leurs ailes restaient encore embuées d'une humeur sucrée dont se délectaient les abeilles.

rencontre de l'administrateur Blaud que vient de rappeler brusquement dans le pays (nous étions avisés de cela) une demande d'enquête administrative, à la suite d'un acte d'accusation lancé contre lui par la direction de la Forestière. Blaud est un gros garçon bien en chair, le teint frais, la face réjouie ; fils d'un pharmacien de Beaucaire ; il accuse 42 ans, mais ne paraît pas son âge. Nous l'avions précédemment rencontré, je l'ai dit, à notre passage à Boda. À fin de séjour, il repartait pour la France où l'attendaient sa femme et une fillette de six ans. Pendant le déjeuner que nous avions pris ensemble à la table du sinistre Pacha, Blaud nous avait dit qu'il poursuivait la Forestière pour infractions graves aux clauses du règlement et de la convention. Sitôt avisée de cette accusation, la Forestière prit les devants, et, après échange de télégrammes avec la direction de Paris, décida de discréditer Blaud. Le moyen est bien simple : l'accuser très fort et très haut d'avoir lié partie avec les commerçants libres et de s'être laissé corrompre par eux. Comment sinon pourrait-il trouver rien à redire à la Forestière ? Donc, avisés du rappel brusque de Blaud à Carnot (où l'administrateur-maire de Bangui, M. Marchessou, doit enquêter sur ses actes de service), puis de son retour vers Nola, nous savions que nous devions le rencontrer. Nous avions pris nos mesures pour le croiser à mi-route, à l'heure du déjeuner que nous espérions pouvoir prendre ensemble. Mais au moment de quitter Bafio, il y eut défection de porteurs, désordre et confusion, ce qui nous retarda de près d'une heure. Il était onze heures environ quand, à un détour de la route, brusquement, nos tipoyeurs et les siens se trouvèrent nez à nez. Nous étions en pleine savane ; les quelques arbres rabougris qui la parsèment ne fournissent qu'une ombre dérisoire... Blaud, plus désireux encore que nous de causer, proposa de revenir jusqu'au passage de la rivière où l'on a coutume de s'arrêter pour le repas. Ainsi fut fait. — Le site était merveilleusement bien choisi ; grands arbres sous lesquels l'eau coulait, rapide, abondante et si claire que j'eus bien du mal à résister à la tentation du bain. Il me semble par là communier plus intimement avec la nature... Bref, je me contentai d'un bain de pieds. On dressa la grande table de Blaud, trois couverts et tandis que le repas se préparait, Blaud sortit tout le dossier de son accusation. Je ne connaissais rien des faits que lui reprochait la Forestière, mais ne pouvais, après ce que j'avais vu et appris en cours de route, mettre en doute ceux que Blaud reprochait aux agents de la Compagnie ; de sorte que je souhaitais vivement qu'il n'eût pas, lui, prêté le flanc à la contre-attaque ; mais sur ce point je devais faire toutes réserves. Blaud semblait extrêmement affecté ; et vraiment il y avait de quoi, car la puissance et l'entregent de ces Grandes Compagnies sont formidables. Blaud nous apprit incidemment le changement du ministère et la prolongation du séjour d'Antonetti à Paris.

21 novembre.

Le chauffeur de Lamblin que nous retrouvons ici (celui qui nous menait à Bambio) où il est venu amener M. Marchessou, nous dit qu'en traversant Boda il a pu apprendre l'emprisonnement de Samba N'Goto et de son fils. Cependant Pacha est en tournée, *et le sergent Yemba l'accompagne.*

M. Marchessou n'est du reste plus à Carnot ; il enquête à Nola, où a dû le rejoindre Blaud.

Longues conversations avec M. Labarbe, qui remplace l'administrateur absent. Labarbe est un homme volumineux, au coffre sonore, à la voix chaude, vibrante et bien timbrée ; jeune encore, intelligent, très conscient de l'effet qu'il veut produire, et de celui qu'il produit. Parfois il porte l'index de la main gauche à son œil, pour indiquer qu'« il la connaît » et qu'« on ne la lui fait pas ». Comme pour justifier son nom, une épaisse barbe noire cache le bas de son visage. Il n'est aidé que par le doux M. Chambeaux ; anémié, demandant son retour à Bordeaux, où il doit retrouver sa femme et une petite fille de deux ans, qu'il ne connaît pas encore. Labarbe lui-même déclare qu'il en a assez, qu'il en a trop... Il demande en vain du secours. M. Staup, qui le précédait et a été déplacé, avait renvoyé l'« écrivain » de la circonscription, qui devait servir de secrétaire à l'administrateur, sous prétexte que sa femme à lui « tapait à la machine » ; à présent, plus moyen de s'en ressaisir ; il est obligé, lui, Labarbe, de tout faire lui-même. Et Antonetti qui parlait, à son passage, de « coup de balai » ! Il n'y avait déjà personne, et il voulait encore renvoyer du monde ! D'ailleurs c'était bien simple : il était résolu, lui, Labarbe, à laisser les papiers s'accumuler sur sa table ; on verrait bien ce que ça donnerait ; puisqu'on ne lui envoyait personne pour l'aider. Il avait laissé toutes ses affaires à Baboua d'où il venait d'être brusquement rappelé pour remplacer Blaud à Carnot ; il partirait dès demain pour les rechercher. Un poste de plus à l'abandon. Tout marchait à la déroute dans ce pays. Pas de médecins, pas de fonctionnaires. Le peu de monde qui restait encore était sur les dents et ne songeait plus qu'à partir. Oui, tout le monde fichait le camp : c'était la pagaïe. Dans ce sacré pays de la Haute-Sangha où personne ne voulait venir, on ne trouvait rien, pas le moindre objet, pas de vivres ; l'application stricte des tarifs douaniers faisait revenir la moindre denrée à des prix prohibitifs [1]. Et que d'embêtements, de tracasseries !... On lui avait confisqué sa jumelle à la douane, à son dernier retour ; une jumelle qui l'avait accompagné partout et que tout le monde connaissait... parce qu'il avait égaré les reçus des droits payés précédemment et n'avait pu montrer les factures dénonçant le prix d'achat. On ne pouvait pas toujours conserver tous ses papiers, que diable !... D'ailleurs, ils n'avaient qu'à la garder, sa jumelle ; il n'irait même pas la réclamer à son départ..., etc.

Nous nous sommes fait conduire en tipoye, hier — après une forte tornade (avec éclairs, tonnerre

1. Les récriminations de Labarbe, que je rapporte ici, ne sont, hélas, que trop motivées, je le crains.

et tout le tremblement) que nous entendions vaguement à travers le sommeil de la sieste — à Saragouna, à une demi-heure de Carnot (amusante et un peu dangereuse traversée d'une très belle rivière, sur un pont chancelant et à demi ruiné). Nous doutions d'abord de la véracité de Psichari, qui situe à trois jours de Carnot cet « oasis de verdure », mais nous apprenons que le village a déménagé, comme tant d'autres ; les habitants ont brusquement abandonné leurs huttes pour les reconstruire à quelques jours de là. — Pourquoi ? — Parce que quelques morts leur avaient fait croire que l'emplacement était maudit, hanté, que sais-je... Les gens qui ne possèdent rien, et n'ont rien à quitter, n'ont jamais beaucoup de mal à partir.

À noter : le brusque travail de désherbement sur lequel se précipitent toutes les femmes du village, à notre approche.

Nous avons quitté Carnot ce matin, beaucoup plus tard que nous n'eussions voulu, ayant dû attendre plus d'une heure les nouveaux porteurs. Il était huit heures passées quand nous prenons le bac, au sortir de la ville. Trois fournées ; nous étions de la dernière, et pas très rassurés, car le courant est extrêmement rapide. À une heure de marche dans la steppe monotone (sorte de forêt clairsemée, d'arbres à peine un peu plus hauts que les herbes, très hautes et belles graminées qui les enveloppent, les noient et dont l'épais rideau constant arrête incessamment le regard) nous croisons un grand nombre de porteurs ; puis, escortés par des gardes armés de fouets à cinq lanières, une enfilade de quinze femmes et deux hommes, attachés au cou par la même corde. Une de ces femmes porte un enfant au sein. Ce sont des « otages » enlevés au village de Dangolo, où les gardes avaient été réquisitionner quarante porteurs, sur l'ordre de l'administration. Tous les hommes, en les voyant venir, avaient fichu le camp dans la brousse [1]... Marc prend une photographie de ce pénible cortège. L'étape est beaucoup plus longue que Labarbe ne nous l'avait dit. Force est de coucher où nous pensions arriver pour le repos de midi et où nous n'arrivons qu'après quatre heures : à Bakissa-Bougandui, — sorte de village, très différent de ceux de la région de Bambio et de tous ceux traversés avant Carnot. Les cases rondes, aux murs de terre très bas, aux toits de chaume pointus, s'éparpillent, se groupent au gracieux hasard, sans plan aucun, sans rue, sans alignement, ni circulairement autour d'aucune place. Nous sommes au plus haut d'un plateau dégarni. Tout autour de nous, du moins à l'est, au nord et à l'ouest, la vue s'étend très loin sur de mornes et immenses vagues de terrain couvertes de forêts d'un vert uniformément sombre, sous un ciel désespérément gris.

Pour n'être point injuste, il me faut dire qu'il a fait beau, très beau, vers le milieu du jour. Mais *tous* les matins, tous, sans exception, sont gris, ternes, voilés, d'une tristesse indicible, incompa-

1. D'après Labarbe — que nous retrouvions quelques jours plus tard et à qui nous faisions part de notre étonnement, — lui, Labarbe, aurait, à leur arrivée à Carnot, fait relâcher les femmes, et condamné à quinze jours de prison les miliciens qui s'étaient emparés d'elles (?).

rable. Ce matin, au départ du moins, un assez épais brouillard adoucissait les tons des verdures et limitait heureusement la vue — qui sinon ne s'étend, au lever, que sur du terne, du vert sans joie sous un ciel sans promesses, un paysage que ne semble habiter aucun dieu, aucune dryade, aucun faune ; un paysage implacable, sans mystère et sans poésie.

En tipoye, ne pouvant lire, je repasse tout ce que je sais des *Fleurs du Mal*, et apprends quelques pièces nouvelles.

Ce soir, dans le village, non loin de moi, un tam-tam s'organise ; mais je reste assis devant la petite table dressée, à l'insuffisante clarté de la lanterne-tempête, avec les *Wahlverwandtschaften*, ayant achevé de relire le *Master of Ballantrae*. La lune, à son premier quartier, est presque au-dessus de ma table. Je sens m'environner de toutes parts l'étrange immensité de la nuit.

Un peu plus tard je vais pourtant rejoindre la danse. Un maigre feu de broussailles, au milieu d'un grand cercle ; une ronde qu'activent deux tambours et trois calebasses sonores, emplies de graines dures, et montées sur un manche court qui permet de les agiter rythmiquement. Rythmes savants, impairs ; groupes de dix battements (cinq plus cinq) puis, sur le même espace de temps, succède un groupe de quatre battements — qu'accompagne une double cloche ou castagnette de métal [1]. Les joueurs d'instruments sont au

1. Un chant extrêmement bizarre (chœur des enfants surtout), avec l'emploi d'un quart de ton, d'autant plus sensible que les voix sont très justes, qui fait un effet déchirant, presque intolérable. D'ordinaire, tous les chants sont sur les notes de notre gamme.

milieu. Près d'eux un groupe de quatre danseurs forme vis-à-vis, deux à deux. Les gens de la ronde se suivent par rang de taille, les plus grands d'abord, puis les enfants, jusqu'à des tout petits de quatre ou cinq ans ; les femmes suivent. Chacun se trémousse en agitant les épaules, les bras ballants, et progresse très lentement de gauche à droite, à la fois morne et forcené. Quand je pose ma main sur l'épaule d'un des enfants, il se détache du cercle et vient se presser contre moi. Des hommes, qui contemplent la danse, voyant cela, en appellent un autre qui vient à mon autre côté. À une suspension de la danse, les deux enfants m'entraînent. Ils resteront assis à terre, près de ma chaise, durant notre repas. Ils voudraient devenir nos boys. D'autres se sont joints à eux. Dans la nuit qui les absorbe, on ne distingue exactement que leurs yeux qui restent fixés sur nous et, quand ils sourient, leurs dents blanches. Si je laisse pendre ma main, ils la saisissent, la pressent contre leur poitrine ou leur visage et la couvrent de baisers. À côté de moi, sur ma chaise, le petit *paresseux* sommeille ; je sens sa chaleur douce contre mes reins. Je l'appelle à présent *Dindiki*, du nom que lui donnent les indigènes.

À noter le mauvais vouloir, presque l'hostilité de ce village (et du précédent) lorsque nous arrivons ; hostilité qui bientôt cède et fond devant nos avances, et fait place à un excès de sympathie aux effusions et démonstrations chaleureuses. Le chef même, qui d'abord se dérobait et déclarait ne pouvoir trouver des œufs pour nous, du manioc pour nos hommes, s'empresse à présent et propose plus qu'on ne lui demandait d'abord.

22 novembre.

Nous quittons Bakissa-Bougandui (quel nom de banlieue !) avant six heures ; tous les enfants accourent et nous escortent jusqu'à la sortie du village. Nous nous enfonçons dans un brouillard épais. Le paysage s'agrandit ; les plis de terrain deviennent plus vastes. Nous suivons longtemps « la ligne des crêtes », puis descendons dans un vallonnement profond. Marche prolongée tout le matin, jusqu'à midi presque (avec une heure d'arrêt), sans aucune fatigue ; nous avons dû bien faire ainsi près de 25 kilomètres. La pluie, qui s'est mise à tomber avec abondance, seule nous a forcés à monter en tipoye, avant d'avoir atteint l'étape. Jusqu'à présent nous avions évité les tornades ; elles n'éclataient que pendant la nuit ou pendant nos repas. Mais à présent ce n'est pas un orage ; le ciel est uniformément gris et l'on sent que l'averse va durer longtemps. La pluie redouble tandis que nous atteignons le premier village ; ce qui n'empêche ni les tam-tams, ni les cris, ni les chants. Mais il n'y a plus désormais de chœurs de bacchantes ; en particulier celle que nous appelions « la vieille folle » et que, de village en village, il nous semblait toujours retrouver, est absente.

Après une heure d'attente un peu morne, la pluie cesse ; nous repartons. J'ai pris Dindiki dans mon tipoye, ce qui m'y fait remonter un instant. À une heure et demie de là, Cessana, important village (disposé comme Bakissa-Bougandui, comme tous ceux de la région) où nous nous arrêtons pour déjeuner. Puis, de nouveau, sitôt après, très longue étape ; mais cette fois en tipoye. Nous arrivons à Abo-Boyafé, vers quatre heures, exténués. Et c'était ce village où l'administrateur nous affirmait que nous pourrions coucher le premier jour. Presque toujours les renseignements que nous ont donnés les Européens se sont trouvés faux [1].

23 novembre.

Par crainte d'exagérer, j'ai sous-estimé la longueur de notre marche, hier. Nous avons fait une journée de dix heures — dont deux heures d'arrêt, et une heure et demie de tipoye. Soit six heures et demie à pied, à raison de près de six kilomètres à l'heure ; car nous marchions très vite. Trop fatigué, c'est à peine si j'ai pu dormir. Il fait à la fois presque frais et étouffant. On nous a parlé de l'étape du lendemain comme très courte ; mais force est de constater que ce renseignement, pour être donné par des indigènes, n'est pas plus exact que les précédents. Abba, où nous devions arriver à midi, nous ne l'atteindrons pas avant quatre

1. Voici pourtant qui les explique : il ne s'y agit jamais de distances, mais bien uniquement du temps mis à les parcourir. Or nombre d'Européens ne quittent guère leur tipoye. Une double (et parfois triple) escouade de tipoyeurs, permet à ceux-ci de se relayer, et permet au blanc de ne pas tenir compte de leur fatigue, d'exiger d'eux une allure accélérée, grâce à laquelle l'étape est beaucoup plus vite franchie. Quant au reste de la caravane, il part de l'avant et précède — ou suit et rattrape comme il peut.

heures du soir, bien que partis dès avant six heures, et ayant marché bon train. Il faut bien avouer que cette immense traite a été des plus décevantes. La même savane s'est déroulée devant nous durant des heures et des lieues. Les graminées géantes se sont faites roseaux. Au-dessus d'eux, toujours les mêmes arbres rabougris, déjetés, fatigués je pense par les incendies périodiques, forment une sorte de taillis clairsemé. Le seul intérêt de tout le jour, ç'a été le passage d'un pont de lianes — notre premier — jeté sur une rivière large, profonde, au cours rapide — la « Goman », — en remplacement d'un pont de bois effondré. Rien de plus élégant que cet arachnéen réseau, d'apparence si fragile que l'on s'y aventure en tremblant. Non loin, plongeant dans la rivière, un pandanus gigantesque, ajoute à l'exotisme du tableau. Et, durant tout le trajet qui nous éloigne si redoutablement — je pense éperdument à des choses de France : à M... avec une angoisse continue. Ah ! si du moins je pouvais savoir qu'elle va bien, qu'elle supporte bien mon absence... Et je m'imagine au Tertre près de Martin du Gard, à Carcassonne près d'Alibert...

Mauvais vouloir du chef du village. Arrivés à Niko. Nous nous étions fait précéder d'un coureur, afin de trouver le manioc de nos hommes tout préparé et de pouvoir repartir aussitôt. Pas de manioc. Force a été de perquisitionner dans les cases. Nous avons néanmoins payé cet homme stupide et buté, lui laissant entendre que nous lui eussions donné le double, s'il avait apporté de lui-même et de bonne grâce cette nourriture dont nos porteurs avaient besoin et qu'il lui était facile de récupérer dans les champs aussitôt. C'est la première fois qu'il nous arrive de devoir faire acte d'autorité.

Sitôt qu'il a triomphé du brouillard, le soleil est devenu accablant. Nous usons largement des tipoyes, car, au bout d'un petit temps de marche, je sue comme il n'est pas croyable. Vers le soir la lumière devient admirable. On approche d'Abba. Un messager envoyé à notre rencontre à deux kilomètres du village, commence à sonner de la cloche pour nous annoncer. Il nous précède, et les tipoyeurs se mettent à courir. Voici le chef à cheval. Comme il met pied à terre, nous descendons aussi. Un peuple se tient sur une éminence. Ça fait grand, et nous avançons très dignes. Les cases du village sont vastes, belles, semblables à celles des villages précédents, mais portant au sommet de leur toit pointu une grande cruche ronde de terre noire, goulot en l'air ; sans ordre, mais formant, à cause des mouvements de terrain, d'harmonieux groupements. On domine une immense contrée. Le soleil se couche glorieusement et, tout aussitôt, un rideau de brume bleue très légère, faite aussi des fumées du village, s'étend horizontalement et recule la lisière de la forêt voisine. Plus un nuage au ciel. Au zénith, la lune à sa première moitié ; loin d'elle, deux étoiles extraordinairement brillantes. Des feux s'allument dans le village. C'est d'abord un immense silence, puis l'air s'emplit du concert strident des grillons.

Les porteurs retardataires s'amènent un à un ; plusieurs clopinent et paraissent fourbus. À certains nous faisons prendre de la quinine. On a distribué le manioc. Ils se groupent autour d'un grand feu. Le ciel s'emplit d'étoiles.

Je n'ai pas remis mon Dindiki dans sa cage. Il est resté tout le jour (et hier déjà) dans mon tipoye ; agrippé à l'une des tiges de bambou qui soutiennent les nattes du shimbeck, ou blotti contre moi. On n'imagine pas animal plus confiant. Il accepte sans hésiter toute nourriture qu'on lui offre et mange indifféremment du pain, du manioc, de la crème, de la confiture ou des fruits. Il n'y a qu'une chose qu'il ne supporte pas, c'est qu'on le force à se hâter ou qu'on tente de lui faire quitter son appui. Il entre alors dans de terribles rages, pousse des cris aigus et mord tant qu'il peut. Impossible de lui faire lâcher prise ; on le disloquerait plutôt. Puis, sitôt qu'on le tient dans ses bras, il se calme et vous lèche. Aucun chien, aucun chat n'est plus caressant. Tandis que je me promène dans le village, il reste accroché à ma ceinture, ou au col de ma chemise, à mon oreille, à mon cou.

Lu avec ravissement quelques pages des *Affinités*. Je donne chaque soir une leçon de lecture à Adoum.

25 novembre.

Passé le jour d'hier à Abba ; repos. Marc visite l'intérieur des cases et m'emmène admirer, dans certaines, une sorte d'épais mur-paravent de terre, légèrement concave et formant dossier surélevé au banc bas qui se dresse face à l'entrée. Bien à l'abri derrière cette paroi, le « créquois »[1] ou la natte sur laquelle on dort. Ce large paravent est sobrement orné d'une très large décoration géométrique, noir luisant et couleur de terre rouge (réservée) d'un fort bel effet. De côté, contre les murs de la case circulaire, entassement de ces énormes vases de terre vernissée, décorés de reliefs, comme tatoués, dans lesquels ils mettent l'eau, le manioc, et qui sont, avec le créquois ou la natte, les seuls objets ou meubles de la case. Un troupeau d'enfants, comme toujours, nous escorte ; la plupart sont mal lavés ; on leur fait honte. Ils rentrent dans leurs cases et reparaissent bientôt après tout lustrés par l'ablution.

Marc organise de grandes courses d'enfants sur la place. Ils sont plus de soixante à concourir sous les yeux des parents amusés et ravis. Chef de village très sympathique, qu'on sent conquis par nos manières et que nous payons largement. Les porteurs ont organisé un tam-tam ; un danseur soliste excite l'enthousiasme des spectateurs (des enfants en particulier, qui s'empressent) — en imitant, dans une danse extraordinairement stylisée, la poule, la cavale en rut, et je ne sais quels animaux.

Plusieurs de nos porteurs viennent se faire soigner les pieds ; nous devons en licencier quatre. Un cinquième, qui se traîne à peine, nous paraît tirer la carotte. En effet il nous accompagne le lendemain, et ne parle plus de son mal lorsqu'il comprend qu'il ne sera pas payé s'il refuse sa charge.

1. Sorte de lit bas, formé de lattes de bambou.

Ce matin, départ avant six heures.

À midi, arrêt à un très beau et grand village (Barbaza). Même forme de cases et même disposition d'icelles en petits groupements, sans ordre apparent, mais répondant aux mouvements du sol. Et peu à peu des sortes de sentiers se forment, presque des rues, bordées parfois de claires-voies, séparant les groupes de cases. Toujours ces grosses poteries noir vernissé, au sommet des toits.

Encore une étape beaucoup plus longue que celles entre Bambio et Nola (à la seule exception de la première, de Bambio à N'Délé). Partis d'Abba avant six heures, nous n'arrivons à Abo-Bougrima qu'à quatre heures, ne nous étant arrêtés qu'une heure pour déjeuner. La vue devient de plus en plus étendue, les vallées plus larges et profondes, les plis de terrain plus accentués.

Au premier village où nous nous sommes arrêtés après Abba (n'était-ce pas déjà Barbaza ?) très grand, très important et que je décrivais tout à l'heure, nous avons été attirés par des chants. C'étaient des chants funèbres. Nous avons pénétré dans un de ces enclos, minuscule agglomération de quatre à six huttes, subdivision du grand village. Une vieille femme était morte. Il y avait là ses enfants, ses parents, ses amis. Tous exhalaient leur douleur en un chant rythmé, une sorte de psalmodie. On nous présente le fils, un grand homme déjà âgé lui-même ; sa face était ruisselante de larmes ; tandis que nous le saluions, il ne s'arrêta pas de chanter en pleurant ou de pleurer en chantant, avec force sanglots coupant la mélopée. Du reste, tous les visages étaient baignés de pleurs. Nous nous approchâmes de la hutte d'où sortait le plus épais des cris. Nous n'osions entrer, mais comme nous nous penchions vers l'ouverture de la hutte, analogue à l'entrée d'un pigeonnier ou d'une ruche, les chants s'arrêtèrent. Un mouvement se fit dans la hutte et quelques gens en sortirent. C'était pour nous faire place et nous permettre de voir le corps. Il était étendu sur le sol, sans apprêt, de côté, comme celui de quelqu'un qui dort. Dans la demi-obscurité nous pûmes entrevoir une cohue de gens, qui bientôt reprirent leur train funèbre. Certains s'approchaient du corps de la vieille et se penchaient, et se précipitaient sur elle comme tentant de l'éveiller, et caressaient et soulevaient ses membres. Toutes les faces que l'on pouvait distinguer paraissaient luisantes de pleurs. Dans l'enclos, non loin de la case, deux indigènes creusaient un trou très profond et peu large, ce qui nous laissa supposer qu'on ensevelit les morts verticalement, tout debout. Continuant notre tournée dans le village, nous vîmes de-ci de-là, près des cases, de très petits rectangles semés de gravier blanc et entourés d'un treillis bas de branchages, qu'on nous dit être des tombes — et nous nous en doutions. Et pourtant combien de fois n'avons-nous pas entendu répéter que les indigènes de l'Afrique centrale n'ont aucun souci de leurs morts et les ensevelissent n'importe où. À tout le moins, ceux-ci font exception.

Arrivés quelque peu exténués à Abo Bougrima, je n'avais d'autre désir, après le tub et le thé, que de me replonger dans les *Wahlverwandtschaften* que, malgré l'absence (hélas !) de dictionnaire, je comprends beaucoup mieux que je n'osais espérer. Mais, à la tombée du soir, et tandis que Marc s'en allait avec Outhman tâcher de tuer quelques pintades, j'ai commencé de suivre, derrière la case des passagers, au hasard, un tout petit sentier, à demi caché par les hautes herbes. Il m'a mené presque aussitôt à un quartier de Bougrima que l'on a laissé tomber en ruine. Sur un grand dévalement, des espaces, entre les cases abandonnées et sans plus de toiture, formaient place. Les murs crevés des cases circulaires, assez distantes les unes des autres, laissaient paraître cette sorte de mur intérieur formant niche cintrée et dossier de banc bas, dont j'ai parlé plus haut. Je pus admirer à loisir et pleinement éclairées, encore que le jour fût près de s'éteindre, les belles décorations de ces parois. J'ai constaté l'emploi de trois couleurs — et non simplement du noir comme j'avais cru tout d'abord — mais encore du rouge brique et de l'ocre. Et tout cela si vernissé, si glacé, que les intempéries n'avaient pu que très peu le dégrader ou le ternir. De côté (et, m'a-t-il paru, toujours sur la droite) de très curieux commencements de piliers qui servent de supports à de grands vases superposés. Par suite de l'enlèvement des toitures, qu'on a dû brûler, ou dont on s'est resservi — ces ruines ont un aspect net, propre — sans aucun débris de paille ou de bois.

La végétation de la brousse avait envahi ces restes de village, et parfois une plante grimpante à larges et belles feuilles retombait et formait cadre ou feston à ces étranges parois en ruine, faisant valoir la richesse et la sonorité de leurs tons. On eût dit une sorte de Pompeï nègre ; et je me désolais que Marc ne fût point là et que l'heure fût trop tardive pour prendre quelques photographies. Solitude et silence. La nuit tombait. Peu de spectacles m'ont plus ému, depuis que je suis dans ce pays.

26 novembre.

Enfin un jour splendide. Le premier matin clair depuis longtemps — il me semble même que, depuis que je suis en A.E.F., nous n'avons jamais eu que des matins gris et brumeux. Oh ! le ciel n'était pas parfaitement pur, mais la lumière était chaude et plus abondante que jamais. Est-ce seulement à cause d'elle que le pays m'a paru beaucoup plus beau ? Je ne crois pas. Des affleurements de roche donnaient par instants un dessin plus marqué ; d'énormes *boulders* de granit. Les arbres, pas plus grands que ceux de nos pays, formaient dans la savane une sorte de forêt claire continue. Parfois quelques rôniers. Le ciel était d'un bleu profond et tendre. L'air était sec, léger. Je respirais avec délices et tout mon être s'exaltait à l'idée de cette longue marche, de cette traversée de l'immense pays qui s'étendait lointainement devant nous.

Rien à noter, du reste, que le repas au bord d'une rivière, puis, sous l'ardent soleil, plus tard, la traversée de la Mambéré, où nos tipoyeurs se baignent. Marc me retient d'en faire autant. Je me soumets en maugréant.

À une grande distance de Baboua, les nouveaux chefs viennent à notre rencontre. Ce sont les deux frères du chef reconnu par l'administration française, lequel s'est enfui tout dernièrement au Cameroun, avec les 700 francs que l'administrateur lui avait remis pour payer des nattes, travail des hommes de son village [1]. Ces deux nouveaux chefs sont à cheval et se dressent devant nous, la lance haute pointant vers nos tipoyes, et poussant des cris si farouches que je crois d'abord qu'ils veulent nous empêcher d'avancer. Un des chevaux rue, crève un tam-tam et bouscule le tipoye de Marc. Je mets pied à terre et m'avance en souriant. Explications, grand désordre — puis l'avant-garde que nous formons se remet en marche, précédée de cinq cavaliers, dont les deux chefs non reconnus, très beaux dans leurs vêtements arabes que le vent de leur course gonfle et fait flotter autour d'eux. Nous avons pris sur nos boys et nos porteurs une forte avance et tandis que j'écris ces notes, après nous être rasés, rafraîchis, avoir dégusté mandarines et bananes, nous les attendons encore.

Baboua, 27 novembre.

Adoum s'est amené, clopinant, hier soir, longtemps après les autres, souffrant d'une adénite très apparente. Je crains un phlegmon et ne sais

1. À raison de cinquante centimes chacune.

que faire, sinon application de compresses humides. Je lui fais prendre au surplus quinine et rhofeïne ; il s'étend dans l'obscurité et s'endort. Il avait dû s'arrêter deux fois en cours de route, pris de vomissements. La chaleur était très éprouvante.

La maison du « commandant » (administrateur) et la case des passagers où nous sommes descendus, sont à quelques centaines de mètres du village — où nous nous rendons avant le coucher du soleil, accompagnés de l'interprète et des deux nouveaux chefs. Surprise de trouver le village complètement déserté. Le vrai chef en s'enfuyant a entraîné la désertion de tous ceux qui pensaient marquer ainsi leur attachement. Trente hommes (avec famille) l'ont, nous dit-on, accompagné sur la subdivision voisine, en territoire du Cameroun. Deux cents autres, environ, se sont répandus au loin dans la brousse, où ils vivent depuis quelques mois. Nous pénétrons dans la maison du chef, abandonnée. On y accède par un dédale de murs de terre et de cloisons de roseaux, fait pour faciliter l'embuscade et la défense. Derrière la maison, les cases de femmes, en hémicycle et ouvrant sur une sorte de cour, — tout est vide et désert.

Nuit splendide. Le soir, tam-tam, d'abord très distant, puis dont les sons se rapprochent. Après une bonne tranche des *Affinités* et ma leçon de lecture à Adoum, nous nous y rendons. Malgré la désertion du village, ils trouvent le moyen d'être encore une soixantaine, des deux sexes et de tous âges. On n'imagine rien de plus morne et de plus stupide que cette danse, d'un lyrisme que plus rien de spirituel ne soulève. Au son du tambour et de la même phrase musicale, reprise en chœur et inlassablement répétée, tous tournent en formant une vaste ronde, les uns derrière les autres, avec une extrême lenteur et un trémoussement rythmique de tout le corps, comme désossé, penché en avant, les bras ballants, la tête indépendante animée d'un mouvement de va-et-vient, comme celle des oiseaux de basse-cour. Telle est l'expression de leur ivresse, la manifestation de leur joie. Au clair de lune, cette obscure cérémonie semble la célébration d'on ne sait quel mystère infernal, que je contemple longuement, sur lequel je me penche comme sur un abîme, comme Antoine sur la bêtise du catoblépas : « Sa stupidité m'attire. »

Ce matin, le ciel le plus clair, le plus radieux que j'aie peut-être vu de toute ma vie. L'air est léger ; la lumière profuse ; d'un bord à l'autre du ciel, s'étale un éblouissement. Je crois que Baboua est à près de 1 100 mètres d'altitude. Il a fait presque froid cette nuit. Labarbe est arrivé vers midi, si excédé qu'il n'a pu accepter notre invitation à déjeuner. Il ne mangera qu'après avoir liquidé certaines affaires pressantes et rendu la justice — et peut-être ne mangera pas du tout. Nous décidons de le retrouver vers trois heures et de lui amener Adoum qui souffre de plus en plus. Le malheureux garçon n'a pu dormir, ni même rester couché, a passé presque toute la nuit plié en deux sur un créquois. Labarbe a fait des études de médecine et j'attendais son conseil, son intervention peut-être, avec impatience. Il va devoir, nous dit-il, percer la poche qui s'est formée et introduire des mèches dans la plaie. Adoum s'est cependant traîné jusqu'à la demeure non lointaine du commandant, refusant les porteurs. Il semble extrêmement gêné lorsqu'on lui dit de se dévêtir. Je crois d'abord que c'est de la pudeur. Hélas ! la chute de la culotte découvre quantité de grosses pustules suppurantes au haut des cuisses. Dès le début des réticences, Labarbe avait compris ce qui en était, ce qui fait qu'il ricane et accable Adoum de ses sarcasmes. Ce n'est pas d'une adénite qu'il s'agit, mais d'un bubon vénérien qu'il importe de traiter différemment. Le bubon est du reste prêt à crever et Labarbe se contente d'abord d'une application de compresses d'eau chaude. Il interroge Adoum en blaguant. C'est en passant à Fort-Crampel que le pauvre garçon s'est fait poivrer, il y a précisément quarante jours, cette fameuse nuit d'orgie qui nous était demeurée mystérieuse. Douloureux spectacle de ce beau corps, aux lignes si pures, si jeune encore, tout abîmé, flétri, déshonoré par ces hideuses plaies. Labarbe cependant affirme que les indigènes connaissent certaines herbes capables de guérir, radicalement, définitivement, la vérole — qui, ajoute-t-il, n'a jamais chez eux la gravité qu'elle peut avoir chez nous. Il ne pense pas avoir vu un seul indigène qui en soit exempt — ni qui en soit mort.

Baboua, 28 novembre.

Toujours le même azur splendide. Nous ramenons Adoum à Labarbe. Le bubon a crevé cette nuit, d'où grand soulagement du malade qui a pu enfin s'endormir. Il s'étend sur la natte et je lui tiens les mains tandis que Labarbe presse sur la grosseur pour en faire sortir une invraisemblable quantité de pus. L'autre se tord de douleur, et bien plus encore lorsqu'on introduit une mèche chargée d'iode, profondément, dans le cratère du bubon.

Journée de repos et de lecture. Mon cerveau, je le sens frais et limpide comme le ciel. Vers quatre heures s'amène à cheval, escorté d'un autre cavalier, le fugitif Semba. Il sait que c'est l'incarcération qui l'attend ; mais il sait également que quatre mandats d'arrêt ont été lancés contre lui et qu'il ne peut plus échapper nulle part. Il porte une sorte de cotte de maille étincelante, formée de quantité de pièces de cinquante centimes percées et cousues à même une sorte de pourpoint noir. Très beau, très noble, et même un peu féroce, sur son cheval lancé au galop, il s'élance vers nous, la lance en avant ; puis met pied à terre lorsque paraît Labarbe qui, très digne, autoritaire et magistral, fait retomber sa main levée sur la poitrine de Semba et le livre aux deux gardes chargés de l'emmener en prison. Mais Semba, qui se soumet, s'en va vers la geôle, les précédant de quelques mètres. Il est accusé et reconnu coupable d'un tas de crimes, vente d'esclaves, meurtres et cruautés, détention d'armes non déclarées, de cartouches, etc. Le peuple présent le regarde s'éloigner, sans un murmure de protestation ni même d'étonnement. Tout ce qui a lieu était prévu. Cependant le village, où je retourne le soir (car la chaleur du jour est accablante) s'est à peu près repeuplé. Il est énorme, ce village, et l'on découvre toujours de nouveaux quartiers, de nouveaux groupements de dix, douze, quinze ou vingt cases — dans un repli de terrain, ou que d'abord cachaient les hautes graminées de la brousse. Le soleil se couche, globe écarlate, derrière un rideau de brumes violettes. Et tout aussitôt la pleine lune au haut du ciel commence à luire.

29 novembre.

Départ de Baboua à l'aube. Nouvelle équipe ; ce qui entraîne des hésitations et des discussions pour la répartition des charges. De plus il faut apprêter un hamac pour porter Adoum, incapable de marcher. Je laisse à Marc le soin de régler l'ordonnance du convoi et pars de l'avant. Je vais glorieusement bien, et fais à pied presque toute la route, en tête de colonne. Le temps est splendide. La route n'a pas été nettoyée, ni même les hautes herbes rabattues de côté, ainsi qu'elles étaient tout le long de la route précédente pour faciliter notre passage. Et je ne me doutais point de l'obstacle qu'elles peuvent présenter, car enfin la route est très large (de deux mètres cinquante à trois mètres), mais les herbes sont si hautes qu'elles la recouvrent complètement, repliées, s'opposant à notre marche ; elles sont encore couvertes de rosée, et, d'avoir à me frayer un chemin à travers elles, me voici bientôt tout trempé. C'est bien pis encore lorsqu'on approche d'un marigot ; la route disparaît alors sous l'abondance des plantes.

Après six heures de marche environ, nous atteignons un ruisseau qui traverse la route, non sous une galerie de hauts arbres ainsi que d'ordinaire, mais dans un espace découvert. Ce ruisseau n'est ni particulièrement clair, ni très profond, ni de cours très abondant ; mais il se brise et retombe entre des roches de granit si nettes, si lisses et, là-bas, un peu plus loin, si bien ombragées par un buisson, un arbre bas si prodigieusement embaumé, que je cède à l'invite de l'eau.

Depuis qu'apparaît la roche de temps à autre, le paysage se précise, s'accentue ; les mouvements du terrain semblent se dessiner mieux. Pays fort peu peuplé. Vers dix heures, village de Gambougo, assez misérable — chef complaisant — du reste pas d'arrêt. À une heure passée : Lokoti où nous déjeunons. Village qui veut se déplacer. Déjà l'on voit les squelettes des nouvelles huttes, toits non encore garnis, à quelque cent mètres de l'ancien village sur lequel on a jeté un sort. Impossible de passer la Nana de nuit, malgré notre désir de continuer au clair de lune ; force est de s'arrêter à Dibba ; misérable village, gîte d'étape plus misérable encore dont il faut bien se contenter ; on fait garnir de paille une partie des ouvertures ; et brûler un nid de fourmis, dont la horde était menaçante.

30 novembre.

Trois arbres, dont un énorme, sur cette vague place autour de laquelle se groupe le dispersement des huttes. Par un clair de lune parfait. Immense nuit tiède. Fraîcheur au premier matin ; rosée abondante comme une averse. Nous partons à l'heure où l'éclat de la pleine lune commence à pâlir devant l'approche de l'aube ; l'heure un peu fantastique où rentrent du sabbat les sorcières. La route descend jusqu'au bassin de la Nana ; un ciel couleur tourterelle, où le soleil fait une blessure cramoisie. Comme notre montée avait été tout insensible, l'on est surpris tout à coup de dominer de si haut une immense contrée, où les brumes attardés forment au loin de grands lacs, des rivières.

À pied jusqu'à la Nana. Très lente traversée des bagages dans une étroite pirogue. Si l'autre rive, fouillis d'arbres énormes ; la rive, en pente assez abrupte, les dispose de manière à les faire paraître plus hauts encore. Le ciel, que les brumes, en montant, avaient empli, s'éclaircit ; voici de nouveau le même temps radieux de ces derniers jours. C'est en voyant la pirogue se détacher de l'autre rive et sortir de l'ombre qui l'envoûte, poussée par l'effort du pagayeur arc-bouté sur la perche qui prend appui sur le fond de la rivière — c'est à la petitesse de l'homme, à la fragilité de l'esquif, que l'on juge l'énormité des arbres à l'entour.

Une demi-heure avant la Nana, un village où

nous eussions pu passer la nuit si nous avions su. Tous ces villages, kagamas[1] de Baboua, sont à peu près déserts, tant à cause de la fuite de Semba et la crainte des sanctions et répressions qui peuvent s'ensuivre — que de la crainte (hélas ! trop aisément compréhensible) que les blancs que nous sommes, suivis immédiatement du commandant, ne parcourent le pays en vue de réquisitionner des hommes pour le chemin de fer, et de s'emparer d'eux par tous les moyens. Si grande que soit la gentillesse qu'on leur témoigne, ils se méfient, et pour cause.

Pourtant, passé la Nana, le village voisin nous fait fête. Ils étaient là, disposés pittoresquement, en escalier sur les marches naturelles que formaient les racines de je ne sais quel arbre géant, le chef, les tam-tams, la suite du chef, dont son fils, un enfant de treize ans, propre et beau, au visage bizarrement coupé de lignes noires, et le torse traversé en biais par une lanière de fourrure grise. Auprès de lui, trois êtres assez bizarrement beaux, de quatorze à seize ans, couverts de colliers et de ceintures de perles bleues et blanches ; bracelets de cuivre aux poignets, à l'avant-bras, au coude, aux chevilles et au haut du mollet. Je pose une main sur l'épaule de l'un d'eux, l'autre sur l'épaule du fils du chef et les entraîne avec moi, précédant l'escorte. Plus tard, ces enfants m'ont accompagné jusqu'au village, à une demi-heure de là, s'étant volontairement chargés de nos sacs.

1. On appelle *kagama* tout village dépendant d'un autre plus important, et surveillé par le même chef, qui s'y fait représenter par un capita de son choix.

Entrés avec nous dans la case des étrangers où nous avions fait ouvrir nos chaises de bord, ils sont restés, d'abord assis à terre, à mes côtés ; puis le fils du chef, tandis que nous causions avec son père, s'est blotti entre mes genoux comme un petit animal familier.

Un paysage magnifique ; le mot est trop fort sans doute, car le site n'avait rien d'enchanteur — il pouvait même rappeler bien des paysages de France — mais tel était mon ravissement de sortir enfin de l'informe, de retrouver des collines distinctes, des pentes certaines, des bosquets d'arbres harmonieusement disposés... Enfin, depuis le matin le pays se développait, s'exposait devant nous ; car, depuis que nous avions quitté Bambio, à de rares exceptions près, nous cheminions dans un pays clos, forêt ou savane, enveloppés par une végétation si haute que l'on ne pouvait voir à plus de cinquante mètres — ou même souvent à plus de dix, devant soi. Quel ravissement, après que furent gravies ces hauteurs qui se dressent devant Déka et l'encerclent à demi, de voir enfin ces hautes graminées céder, faire place à une sorte de gazon ras, d'un vert tendre, audessus duquel la vue s'étendait au loin, et qui laissait leur pleine stature à ces arbres peu grands, clairsemés et qui jusqu'alors paraissaient noyés, étouffés par les hautes herbes. (J'ai dit qu'elles étaient si hautes qu'un homme à cheval ne les eût pu dominer ; on circulait au travers d'elles comme un chat dans un champ d'avoine.) Enfin je me sentais dans un état d'allégresse physique, propre à me faire trouver joie, noblesse et beauté, même au moins surprenant paysage. J'avais énormément marché ; mais, lorsque je me disposai à reprendre enfin mon tipoye, les cordes de soutien de celui-ci claquèrent aussitôt, me laissant brutalement tomber à terre ; et je dus marcher encore. C'était en plein soleil et durant une rude montée. Ces collines, qu'on n'appelle montagnes que parce que, dans tout le pays, on n'a pas mieux, ne doivent avoir guère plus de cinq cents mètres. Mais le pays, après qu'on est longtemps demeuré sur le plateau, s'affaisse extraordinairement, et il semble de nouveau que l'on domine de beaucoup plus haut que l'on n'était monté. Un accident ridicule, un peu plus tard, m'a forcé pourtant d'attendre que mon tipoye fût réparé. Après l'interminable montée au soleil, qui m'avait mis en nage (c'était durant les plus chaudes heures du jour), je souhaitais ardemment une rivière où pouvoir me baigner. On arrive à un marigot d'eaux quasi bourbeuses ; rien à faire — et je m'occupe à le franchir d'un bond — car il n'y a pas de passerelle ; mais le ruisseau est large ; aussi, posant un pied sur un soliveau, je prends un fort élan ; mon pied glisse et je m'étale tout de mon long dans le bourbier. J'en sors couvert d'une fange infecte, et cherche à me changer aussitôt, assis sur une roche brûlante. Je trouve du linge dans un sac, un pantalon dans une cantine, mais impossible de remettre la main sur des souliers. La paire de rechange a pris les devants avec les premiers porteurs. Je dois me contenter de pantoufles parfaitement impropres à la marche —

avec lesquelles je trouve le moyen de faire encore quelques kilomètres, emporté par une sorte de lyrisme ambulatoire, une ivresse de santé, à quoi le paysage doit ce mot « magnifique » que j'employais tout à l'heure.

J'écris ces lignes après dîner — la lune toute pleine luit immensément sur le village de Dahi où nous passons la nuit ; on distingue vers l'est, à peine un peu voilées de brume bleue, les hauteurs de Bouar que demain nous devrons gravir. Pas un souffle sur terre ; pas un nuage dans tout le ciel, qui paraît non point noir, mais azuré comme la mer, tant la clarté de la lune est intense. Non loin de nous les feux de nos boys, des porteurs, et plus loin, des gens du village. Ceux-ci n'avaient point fui. Il y en avait bien une centaine, s'empressant à notre arrivée, à la nuit déjà close, avec des manifestations de cannibales, si serrés contre nous qu'on suffoquait.

Bouar, 2 décembre.

Depuis plusieurs jours ont commencé les feux de brousse. On entend de loin leur crépitement, et, de plus loin encore, la nuit, on en voit la lueur ; ils versent vers le ciel des torrents de fumée. Arrivés à Bouar, hier, vers une heure. Malgré la grande chaleur, l'air est vif. Il ne semble pas que l'on ait beaucoup monté, mais, à un peu moins de mille mètres d'altitude, le poste de Bouar, distant de l'important village, domine immensément la contrée ; vers l'ouest, l'étendue que nous avons parcourue en deux jours, et, bordant l'horizon, les hauteurs où nous couchions avant-hier. Plus au sud, vers Carnot, le regard dans le bassin de la Nana fuit plus loin encore.

Hier le soleil en se couchant emplissait l'espace de rayons pourprés. Ce matin, tandis que j'écris ceci, le ciel est ineffablement pur ; mais l'air, trop chargé de vapeur pour être parfaitement limpide, étale sur les verts sombres des forêts et les verts glauques des savanes, un glacis de nacre azurée. Devant la case, un premier plan de terrain aride, crevé de-ci de-là par de gros boulders de granit ; les dernières huttes du village des gardes, qui s'étend sur la droite, derrière le poste ; quelques arbres qui, en France, seraient des châtaigniers — puis, aussitôt après, l'immensité diaprée, car le dévalement trop brusque échappe aux regards. Rien entre ces arbres, à cinquante mètres et la plaine étonnamment distante.

Bouar, 3 décembre.

Visité l'ancien poste allemand, à un kilomètre de là ; à demi ruiné par une tornade ; d'où l'on domine admirablement le pays. Restes d'avenues de manguiers, et de cette sorte d'aloès, qui hébergent au haut de leur hampe, et parfois le long d'elle, la génération nouvelle ; de sorte que, lorsqu'on secoue cette hampe, ce ne sont pas des graines qui tombent, mais une pluie de petits aloès tout formés, avec des feuilles déjà fortes et des racines. Contre un des bâtiments du poste, quelques plants de tomates ; je reviens chargé de leurs fruits.

Ni le jasmin, ni le muguet, ni le lilas, ni la rose n'ont une odeur aussi forte et aussi exquise que les fleurs de cet arbuste auprès duquel je me suis baigné avant-hier. Corymbe de petites fleurs blanc rosé, quadrilobées autour d'une fine tubulure. Arbuste semblable, port, feuilles et fleurs, au laurier-tin. Parfum : une concentration de chèvrefeuille.

4 décembre.

Quitté Bouar ce matin assez tard, car nous attendons de nouveaux porteurs ; et Labarbe, arrivé hier soir, doit repartir avec nous ; mais lui pour Carnot, nous pour Bosoum. Nous avions réglé hier nos porteurs, pour leur permettre de repartir ; mais nous ne savions pas qu'ils avaient reçu un franc d'avance, de l'administration, pour leur nourriture. Nous n'aurions donc dû leur donner que trois francs et non quatre, et de plus nous n'avions pas, nous dit Labarbe, à payer leur manioc, pour lequel je comptais environ cinquante centimes par jour et par homme [1]. Labarbe affirme qu'ils ne dépensent quotidiennement pas plus de vingt-cinq centimes pour leur

1. Il va sans dire que nous avons néanmoins continué de payer la nourriture de nos porteurs, comme fait du reste, lorsqu'il est en tournée, tout administrateur un peu soucieux de se faire aimer de ces gens, dont on dit trop souvent et à tort qu'ils sont incapables de reconnaissance.

nourriture. Me voici bien loin du temps si proche où, à Port-Gentil, j'étais près de m'indigner que l'État n'accordât que sept sous par jour pour chaque prisonnier. Les porteurs sont payés un franc par jour par l'administration (et non un franc vingt-cinq, comme je croyais d'abord), cinquante centimes par jour lorsque immobilisés, et vingt-cinq centimes par jour de retour. En général moitié moins de temps compté pour le retour que pour l'aller.

Parfois ils portent une ceinture de cuir ou de corde, qui trace un simple trait sur la peau noire, suivant exactement le pli de l'aine ; un lambeau d'écorce brune ou rouge, ou de toile couvre étroitement le sexe, puis fuit entre les jambes et va rejoindre au-dessus du sacrum, la ceinture qui le tend. Cela est d'une netteté de dessin admirable. Parfois cette écorce, très belle de ton, s'épanouit par-derrière en corolle.

Tam-tam intime, hier soir, dans la nuit très obscure, car la lune n'est pas encore levée. Une douzaine de jeunes garçons réunis pour une petite danse sans conséquences. Feux en plein air, devant les cases, au camp des gardes. Prolongation de la soirée. Et, pendant que nous nous attardions près des foyers, Zézé et Adoum se laissaient rafler au jeu, par les gardes, tout l'argent de leur mois que nous venions de leur remettre. Même, Adoum perdait la paie du mois précédent, qu'il avait soigneusement réservée, qu'il croyait sincèrement (je le crois) pouvoir remettre bientôt à sa mère, à Abécher où il l'a laissée, voici quatre ans.

Ces gardes ont attendu, pour faire leur coup, le dernier soir, se doutant que, pressés par le départ, nous serions trop occupés ce matin pour enquêter sur cette affaire. Et de fait nous étions déjà loin de Bouar lorsque Adoum, que je voyais triste et que j'interrogeais, s'est confessé. J'ai tâché de le persuader qu'il s'était conduit comme un idiot, qu'il s'était fait rouler par des joueurs malhonnêtes, et que ces gardes étaient des tricheurs. Il s'amuse beaucoup de ce dernier mot, qu'il ne connaissait pas encore.

5 décembre.

Épais brouillard, ce matin ; on avance dans les hautes herbes trempées d'un chemin mal frayé. Ce n'est que passé dix heures que le soleil parvient à triompher des nuées et rétablit un ciel admirablement pur. Contrée sans grand intérêt. Hier les villages, une heure après Bouar, se sont succédé tous les deux kilomètres environ. C'est une région mal soumise, et nous nous attendions à beaucoup de mauvais vouloir. Il est vrai que certains villages sont à demi désertés. Devant notre venue (*against*) beaucoup d'indigènes craintifs se sont égaillés dans la brousse. Mais combien ceux qui restent sont faciles à ressaisir, dès qu'ils comprennent qu'on ne vient pas chez eux pour leur dam. Et, comme les nouvelles se transmettent vite, de village en village, les habitants se présentent toujours plus nombreux et leur accueil se fait plus chaud. Flatteuse impression de regagner ce peuple à la France.

C'est à l'espacement des arbres d'un verger, aux pommiers d'une cour de ferme normande, aux ormes, soutiens des vignes en Italie dans la région de Sienne, que j'aurais dû comparer le clairsemé des arbres dans la savane que nous traversons depuis tant de jours ; dont les hautes graminées noient les troncs. Et j'admire la constance de ces arbres, de résister aux incendies périodiques. Aujourd'hui l'espacement beaucoup plus grand des arbres fait la seule modification de ce paysage, d'une désespérante monotonie. Le village où nous nous arrêtons ce soir [1], seconde étape sur la route de Bosoum, est sans autre beauté que celle qu'y verse à flots la lumière. Comme de coutume je choisis, dans le cortège formé pour fêter notre entrée dans le village, un préféré sur lequel je m'appuie, ou qui marche à mon côté en me donnant la main. Il se trouve souvent que c'est le fils du chef, ce qui est d'un excellent effet. Celui-ci est particulièrement beau, svelte, élégant et fait penser à la Sisina de Baudelaire. Ce soir, avec deux compagnons, il me fait savoir que tous trois veulent nous accompagner jusqu'à Bosoum.

Quel bain délicieux j'ai pris à midi, et dans quelle limpide rivière ! Que la nuit est claire ce soir ! Je ne sais même pas le nom de ce village où nous gîtons. Cette route que nous suivons est des moins fréquentées (par les blancs, s'entend). Un immense inconnu nous enveloppe de toutes parts.

Tandis que je relis avec ravissement *Romeo and July*, Marc soigne des plaies, distribue des remèdes, puis « rend la justice », ce qui prend un temps infini.

1. Kouiso-Bagéra (Baghera).

6 décembre.

Arrêt à Batara. Aux abords de l'important village, où nous arrivons vers onze heures, de jeunes plantations de céaras nous annoncent que nous sommes rentrés sur le territoire de Lamblin — subdivision de Bosoum.

Après avoir circulé longtemps dans le sauvage, le larvaire, l'inexistant, joie de retrouver un village net, propre, d'apparence prospère ; un chef décent, en vêtements européens point ridicules, en casque blanchi à neuf, parlant correctement le français ; un drapeau hissé en notre honneur ; et tout cela m'émeut jusqu'à l'absurde, jusqu'au sanglot.

Tourmentés par l'idée que nous n'avons pas été généreux suffisamment envers le chef de village, à notre dernière étape. Nous lui faisons porter deux billets de cent sous dans une enveloppe, par un coureur de Batara. Son air consterné en recevant ce matin six francs de matabiche, m'était resté sur le cœur. L'absence de prix des denrées, l'impossibilité de savoir si l'on paye bien, ou trop, ou trop peu, les services rendus, est bien une des plus grandes gênes d'un voyage dans ce pays, où rien n'a de valeur établie, où la langue n'a pas de mot pour le merci, où, etc.

8 décembre.

Arrivés hier soir à Bosoum où nous retrouvons la route automobilisable. Là s'achève ce long chapitre de notre voyage. C'est ici que l'auto de Lamblin doit nous rejoindre, pour nous mener à Archambault. De Carnot, il y a trois semaines, nous avons écrit au Gouverneur, sur sa demande, pour l'aviser de la date de notre arrivée à Bosoum ; nous sommes en avance d'un jour. Nous devions faire ce dernier trajet en deux étapes ; mais, partis de Batara dès quatre heures du matin, nous arrivions dès une heure à Kuigoré, et décidions d'en repartir vers trois heures, ayant encore le temps de franchir avant la nuit les vingt kilomètres qui nous séparaient du but. Descendus de tipoye, nous avons fait une partie de cette route au demi-trot, emportés par l'impatience. Tout le matin, paysage d'une *intense monotonie*. Clématites en graine — renoncules ou adonides (avant floraison) et pivoines en bouton (comme auprès d'Andrinople). À partir de Kuigoré, très belles roches de granit, et même formant de grands soulèvements parfois analogues à ceux de la forêt de Fontainebleau. Chaque fois que le paysage se forme, se limite et tente de s'organiser un peu, il évoque en mon esprit quelque coin de France ; mais le paysage de France est toujours mieux construit, mieux dessiné et d'une plus particulière élégance. C'est ainsi que le passage d'une rivière, peu avant Kuigoré, puis la fuite de l'eau sous des grands arbres, les roches qui déchirent son cours, la route qui suit un instant le bord de l'eau, tout cela nous faisait dire avec ravissement, en riant : on se croirait en France !

L'arrivée à Bosoum est très belle. Yves Morel, le chef de la subdivision, nous attendait. N'écoutant pas ce qu'on lui dit, il répète six fois de suite les mêmes choses — mais pourtant point sot, d'un jugement souvent assez exact, me semble-t-il, et disant, encore qu'avec trop de lenteur, des choses fort intéressantes.

Dans une des *Revues de Paris* qu'il nous prête (avec force journaux de toutes couleurs) un article (1er août), où Souday, avec désinvolture, exécute *Britannicus*. Il ne consent à voir dans cette pièce admirable, « ni lyrisme, ni pensée » — un peu agaçant chez celui qui ne peut supporter à l'égard de Hugo, voire de Gautier, la moindre restriction. (Voir à la fin du volume.)

CHAPITRE VI

De Bosoum à Fort-Archambault

Bosoum, 9 décembre.

L'absence d'individualité, d'individualisation, l'impossibilité d'arriver à une différenciation, qui m'assombrissaient tant au début de mon voyage, et dès Matadi devant le peuple d'enfants tous pareils, indifféremment agréables, etc., et dans les premiers villages, devant ces cases toutes pareilles, contenant un bétail humain uniforme d'aspect, de goûts, de mœurs, de possibilités, etc., c'est ce dont on souffre également dans le paysage. À Bosoum, où l'on domine le pays, je me tiens sur cette esplanade de latérite rouge ocreux, contemplant l'admirable qualité de la lumière épandue. La contrée est mouvementée, larges plis de terrain, etc., — mais pourquoi chercherais-je à atteindre ce point plutôt que tout autre ? Tout est uniforme — pas un site, pas une prédilection possible. Je suis resté tout le jour d'hier sans aucun désir de bouger. D'un bout à l'autre de l'horizon, et où que mon regard puisse porter, il n'est pas un point particulier, et où je me sente désir d'aller.

Mais que l'air est pur ! Que la lumière est belle ! Quelle tiédeur exquise enveloppe tout l'être et le pénètre de volupté ! Que l'on respire bien ! Qu'il fait bon vivre...

Cette notion de la différenciation, que j'acquiers ici, d'où dépend à la fois l'exquis et le rare, est si importante qu'elle me paraît le principal enseignement à remporter de ce pays.

Yves Morel s'étale, se déboutonne, — tout jeune encore, mais déjà très Père Karamazov. Une crise de rhumatismes par instants le tord et lui fait jeter de petits cris. Au demeurant, un excellent garçon. Nous parlons politique, morale, économique, etc., etc. Ses considérations sur les indigènes me paraissent d'autant plus justes qu'elles confirment le résultat de mes propres observations. Il croit, ainsi que moi, que l'on s'exagère grandement, d'ordinaire, et la salacité et la précocité sexuelle des noirs, et l'obscène signification de leurs danses.

Il me parle de l'hypersensibilité de la race noire à l'égard de tout ce qui comporte de la superstition, de sa crainte du mystère, etc. — d'autant plus remarquables qu'il estime d'autre part le système nerveux de cette race beaucoup moins sensible que le nôtre — d'où résistance à la douleur, etc. Dans la subdivision du Moyen-Congo où d'abord il était administrateur, la coutume voulait qu'un malade, à la suite de sa convalescence, changeât de nom, pour bien marquer sa guérison et que l'être malade était mort. Et lorsque Morel, non averti, revenait dans un village, après une assez longue absence, pour recenser la population

— telle femme, à l'appel de son ancien nom, tombait comme morte, de terreur ou de saisissement, dans une crise nerveuse semi-cataleptique si profonde qu'il fallait parfois plusieurs heures pour la faire revenir à elle.

Recueilli sur la route un minuscule caméléon que je rapporte à la case, où je reste près d'une heure à l'observer. C'est bien un des plus étonnants animaux de la création. Près de moi, tandis que j'écris ces lignes, un gentil petit macaque qu'on est venu m'apporter ce matin, que l'aspect de mon visage blanc terrifie. Il bondit se réfugier dans les bras de n'importe quel indigène qui passe à sa portée.

Plaisir un peu néronien d'allumer un feu de brousse. Une seule allumette, et en quelques instants l'incendie prend des proportions effarantes. Des noirs accourent et se précipitent sur les grosses sauterelles que l'ardeur du foyer fait fuir. Je ramasse une très petite mante qui semble faite en feuilles mortes, plus extravagante encore que les longs insectes-fœtus qui abondent. Yves Morel est malade. Suite de la crise de rhumatismes d'hier ; il n'a pas arrêté de vomir toute la nuit, et vers midi, quand nous nous rendons chez lui pour déjeuner, il vomit encore, étendu sur son lit, dans le noir, tandis que nous prenons notre repas dans la salle voisine. Nous lui faisons avaler de la magnésie et du bicarbonate, ce qui le soulage un peu. Il n'y a, au poste, absolument aucun remède autre que la quinine.

Rien ne dira la beauté de ces soirs, de ces nuits à Bosoum.

10 décembre.

Les vomissements de Morel continuent. Un instant nous avons pu nous demander si à son malaise ne se joignait pas celui de l'ivresse : la bouteille d'amer qu'on avait débouchée pour nous la veille et à quoi nous avions à peine touché, était à moitié vide, ainsi qu'une bouteille de whisky ; il nous semblait qu'il sentait la liqueur... bref, j'ai fini par lui poser une question directe ; devant sa protestation évidemment sincère il faut conclure que ce sont ses boys qui ont profité de la maladie du maître et de notre présence, espérant nous faire endosser leurs excès.

L'auto qu'a promis de nous envoyer Lamblin n'arrive pas [1].

11 décembre.

Admirables feux de brousse — dans la plaine, au près, au loin, de tous côtés de l'horizon, à la nuit tombante — et même ceux, là-bas, qu'on ne peut voir, mais qui derrière l'horizon, font une étrange rougeur, et comme « une aube qui point ». Les hautes herbes, souvent encore pleines de sève, laissent le feu courir sous elles et ne se

1. Comme bien nous le supposions, le Gouverneur Lamblin n'était nullement responsable de ce retard.

consument pas ; on voit alors la flamme à travers le réseau de leurs chaumes noirs.

Bosoum, 12 décembre.

Ciel ineffablement pur. Il me semble que jamais, nulle part, il n'a pu faire plus *beau*. Matin très frais. Lumière argentée ; on se croirait en Écosse. Une légère brume couvre les parties les plus basses de la plaine. L'air est suave, agité doucement ; sa fuite vous caresse. Je laisse Marc cinématographier un feu de brousse et reste tranquillement assis en compagnie de Goethe.

13 décembre.

Toujours sans auto, sans nouvelles de Lamblin. Que faire ? Attendre. Le temps est splendide ; le ciel ne peut être plus pur, plus profond ; la lumière plus belle ; l'air plus tiède à la fois et plus vif... Achevé la première partie des *Affinités*, et parcouru quantité de *Revues de Paris*. Morel va mieux. Les vomissements ont enfin cédé à la piqûre de morphine que nous lui avons faite hier soir.

14 décembre.

Achevé la relecture complète des *Fables* de La Fontaine. Aucune littérature a-t-elle offert jamais rien de plus exquis, de plus sage, de plus parfait ?

16 décembre.

Toujours en panne à Bosoum. Ce n'est plus du repos ; c'est de l'énervement. Ne prenant plus d'exercice, le sommeil est beaucoup moins bon. Morel nous a persuadés qu'il était imprudent, à cause des panthères, de laisser portes et fenêtres ouvertes la nuit. Alors on ferme tout et l'on étouffe. Il est temps de repartir, fût-ce à pied.

Dans la collection de journaux que nous prête Morel (que vient de lui apporter le courrier), un réjouissant article de Clément Vautel, où je suis pris à partie en compagnie de « Rimbaud, Proust, Apollinaire, Suarès, Valéry et Cocteau » comme exemple de ces écrivains « abscons » dont la France ne veut « à aucun prix ». — Je lis dans Goethe : « Durch nichts bezeichnen die Menschen mehr ihren Charakter als durch das, was sie lächerlich finden. »

Communication d'un radio du 19 novembre : Valéry est élu à l'Académie.

N'Ganamo, 17 décembre.

Il a bien fallu se décider à quitter Bosoum sans plus attendre les autos du gouvernement. Déjà nous regrettons de les avoir attendues si longtemps ; nous calculons le temps perdu ; nous pourrions être à Fort-Archambault... Une nouvelle équipe de 48 porteurs (dont 16 tipoyeurs) est réquisitionnée. C'est la septième. Rien de plus ingrat que cette route ; sous une chaleur accablante nous savourons sa parfaite monotonie, et ne quittons guère nos tipoyes. Trop secoué pour pouvoir lire. Mais sitôt arrivé à l'étape, je me plonge dans les *Affinités*. Soir splendide, comme tous ces derniers soirs. Le soleil encore assez haut au-dessus de l'horizon « fait la mandarine » comme disait Morel. Il perd à la fois chaleur et rayonnement ; c'est une masse rouge orangée que l'œil contemple sans éblouissement. Heure exquise où le casque devient inutile. Exactement au-dessus du point de l'horizon que le soleil mourant colore encore, le très fin croissant d'une lune naissante apparaît, comme un « noun » arabe. Je suis descendu jusqu'à une assez proche rivière dont un petit sentier dans la galerie forestière m'a permis de suivre le cours quelque temps. Quelle tranquillité ! Des appels d'oiseaux ; puis, sitôt que le soleil est couché, le concert des criquets commence. Au crépuscule, j'ai vu voler presque au-dessus de notre case un stupéfiant oiseau. Un peu plus gros qu'un merle ; deux plumes, extraordinairement prolongées, forment de chaque côté comme une sorte de balancier, sur lequel il semble prendre appui dans l'air pour des acrobaties d'aviateur.

Un peu plus tard, à la nuit close, j'accompagne Marc jusqu'au petit village d'où il revient ; très misérables huttes ; un groupement, derrière un amoncellement d'énormes blocs de grès, à la lueur des feux, prend un aspect préhistorique.

Bossa, 18 décembre.

Étape de 25 kilomètres (comme celle d'hier) mais, partis à 5 h 30, nous n'y arrivons que vers une heure, par suite d'un arrêt prolongé sur la route. Depuis Bosoum les tipoyeurs ne chantent plus. Les arbres de la savane s'espacent ; et même cèdent complètement à de grands espaces découverts. Et ce ne sont plus alors des arbustes de la taille de nos arbres fruitiers, mais de beaux arbres aussi hauts que les plus hauts d'Europe, sans atteindre la taille des géants de la grande forêt. Je voudrais voir ces vastes prés au printemps, quand les herbes sont peu hautes et d'un vert tendre ; mais je doute si, peut-être, au-dessus de l'herbe nouvelle ne subsiste pas l'encombrement affreux des chaumes que n'a pu que noircir sans les consumer l'incendie. D'immenses espaces brûlés ; désolation plus atroce peut-être que celle d'aucun hiver. Les arbres ne sont pas dépouillés ; mais toutes les feuilles ont pris une monotone couleur bronzée qui forme avec le noir du sol, sous le soleil ardent, une implacable et morne harmonie. Il semble que sur ce sol calciné aucune vie ne pourra jamais reparaître, et le vert très tendre du gazon qui surgit entre les chaumes noirs, déjà trois jours après l'incendie, semble presque une fausse note. On dirait un confident indiscret qui compromet l'effet du drame en livrant trop vite un secret susceptible de rassurer le spectateur alarmé.

Ce qui nous a retardés, c'est la rencontre, une

heure après le lever du soleil, d'une troupe de prisonniers emmenés par le capita d'un village voisin. Ils étaient onze, la corde au cou — une corde, qui n'était en vérité qu'une ficelle, qui les tenait tous reliés, leur aspect était si misérable que le cœur se serrait de pitié à les voir. Chacun d'eux portait une charge de manioc sur la tête, lourde assurément, mais non excessive pour un homme en bonne santé ; mais ils semblaient à peine en état de se porter eux-mêmes. Un seul d'entre eux ne portait rien ; un petit de dix à douze ans, affreusement maigre, excédé de misère, de jeûne et de fatigue ; par instants il tremblait de tous ses membres, et la peau de son ventre était agitée de frémissements spasmodiques. Le dessus de sa tête était comme râpé, le cuir chevelu remplacé, par zones, par cette sorte de peau qui se forme sur les blessures ou sur les surfaces du corps échaudées. Il semblait incapable à tout jamais de sourire. Et tous ses compagnons de misère, du reste, étaient si lamentables qu'à peine retrouvait-on une lueur d'intelligence en leurs yeux. Tout en interrogeant le capita, nous vidons dans les mains de l'enfant le contenu de notre musette, où ne se trouvent, par mauvaise chance, que trois morceaux de pain très sec. Dans la certitude d'arriver tôt à l'étape, nous avons laissé partir de l'avant nos porteurs, sans nous être munis de provisions de route. L'enfant dévore ces croûtons comme une bête, sans un mot, sans même un regard de reconnaissance. Ses compagnons, pour être moins faibles, ne semblent pas moins affamés que lui. D'après les interrogatoires que nous leur faisons subir, il semblerait qu'ils n'ont pas mangé depuis cinq jours. Ce sont, au dire du capita, des fuyards qui vivaient depuis trois mois dans la brousse, où je les imagine comme des animaux traqués. Mais les récits sont contradictoires et quand, ensuite, nous interrogeons Koté, le chef du village voisin qui donna l'ordre de s'emparer d'eux, puis, le soir, ceux du village d'où ils viennent et où nous campons pour la nuit, on doute s'ils étaient partis dans la brousse pour garder des chèvres qui, dans le village, tombaient malades, ou pour fuir le mauvais sort qui avait fait périr plusieurs de leurs enfants, ou pour « faire des sacs » à arachides, commandés par le chef, pour l'administration, ou tout simplement par insubordination et refus de travailler aux cultures. (À noter que celles-ci, dans le village voisin, sont importantes et comme nous n'en avions point vu depuis longtemps.) Nous entendons dire qu'ils s'étaient fixés depuis un an dans la brousse où ils avaient formé un village. D'après leur propre déposition, ils auraient été maltraités violemment par le chef Koté, et par les gens de son village, qui, après les avoir attachés à des pieux, les auraient couverts d'ordures. Qu'il est difficile de rien savoir, de rien comprendre. Et même, il faut bien l'avouer, la maigreur de ces gens, leur apparente détresse, ne nous paraissent pas très différentes de celles des habitants des villages que nous traversons. Rien de plus misérable que les cahutes où ils vivent, entassés pêle-mêle (telle hutte en contient onze et telle autre treize). Pas un sourire, pas un salut, lorsque l'on passe. Ah ! que nous sommes loin des entrées triomphales dans la région de Nola !... — Et j'aurais dû parler déjà, pour préparer cette rencontre, de l'« opération » conjuguée dont nous parlait Morel, qui commençait la veille de notre départ de Bosoum — pour laquelle Morel envoyait cinq miliciens, (chacun avec vingt-cinq cartouches, et ordre de ne tirer qu'en cas de besoin) lesquels devaient retrouver en un point nommé d'autres miliciens dirigés par trois administrateurs. Les quatre colonnes, en marchant l'une vers l'autre, ne pouvaient laisser échapper certains insoumis irréductibles qui, vivant aux confins de quatre subdivisions limitrophes, passaient de l'une dans l'autre chaque fois que l'administrateur de l'une les poursuivait — ceci depuis longtemps, et jusqu'à ce jour où le Gouverneur Lamblin avait décidé de mettre fin à cette résistance. Fallait-il voir dans le convoi de ce matin un résultat indirect des ordres donnés ?

19 décembre.

Nous partons comme toujours à l'aube. Hier soir, à travers les villages, un assez grand nombre de malades, affreusement maigres — maladie du sommeil ? Et seraient-ce alors des tsé-tsés, ces taons qui depuis deux jours couvrent nos tipoyes et n'attendent que notre inattention pour nous piquer ?

Le pays change d'aspect. Vastes prairies ; arbres plus clairsemés et plus grands. Un de nos porteurs nous signale un troupeau d'antilopes. À deux cents mètres de la route l'œil distingue, parmi les herbes, des taches blondes, une vingtaine... Outhman et un de nos porteurs s'emparent de la carabine et du Moser. Du haut d'un talus, je contemple la chasse. Au premier coup de feu, le troupeau prend la fuite ; toutes les antilopes que l'on voyait, et quantité d'autres que cachaient les trop hautes herbes. J'admire leurs bonds prodigieux. Puis brusquement toutes s'arrêtent, comme obéissant à un mot d'ordre. Mais elles sont déjà trop loin. Le temps manque pour les poursuivre.

Il fait chaud, mais l'air est si sec que nous marchons sans transpirer.

Enfin nous voici devant l'Ouham. Le pays n'a que bien peu changé ; qu'y a-t-il, ou qu'ai-je, qui fasse qu'il me paraît très beau. Une pente insensible mène au fleuve que borde une grande prairie. L'autre rive est un peu plus haute, et sur la gauche, non loin, des collines qu'on est tenté, dans un pays si plat, d'appeler des montagnes. L'Ouham est large comme la Marne ; comme la Seine peut-être... Il en est de ces dimensions comme de la hauteur des arbres... L'échelle est changée. Je gagne le bord du fleuve avec la prétention de pêcher ; mais les herbes du bord sont trop hautes et ma canne à pêche est trop courte ; c'est tout juste si mon poisson de métal peut atteindre l'eau. De très beaux rochers, en aval, rompent le courant. Le soleil se couche au-dessus de la prairie marécageuse qu'on vient d'incendier ; on voit partout des traces de gibier. L'Ouham, en amont des rapides, étend une grande nappe paisible... Décidément, il est aussi large que la Seine... au moins. Ses eaux sont limoneuses ; comme celles de toutes les rivières, depuis Bouar.

20 décembre.

Lever beaucoup trop tôt. Lecture à la lueur insuffisante du photophore en attendant l'aube. Il fait froid. On a l'onglée. Les porteurs avaient allumé de grands feux, qu'ils quittent à regret ; chacun emporte avec lui un tison qu'il tient devant lui, presque contre lui. Traversée de l'Ouham ; au-dessus du courant des eaux, un fleuve de vapeurs, au cours plus lent, se déroule et s'écoule en se déchirant ; le jour naissant faiblement les colore.

Quantité d'insignifiants petits villages — si l'on peut appeler ainsi des groupements de quelques cases très misérables dont les habitants, devant un maigre feu, ou sur le pas des portes, ne nous saluent pas, se détournent à peine pour nous regarder passer. Les huttes rappellent les abris précaires de nos charbonniers dans les bois. Un peu moins, ce serait la tanière. Et cette absence d'accueil, à notre arrivée, de sourires et de saluts à notre passage ne semble point marquer de l'hostilité, mais la plus profonde apathie, l'engourdissement de la bêtise. Quand on s'approche d'eux, ils ne bougent guère plus que les animaux des Galapagos ; quand on tend à quelque enfant un sou neuf, il s'effare et ne comprend pas ce qu'on lui veut. L'idée qu'on puisse lui donner quelque chose ne saurait l'atteindre, et si quelque aîné, ou l'un de nos porteurs cherche à lui expliquer notre bon vouloir, il prend un air surpris, puis tend les deux mains jointes en écuelle.

Le village où nous campons ne le cède en rien à ceux que nous avons traversés, en misère, en saleté, en dénuement de toute sorte, en sordidité. À l'intérieur des cases, une indicible puanteur. Je doute si les enfants ont jamais été lavés. L'eau sert sans doute aux besoins de la cuisine, après quoi il n'en reste plus pour la propreté. Elle vient d'un maigre marigot, qui sort d'un marécage à plus de deux cents mètres du village, puis se perd dans une fondrière.

Et pourtant, depuis ce matin, sur la route, d'assez importantes cultures : mil (qui tend à remplacer le manioc), sésame, et surtout des céaras, de véritables vergers de céaras. Encore trop jeunes pour être exploités. Quelques champs de coton.

Les récoltes de mil et de sésame sont enfermées dans de grands paniers oblongs suspendus aux branches des arbres, à l'entour du village.

21 décembre.

Partis à 6 h 30, nous arrivons à Bosangoa vers onze heures ; Nombreuses équipes de travailleurs sur la route, qu'ils achèvent et sur laquelle nos autos devaient être les premières à passer. Importantes cultures (surtout du mil) ; mais villages et peuple encore plus désolants que la veille. Parfois, un peu en retrait de la route, quelques huttes sommaires bâties sans soin aucun ; des branches feuillues tiennent lieu de porte. Pas un salut, pas un sourire, à peine un regard quand on passe.

À Bosangoa, M. Martin, adjoint des services civils, qui remplace momentanément M. Marcilhasy, l'administrateur en tournée, nous accueille. Poste important ; avenues d'aloès. Quantité d'oiseaux, dont des compagnies de ce très bel échassier blanc, qu'on appelle « pique-bœuf » ; quelques phacochères [1] apprivoisés.

Après la sieste, chaleur accablante.

Bosangoa, 23 décembre.

Nuit très fraîche ; froide même vers le matin. Pas eu trop de deux couvertures et de deux sweaters, de deux pyjamas et d'un manteau, pour achever une nuit commencée sous un simple drap. Je m'étais couché sitôt après dîner, très fatigué par un fort rhume.

Marc cependant va rôder autour du camp, suivant son excellente habitude de chercher à voir ce qui ne se montre pas au grand jour. Il rentre tard et très ému par ce qu'il vient de surprendre : non loin de notre gîte d'étape, à l'abri du camp des gardes, un abondant troupeau d'enfants des deux sexes, de neuf à treize ans, parqués en pleine nuit froide auprès d'insuffisants feux d'herbes. Marc, qui veut interroger ces enfants, fait venir Adoum ; mais celui-ci ne comprend pas le baya. Un indi-

1. Sorte de gros sangliers.

gène se propose comme interprète, qui traduit en sango ce qu'Adoum retraduit en français : Les enfants auraient été emmenés de leurs villages, la corde au cou ; on les fait travailler depuis six jours sans salaire, et sans leur donner rien à manger. Leur village n'est pas si loin ; on compte sur les parents, les frères, les amis, pour apporter leur nourriture. Personne n'est venu ; tant pis.

La double transmission des questions et des réponses ne va pas sans quelque confusion ; mais le fait reste clair... Si clair que l'interprète bénévole, dès que Marc a le dos tourné, est appréhendé par un garde et jeté en prison... C'est ce qu'Adoum nous apprend à notre petit lever.

Et ce matin, lorsque Marc et moi cherchons à revoir les enfants, l'on nous dit qu'ils sont repartis dans leurs villages. Quant à l'interprète, après avoir passé la nuit en prison, il a été emmené par deux gardes, dès l'aube, pour travailler au loin, on ne peut ou ne veut nous dire sur quelle route.

Décidément il y a là quelque chose que l'on craint de nous laisser voir. Est-ce une partie de cache-cache qu'on nous propose ? Nous nous sentons aussitôt résolus à la jouer jusqu'au bout. Et d'abord il faut obtenir qu'on remette en liberté l'interprète ; il est inadmissible que, tout comme Samba N'Goto, il soit puni pour nous avoir parlé. Nous demandons son nom ; mais chacun se dérobe et prétend ne pas le savoir. Tout au plus consent-on à nous indiquer, à un ou deux kilomètres du poste, un groupe de cases où vit un indigène, qui connaîtrait l'homme en question. Sous un soleil de plomb nous nous rendons à ce petit village, où nous parvenons à apprendre, non point le nom de l'homme, mais ceux des deux plantons qui l'ont emmené ce matin. Et tandis que nous interrogeons, voici que s'amène, inquiet, soupçonneux, le premier garde, celui qui, hier soir, avait appréhendé l'interprète. Il tient à la main une feuille de papier ; c'est la liste de nos porteurs qu'il nous demande de signer, ce que nous aurions tout aussi bien pu faire plus tard ; grossier prétexte qu'il a trouvé pour nous rejoindre. Il veut savoir qui nous parle et ce qu'on nous dit. Mais nous coupons court à notre interrogatoire, craignant de compromettre d'autres gens ; et comme l'espion semble bien résolu à ne plus nous quitter, nous nous rendons avec lui chez M. Martin, à qui nous racontons toute l'histoire. Hélas ! lui aussi se dérobe ; il ne semble attacher aucune importance à notre récit. Pourtant, sur notre insistance, il se décide enfin à mener un semblant d'enquête et, lorsque nous le retrouvons un peu plus tard, nous annonce que tout va bien et que nous nous inquiétions à tort. Ce n'est point pour ce que nous croyions, mais bien pour un vol de cabris qu'on a coffré l'interprète, récidiviste qui ne mérite pas notre attention. Il nous affirme d'autre part que les enfants qui nous apitoyaient à tort sont tous fort bien nourris. On les a renvoyés dans leurs foyers tout simplement parce qu'ils avaient achevé leur travail, un très léger travail de désherbage. Il y a eu là une conjoncture purement accidentelle ; rien de suspect. Êtes-vous satisfaits ? — Pas encore.

23 décembre.

Notre persévérance aura-t-elle raison de cet embrouillement ? Nous le prenons de plus haut avec le garde « première classe », qui se trouble et, pressé de questions, se contredit, se coupe, finit par avouer que le voleur de cabris dont il parlait à Martin, n'est pas l'interprète, et qu'il a dit cela pour endormir Martin. L'interprète a été emprisonné sitôt après la conversation qu'il a eue avec Marc ; deux plantons l'ont emmené ce matin et, sur la route de Bosoum (celle que nous avions prise et où l'on pouvait être assuré que nous ne repasserions pas) l'ont remis entre les mains du garde Dono, chargé de le « faire travailler ». Le récit d'Adoum était donc exact.

Ceci m'encourage et l'assurance que je prends commence à en imposer aux indigènes. Quelques-uns se décident à parler. Nous avons envoyé chercher Dono, que nous interrogeons à part, malgré les protestations du « première classe ». On nous confirme que les enfants, ce matin, ont tous regagné leur village ainsi qu'un certain nombre de femmes racolées avec ces petits ; ils n'ont pas précisément pris la fuite, on la leur a fait prendre en hâte, car le « première classe » les faisait travailler en dépit de tous règlements. Le « première classe » ne leur donnait rien à manger. Une intelligente Soudanaise, (à qui nous allons rendre visite un peu plus tard) la femme du sergent qui accompagne Marcilhasy dans sa tournée, en avait pris quelques-uns sous sa protection particulière, par pitié, les avait fait venir dans l'enclos avoisinant sa case, les avait réchauffés et nourris. Le « première classe » aurait également laissé jeûner les travailleurs prestataires qu'il était chargé de nourrir et, de même, depuis six jours, les porteurs recrutés pour le transport du mil qui doit servir à l'alimentation des cheminots de Pointe-Noire. Ces porteurs n'avaient pour se nourrir que du je ne sais quoi, des herbes, des racines, ou que le produit de leurs vols [1].

Ces interrogatoires nous avaient menés jusqu'au soir. Nous devions partir le lendemain à la première heure et avions déjà pris congé de Martin. Mais nous ne pouvions le laisser ignorer tout ce qu'il aurait dû savoir et que nous venions d'apprendre. Prétextant une lettre à remettre à Marcilhasy, nous nous rendons au poste. Il est déjà neuf heures ; tout est éteint ; tant pis. Martin, déjà couché, se relève.

— Il y a ici quelqu'un qu'on cherche à mettre dedans, lui dis-je ; vous ou moi. Les renseignements que le garde vous a donnés sont en désaccord avec ceux que nous venons d'obtenir. Et

1. — « Si vous commencez à vous inquiéter de ce que mangent vos boys, me disait B. au début de notre voyage, vous êtes fichus. C'est comme vos porteurs... Soyez tranquille ; ces gens-là ne se laisseront pas mourir de faim. Ils sauront bien trouver partout de quoi se tirer d'affaire ; vous n'avez pas à vous en occuper. »

Tel autre colon nous donnait « ce bon conseil » de jeter toujours les restes de nos repas, — « sans quoi le cuisinier prend l'habitude de faire des plats trop abondants, précisément en vue des restes. On réalise ainsi de sensibles économies », nous disait-il. Et ainsi de suite. Les trois quarts des maladies dont souffrent les indigènes (épidémies mises à part) sont des maladies de carence.

comme il m'est désagréable de laisser derrière moi une affaire insuffisamment nettoyée, je décide de remettre notre départ de quelques heures ; c'est le temps qu'il faudra demain pour tirer tout cela au clair.

Et ce matin, nous faisons comparoir les deux plantons qui ont emmené l'interprète, introuvables hier soir. Mais j'avais *exigé* que le « première classe » nous les amenât. Du reste, pris de peur devant ma fermeté, ledit garde avait fait revenir l'interprète lui-même. À présent l'affaire est très claire, très nette. En l'absence du sergent, emmené depuis dix jours par l'administrateur, le garde de première classe a abusé de ses pouvoirs, fait des recrutements arbitraires, contraires aux règlements, et gardé par-devers lui la nourriture qu'il eût dû distribuer aux prestataires et aux porteurs. Au surplus, voici le sergent de retour ; c'est un islamisé du Soudan, qui parle fort passablement le français, et nous fait la meilleure impression. Nous le mettons au courant de l'affaire et lui confions le malheureux interprète, brimé pour nous avoir parlé, qu'il doit protéger contre le ressentiment du garde. Nous avons avisé de tout Martin, et de telle manière qu'il ne pût guère se dispenser d'intervenir. Il est inadmissible qu'il protège et favorise de tels abus, fût-ce simplement en fermant les yeux. S'il n'y eût là rien de répréhensible, le garde n'eût point pris de telles précautions pour le cacher.

Avant de quitter Bosangoa nous retournons au camp. Tout est rentré dans l'ordre : seuls des adultes sont là, groupés autour de feux non plus seulement d'herbes, mais de branches [1]. Ils sont du reste si craintifs, si terrorisés qu'ils feignent de ne comprendre point le sango, pour n'avoir pas à nous répondre (un peu plus tard on constate qu'ils le parlent parfaitement). Ils n'osent pas prendre les cigarettes que je leur tends, ou du moins qu'après un quart d'heure d'approche et de lent apprivoisement. On ne peut imaginer bétail humain plus misérable.

Vers deux heures nous quittons Bosangoa, après une visite à l'école d'agriculture, fondée récemment par Lamblin, fort intelligemment dirigée, nous semble-t-il, par le jeune M.

Passé l'Ouham, à cinq cents mètres du poste ; le peuple semble moins endormi ; quelques-uns saluent, sourient presque ; les huttes des nombreux villages traversés ont de nouveau des murs ; les habitants sont plus propres. Quelques femmes assez belles, et quelques hommes admirablement proportionnés. Quand nous nous arrêtons il est cinq heures. Le soleil, sans être précisément ardent, semble féroce. Puis, soudain, se colore et éteint ses feux. Grand beau village avant d'arriver au poste. Fort beau également, le village du poste, Yandakara, où nous nous arrêtons pour dîner, devant une immense esplanade. Près du gîte

1. « Tout est rentré dans l'ordre » ; mais il reste inconcevable qu'un poste aussi important que Bosangoa n'ait pas cru devoir aménager un local où pouvoir mettre à l'abri les travailleurs réquisitionnés par l'administration. Ces indigènes sont habitués à coucher dans des cases ; particulièrement sujets aux maladies des voies respiratoires, ainsi que l'ont constaté tous les rapports médicaux, il est peu prudent de les exposer sans vêtements au froid souvent très vif des nuits de ce pays ; nous ne l'avons, hélas ! constaté que trop souvent dans la suite de notre voyage.

d'étape, à peine sorties du sol, de belles grandes dalles de granit gris.

24 décembre.

Repartis de Yandakara après souper. Beau clair de lune. Trop froid pour rester longtemps en tipoye, où pourtant j'arrive à m'assoupir. On parvient vers onze heures à un village dont je ne sais le nom ; d'où nous repartons au petit matin, par un froid terrible. Il ne devait pas faire plus de 6°. Route assez monotone ; quelques cultures.

Brusquement, un miracle : l'auto que nous avions cessé d'espérer. Elle n'est pas passée par Bosoum. Elle vient à notre rencontre, car Lamblin a fort bien pensé que, vu le retard, nous nous serions mis en route sans plus attendre. La lettre de Carnot, où nous l'avisions de la date de notre arrivée à Bosoum, au lieu de l'expédier directement à Bangui, Chambaud, on ne sait pourquoi, l'a dirigée sur Mongoumba, où elle a dû attendre le passage du *Largeau* : d'où ce retard de quinze jours. En cas de maladie, d'appel à l'aide, cette maladresse eût pu être mortelle.

Un camion suit l'auto, chargé de trois caisses de sel pour Bosangoa. Ces caisses sont trop énormes pour être confiées à des porteurs ; nous décidons donc de garder les nôtres jusqu'au prochain gîte d'étape, où nous rejoindra le camion vide, au retour de Bosangoa.

Le gîte est à l'extrémité d'un petit village dont j'ignore le nom ; non loin coule une rivière, la

Bobo, que va traverser notre route. Près du pont, elle fait un coude, forme un bassin profond, limpide, où des enfants se baignent ; puis cache ses abondantes eaux sous l'enveloppement penché des grands arbres.

Grâce à l'auto, l'étape a été peu fatigante. Renonçant à la sieste, nous regagnons la Bobo sitôt après le déjeuner. À peine distinct parmi les hautes herbes, un étroit sentier nous permet d'en remonter le cours. Les arbres ne s'arrêtent pas sur la rive. Ils se penchent, s'étalent au-dessus de l'eau, empiètent et, comme s'ils voulaient traverser, jettent vers l'autre bord des étais plongeants, un large réseau de racines aériennes, anastomose qui tend au ras de l'eau des passerelles. Puis un assez vaste espace s'étend, sous les branches puissantes, largement étalées : l'ombre y est religieuse ; quantité de petits tumulus, régulièrement espacés, soulèvent le sol noir ; on dirait des tombes. Serait-ce un cimetière ? Non. C'est un essai de plantation de café — raté, comme presque tous les autres de la région.

L'auto va nous permettre de gagner Bouca ce soir même. Nous congédions les porteurs, après règlement, et repartons vers deux heures. Un de nos boys monte dans notre auto. Zézé, l'autre boy et le marmiton qui nous suit depuis Carnot, s'entassent fort inconfortablement au-dessus de l'accumulation des bagages, dans le camion. Deux autres marmitons, qui nous suivent depuis Bouar, voudraient ne point nous lâcher ; ils s'attachent à nous comme Dindiki à son perchoir. Pas de place dans les autos ; n'importe ; ils iront à pied ; et en effet, nous les retrouverons le lendemain à Bouca, qu'ils atteignent après avoir marché toute la nuit — et ils avaient déjà marché presque tout le jour. Ils veulent nous suivre jusqu'à Archambault (nous y retrouver du moins). Tant de fidélité m'émeut, encore qu'il y faille voir surtout de la détresse et ce besoin de s'accrocher à n'importe quoi de substantiel, que l'on retrouve chez tous les parasites. Ces deux marmitons, au demeurant, sont affreux, ne savent pas un mot de français et c'est à peine si, depuis Bouar, je leur ai adressé deux fois la parole. Mais c'est déjà beaucoup qu'on ne soit pas brutal envers eux. J'avais donné à chacun un billet de cinq francs ; mais, à Bouca, le matin, devant leur désir persistant de gagner à pied Archambault, je redonne à chacun quelques pièces de cinquante centimes, sachant bien que, faute de menue monnaie, on peut crever de faim avec cinquante francs dans sa poche — car, dans aucun des villages que l'on traverse l'on ne trouve à « changer ». C'est là une des principales difficultés de ce voyage ; avertis, nous avons emporté de Brazzaville des sacs de sous, de pièces de cinquante centimes et de francs.

25 décembre.

Batangafo, où nous arrivons pour déjeuner. La route en auto, paraît paradoxalement plus longue. L'exigence est démesurée ; la monotonie devient plus sensible, car elle est moins dans le détail que dans l'ensemble ; la fuite trop rapide brouille les sensations, fait du gris.

Nous tenterons de gagner Archambault ce même soir, pour tenir la promesse faite à Coppet d'arriver pour la Noël.

Vertigineuse fuite dans la nuit ; le paysage lentement se dépouille et *s'ennoblit* ; réapparition des rôniers. Dans une clairière, une grande antilope-cheval, tout près de nous, qui ne fuit pas quand l'auto s'arrête ; très miracle de Saint-Hubert. Grands échassiers. Énormes villages saras, aperçus dans la nuit. Les murs en treillis bordent la route.

Le camion ne suit plus. Il faut l'attendre.

Nous nous arrêtons près d'un feu, sur le bord de la route. Les Saras qui s'y chauffaient s'enfuient ; puis reviennent un à un et acceptent nos cigarettes. Une peau de cabri ne leur couvre que les fesses ; mais, coinçant leur sexe entre les jambes, ils trouvent le moyen de sauvegarder leur pudeur.

Arrivés à Archambault peu après minuit. Nous réveillons Coppet, qui prépare un médianoche, et causons avec lui jusqu'au matin.

CHAPITRE VII

Fort-Archambault, Fort-Lamy

Fin décembre.

Éblouis dès le matin par la splendeur, l'intensité de la lumière. De l'autre côté de l'Enfer. Fort-Archambault, marche de l'Islam, où, par-delà la barbarie, on prend contact avec une autre civilisation, une autre culture. Culture bien rudimentaire encore sans doute, mais apportant déjà l'affinement, le sentiment de la noblesse et de la hiérarchie, une spiritualité sans but, et le goût de l'immatériel.

Dans les régions que nous avons traversées ce n'étaient que races piétinées, non tant viles peut-être qu'avilies, esclavagées, n'aspirant qu'au plus grossier bien-être ; tristes troupeaux humains sans bergers. Ici nous retrouvons enfin de vraies demeures ; enfin des possessions individuelles ; enfin des spécialisations [1].

1. À les relire, ces indications me paraissent bien exagérées ; mais lorsque je les écrivais nous étions encore mal ressuyés d'une longue plongée dans les limbes. Et pourtant cette impression de la non-différenciation de l'individu, du troupeau, trouve confirmation et explication dans ces quelques mots d'une récente circulaire de l'Oubangui-Chari, défendant à l'indigène d'exploiter pour son profit particulier quelque culture que ce soit.

Fort-Archambault.

Ville indigène. Enceintes rectangulaires de claies de roseaux (seccos) formant enclos, où se groupent les huttes, où les Saras habitent par familles. Ces nattes sont juste assez hautes pour qu'un homme de taille moyenne ne puisse regarder par-dessus. En passant à cheval, on les domine et le regard plonge dans d'étranges intimités. Quintessence d'exotisme. Beauté des huttes au toit treillissé, liseré par une sorte de mosaïque de paille. On dirait un travail d'insectes. Dans ces enceintes, les quelques arbres, préservés des incendies annuels, deviennent très beaux. Le sol est une arène blanche. Quantité de petits greniers suspendus, à l'abri des chèvres, donnent à ces minuscules cités particulières l'aspect d'un village de Lilliput, sur pilotis. Les plantes grimpantes, sortes d'hipomées ou cucurbitacées flexueuses à larges feuilles, ajoutent au sentiment d'étalement des heures, de lenteur, de paresse et d'engourdissement voluptueux. Une indéfinissable atmosphère de paix, d'oubli, de bonheur. Ces gens sont tous souriants ; oui, même les infirmes, les malades. (Je me souviens de cet enfant épileptique, dans le premier village de la subdivision de Bosoum ; il était tombé dans le feu, et tout un côté de son beau visage était hideusement brûlé ;

« Chaque *groupement* indigène est seul propriétaire des plantations et cultures qu'il a créées par le labeur *collectif* de ses membres. »

l'autre côté du visage souriait, d'un sourire *angélique*.)

Je n'inscris plus les dates. Les jours coulent, ici, tous pareils. Nous nous levons dès l'aube, et je cours jusqu'au bord du Chari voir le lever du soleil. Il fait frais. Quantité d'oiseaux au bord du fleuve ; peu craintifs, car jamais chassés ni poursuivis ; aigles-pêcheurs, charognards, milans (?), étincelants guêpiers vert émeraude, petites hirondelles à tête caroubier, et quantité de petits oiseaux gris et blanc semblables à ceux des bords du Congo. Sur l'autre rive, des troupeaux de grands échassiers. Je rentre pour le breakfast ; porridge, thé, fromage ou viande froide, ou œufs. Lecture. Visites. Déjeuner chez Marcel de Coppet. Sieste. Travail. Thé chez Coppet et révision de sa traduction du *Old Wives Tale* de Bennett. Promenade à cheval.

Curieux, chez ce peuple si sensible au rythme, la déformation caricaturale de nos sonneries militaires. Les notes y sont, mais le rythme en est changé au point de les rendre méconnaissables.

L'école de Fort-Archambault. Un maître indigène stupide, ignare et à peu près fou, fait répéter aux enfants : Il y a quatre points cardinaux : l'est, l'ahouest, le sud et le midi [1].

1. Il est vraiment lamentable de voir, dans toute la colonie, des enfants si attentifs, si désireux de s'instruire, aidés si misérablement par de si insuffisants professeurs. Si encore on leur envoyait des livres et des tableaux scolaires appropriés ! Mais que sert d'apprendre aux enfants de ces régions équatoriales que « les poêles à combustion lente sont très dangereux », ainsi que j'enten-

Le sou vaut ici huit perles bleues. Un enfant achète une poignée de cacahouètes. On lui rend quatre perles.

Les deux marmitons que nous avions laissés à Bouca, nous retrouvent ici, le soir du premier janvier.

Au contact de l'Islam, ce peuple s'exalte et se spiritualise. La religion chrétienne, dont ils ne prennent trop souvent que la peur de l'enfer et la superstition, en fait trop souvent des pleutres et des sournois [1].

Le chemin de fer Brazzaville-Océan est un effroyable consommateur de vies humaines. Voici Fort-Archambault tenu d'envoyer de nouveau mille Saras. Cette circonscription, l'une des plus vastes et des mieux peuplées de l'A.E.F., est particulièrement mise à contribution pour la main-

dais faire à Nola, ou que « Nos ancêtres les Gaulois vivaient dans des cavernes ».

Ces malheureux maîtres indigènes font souvent de leur mieux, mais, à Fort-Archambault tout au moins, ne serait-il pas décent d'envoyer un instituteur français, qui parlât correctement notre langue. La plupart des enfants de Fort-Archambault, fréquentant des colons, savent le français mieux que leur maître, et celui-ci n'est capable de leur enseigner que des fautes. Qu'on en juge : voici la lettre qu'il écrit au chef de la circonscription :

« Mon Commendant

J'ai vous prier très humblement de rendre compte qu'une cheval tres superbement ici pour mon grand frère chef de village sadat qui lui porter moi qui à vendu alors se communique si vous besien sara est je veux même partir chez vous pouvoir mon Commandant est cette cheval Rouge comm Ton cheval afin le hauteur dépasse ton cheval peut être. »

(Signature illisible).

1. Je me garde de généraliser, et ce que je dis ici n'est, en tout cas, vrai que pour certaines races.

d'œuvre indigène. Les premiers contingents envoyés par elle ont eu beaucoup à souffrir, tant durant le trajet, à cause du mauvais aménagement des bateaux qui les transportaient [1], que sur les chantiers mêmes, où les difficultés de logement et surtout de ravitaillement ne semblent pas avoir été préalablement étudiées de manière satisfaisante. La mortalité a dépassé les prévisions les plus pessimistes. À combien de décès nouveaux la colonie devra-t-elle son bien-être futur ? De toutes

1. Lorsque les travailleurs sont envoyés sur les chantiers de travaux publics éloignés, il paraît indispensable que des mesures soient prises pour assurer leur transport et leur ravitaillement dans de meilleures conditions.

Le Gouverneur Lamblin a créé, à quelques kilomètres de Bangui, un camp de repos et de triage. Le troupeau des indigènes acheminé sur Brazzaville trouve là des locaux salubres et vastes, une eau potable abondante, (un puits a été spécialement creusé) et une nourriture régulièrement assurée.

Il est regrettable que cet exemple n'ait pas été suivi.

Tout le long de la route, et à Brazzaville même, on a recours à des installations de fortune.

De Bangui à Brazzaville (14 à 15 jours) les travailleurs voyagent sur des chalands découverts. Ceux-ci n'ont pas à proprement parler de « pont », les soutes qui contiennent les marchandises étant fermées au moyen de grands panneaux métalliques bombés.

Un grand nombre de ces travailleurs n'ont pour s'étendre d'autre place que ces panneaux incommodes, d'où il est arrivé que certains, durant leur sommeil, tombent dans le fleuve.

Il faut ajouter que, durant la marche du navire, les travailleurs doivent supporter une continuelle pluie d'étincelles que lance la cheminée du vapeur, et que durant la nuit, ils restent exposés sans feu aux brouillards du fleuve. Ils sont jour et nuit exposés à la pluie.

Il n'en faut pas plus pour expliquer les nombreux décès causés par la pneumonie.

La Cie des Transports Fluviaux, aidée par l'administration, ne pourrait-elle aménager quelques chalands couverts ?

Ce serait sans doute une moins grosse dépense que celle entraînée par le remplacement des uniformes des tirailleurs et des couvertures mises hors d'usage par la pluie de feu.

les obligations qui incombent à l'administrateur, celle du recrutement des « engagés volontaires » est assurément la plus pénible. Mais c'est ici que se manifeste la confiance que Marcel de Coppet a su inspirer à ce peuple noir, qui se sent aimé par lui. L'annonce des fêtes du 1er janvier avait provoqué une grande affluence. Or, c'est précisément le 31 décembre que les miliciens chargés du recrutement des travailleurs revinrent de leur tournée dans les villages de la circonscription, avec 1 500 hommes qui devaient passer la visite médicale, et sur lesquels le Docteur Muraz devait en retenir un millier. Ces hommes étaient cantonnés dans des locaux spéciaux aménagés dans le camp des gardes et étroitement surveillés par ceux-ci. Marcel de Coppet, conscient du regret de ces recrues de ne pouvoir se mêler à la fête, leva, pour deux jours, toutes les consignes, et permit à ces hommes de circuler librement : « J'ai confiance en vous, leur dit-il, et compte que, le troisième jour, vous vous présenterez tous à l'appel. »

Malgré le mauvais renom que le grand nombre de décès a valu aux travaux de la voie ferrée (car les indigènes de Fort-Archambault n'ignorent rien du triste sort de leurs « frères »), il n'y eut pas une seule désertion [1].

Voici qui est admirable sans doute. Mais que va-t-il advenir de ces malheureux ? Les précautions pour assurer leur subsistance ont-elles vraiment été mieux prises ? Ou sinon, cet abus de leur confiance est moralement inadmissible. Et sans

1. Ajoutons que l'impôt venait de rentrer, intégralement et sans aucune difficulté.

doute Coppet le pense également. Mais que peut un administrateur ? Il doit obéir à son chef. Il l'avertit pourtant : « Ce recrutement encore a été possible... Je ne réponds plus du suivant. »

Fort-Archambault.

Visite aux deux principaux chefs : Bézo, et son cousin germain Belangar, de race sara-madjingaye. Chacun d'eux a envoyé son fils aîné à l'école de Fort-Lamy. Ces enfants viennent de rentrer à Fort-Archambault. Chose étrange, ils font un échange ; et quand nous demandons à Bézo :

— À présent chacun de vous deux va reprendre son fils ?

— Non, répondit-il ; c'est moi qui prendrai le sien ; lui, le mien.

— Pourquoi ?

Il nous explique alors que chacun des deux pères craint de montrer pour son propre fils trop d'indulgence et de faiblesse [1].

Admirables bords du Chari, en aval. Longue promenade seul (très imprudent, dit Coppet). Îles ; longues étendues sableuses ; variétés d'oiseaux inconnus.

1. Mais peut-être ne faut-il voir là, comme me l'a fait remarquer un éminent sociologue, qu'un exemple de « famille maternelle ». Chez certaines tribus, par exemple les Sérèces (région de Thiès, dans le Sénégal) fortune et situation sont transmises, non de père en fils, mais d'oncle à neveu ; c'est au fils de sa sœur que le chef transmet ses pouvoirs.

Ravissement à relire *Cinna*, dont je réapprends le début.

Quelle prodigieuse précipitation de notre littérature vers l'artificiel ! Je voudrais voir les lecteurs du *Progrès Civique* et M. Clément Vautel devant le monologue d'Émilie qui ouvre la pièce.

Impatients désirs d'une illustre vengeance
Dont la mort de mon père a formé la naissance,
Enfants impétueux de mon ressentiment,
Que ma douleur séduite embrasse aveuglément...

L'abstraction, la préciosité, la soufflure, l'antiréalisme (pour ne point dire : le factice) ne sauraient être poussés plus loin. Et je ne connais pas de vers plus admirables. C'est le triomphe de l'art sur le naturel. Le plus abstrus sonnet de Mallarmé n'est pas plus difficile à comprendre que, pour le spectateur non prévenu, non apprivoisé par avance, l'enchevêtrement de cet amphigouri sublime.

Sitôt après je relis *Iphigénie*. Ce qu'il fallait que fût Corneille pour que l'on pût parler du « réalisme » de Racine !

Archambault, 10 janvier.

Marcel de Coppet, nommé Gouverneur intérimaire du Tchad, doit gagner Fort-Lamy dans cinq jours. Nous l'accompagnerons. Il fait très chaud depuis trois jours. Trop chaud. Un peu de fièvre vers le soir. Nuits assez mauvaises. Gêné par les chauves-souris qui pénètrent dans ma chambre malgré les nattes que je mets devant ma fenêtre, les journaux au-dessus des portes.

Sitôt après avoir achevé la relecture d'*Iphigénie*, je l'ai reprise. Je l'achève aujourd'hui, et voudrais la reprendre encore, dans un émerveillement grandissant. Il me paraît aujourd'hui que cette pièce est aussi parfaite qu'aucune autre et ne le cède en rien à ses sœurs ; mais sans doute n'en est-il point qu'il soit plus difficile de bien jouer. Aucun rôle n'en peut être laissé dans l'ombre et ne supporte d'être sacrifié. L'on pourrait même dire qu'il n'y a pas un premier rôle, et que tour à tour c'est Iphigénie, Agamemnon, Clytemnestre, Achille et Eriphile que l'on souhaite de voir le mieux interprété.

Caractère d'Agamemnon, admirablement vu par Racine. La réponse honteuse à Arcas, lorsque celui-ci craint qu'Achille ne proteste de voir Agamemnon abuser ainsi de son nom, et, somme toute, faire un faux :

... *Achille était absent.*

Et, jusque dans le détail, cette irrésolution, ces retours :

VA, *dis-je, sauve-la de ma propre faiblesse*
Mais surtout NE VA POINT... *etc.*

Et cette lâcheté.

... *D'une mère en fureur épargne-moi les cris.*

17 janvier.

Descente (j'allais dire : remontée) du Chari — cet étrange fleuve qui tourne le dos à la mer. Un peuple est assemblé sur la rive quand nous quittons Archambault.

Le *d'Uzès* flanqué de quatre baleinières. J'occupe, avec Marc, celles de tribord. Nous embarquons vers trois heures, par une température torride.

5 heures.

De grandes bandes d'un sable d'or, brûlante pureté, rapiécées de loin en loin par des étendues de prairies — pacages pour hippopotames et buffles.

18 janvier.

Le *d'Uzès* s'arrête non loin d'un extraordinaire soulèvement de grands boulders granitiques. C'est là qu'a succombé la mission Bretonnet. Bien que le soleil soit près de se coucher, je ne puis résister au désir de m'approcher de ces étranges roches (que d'abord je croyais de grès). J'entraîne mes compagnons dans une marche précipitée, traversant un terrain sablonneux très fatigant, puis des marécages. Je gravis une des hauteurs — mais mes compagnons m'attendent, et déjà la nuit tombe.

19 janvier.

Paysage « pour lions ». Petits palmiers doums ; brousse incendiée. Férocité admirable.

Chasse à l'antilope. Coppet en tue trois énormes.

Les belles zébrures des crocodiles.

Je n'ai le temps ni le désir de rien noter. Complètement absorbé par la contemplation.

20 janvier.

Le paysage, sans changer précisément d'aspect, s'élargit. Il tend vers une perfection désertique et se dépouille lentement. Pourtant beaucoup d'arbres encore, et qui ne sont pas des palmiers ; parfois ils s'approchent de la rive, lorsque le sol plus haut les met à l'abri de l'inondation périodique. Ce sont des arbres que je ne connais pas ; semblables à de grands mimosas, à des térébinthes.

Puis apparaissent les petits palmiers doums, au port de dracenas, et pendant quelques kilomètres il n'y en aura plus que pour eux.

Mais la faune, plus que la flore encore, fait l'intérêt constant du paysage. Par instants les bancs de sable sont tout fleuris d'échassiers, de sarcelles, de canards, d'un tas d'oiseaux si charmants, si divers que l'œil ne peut quitter les rives, où parfois un grand caïman, à notre passage, se réveille à demi pour se laisser choir dans l'azur.

Puis les rives s'écartent ; c'est l'envahissement de l'azur. Paysage spirituel. L'eau du fleuve s'étend comme une lame.

Je vais devoir jeter la boîte de coléoptères récoltés pour le muséum. J'avais cru bon de les faire sécher au soleil ; ils sont devenus si fragiles qu'il n'en est plus un seul qui ait gardé ses membres et ses antennes au complet.

Fréquents enlisements ; l'équipage descend, ayant de l'eau jusqu'à mi-corps, et pousse le navire comme il pousserait une auto. La délivrance occupe parfois plus d'une heure. Mais dans un paysage si vaste et si lent, on ne souhaite pas d'aller vite.

Un énorme crocodile, très près du navire. Deux balles. Il cabriole dans le fleuve. Nous stoppons. Puis retournons en baleinière sur les lieux. Impossible de le retrouver. Les animaux que l'on tue ainsi plongent aussitôt, et ne reparaissent à la surface que quelques heures plus tard.

Au crépuscule et déjà presque à la nuit nous voyons voler, au-dessus de la rive de sable, de nouveau cet étrange oiseau dont je parlais déjà (avant Bouca). Un coup de fusil de Coppet l'abbat. Il tombe dans le fleuve, où Adoum va le repêcher. Deux énormes pennes non garnies et n'ayant que la tige centrale, partent de l'aileron, presque perpendiculairement au reste des plumes. À peu près deux fois de la longueur totale de l'oiseau, elles écartent de lui, paradoxalement, deux disques assez larges, à l'extrémité de ces tiges, que l'oiseau, semble-t-il, peut mouvoir et dresser à demi, indépendamment du mouvement des ailes. Coppet, qui me donne l'oiseau pour le muséum, l'appelle « l'oiseau aéroplane » et affirme que certains naturalistes en offrent six mille francs ; non qu'il soit extrêmement rare ; mais il ne se montre qu'à la tombée de la nuit et son vol fantasque le protège.

Boïngar.

Petit village. Quantité de métiers à tisser, occupés le plus souvent par des enfants. Marc cinématographie un de ceux-ci, tout jeune encore, d'une habileté prodigieuse. La bande qu'il tisse n'a que quelques centimètres de large et semble une bande pour pansements. Pour constituer une pièce d'étoffe, ces bandes sont reliées l'une à l'autre dans le sens de la largeur. (Il en faut jusqu'à 48, à hauteur de ceinture, pour un pantalon). Le métier est on ne peut plus simple : deux pédales croisent les fils de la trame ; un peigne suspendu en travers de la bande retombe sur la chaîne après chaque passage de navette. Les fils de la trame sont tendus au loin par un petit panier plat posé à terre et qu'alourdit ce qu'il faut de cailloux pour le coller au sol. L'enfant, à mesure qu'il travaille et que s'allonge la bande de « gabak » enroule celle-ci entre ses jambes et tire à lui le panier. Il chantonne en travaillant et son chant rythme l'élan de la navette.

Plus loin, dans un enclos de seccos, sept établis sont rangés côte à côte. Sans doute l'administration exige-t-elle du village une certaine quantité de gabak. Ce travail est confié souvent à des captifs, nous dit-on, le travail « noble » étant celui des cultures et de l'élevage.

Beauté de ce tissage et même de la matière première indigène que rien ne vient adultérer. On suit la fabrication depuis le début. Aucune intervention extérieure. On parle de réformer cela. Pourquoi ? Un peu de snobisme aidant, ce « home spun » ferait prime sur le marché.

Un aigle-pêcheur, au milieu du fleuve, captif de sa proie trop énorme, se débat et rame des ailes, anxieusement, vers le rivage.

Fort-Lamy. Sa laideur. Sa disgrâce.

À part ses quais assez bien plantés et sa position au sommet de cet angle que forment en se rejoignant le Chari et le Logone, — auprès d'Archambault, quel étriquement ! Au sortir de la ville, en amont, deux surprenantes tours d'égale hauteur ; énormes bâtisses de briques qu'on sent avoir été terriblement coûteuses et qui servent nul ne sait à quoi.

La ville indigène double la ville française, parallèlement au fleuve et s'étend en profondeur à chaque extrémité et forme proprement deux villes. Chacune également sordide, poussiéreuse, saharienne juste assez pour évoquer certaines oasis sud-algériennes — combien plus belles ! L'argile qui sert aux murs des maisons est de grain rude et de ton cendreux ; constamment mêlée de sable ou de paille. Les gens paraissent tous craintifs et sournois.

On apprend que la morne ville se dépeuple lamentablement. Fièvre récurrente et émigration. Les indigènes, qu'on ne laisse plus libres ni de se réunir pour un tam-tam, ni même de circuler dans leurs propres villages, une fois la nuit tombée, s'embêtent et fichent le camp. Les blancs retenus ici par leurs fonctions s'embêtent et rongent leur frein.

Je mène Adoum à l'hôpital de Fort-Lamy, et demande au Dr X... de bien vouloir procéder à un examen microscopique de son sang, car je m'inquiète de savoir si ce garçon, décidément, a la vérole, ainsi que Labarbe le prétendait.

L'examen ne donne qu'un résultat négatif. Mais alors, ces bubons, à Bouar ? — Simplement du crow-crow, dont nous avions souffert également, Marc et moi ; dans son cas, compliqué par une adénite. Adoum n'a rien. Il ne s'en montre nullement surpris.

— Je savais bien que je n'avais pas la vérole. Où l'aurais-je attrapée ?

— Mais, sans doute à Fort-Crampel, cette nuit où tu as été faire la noce. (Et Labarbe avait calculé qu'il s'était écoulé tout juste le temps nécessaire pour permettre l'éclosion des bubons.)

— Je n'ai pas fait la noce du tout. Je vous l'avais dit d'abord.

— Mais, ensuite, tu nous as dit toi-même que, cette nuit-là, tu avais été avec une femme.

— J'ai dit ça parce que vous aviez l'air d'y tenir. On me répétait que j'avais sûrement fait la noce. Je ne pouvais pas dire : non. On ne m'aurait pas cru.

Cette petite histoire ne persuadera personne et ne servira qu'à m'enfoncer dans cette conviction : que l'on se blouse tout aussi souvent par excès de défiance que par excès de crédulité.

28 janvier.

Abandonnant Marcel de Coppet à ses nouvelles fonctions, nous décidons de descendre le Chari jusqu'au lac Tchad. En partant demain sur le *d'Uzès*, nous pourrons être de retour à Fort-Lamy dans quinze jours.

30 janvier.

Paysage sans grandeur. Je m'attendais à trouver des rives sablonneuses et déjà la désolation du désert. Mais non. Quantité d'arbres de taille moyenne agrémentent médiocrement les bords du fleuve, de leurs masses arrondies.

Après m'être étonné de ne pas voir plus de crocodiles, en voici tout à coup des quantités incroyables. J'en compte un groupe de 37 sur un petit banc de sable de cinquante mètres de long. Il y en a de toutes les tailles ; certains à peine longs comme une canne ; d'autres énormes, monstrueux. Certains sont zébrés, d'autres uniformément gris. La plupart, à l'approche du navire, se laissent choir dans l'eau lourdement, s'ils sont sur une arène en pente. S'ils sont un peu loin du fleuve, on les voit se dresser sur leurs pattes et courir. Leur entrée dans l'eau a quelque chose de voluptueux. Parfois, trop paresseux ou endormis, ils ne se déplacent même pas. Depuis une heure nous en avons vu certainement plus d'une centaine.

Arrivés trop tard à Goulfeï (Cameroun) ; mais peut-être, de plein jour, notre visite au sultan nous eût-elle laissé de moins extraordinaires souvenirs. La nuit est close quand nous franchissons la porte de la ville, entièrement ceinte de remparts. Devant nous, un long mur droit, présentant un unique trou noir par où, précédés de quelques chefs soumis au sultan, nous pénétrons dans de mystérieuses ténèbres. Puis, entre deux murs de terre assez hauts, une rue étroite comme un corridor, sinueuse et sans cesse brisée. On distingue parfois une ombre s'effacer dans une embrasure de porte ; elle porte la main à la tête et murmure une salutation. Un instant la rue s'élargit ; des claies de ramures couvrent une sorte de vestibule où des gens se tiennent assis. Qu'il doit y faire bon durant les chaudes heures du jour ! Plus loin les murs s'ouvrent ; c'est une place. Un grand arbre abrite l'entrée du palais.

Les présentations avaient eu lieu, indistinctement, dans la rue étroite. Nous pensions remettre à notre retour la visite, et déjà nous nous étions fait excuser d'arriver si tard. (J'ai le plus grand mal à ne pas être trop courtois, et même un peu plat, devant un chef musulman ; la noblesse de son allure, du moindre de ses gestes m'en impose plus que les titres les plus ronflants.) Mais le sultan insiste, et, la curiosité nous poussant, nous le suivons à travers une suite de petites salles et de couloirs ; tout cela dans l'obscurité. Enfin un serviteur apporte une lanterne. Nous pouvons voir que plusieurs des petites salles que nous traversons ont des murs glacés, comme enduits de stuc, et couverts de peintures, d'ornements, rudimentaires mais d'assez bel aspect. Nous parvenons dans une salle, à peine un peu plus grande que les autres, où sont quelques chaises. Le sultan nous invite à nous asseoir et s'assied lui-même. À ma gauche, près de l'entrée, s'accroupit un superbe enfant de quinze à seize ans ; c'est le fils du sultan. Le capitaine du *Jacques d'Uzès* nous sert d'interprète. Nous échangeons de vagues compliments à l'arabe, puis prenons congé de notre hôte, nous proposant de revenir dans le village, lorsque la lune se sera levée.

Que dire de cette promenade nocturne ? Rien de plus étrange, de plus mystérieux que cette ville. De-ci de-là, sur des places, au détour des rues, d'admirables arbres, vénérés sans doute, du moins préservés. Les murs d'enceinte présentent, à l'intérieur, un chemin de ronde, puis dévalent en pente rapide mais accessible. Une grande place, et un fort à demi ruiné. Tout cela fantastique, au clair de lune. Par-dessus les murs des habitations, on distingue des toits en coupoles. Nous abordons au pas d'une porte quatre adolescents ; ce sont d'autres fils du sultan. Ils nous accompagnent assez longtemps. Nous devons tourner, sans nous en douter, car après un quart d'heure de marche, nous nous retrouvons devant leur demeure, où nous les laissons.

31 janvier.

Un vent très froid. Ce matin quelques grosses tortues dressent leurs têtes hors du fleuve, dans le sillage du navire que, quelques instants, elles poursuivent. Les rives, beaucoup plus vertes, sont couvertes de petits buissons épineux.

Je n'ai pas dit qu'hier, durant un arrêt de quatre heures (on devait « faire du bois », car il n'y en avait pas de préparé) — nous sommes partis chasser dans la brousse. Quantité incroyable de pintades. Nous en rapportons sept et en perdons trois, blessées, mais que nous ne pouvons rattraper. Brousse peu boisée ; grands espaces à demi découverts, de terre nue semée de mimosas cassies. Troupeau de grandes antilopes.

Bizarre aspect des barques de pêche : grandes pirogues en maints morceaux de bois reliés entre eux avec des lianes et des ficelles, car le pays n'offre plus aucun arbre assez grand pour y creuser l'esquif. L'arrière de ces barques est fortement relevé, de manière à servir de point d'appui pour un grand filet tendu entre deux longues antennes ; un système de contrepoids permet de plonger le filet dans le fleuve et de le relever sans effort.

1er ou 2 février.

Arrêtés hier dès deux heures de l'après-midi près d'un village au bord du fleuve (rive droite). Un peuple d'enfants sur la rive ; mais tous s'enfuient dès qu'ils nous voient approcher. Village assez misérable. Beaucoup de teinturiers d'indigo (comme aux précédents).

Les femmes tapent avec un bâton sur les fruits du palmier doum afin d'amollir la pulpe ligneuse que l'on chique comme du bétel. La récolte de mil a été très insuffisante ; on pressent une grande disette.

La chaleur, la lumière surtout, est accablante. J'attends le soir pour m'avancer dans le pays. Marc étant parti avec Outhman pour photographier, Adoum étant parti à la chasse avec un garde, je vais seul, malgré les recommandations. Une admirable lueur orangée se répand obliquement sur le vaste verger naturel où je m'avance avec ravissement. Les sentiers suivis par les troupeaux de bœufs, richesse du pays, forment un réseau sur le sol. Quantité d'oiseaux, que le soir enivre. J'imagine ces buissons, à présent secs pour la plupart, verdissant au printemps, fleurissant, s'emplissant de nids, de vols d'abeilles, le sol se couvrant d'herbe fraîche et de papillons...

Nous sommes repartis dans la nuit — vers deux ou trois heures du matin, le capitaine souhaitant profiter du clair de lune. Nous dormions profondément à l'entrée du lac ; et, me fussé-je levé, par cette lumière insuffisante je n'eusse pu voir à mon gré le changement de la végétation. Mais le vent s'est mis à souffler et nous a forcés de nous arrêter, de sorte que bientôt nous avons perdu cette inutile avance — dont le seul effet a été d'escamoter ce que surtout je souhaitais voir. Le vent jetait contre nous de petites vagues précipitées, qui, coincées entre les baleinières et le bateau, jaillissaient en geyser et balayaient le pont. En un instant tout fut trempé. En hâte nous avons rassemblé tout l'épars, replié les lits. Le petit navire dansait si fort qu'une table cabriola les pieds en l'air ; désarroi des grands naufrages. Et ce, avec un mètre cinquante de fond. La danse des baleinières à nos côtés était presque terrifiante et la violence de leurs chocs contre la coque du *d'Uzès*. Nous nous sommes hâtés de chercher un abri provisoire entre deux vastes massifs de papyrus et d'une sorte de carex énorme [1].

C'est dans ce havre précaire que j'écris. Devant moi s'ouvre, sous un ciel uniformément bleu, une étendue d'eau illimitée, glauque comme une mer du Nord. À mes côtés, un bouquet de grands papyrus, surgis de l'eau, très beaux, encore qu'ils soient fanés pour la plupart — très « palmiers d'eau » ; et, derrière moi, le plus étrange mélange d'herbes et d'eau qui se puisse rêver ; de nouveau cette énormité, cette informité, cette indécision, cette absence de parti pris, de dessin, d'organisation qui m'affectait à l'excès dans la première partie de notre voyage et qui est bien la caractéristique majeure de ce pays. Mais ici cette perplexité

1. Ou de graminée.

de la nature, cette épousaille et pénétration des éléments, ce *blending* du glauque et du bleu, de l'herbe et de l'eau, est si étrange et rappelle si peu quoi que ce soit de nos pays (sinon peut-être certains étangs de la Camargue ou des environs d'Aigues-Mortes) que je n'en puis détacher mes regards.

En panne depuis le lever du soleil, nous devons attendre, jusqu'à près de midi, abrités entre des îlots de papyrus, que le vent soit un peu calmé. Le vent n'est du reste pas très fort — il paraîtrait à peine brise auprès du sirocco, du mistral. Les touffes de papyrus sont d'un admirable ton de vert-roux ; la mer du Tchad d'un glauque blondissant. On enlève les deux baleinières de nos côtés pour les attacher à notre remorque...

Après trois heures environ de traversée, voici les îles de l'autre bord. Les papyrus alternent avec des buissons à fleurs jaunes, à peine plus élevés que les papyrus (des papilionacées, semble-t-il ?) où grimpent parfois de grands liserons mauves — et des roseaux gigantesques, semblables à ceux que nous appelons « l'herbe des pampas », porteurs de grands panaches gris de chanvre, de la plus grande beauté.

J'admire l'effort de tant de végétaux des contrées équatoriales, vers une forme symétrique et comme cristalline, insoupçonnée dans nos pays du Nord où Baudelaire peut parler du « végétal irrégulier ».

Papyrus, palmiers, cactus, euphorbes-candélabres, se développent autour d'un axe et selon un rythme précis.

Nous avons jeté l'ancre devant une île inhabitée, la passe sur laquelle comptait le capitaine, pour gagner Bol, s'étant trouvée obstruée. Le soir tombait. Nous avons mis pied à terre, mais sans nous écarter beaucoup du point d'atterrissage, car en un instant nous eûmes les jambes pleines de petites graines très piquantes, qu'on ne peut même enlever sans risquer de s'enfoncer douloureusement leurs dards dans les doigts, où ils se brisent et déterminent des abcès [1]. Du reste le paysage n'offre aucun intérêt, sinon, dans cette vaste pelouse sèche que nous parcourons, un végétal bizarre, plante devenant arbuste, à feuilles très larges, d'un gris verdâtre très délicat, épaisses, tomenteuses (je veux dire couvertes d'une épaisse peluche). La fleur est d'un assez beau violet pourpre, mais très petite.

Nuit pas trop froide ; mais l'équipage va dormir auprès de grands feux, à cause des moustiques. Arrêt dans une île, peuplée de chèvres blanches. On ne comprend pas ce qu'elles peuvent trouver à manger, car le sol n'est qu'une arène aride, semée parcimonieusement de cette étrange plante-arbuste, que je décrivais tout à l'heure, dont le feuillage vert-de-gris fait avec la blancheur des

1. Cette insupportable petite graminée, le « cram-cram », abonde dans les plaines de Fort-Archambault et dans toute la région du Tchad ; mais sa graine, pilée dans des mortiers de bois et débarrassée de son enveloppe hérissée de minuscules harpons, fournit une sorte de semoule de la qualité la plus fine : le « krebs ».

chèvres une harmonie exquise. Quantité de chèvres sont attachées par une patte à un pieu fiché dans le sable. Ce sont celles, je crois, que l'on se propose de traire, qu'on ne veut point laisser téter par les chevreaux. Non loin, quelques cases, qui semblent plutôt des abris provisoires ; quelques indigènes d'aspect misérable et hargneux. Le capitaine du navire a grand-peine à obtenir de l'un d'eux qu'il nous accompagne pour nous piloter parmi les îles. Pourtant on nous apporte quatre œufs et une jatte de lait. Le capitaine prend un cabri ; on peut presque dire s'en empare de force ; pourtant il laisse cent sous en échange ; mais le vendeur réclame encore deux francs que le capitaine se résigne à donner. C'est la première fois que je vois un indigène défendre son prix, ou même « faire » son prix. On nous avait bien dit que les habitants de la région de Bol étaient « rétifs ». Ailleurs, quoi que ce soit et si peu qu'on leur donne, ils acceptent sans protestation. Avant-hier, un de nos tirailleurs, (le sergent) payait cinquante centimes un poulet, dans le petit village où nous nous étions arrêtés. Je lui ai dit que c'était un prix d'avant-guerre et que désormais il devrait payer le poulet un franc. Il se laisse convaincre, et retourne avec moi pour donner la piécette complémentaire. Comme il y met de la bonne grâce j'offre de couvrir ce débours ; mais il refuse les cinquante centimes que je lui tends et, comme j'insiste, en fait cadeau à un enfant qui passe.

Il est assez naturel que les indigènes, dont on ne paie que cinquante centimes un poulet, voient débarquer les blancs avec terreur [1] et ne fassent

1. « Les blancs, quand ils viennent, ils prennent tout et ne

rien pour augmenter un commerce si peu rémunérateur.

Nous rencontrons le *Léon Blot*, accosté près d'une petite île. À bord, nous voyons le vieux

donnent rien », disaient les gens d'un autre village, tout étonnés de nous voir payer les œufs qu'ils nous apportent.

J'ajoute en hâte que ces mauvais blancs sont l'exception, ou tout au moins qu'il en est d'autres. Lorsque le nouveau Gouverneur Général Antonetti traversa la région, en février 1924, il estima qu'il n'était pas décent de maintenir les prix d'avant-guerre, et de payer le poulet moins d'un franc. Il doubla de même le salaire et la ration des pagayeurs employés par la Cie de l'Ouham et Nana.

Mais je pourrais citer tel cas où le blanc de passage déchira la mercuriale où l'administration avait inscrit un prix minimum des denrées, irrité de voir ces prix supérieurs à ceux qu'il prétendait suffisants. La lésinerie de certains blancs à l'égard des indigènes est incroyable. Madame X..., femme d'un administrateur à Fort-Lamy, se plaignait de ne pouvoir trouver de poisson. — « C'est peut-être que vous marchandez trop. Essayez donc de le payer le prix qu'on en demande. » À la grande surprise du marchand, elle se décida enfin à donner deux francs pour un « capitaine » superbe (c'est le meilleur poisson du Chari). Le lendemain et les jours suivants les pêcheurs affluaient chez elle.

Cette même personne était surnommée « Madame cinquante centimes » par les indigènes, parce que chaque fois que son mari lui disait — « Donne donc un franc à cet homme » pour un service rendu, elle fouillait dans un réticule et n'en sortait qu'un demi-franc.

C'est elle qui jetait à son chien les restes de viande, plutôt que de les laisser finir par ses boys.

En 1921, les Européens payaient, à Fort-Lamy, cinq francs par mois la location d'une vache. L'indigène était tenu de remplacer la vache si l'Européen estimait qu'elle ne donnait plus assez de lait. J'ai plaisir à voir Marcel de Coppet s'indigner avec nous de ces abus. Je l'accompagne au marché :

— Combien ce poisson ? demande-t-il.

— Un franc.

— Combien un indigène l'eût-il payé ?

— Deux francs cinquante.

— Tu sais bien que je n'aime pas que tu me fasses un prix de Français.

— Oh ! Un Français ne l'aurait payé que cinquante centimes. »

(Voir appendice au chapitre VII).

pilote qui jadis a guidé Gentil à travers le lac. Marc prend sa photo, et par enthousiasme, nous lui donnons un gros matabiche, qui lui fait venir le sourire aux lèvres et des larmes aux yeux.

Le vieux, que nous avons emmené de force comme pilote, ne s'attendait évidemment à rien recevoir, car, lorsque je lui glisse un matabiche dans la main, son visage, renfrogné jusqu'alors, se détend. Je le plaisante sur son air maussade : il se met à rire, prend une de mes mains dans les deux siennes et la presse à maintes reprises avec une effusion émouvante. Quels braves gens ! Comme on les conquerrait vite ! et quel art diabolique, quelle persévérance dans l'incompréhension, quelle politique de haine et de mauvais vouloir il a fallu pour obtenir de quoi justifier les brutalités, les exactions et les sévices [1].

Sitôt que le vent s'élève, de gros paquets d'eau lavent le pont. On ne sait où se tenir.

Je renonce à traduire *Mark Rutherford*. L'intérêt que j'y prends reste un peu trop particulier.

Je plonge dans le *Second Faust* avec le plaisir le plus vif. Il me faut avouer que je ne l'avais encore jamais lu tout entier dans le texte.

Les îles sont de plus en plus vastes et plus nettement hors de l'eau. Le sable paraît et s'élève faiblement en dune. En plus des papyrus, des roseaux et des faux baguenaudiers de la rive, on

1. Conrad parle admirablement, dans son *Cœur des Ténèbres* de « l'extraordinaire effort d'imagination qu'il nous a fallu pour voir dans ces gens-là des ennemis ».

voit reparaître les mimosas et les palmiers doums. Mais, sur une île en particulier, pourquoi quantité de ceux-ci sont-ils morts ? Est-ce d'une mort naturelle ? et due à quoi ? Peut-être les indigènes les ont-ils incendiés à leur base, encombrée de vieilles feuilles qui rendaient inatteignables les fruits ?

La quantité d'arbres morts ou mourants m'étonne depuis le début du voyage.

Arrivée à Bol vers le milieu du jour.

Étrange aspect des petits murs d'enceinte du poste ; crénelés, aux angles amollis, émoussés — tout cela pas plus haut qu'un homme, de sorte qu'on pourrait, de l'extérieur, presque passer la tête entre les créneaux ; couleur galette de maïs. Une voûte de petit fortin à l'extrémité droite ; rien à gauche.

Le village est non loin sur la droite ; quelques cases misérables. Très peu d'habitants. À peu près tous, hommes et femmes, sont vêtus. Du sable, presque uniquement agrémenté par cette étrange plante gris-vert [1] dont enfin je puis voir le fruit : un beignet énorme, bivalve, tenant suspendu en son centre, au milieu d'une matière feutrée, filigranée, un paquet de graines. Celles-ci forment une cotte autour des duvets qui les coiffent et leur permettront de prendre l'essor. Rien de plus ingénieux et de plus bizarre. Les graines sont d'abord si étroitement juxtaposées, à la manière des tuiles d'un toit, que l'on ne soupçonne rien de ce duvet qu'elles protègent ; on ne voit d'abord qu'une

1. Calatropis procera (asclépiade).

carapace, une coque analogue d'aspect à celle des letchis. Dès qu'on presse cette coque, elle crève ; les graines se disjoignent, laissant paraître un trésor soyeux près duquel l'aigrette des pissenlits paraît terne, un émerveillement argenté qui tout aussitôt bouffe, foisonne, s'émancipe, et se prépare à se laisser emporter au premier souffle.

Le sergent Bournet (extrêmement sympathique) est seul à diriger la subdivision de Bol. Nous l'invitons à dîner à bord. Il est ici depuis sept mois ; débordé de travail ; et pourtant il s'embête à mort. Le travail qu'on lui fait faire, qu'on exige de lui, est, dit-il, au-dessus de ses forces. Il n'y peut suffire ; il n'est pas préparé pour cela. Le voici plongé dans des écritures et des comptabilités compliquées, lui qui sait à peine lire et écrire. « Ce qu'un plus instruit que moi ferait en vingt minutes, me prend toute une matinée, nous dit-il. Songez donc que je ne suis qu'un simple sergent. C'est un officier qu'il faudrait à Bol. Je n'en puis plus. » Et tout, dans ses moindres propos, respire la franchise et l'honnêteté. J'ai pris note par ailleurs des quelques renseignements qu'il nous donne sur la disette menaçante et le prix des denrées, du mil en particulier, dont les indigènes de Bol sont tenus de fournir dix tonnes [1] ; dont ils manquent, et qu'ils sont forcés d'aller chercher à trois jours de distance (et plus) et d'acheter aux Bournous trois et quatre francs le « tonnelet » de 20 kilos, que l'administration ne leur paiera qu'un franc cinquante.

1. Pour l'approvisionnement des tirailleurs prisonniers (qui nécessiterait normalement 20 tonnes).

Il nous parle également du recensement périmé, qui date de quatre ans ; d'après lequel sont taxés les villages, dont les habitants continuent à payer pour les morts (très nombreux par suite de la récurrente) et les fugitifs dont le nombre s'accroît chaque année, de sorte qu'il risque de ne rester bientôt plus que les vieux, les impotents et infirmes, les niais, qui devront supporter, de par le fait des morts et des désertions, triple et jusqu'à quadruple charge, à payer pour les morts et les absents. (De même pour le cheptel.)

« Si le recensement était refait, dit-il, si chaque village était taxé d'après le nombre réel et actuel de ses habitants, il serait on ne peut plus facile de faire rentrer l'impôt, qui n'a rien d'excessif et que chaque indigène consentirait volontiers à payer. Personne ne songerait plus à s'enfuir [1]. »

Ces énormes champs de papyrus sont flottants, sont mobiles. Vienne à souffler le vent, ils se déplacent, touffe après touffe, qu'on voit se détacher et partir à la dérive, puis reformer plus loin la prairie défaite. C'est ainsi que des passes du lac, en quelques heures, peuvent se trouver obstruées.

Yakoua.

Depuis Touggourt, je n'avais plus vu tant de mouches.

1. Le recensement du cheptel est parfois fort difficile à établir, les indigènes croyant souvent que le dénombrement d'un troupeau et la désignation des individus porte malheur à ceux-ci.

« Combien as-tu de chèvres ?

Pas de bois pour les pirogues. Avec un très épais paillasson de papyrus, on fabrique des sortes de plateaux flottants, de forme allongée, à l'avant recourbé en bec de gondole. On ne peut rien imaginer de plus étrange. Cela se pousse à travers l'eau, à l'aide de grandes perches, souvent amenées de fort loin.

Au bord de l'eau croît toutefois cet arbuste à fleurs jaunes dont j'ai déjà parlé. Son bois est si poreux, si léger qu'il flotterait sur des nuages. On est tout surpris de voir un tout petit enfant en porter sur son épaule une solive énorme. Il s'en sert, l'enfourchant, pour traverser l'eau. Couché là-dessus à plat ventre, il rame des pieds et des mains, et, lorsque le vent l'aide, traverse en peu de temps des bahrs assez larges.

Il y a quantité de crocodiles dans cette partie du lac, nous dit-on [1] ; mais, chose étrange, ils ne s'attaquent jamais à l'homme [2] — peut-être surnourris par les poissons qui surabondent. Ils détruisent les filets que les indigènes tendent. Ceux-ci, gênés au surplus par les papyrus voyageurs, ont presque complètement renoncé à la pêche.

Le long de la rive, vers l'est, l'eau reste hors de vue et d'atteinte, derrière l'épais écran de papyrus

— Si je les compte, elles vont toutes mourir. »

1. Pourtant je n'en ai vu aucun, ni dans les eaux du lac, ni sur ses bords.

2. C'est du moins ce qu'affirment les indigènes. Mais Lévy-Bruhl me met en garde (*La mentalité primitive* ; chap. I ; 4). Pour l'indigène, l'accidentel n'existe pas ; la notion même du fortuit ne peut l'atteindre ; le crocodile est « naturellement inoffensif », et, s'il lui arrive de croquer un homme, c'est qu'un sorcier le lui a *livré*.

et de roseaux. Ils dissimulent des fondrières, où l'on enfonce jusqu'au genou, jusqu'à la ceinture, où l'on peut disparaître en entier. Par instants ce rideau s'interrompt et permet accès aux pirogues, aux passeurs, au bétail qui vient s'abreuver. Je n'ai jamais vu bétail plus admirable. Ce fut d'abord, près d'un groupe de femmes, un bœuf couleur chamois, très différent de tous ceux que j'avais vus jusqu'alors ; semblable peut-être à quelque bas-relief égyptien. Ses cornes énormes étaient à peine incurvées, leur ligne extérieure continuait celle de l'os frontal et formait coiffure comme le pschent. On ne peut décrire une ligne ; mais je puis dire que la noblesse de cette courbe était telle que je songeai tout aussitôt au Bœuf Apis.

Un peu plus loin je fus arrêté par un troupeau d'une race très différente ; vaches et taureau de couleur gris très tendre, presque blanc ; les cornes énormes, monstrueuses, dépassaient non point seulement tout ce que j'avais vu, mais encore ce que je croyais possible ; extraordinairement arquées, au contraire de l'espèce que j'avais rencontrée précédemment, et formant au-dessus du front une menace si redoutable que, ne connaissant pas l'humeur de l'animal (c'était un taureau) je crus prudent de rétrograder. Je ne m'aperçus que plus tard, repassant avec Marc et Outhman, que ce terrible monstre était entravé.

Quantité d'oiseaux merveilleux. L'un, d'azur chatoyant, si charmant que je ne me décidais pas à le tuer. La curiosité, le désir de le voir de près l'ont enfin emporté. Sa tête est brune. Les plumes du dos sont d'un tendre bleu de pastel ; tout le dessous du corps est bleu clair ; les ailes vont de ce même bleu tendre au bleu le plus sombre. La queue, bleu sombre, très longue, se termine en pointe aiguë. Un peu plus loin je vis jusqu'à sept oiseaux noirs et jaunes, gros comme des sansonnets, sur le dos d'un âne.

J'avance enveloppé d'un nuage, comme une divinité ; d'un nuage de mouches. Sur les mimosas, grande abondance d'un gui, assez voisin du nôtre ; très robuste ; très ramifié ; feuilles allongées, grisâtres ; grains rouge terne, allongés.

Nous avons suivi la rive tournante jusqu'à nous trouver sur le côté opposé de l'île : et nous la traversons pour rentrer. Amusement de retrouver, jaillie du sable, cette même orobanche que j'admirais dans les dunes, au sud de Biskra ; mais elle était alors d'un mauve tendre très délicat ; à présent ce ne sont plus que des torches sèches, presque noires.

Les indigènes qui passent continuellement d'une île à l'autre, emploient pour traverser les bahrs de lac, parfois larges de plus de cinq cents mètres, des soliveaux de ce bois extraléger d'*ambatch* sur lesquels ils se couchent, qui maintiennent hors de l'eau, mais ruisselants, la tête et le dos du nageur ; très Arion sur le dauphin.

... février.

Nous avons été ce matin en baleinière jusqu'au village de Yakoua, sur une île voisine. Escale dans une première île. Admirable troupeau de bœufs, que Marc photographie. On les fait traverser un bahr, à la nage. Leur tête prend appui sur les énormes cornes creuses, qui flottent comme des bouées.

Indigènes extrêmement complaisants ; dignes ; il semble qu'ils s'affinent et se spiritualisent tandis qu'on remonte vers le nord. Un très vieux chef vient à notre rencontre à cheval ; il descend et offre sa monture ; mais il en a plus besoin que nous ; du reste le village n'est pas loin. Marche dans le sable très pénible. Courte réception du chef, qui a mis pied à terre ; échange de salutations sous une sorte de hangar. Très belle et noble expression de visage du vieux chef. Il a des mains de squelette ; peau tachée de blanc. Ses deux jeunes fils (ou petits-fils) nous accompagneront à travers le village à sa place, car il est à bout de souffle. Marc tâche de filmer des scènes « documentaires » ; cela ne donne rien de bien fameux. Il s'agit d'obtenir certains groupements de nageurs, et principalement de nageuses. Si triées qu'elles soient, celles-ci ne sont pas bien jolies. Impossible d'obtenir un mouvement d'ensemble. On nous fait comprendre qu'il n'est pas décent que femmes et hommes nagent en même temps. Ceux-ci doivent précéder de dix minutes celles-là. Et comme celles-là restent sur la rive, les hommes, pris d'une soudaine pudeur, se couvrent, se ceinturent et enfilent des pantalons. Marc m'explique qu'ils vont se dénuder en entrant dans l'eau ; il compte sur un certain effet de ces vêtements portés à l'abri de l'eau, sur la tête. Mais la pudeur est la plus forte ; les hommes préfèrent mouiller ces étoffes qui sécheront vite au soleil. Si l'on insiste pour les faire se dévêtir, ils lâchent la partie et s'en vont bouder sous un palmier doum. Marc s'énerve et il y a de quoi. Au bain des femmes. Elles non plus ne descendront dans l'eau que vêtues. N'empêche qu'elles exigent que les hommes, que tous les spectateurs, nous excepté, s'en aillent, se retirent au loin. Tout cela, grâce aux simagrées, donne un spectacle assez raté. Il est midi. Le soleil tape. Nous remontons en baleinière, mais nous avons le vent contre nous. Pas de rames ; rien que des perches pour pousser, mais ici, par miracle, l'eau est profonde et l'on est presque à bout de bras avant que la perche ne touche le fond. Nous n'avançons pas. Enfin, prenant le parti de suivre la rive, nous faisons tant que d'atteindre Bol, (où, sur le *d'Uzès*, nous attend notre déjeuner) vers deux heures.

L'autre baleinière a été « faire du bois » dans une autre île. Elle n'est pas encore de retour. Nous ne pourrons repartir que demain.

Je suis sorti de nouveau hier, vers le soir, avec mon fusil sur l'épaule ; mais je n'ai rien tué. Les oiseaux sont si peu craintifs qu'on se fait scrupule de les tirer presque à bout portant. Glorieuse fin du jour. Si peu élevée que soit la dune, on domine un large bras de lac où la gloire du couchant doré se reflète. Sérénité majestueuse, indifférente et sans douceur.

Nous avons levé l'ancre à cinq heures du matin. Le ciel est d'une pureté saharienne. Il a fait de nouveau très froid cette nuit ; mais, par absence de vent, froid supportable.

Nous faisons escale vers sept heures, devant un assez important village, complètement déserté. Certaines des huttes, soigneusement closes, comme barricadées, marquent chez les habitants une idée de retour. On finit par découvrir, derrière une hutte, une vieille femme borgne, accroupie, vêtue de guenilles terreuses. Elle nous explique dans un grand flux de paroles qu'elle n'a pas suivi l'exode général, parce qu'elle est trop faible et à moitié paralysée. À ce moment on aperçoit, non loin, devant une autre case, une autre vieille, qu'elle nous dit être restée pour la soigner. Nous interrogeons tour à tour l'une et l'autre, mais leurs récits ne concordent pas, et Adoum transmet mal nos questions et leurs réponses. Quand on demande depuis combien de temps les autres habitants sont partis, on a comme réponse le nom du chef de village et le nombre de bras d'eau qu'il faut traverser pour gagner l'île où les autres se sont rendus. La loquacité de chacune de ces deux vieilles abandonnées est cauchemardante. Elles radotent éperdument. Si elles n'ont pas suivi les autres, c'est aussi qu'elles ne savent pas (ou ne peuvent plus) nager. Les autres sont partis depuis vingt et un jours. La plus infirme indique le nombre en faisant dans le sable vingt et un sillons avec l'index. Quoi que ce soit qu'on lui demande, elle se livre à une sorte de comptabilité maniaque en traçant du doigt des lignes qu'aussitôt ensuite elle efface du plat de la main. Les hommes sont partis pour trouver de quoi faire face à l'impôt, ou pour tenter de s'y soustraire ; on ne sait [1]. Ces gens n'auraient sans

1. Les pâtres insulaires du Tchad, lorsque les pâturages d'une

doute aucun mal à payer un impôt qui n'a rien d'excessif, si le recensement était tenu à jour, si chacun, d'après un recensement vieux de quatre ans, n'avait pas à payer parfois pour trois ou quatre disparus.

Escale vers midi, dans une grande île, d'un abord assez difficile, encombré de papyrus, de roseaux et de buissons d'ambatch. Je remarque dans l'eau plusieurs coléoptères nageurs, et une exquise petite plante flottante qui donne à la surface de l'eau un aspect rougeoyant. À la manière de nos lentilles d'eau, elle n'a qu'une feuille ; triangulaire et divisée comme une feuille de fougère. Nous mettons les deux baleinières bout à bout, mais il reste un espace marécageux que nous traversons à dos d'homme. Une demi-heure de marche vers l'intérieur de l'île (toujours la même monotone végétation : mimosas et principalement ce baguenaudier à jus blanc) et nous arrivons en vue d'un village ; on s'approche ; toutes les cases sont désertées. Pourtant nous distinguons devant une case un groupe de gens. Trois hommes, en nous voyant approcher, s'enfuient dans la brousse. À l'aide de deux interprètes — Adoum et un type de l'équipage, d'une musculature herculéenne, au visage très fin, qui a nom Idrissa et que nous appelons Sindbad — nous parlons à ceux qui sont restés — cinq femmes et trois garçons. Marc prend des photos et nous distribuons des piécettes de cinquante centimes

île sont épuisés, emmènent leurs troupeaux, pour quelques semaines, sur une île voisine.

dont on est obligé de leur expliquer la valeur qu'ils ignorent. Quelle distinction, quelle douceur et quelle noblesse dans le visage de l'aîné des garçons qui nous parle ! Marc fait demander s'il n'est pas le fils du chef ; mais non ; son père n'est qu'un simple cultivateur qui est parti avec tous les gens de ce village. Les trois garçons qui se montraient très craintifs d'abord, s'apprivoisent lentement. Ils nous disent que certains de leurs parents sont taxés à 30 et même 35 francs d'impôt — eux-mêmes sont taxés à 7 francs, bien que les deux plus jeunes n'aient certainement pas plus de treize ans. Ils nous proposent du lait caillé dans des vases-bouteilles de jonc tressé, et se montrent extrêmement surpris, presque émus, lorsque je leur donne un pata (cinq francs) à chacun. Ils racontent que voici quatre jours, ils ont été de nouveau brimés par les gens du chef de canton Kayala Korami, qui se sont emparés de cabris, ont « amarré » un homme et l'ont roué de coups de chicotte.

(Ces 30 ou 35 francs d'impôt, retombant sur un seul, sont peut-être dus également au bétail qu'il possède — imposé à raison de un franc par bœuf.)

Pris quelques notes sur la question des frais de douane pour les bœufs vendus en Nigéria (obligation d'aller régler les droits de douane à Maho à vingt jours de marche environ) et la réquisition du bétail par l'administration qui ne peut le payer que le tiers ou le quart de sa valeur.

Nous continuons de naviguer entre les îles. Toutes pareilles. Je ne puis comprendre comment le capitaine s'y reconnaît. Comme, à présent, nous avons la libre disposition du bateau, déchargé de ses caisses (télégraphie sans fil, vin, farine et fournitures diverses à destination de Fada et de Faya) — non pressés par le temps, nous demandons que l'on nous mène vers les îles peuplées. De nouveau le *d'Uzès* s'arrête dans les papyrus et les buissons. Il est cinq heures. Nous nous dirigeons vers le centre de l'île. Quantité de crottes de cabris et de bœufs ; celles des bœufs ne sont pas très récentes. Après un quart d'heure de marche, un village assez important, mais complètement désert. Même pas une infirme abandonnée comme dans celui de ce matin. Mais au loin nous apercevons les taches blanches d'un troupeau de chèvres et nous marchons dans leur direction. La végétation change brusquement. C'est sur la lisière d'un bois de mimosas assez touffu que se tiennent les chèvres. Elles font des taches claires mouvantes dans l'entrelacs des branches, où pénètre l'oblique rayon du soleil couchant. Le troupeau est dispersé sur un grand espace, à demi enfoncé dans le bois. Il y a peut-être quatre ou cinq cents bêtes. Elles s'acheminent toutes dans la même direction, que nous prenons également, nous laissant guider par elles. Et voici bientôt en effet deux cases perdues en pleine brousse. Mon coup de fusil, qui vient de tuer une pintade, a fait surgir un vieil indigène ; il s'amène à notre rencontre, les mains levées. Avec lui un grand adolescent très décemment vêtu d'un boubou bleu, une femme et deux très jeunes enfants. Le type au boubou accepte de nous guider à travers les bahrs jusqu'à l'île où les indigènes des villages disséminés sont rassemblés momentanément autour du chef de canton (plus précisément : de son fils) venu pour recueillir l'impôt. Il est déjà tard. Le soleil se couche. Pas un souffle ; les étendues d'eau sont lisses. La nuit est close depuis longtemps déjà lorsque nous jetons l'ancre. Le village n'est pas loin et nous nous y rendons avec Adoum et Idrissa-Sindbad — précédés de notre pilote qui porte une lanterne-tempête. Voici venir le chef de canton (ou du moins son fils — celui-là même qu'on accuse de sévices et d'exactions). Il a une sale bobine ; le nez crochu, ce qui est particulièrement déplaisant pour un visage noir — l'œil égrillard et les lèvres pincées. Plus que poli ; presque obséquieux. Nous le quittons bientôt en promettant de revenir le lendemain. Cette reconnaissance nocturne n'a eu d'autre but que d'apprivoiser un peu les gens, les enfants en particulier, à qui nous distribuons quantité de piécettes. Ceux-ci n'ont plus, dans ces régions avoisinant le Tchad, le ventre énorme de ceux de l'Oubangui ; mais leurs mains et leurs pieds sont souvent hideusement déformés ; la paume des mains devient alors comme spongieuse, et le dos squameux.

De retour à bord, après le repas, nous nous apprêtions déjà pour la nuit, lorsque Adoum vint nous dire que cinq indigènes s'étaient présentés tout à l'heure, désireux de nous faire des « clamations » (réclamations), à qui le capitaine venait de dire de repasser demain matin. Nous souvenant de Samba N'Goto, et pensant que ces confidences nocturnes risqueraient d'être perdues pour toujours, nous envoyâmes en grande hâte Sindbad à la poursuite des plaignants, les invitant à revenir. Puis, dans l'attente, nous nous mîmes à lire, à l'insuffisante clarté du photophore (*Mark Rutherford* et le *Second Faust*). Un long temps passa et je me désolais de plus en plus, imaginant Sindbad forcé d'aller jusqu'au village, ne parvenant à retrouver les cinq hommes qu'en éventant leur démarche, qu'en les compromettant, qu'en les perdant. Au bout d'une demi-heure, Adoum nous annonce un nouveau plaignant. Celui-ci vient d'une île voisine ; a sauté dans sa pirogue sitôt qu'il a vu passer le vapeur, dans l'espoir d'y rencontrer un blanc à qui il puisse parler. Il se penche en avant et montre au-dessus de la nuque la cicatrice très apparente d'une large blessure récente ; écartant son boubou il montre une autre blessure entre les épaules. Ce sont les coups de chicotte d'un « partisan » (?) du chef de canton. Le partisan s'était d'abord emparé de trois des quatre chèvres laitières que cet homme gardait devant sa case pour subvenir à la nourriture de sa femme et de ses enfants ; et comme le partisan faisait mine de prendre encore la quatrième, l'autre avait protesté ; c'est alors que l'agent de Kayala Korami, le chef de canton, l'avait frappé.

Un peu plus tard (l'entretien avec ce premier plaignant venait à peine de finir) quatre autres indigènes sont venus. L'un se plaint que Kayala Korami se soit approprié le troupeau de huit vaches qui devaient lui revenir en héritage après la mort du frère de son père. Le second raconte qu'il a donné 250 francs à Kayala Korami pour être nommé chef de village. Celui-ci en réclame encore autant et, comme l'autre déclare qu'il n'est pas assez riche pour les donner, Korami menace de le tuer — et garde les 250 francs donnés d'abord. Les deux derniers, terrorisés par Kayala Korami, en sont réduits à vivre dans la brousse, dont ils ne sortent que la nuit pour aller retrouver, près du village, des parents ou des amis qui leur apportent à manger.

Ce que je ne puis peindre, c'est la beauté des regards de ces indigènes, l'intonation émue de leur voix, la réserve et la dignité de leur maintien, la noble élégance de leurs gestes. Auprès de ces noirs, combien de blancs ont l'air de goujats. Et quelle gravité triste et souriante dans leurs remerciements et leurs adieux, quelle reconnaissance désespérée envers celui qui veut bien, enfin, considérer leur plainte.

Ce matin, dès l'aube, de nouveaux plaignants sont là, attendant notre bon vouloir. Parmi eux un chef, que nous faisons passer d'abord. Tout ce que je disais des hommes d'hier soir est encore plus marqué chez celui-ci. Un de ses administrés l'accompagne qui, lorsque nous l'avons invité à s'asseoir, s'accroupit à terre, aux pieds du chef, blotti dans un pli de sa robe, comme un chien, et par instants pose sa tête sur ou contre le genou du chef, en signe de respect, presque de dévotion, mais aussi, dirait-on, de tendresse.

Le chef nous montre sur le dos de cet homme des cicatrices de blessures et des traces de coups. Il nous dit les exactions de Korami, les gens de son village terrorisés, désertant pour une circonscription voisine. Avant les nouvelles dispositions prises par l'administration française, alors que les chefs de villages n'étaient pas encore subordonnés à des chefs de cantons, tout allait bien... Non, non, ce n'est pas des autorités françaises qu'il a à se plaindre. Ah ! si seulement il y avait plus de blancs dans le pays ; ou si seulement les blancs étaient mieux renseignés ! Si seulement ils connaissaient, ces blancs qui gouvernent, le quart des méfaits de Korami, assurément ils y mettraient bon ordre. Mais c'est Korami lui-même qui les renseigne, ou des gens intimidés, terrorisés par Korami. Hélas ! la famille de Korami est nombreuse ; s'il venait à mourir, son fils lui succéderait, ou l'un de ses frères, et tout irait de mal en pis. Nous lui demandons s'il connaît, en dehors de la famille de Korami, quelque indigène capable de remplacer cet odieux chef de canton ; alors, très modestement en apparence et sans astuce, très naturellement, il se désigne. Marc relève son nom, comme il a relevé ceux des autres plaignants. Du reste lui n'a pas à se plaindre personnellement ; c'est au nom des habitants de son village qu'il parle. — Et tandis qu'il nous parle, voici que s'amène Korami lui-même, flanqué de ses partisans, de ses gardes, de toute sa suite. Korami vient nous présenter ses hommages, mais du même coup regarder si des plaignants ne viennent pas dénoncer ses méfaits. Nous demandons au chef s'il ne craint pas que Korami ne lui en veuille de ce qu'il soit venu nous parler. Il redresse la tête, a une sorte de haussement d'épaules et nous fait dire par l'interprète qu'il n'a pas peur.

Nous sommes fort embarrassés de savoir que faire pour ne pas compromettre les autres plaignants. En vain nous cherchons quelque moyen d'intimider Korami et d'empêcher qu'après notre départ il ne les brime. Nous nous décidons à le recevoir d'abord — et lui disons tout aussitôt que nous sommes pressés d'aller faire de la photographie dans son village. En quelques instants nous prenons notre breakfast, et partons escortés par tous ces gens. Cependant, en arrière de Korami, nous faisons dire aux plaignants qu'ils n'ont qu'à revenir vers midi.

Village dans le sable. Cases en roseaux, toutes distantes les unes des autres. Des chèvres partout, en troupeaux énormes, blanches pour la plupart. Celles qui nourrissent, attachées par la patte à des piquets, branches dépouillées d'écorce, fichées dans le sable.

Au sortir du village, nous avons pris congé de Korami, désireux qu'il ne vînt pas jusqu'au bateau où devaient nous retrouver les plaignants. Mais bientôt, la curiosité le poussant, il est venu nous retrouver tout de même. Nouveaux adieux. — Il part mais laisse derrière lui trois de ses gardes. Ceux-ci restent obstinément sur la rive, attendant le départ de notre bateau et manifestement chargés de désigner à Korami tous ceux qui seront venus nous parler (ces gardes sont ceux, précisément, qui ont frappé les indigènes) ; nous les faisons venir, leur demandons s'ils ont quelque chose à nous dire ; et, si rien, pourquoi restent-ils là ? Ils répondent que c'est la coutume, pour honorer un blanc de condition. Je leur montre que j'ai déjà relevé leurs noms, leur demande s'ils savent qu'il y a un nouveau gouverneur, leur dis que je viens tout exprès parce que je sais qu'il y a « des choses pas bien » qui se passent ici, mais que tous les méfaits seront punis, et qu'ils peuvent le redire à leur chef. Ils protestent alors fort habilement que leur chef et eux-mêmes n'agissent que d'après les ordres et indications des chefs blancs.

(Évidemment si le sergent de Bol était plus puissant, moins débordé, ce serait à lui de veiller à tout et d'empêcher les exactions.)

Encore un tas d'enfants, espions possibles, qu'il faut également renvoyer. Ils étaient bien, d'abord, une soixantaine de gens sur la rive. Elle se vide peu à peu. Nous remontons à bord avec quatre des plaignants de la veille et du matin. Ils me supplient de leur donner un papier de mon écriture, qui les mette à l'abri du ressentiment de Korami. Celui-ci ne leur pardonnera pas de m'avoir parlé ! Un papier de moi, croient-ils, peut empêcher qu'on ne les frappe. Je leur laisse enfin une lettre sous enveloppe à l'adresse de Coppet, qu'ils puissent envoyer à Fort-Lamy, si on les embête. Ils sont manifestement reconnaissants de ce peu que je fais pour eux. L'un d'eux, le plus âgé, prend mes mains et les serre fortement, longuement. Ses yeux sont pleins de larmes et ses lèvres tremblent. Cette émotion, qui ne peut s'exprimer en paroles, me bouleverse. Certainement il voit combien je suis ému moi-même et ses regards se chargent de reconnaissance, d'amour. Quelle tristesse, quelle noblesse dans ce pauvre être que je voudrais presser dans mes bras !... Nous partons.

C'en est fait. Nous avons atteint le point extrême de notre voyage. À présent c'est déjà le retour. Non sans regret, je dis un adieu, sans doute définitif, à tout l'au-delà du Tchad. (Occasion peut-être de dire ce qui m'attire tant dans le désert [1].) Jamais je ne me suis senti plus vaillant.

Sicherlich, es muss das Beste
Irgendwo zu finden sein.

Passé la nuit, blottis contre une île, entre les touffes de papyrus ; un peu à l'abri — ce qui n'a pas empêché le navire de chahuter toute la nuit, avec un vacarme de chaînes, de baleinières cognées, de portes claquantes — qui a complètement empêché le sommeil.

Levé l'ancre de très bonne heure — mais pour une série d'échouages successifs. L'eau balaie le pont de l'arrière ; nous ne savons où nous tenir et comment mettre à l'abri nos lits et nos affaires. Je crois que le brave capitaine s'est un peu perdu ; à moins qu'il n'ait d'abord essayé d'un des bras du Chari, bientôt reconnu impraticable... toujours est-il que, de nouveau, nous devons mettre cap au Nord.

Enfin nous revoici dans des eaux courantes. D'abord rien que touffes de grands roseaux, le terrain se relève lentement. Énormes termitières.

Nous avons longé la rive gauche (Cameroun) qui, presque soudain, s'est couverte d'une forêt

1. Peut-être ; mais occasion manquée.

point très haute, mais extraordinairement touffue. La voûte des arbres énormes et largement étalés était opaquement tapissée de lianes. Cela ne ressemblait à rien de ce que nous avions vu jusqu'à présent. J'aurais donné je ne sais quoi pour pénétrer sous ces mystérieux ombrages — et rien n'était plus simple que de dire au capitaine de s'arrêter, puisqu'il était convenu que nous disposions à notre gré du navire. Précisément l'on passa devant plusieurs points, dépouillés de roseaux, où l'atterrissage eût été des plus faciles. Qu'est-ce qui m'a retenu de donner ordre ? La crainte de déranger les plans ; la crainte de je ne sais quoi ; mais surtout l'extrême répugnance que j'ai de faire prévaloir mon désir, de faire acte d'autorité, de commander. J'ai laissé passer le bon moment, et lorsque enfin je consulte le capitaine, la forêt s'écarte et un grandissant matelas de roseaux la sépare du bord du fleuve. Le capitaine, qui du reste a besoin de faire du bois, parle d'une autre forêt prochaine. La voici déjà. Nous accostons. La berge argileuse forme falaise, mais pas si haute qu'à l'aide de quelques racines nous ne puissions l'escalader. Marc emporte le *Holland and Holland*, arme admirable qu'a bien voulu nous prêter Abel Chevalley, et moi, avec le fusil, abondance de cartouches de tous calibres. Adoum nous suit. La forêt, hélas ! est beaucoup moins épaisse et sombre que tantôt. Plus, ou presque plus de lianes ; les arbres sont moins vieux ; les sous-bois moins mystérieux. Et ce que nous voyons ici me fait regretter plus encore ce que nous avons manqué tout à l'heure. Quantité d'arbres inconnus ; certains énormes ; aucun d'eux n'est sensiblement plus haut que nos arbres d'Europe, mais quelles ramifications puissantes, et combien largement étalées ! Certains présentent un fouillis de racines aériennes entre lesquelles il faut se glisser. Quantité de ronces-lianes, aux dards, aux crocs cruels ; un taillis bizarre, souvent sec et dépouillé de feuilles, car c'est l'hiver. Ce qui permet de circuler pourtant dans ce maquis, c'est l'abondance incroyable des sentes qu'y a tracées le gibier. Quel gibier ? On consulte les traces ; on se penche sur les fumées. Celles-ci, blanches comme le kaolin, sont celles d'une hyène. En voici de chacal : en voici d'antilope-Robert ; d'autres de phacochères... Nous avançons comme des trappeurs, rampant presque, les nerfs et les muscles tendus. J'ouvre la route et me crois au temps de mes explorations d'enfant dans les bois de La Roque ; mes compagnons me suivent de près, car il n'est pas très prudent de nous aventurer ainsi avec un seul fusil à balles. Par moments, cela sent furieusement la ménagerie. Adoum, qui s'y connaît, nous montre sur une aire de sable des traces de lion, toutes fraîches ; on voit que le fauve s'est couché là ; ces demi-cercles ont été tracés par sa queue. Mais plus loin, ces autres traces sont certainement celles d'une panthère. Nous arrivons, au pied d'un tronc d'arbre mort, devant une excavation énorme, aboutissant à une bouche de terrier si vaste qu'Adoum s'y glisse jusqu'à mi-corps. Il ne le fait, il va sans dire, qu'avec prudence, car il commence par nous dire que c'est le gîte de la panthère ; et effectivement cela sent le fauve à plein nez. L'on voit tout auprès quantité de plumes de divers oiseaux que la panthère a dévorés. Je m'étonne pourtant que la panthère ait un terrier. Mais, tout à coup, Adoum se récrie : Non ! ce n'est pas une panthère ; c'est un animal dont il ne sait pas le nom. Il est extrêmement excité. Il cherche à terre, et nous montre enfin, triomphant, un grand piquant de porc-épic. Ce n'est pourtant pas un porc-épic qui a dévoré ces volailles... Un peu plus loin je fais lever une grande biche rousse, tachée de blanc. Puis quantité de pintades, que je rate ignominieusement. Je voudrais bien savoir ce qu'étaient ces oiseaux que j'ai poursuivis quelque temps, sous les branches. De la grosseur des perdrix, ils avaient leur allure ; mais le taillis était trop épais pour me permettre de tirer. Un gros singe gris vient étourdiment se balancer puis prendre peur à quelques mètres au-dessus de nos têtes. On entend et l'on voit de hautes branches s'agiter ; un bond, une fuite et, très loin déjà, retournée vers nous, une petite face grise avec deux yeux brillants. Par instants, les branches s'écartent ; il y a des clairières que bientôt le printemps emplira de son enchantement. Ah ! que je voudrais m'arrêter, m'asseoir, ici, sur le flanc de cette termitière monumentale, dans l'ombre obscure de cet énorme acacia, à épier les ébats de ces singes, à m'émerveiller longuement. L'idée de tuer, ce but à atteindre dans la chasse, étrécit mon plaisir. Assurément je ne serais pas immobile depuis quelques minutes, que se refermerait autour de moi la nature. Tout serait comme si je n'étais pas, et j'oublierais moi-même ma présence pour ne plus être que vision. Oh ravissement indicible ! Il est peu d'instants que j'aurais plus grand désir de revivre. Et tandis que j'avance dans ce frémissement inconnu, j'oublie l'ombre qui déjà me presse : tout ceci, tu le fais encore, mais sans doute pour la dernière fois.

Le bois s'éclaircit ; les sentes de gibier se font de plus en plus fréquentes, et bientôt nous retrouvons la savane semblable à celle que nous parcourions ces derniers jours avant le Tchad.

Nous rembarquons, n'ayant tué qu'une pintade.

Dans la falaise argileuse, devant le bateau, quantité de trous de guêpiers. On voit la trace du grattement de leurs deux pattes.

Arrêt, une heure avant le coucher du soleil, dans un très grand village (rive française) — Mani — où nous retrouvons les enfants que nous avions apprivoisés à l'aller. Le sultan, cet être arrogant et sans sourire, qui sans doute nous a jugés peu importants, d'après notre familiarité envers les inférieurs, ne daigne point paraître. Mais son jeune fils vient près de moi, s'assoit sur mes genoux, dans le fauteuil que j'ai fait porter à terre — et manifeste une tendresse qui compense les dédains du père.

Je ne sais plus les dates. Mettons : le jour suivant. Départ à l'aube. Ciel tout pur. Il fait froid. Tous ces matins, levé vers cinq heures et demie, je reste jusqu'à neuf heures et demie ou dix heures, emmitouflé de trois pantalons, dont deux de pyjamas — deux sweaters.

La pintade que nous avons tuée hier est succulente.

Je ne me lasse pas de regarder, sur les bancs de sable, ces énormes crocodiles qui se lèvent nonchalamment au passage du bateau et parfois glissent sur le sable, jusqu'à l'eau, parfois se dressent sur leurs quatre pattes, très antédiluviens et musée d'histoire naturelle.

Une petite pirogue, montée par deux hommes rejoint notre navire. Je ne l'ai pas vue s'approcher ; mais notre navire un instant a stoppé ; un indigène monte sur le pont, très digne encore que vêtu d'un boubou assez misérable. Il vient avec quatre poulets, de la part du sultan d'hier, et tout chargé de ses excuses. Il proteste qu'il a couru après nous hier soir, tandis que nous nous promenions dans le village. Le sultan a envoyé ces poulets hier soir déjà, mais si tard qu'Adoum (fort habilement) a refusé de nous réveiller. « Gouverneur il dort. » Tout cela n'était pas très décent de sa part, et je crois que le refus d'Adoum fort heureusement lui a fait honte, de sorte que tout aussitôt il a envoyé vers nous ce messager, ancien chef de village lui-même, qui a couru par voie de terre, coupant un coude du fleuve, pour rattraper le *d'Uzès* et réparer. Nous nous montrons dignes, sensibles et généreux ; et je me replonge dans le *Second Faust*.

On s'arrête vers dix heures pour « faire du bois ». Nous descendons à terre (rive Cameroun). Contrée très différente encore. Étrange alternance d'arbres, souvent admirables, et d'espaces découverts plantés d'herbes sèches. L'abondant gibier a tracé partout des sentiers sinueux que l'on suit sans peine. Le temps est splendide. Nous avons d'abord longé la rive, où j'ai pu tuer un canard et une pintade. Puis nous nous lançons comme la veille dans la brousse. Nous faisons lever un gros phacochère qui reposait sous un impénétrable abri de branches basses, penchées au-dessus de ce qui dût être un marécage, qui n'est plus qu'une croûte d'argile durcie. Nous le poursuivons quelque temps, sans parvenir à le revoir. Mais nous voici distraits par un petit troupeau d'am'raïs. Somme toute nous reviendrons bredouilles (n'étaient les volailles du début) — mais ravis. Je me souviendrai de ce double tronc d'arbre, une sorte d'acacia, aux branches basses, extraordinairement étendues, protégeant de son ombre noire un grand espace découvert et bordé d'une ronde d'autres acacias plus petits ; on eût dit un patriarche entouré de ses fils. C'est dans cet arbre énorme, plus *puissant* qu'aucun de nos chênes de France, que bondissait une troupe de singes, qui se sont enfuis à notre approche. L'arbre entier était couvert de cette bizarre plante grasse grimpante, qui semble un cactus, lance en tous sens des rameaux, tous exactement de même grosseur — qui semblent des serpents, rôdent à travers les branches, s'étalent en formant réseau sur le faîte, puis retombent de toutes parts, sur le pourtour de l'arbre, comme les franges d'un tapis.

Quantité incroyable de crocodiles sur les bancs de vase. Aplatis, collés au sol, couleur de fange et de punaise, immobiles, on les dirait directement produits par le limon. Un coup de fusil, et tous s'écoulent, comme fondus, et se confondent dans l'eau du fleuve.

Retour à Goulfeï. Nous y arrivons à la nuit close. Le sultan vient nous voir pourtant, mais nous lui disons que nous remettons au lendemain notre visite. Étrange malaise au début de la nuit. Il ne fait pas trop chaud ; presque frais ; et l'on étouffe. C'est une sorte d'angoisse dont ne pourra triompher le sommeil sans adjuvants. J'essaie, pour la première fois, du sonéryl (« talc et amidon », lit Marc sur le prospectus) dont l'effet ne tarde pas à se faire sentir. Mais la baleinière vient frotter la toile de tente contre la moustiquaire de mon lit, juste à hauteur de mon oreille. C'est un petit grattement continu, parfaitement insupportable. Je me relève trois fois et trimballe mon lit où je puisse ne plus l'entendre. Longtemps avant l'aube un tumulte d'oiseaux me réveille ; je distingue l'appel des pintades, le ricanement des canards. Ils sont tout près de nous. À la fin je n'y tiens plus ; je me rhabille à tâtons. Précisément Adoum, que ce vacarme réveille également, vient chercher fusil et cartouches. Nous sortons tous deux, furtivement. En trois coups nous tuons cinq canards. À ce dernier coup, tiré presque dans le noir, je suis tout surpris de voir avec un canard, trois petits oiseaux rester sur la place. Le second canard s'en va tomber un peu plus loin sur le fleuve ; d'autres s'envolent — et j'assiste à ce spectacle extraordinaire : un des fuyards revient auprès de son camarade tombé, se pose sur l'eau, d'abord un peu loin, craintivement, puis, en ramant, se rapproche, insoucieux du nouveau coup de fusil que je tire, et qui le manque. Ce n'est qu'au troisième coup qu'il s'enfuit ; comme à regret, car il revient encore voleter près de son camarade — et ce n'est, cette fois, que la pirogue qui s'en va chercher le défunt, qui, définitivement, le fait fuir. Marc nous a rejoints, à qui je passe le fusil. Il fait encore quatre victimes, avant que le soleil soit levé.

Rentrés pour le breakfast et la toilette ; mais voici déjà venir le sultan et sa cour. Nous baissons les toiles de tente pour changer de linge et nous faire beaux. Un blanc (fortement teinté, du reste, car c'est un Martiniquais) s'amène. C'est le sergent Jean-Baptiste, du secteur de prophylaxie du Logone. Il arrive à faire, nous dit-il, jusqu'à six cents piqûres par jour. Le pays est terriblement ravagé par la maladie du sommeil.

Nous rentrons dans cette ville, qui, la nuit, à l'aller nous avait paru si étrange. De jour elle ne l'est pas moins, et l'idée que nous nous en faisions n'était pas fausse. Goulfeï est parfaitement prodigieux. Le sultan nous mène jusqu'à sa demeure. Suite de salles très petites et basses, en terre durcie ; on y accède par un dédale de couloirs, de passages ; on traverse des cours ; tout cela très petit, mais trouvant le moyen d'avoir grand air, comme une demeure très primitive. Murs extraordinairement épais. Ce que cela rappelle le plus : les tombes étrusques d'Orvieto ou de Chiusi. Et tout le long de notre visite, au détour d'un couloir ou lorsque nous débouchons dans une cour, c'est, à l'autre bout, une fuite rapide de femmes et d'enfants qui courent se cacher dans d'autres retraits plus secrets. Très Salomé de Laforgue, et fuite, devant les ambassadeurs, de « l'arachnéen tissu jonquille à pois noirs ». Des escaliers aux marches énormes mènent aux terrasses. Marc y monte, la visite finie, pour tourner quelques films. Auparavant, le sultan nous avait laissés un instant dans une de ces nombreuses petites salles où l'on avait ouvert des chaises pliantes et allumé du feu pour nous recevoir ; et était allé revêtir ses robes d'apparat. Il revient resplendissant ; très simple du reste, amusé, et avec un sourire enfantin. Il nous avait laissés avec un oncle (le frère du sultan défunt) et son fils, un superbe adolescent, réservé et timide comme une jeune fille. Tous deux admirablement vêtus. Le fils particulièrement porte un vaste pantalon de soie grise brodée de bleu foncé (qu'on nous dit venir de Tripolitaine). Tous deux coiffés de petites chéchias de jonc tressé, brodées de laines multicolores. Courtoisie, gentillesse exquise.

Nous repartons à midi.

Arrêt vers trois heures à un nouveau village camerounais.

Grande débandade à notre approche. Petites filles et garçons se sauvent et se cachent comme du gibier. Les premiers que l'on ressaisit servent à apprivoiser les autres ; bientôt tout le village est conquis. Certains de ces enfants sont charmants, qui bientôt se pendent à notre bras, nous cajolent avec une sorte de tendresse lyrique ; mais qui nous disent vite adieu lorsque nous nous approchons du bateau, car ils gardent une certaine crainte qu'on ne les emmène.

Nous avons exprimé le désir de voir de plus près les crocodiles. On attache à la remorque du *d'Uzès* une pirogue où sont montés deux hommes de ce village. Arrêt vers quatre heures sur rive française. Vite nous prenons place dans la pirogue et traversons l'énorme Chari, gagnant, en face, un vaste banc de sable. Mais il est déjà trop tard pour les crocodiles. Alors nous nous enfonçons dans la brousse avec Adoum et les deux pagayeurs. Nous n'avons pas fait trois cents mètres que Marc tue une grande biche zébrée de blanc. Et cent mètres plus loin nous voici devant un énorme terrier. D'après la description que nous font les indigènes de l'animal qui l'habite, nous croyons comprendre qu'il s'agit d'un fourmilier [1]. Mais à présent le fourmilier a cédé la place à un autre gros animal dont on distingue le mufle, au fond du trou. De ma place je ne puis le voir, mais Marc, qui le voit, met en joue ; le coup ne part pas. Le phacochère, car c'en est un, bondit hors du trou, et à sa suite deux autres très gros et toute une portée de petits. Tout cela nous file dans les jambes ; je ne comprends pas comment aucun de nous n'a été bousculé. Un second coup de fusil abat l'un des trois gros. Adoum reste plié en deux de rire, parce qu'un de nos pagayeurs, pris de peur et voulant reculer, a buté contre une souche et roulé à terre. Encore qu'un des sangliers soit venu droit sur moi, jusqu'à n'être plus distant que de deux

1. Non ; mais bien d'un oryctérope.

mètres, je n'ai pu croire un instant à quelque danger. Du moins veux-je dire qu'il me paraissait évident que l'animal cherchait à fuir et non pas à attaquer. Néanmoins je m'attendais à être renversé, car il était de belle taille, plus gros que celui que venait de tuer Marc ; mais au dernier moment, il a fait un bond de côté. Nous avons continué à battre la campagne, extrêmement excités, mais n'avons plus tué qu'une pintade. Entendu très distinctement le rugissement du lion ; les indigènes disent qu'il y en a un grand nombre. Celui-ci devait être assez près de nous. Le soleil s'était couché, et l'on commençait à ne plus y voir. À grand regret nous dûmes nous résigner à rentrer. La quantité de traces et de fumées sur le sol dépassait ce que l'on peut croire. Certaines paraissaient toutes fraîches, de phacochères, d'antilopes de toutes sortes et de toutes tailles, de fauves, de singes. Cependant nous ne voulions pas abandonner la victime, que nous avions laissée loin derrière nous avec un des hommes, chargé d'en écarter les hyènes ou les chacals. Le phacochère était terriblement lourd et les deux pagayeurs eurent beaucoup de mal à le porter jusqu'à la pirogue, les pattes liées deux par deux, par-dessus une longue branche. Adoum avait chargé la biche sur ses épaules. Elle était aussi lourde que lui. Quant au phacochère, il devait bien peser autant qu'un Béraud.

Retour en pirogue ; traversée dans la nuit, tout près de l'eau, tout contre l'eau. Équilibre douteux.

Retour à Lamy le 13. Notre voyage à Bol a duré onze jours.

Depuis qu'ils sont en brousse avec nous, nos boys ont de la viande tous les jours. Outhman déclare : « Nous heureux quand nous manger bien, parce que, quand manger bien, pas penser. » Et comme nous lui demandons : « penser à quoi ? » il se défile et parle de son camarade. « Adoum, quand pas manger bien, lui penser à Abécher, penser à sa mère. Plus penser du tout quand bien manger. »

Courrier de France ; mais pas de lettres.

Je relève dans *Le Rire*, cette légende admirable d'une caricature médiocre :

« Voyons, mon garçon, je vous l'ai déjà dit : si vous ne buviez pas, vous pourriez être caporal.

— C'est vrai, mon capitaine ; mais c'est que, quand j'ai bu, je me crois colonel. »

Dindiki se précipite sur les éphémères [1], les saisit à pleines petites mains, pour les croquer, comme avec rage.

Étudier l'éthique et l'esthétique de Dindiki. Sa façon particulière de se mouvoir, de se défendre, de se protéger. Chaque animal a su trouver *sa* manière, hors de laquelle il paraisse qu'il n'y ait pour lui point de salut.

Fort-Lamy, 16 février.

Hier Adoum dormait tranquillement dans une case indigène. Deux blancs arrivent : un sergent et un caporal. Ils veulent une femme, qu'ils pensent qu'on leur cache ou qu'on refuse de leur livrer.

1. Ce sont, je crois, des termites adultes, ailés.

Adoum, qui s'était tu d'abord et faisait semblant de dormir, s'interpose quand il voit ces sous-offs allumer de la paille et mettre le feu à la case. — « De quoi se mêle ce sale noir ? Si tu dis un mot on va te foutre au bloc. — Oui, dit Adoum ; c'est vous qui foutez le feu à la case ; et c'est moi qui vais aller au bloc. » Sur ce, le sergent se saisit de lui et lui administre un violent coup de chicotte, dont il porte encore la marque en travers du dos, ce matin. L'incendie qui se déclare attire du monde, dont Zara la procureuse et Alfa, le boy de Coppet, qui conjure Adoum de ne pas protester.

J'apprends ce soir que l'affaire a des suites. Un long rapport est communiqué à Coppet, où l'administrateur-maire réclame énergiquement une sanction, auprès de l'autorité militaire.

Une commande d'appareils de T.S.F. faite en 1923 pour besoins de services en 1924, n'était pas encore arrivée, ni même annoncée à Fort-Lamy au moment de notre départ... Ces retards sont dus, nous explique-t-on, aux complications d'engrenages, les commandes administratives devant être d'abord centralisées au ministère des colonies, par un bureau spécial, où des agents spéciaux sont chargés de s'entremettre avec les fournisseurs. Ces agents, qui n'ont jamais mis les pieds aux colonies, modifient à leur gré et selon leur appréciation particulière, les commandes, ne tenant le plus souvent aucun compte des exigences spécifiées [1].

1. En cours de route, nous en verrons d'ahurissants exemples : Tel administrateur, (je craindrais de lui faire du tort en le nommant) reçoit trente-deux roues de brouettes, mais ne peut obtenir

Longue visite à Pécaut, le vétérinaire, homme remarquable. Il m'apprend que le papillon rouge que j'ai laissé m'échapper plusieurs fois dans la forêt de Carnot, est particulièrement rare et demandé. Que de reproches je me fais ! Je crois bien que les papillons rouges que j'ai vus (5 ou 6 fois) étaient de deux espèces — ou du moins de deux variétés assez distinctes. Pas très grands ; d'un admirable rouge minium un peu sombre.

Nous partons dans deux jours.

Quatre-vingts porteurs sont commandés à Pouss, que nous gagnerons en baleinières de la compagnie Ouham et Nana.

Pour une meilleure répartition des charges, et l'examen des munitions, Marc ouvre toutes les caisses. Nous constatons que sur les douze touques de farine (10 kilos chacune) emportées de Brazzaville, il n'en est pas une seule qui n'ait été percée de trous par les clous de l'emballage. Ces touques de fer-blanc sont soigneusement soudées, mais, par ces trous, les charançons sont entrés ; et l'humidité a gâté une partie de la farine [1].

les axes et les boulons pour les monter. Un autre, (il s'agit d'un poste important) reçoit 50 crémones, mais sans les tringles de métal qui permettraient de se servir de ces crémones ; et, comme il signale l'oubli des tringles, il reçoit un nouvel envoi, aussi important, de crémones, mais toujours pas de tringles. Un troisième administrateur reçoit un coffre-fort démontable ; mais on a oublié d'y joindre les boulons qui permettraient de le monter.

1. Rien ne m'irrite autant que ce genre de négligence et d'imprécaution qui, en cas de guerre, risque de compromettre la victoire la mieux concertée ; qui fait que ce sur quoi l'on croyait pouvoir compter fait faillite. Ces négligences sont d'ordinaire le fait de gens bien à l'abri, hors de l'atteinte des plaignants possibles. Si je découvre au milieu du Sahara que la farine que j'ai emportée

Le 20 février, au matin.

Nous quittons Fort-Lamy en trois baleinières. C'est le retour. Désormais chaque jour me rapproche de Cuverville.

APPENDICE AU CHAPITRE VII

Je dois à l'obligeance de Monsieur de Poyen-Bellisle la communication que voici

I

Après la conquête du Tchad, les militaires ne perçurent, en supplément des vivres alloués par l'intendance, qu'une mensualité de 40 à 50 francs. Cette mesure permettait de supprimer les transferts d'argent très difficiles à cette époque, elle contraignait les militaires, qui touchaient à Brazzaville, au retour, un rappel de solde pour toute la durée de leur séjour au Tchad, à faire des économies, mais elle les obligeait aussi à ne pas payer aux indigènes la valeur réelle de produits du cru.

de Brazzaville ne vaut rien, je puis bien crever de faim devant ma touque percée, *M...* à qui j'ai acheté la farine et qui a procédé à l'emballage en spécialiste, n'en aura pas moins été payé. Peu lui chaut le reste. C'est à lui de nouveau que l'expédition suivante s'adressera pour éprouver la même déconvenue. Lui cependant fera fortune.

Par suite d'emballages insuffisants, défectueux, les trois quarts des objets envoyés de France arrivent ici détériorés, brisés.

Au début, aucun cours de ces produits n'étant établi en argent, ni même établi du tout, l'inconvénient n'était pas grand ; l'abus commença seulement à partir du jour où les rentes commerciales devenues sûres, des produits importés furent mis en vente sur les marchés du Tchad, où la possibilité d'acquérir des produits venus de l'étranger ne fut plus limitée aux seuls Chefs. Même avant la guerre, avant la chute du franc, il n'y avait déjà plus de commune mesure entre les prix exigés du consommateur indigène obligé ou désireux d'acheter des marchandises d'importation et les prix de vente imposés au même indigène pour les produits de sa terre ou de son industrie. Il y eut donc abus. L'habitude de vivre à bon compte est une de celles auxquelles les Français tiennent le plus et ils s'y attachèrent d'autant plus qu'il était en leur pouvoir d'en faire une règle. Personne, de 1918, date à laquelle la valeur des produits importés s'éleva sans cesse, jusqu'à 1926, n'eut l'idée (ou s'il l'eut il l'écarta comme une pensée déplaisante) que les prix payés aux indigènes devaient être augmentés. Les prix des produits du cru étaient approximativement ceux-ci dans la région de Fort-Lamy, il y a une dizaine d'années : bœuf sur pied 25-50 F, mouton 1,50-2,50 F, viande au détail 0,20 à 0,25 F le kg, œufs, un et même deux pour 0,05, poulet 0,25 à 0,50 F, mil 0,05 le kg, lait 0,10 le litre, huile d'arachides et beurre 0,70 le litre. — À ce moment, si le coût de la vie était déjà manifestement trop faible pour les Européens, l'existence matérielle était facile pour les indigènes non producteurs, obligés de s'approvisionner dans les marchés. La comparaison ci-dessus se limite aux produits du cru. Mais tandis que la valeur du franc diminuait, l'injustice allait grandissant. À la fin de 1925 — je prends pour baser mon raisonnement l'article importé de vente la plus courante — un yard de calicot valait 10 F, alors qu'il coûtait au plus 0,75 F en 1918. Les autres produits importés avaient augmenté de valeur dans des proportions analogues.

De par la volonté des Européens intéressés à tenir

très bas les cours des produits du cru, les indigènes pouvaient s'alimenter à bon compte, le mil, l'aliment essentiel, se payait 0,05 le kg, 4 F l'hectolitre ; très au-dessous de sa valeur. Le producteur était lésé, mais le consommateur indigène bénéficiait des prix fixés, imposés arbitrairement par les Européens qui entendaient avant tout vivre économiquement et que cette volonté fermait à tout raisonnement comme à toute justice.

À la fin de 1925, un facteur nouveau vint compliquer la question : la récolte de mil fut déficitaire partout et manqua complètement dans de nombreuses régions. En décembre quelques tonnes de mil apportées sur le marché de Fort-Lamy ayant dû, sur l'ordre de l'Administration, être vendues au prix très inférieur aux prix pratiqués sur les marchés voisins du Cameroun, Fort-Lamy se vit privé de tout approvisionnement en mil. Le mil ne reparut à Fort-Lamy qu'à partir du jour où liberté absolue du commerce fut officiellement proclamée. À chaque marché, il en était mis en vente des quantités très suffisantes pour les besoins de la population, mais le prix s'éleva vite, pour se maintenir durant plusieurs mois à 1,50 F le kg. L'indice du coût de la vie des indigènes passait subitement de 1 à 20, sinon davantage. Avant cette époque les produits destinés aux Européens avaient bien subi une légère augmentation à Fort-Lamy même ; dans la brousse ils étaient restés tels qu'en 1918. À Fort-Lamy, lorsque la hausse du mil se produisit, un poulet se payait de 0,75 à 1 F, la viande de boucherie 1 F le kg, un œuf 0,10. Le prix de la vie s'était élevé pour les Européens par rapport à 1918 de 150 % en moyenne, pour les indigènes, calculé en argent, il avait vingtuplé en ce qui concerne le mil et augmenté de 1 500 % pour les produits importés. Pour dire autrement, il suffisait de trois poulets pour se procurer 20 kg de mil ou plus d'un yard de calicot en 1918 ; au début de 1926 il fallait vendre trois ou quatre poulets pour obtenir deux kg de mil et dix poulets pour acheter un yard de calicot. La démonstration pourrait être poussée très loin, les résultats seraient identiques et inattaquables.

L'arrivée du Gouverneur M. de Coppet empêcha même un désastre, car l'administration locale avait eu l'idée aussi simple qu'inapplicable de taxer le mil. À l'instant même, si cette mesure eût été prise, le mil disparaissait de tous les marchés et, s'il en avait existé des stocks dans les villages, il eût été nécessaire d'aller les réquisitionner à main armée. Mais comme il n'y avait pas de stocks, la mesure eût été inopérante en tant qu'elle visait des résultats pratiques, elle aurait présenté d'autre part l'inconvénient d'interdire aux intermédiaires indigènes d'aller s'approvisionner de mil au Cameroun et en Nigeria. Car la liberté laissée aux transactions suscita un grand nombre de vocations commerciales et il est permis de dire que c'est grâce à ces intermédiaires, que la famine n'a pas sévi dans la région de Fort-Lamy. Ils se procuraient du mil contre des pièces de 5 F en argent et, compte tenu de la valeur locale, très variable, de l'argent (20 à 30 F en billets pour une pièce), le mil leur était vendu 1 F environ le kg, franc papier. En ajoutant à ce prix, les frais de transport par pirogue, par bœuf, à tête d'homme, les dépenses occasionnées par le déplacement, le prix de 1,50 F le kg sur le marché de Fort-Lamy n'était pas excessif.

Une hausse des prix applicable aux Européens par les produits du cru s'imposait donc absolument, tout autre que M. de Coppet n'aurait pu s'y opposer sans manquer à la justice. Il convient de noter que les indigènes n'ont pas en général abusé de la liberté toute nouvelle qui leur était laissée. En décembre 1926 le kg de bœuf ou de mouton se vendait à Fort-Lamy 2 F, un œuf 0,25, un poulet de 2,50 à 4 F, le beurre et l'huile d'arachides 5-6 F le litre, le lait à 0,50 le litre. L'augmentation générale moyenne peut être évaluée sur la base des prix de 1918, à 6 ou 700 %, augmentation normale si l'on tient compte de ce qu'en 1918, les prix étaient établis par l'Administration, sans que les producteurs eussent voix au chapitre, et qu'il y avait une différence appréciable entre les cours officiels et la valeur marchande des produits.

Une des causes du mécontentement pour ainsi dire général qu'a provoqué le renchérissement de la vie dû à la liberté du commerce, c'est que les traitements n'ont pas été augmentés dans les mêmes proportions. Le fait est exact, mais (exception faite pour les fonctionnaires que le Gouvernement a voulu avantager dans un but électoral, les instituteurs par exemple), la même inégalité se retrouve en France. Un Administrateur de 1re classe des Colonies, célibataire, touchait à Paris 8 000 F d'appointement en 1917, il en touche aujourd'hui 24 600. — Tant que le régime paiera mal ses agents — et ce sera toujours, car ils sont trop nombreux — ceux-ci succomberont à la tentation, lorsqu'ils en auront le pouvoir, de ne pas payer généreusement les indigènes.

Ce qu'on peut dire encore en faveur de la liberté commerciale au Tchad, c'est que, dans toutes nos possessions, cette liberté a succédé à la liberté qu'avaient eue à l'origine les Européens d'imposer les prix qu'ils entendaient payer. Ailleurs on a procédé graduellement ; au Tchad, il a été nécessaire, les circonstances l'exigeaient — mauvaise récolte, nécessité de procurer aux indigènes des ressources leur permettant d'acheter du mil devenu cher — d'agir avec une certaine brutalité. C'était indispensable et c'est bien ; on s'accoutumera rapidement au nouveau système qu'on ne peut critiquer qu'avec des arguments d'intérêt personnel et dépourvus de la plus élémentaire équité.

Le seul point noir est que l'indigène, en dehors de son village, de son campement, des détails habituels de son existence quotidienne, manque de mesure et de jugement. Habitué à subir depuis toujours le despotisme de ses chefs, il risque d'être désaxé par la latitude qui lui est donnée de traiter d'égal à égal avec le blanc sur le terrain commercial. Peut-être eût-il été avantageux de protéger le producteur indigène en fixant, par des mercuriales révisables, des prix convenables — mais de lui imposer ces prix.

En pays noir, en pays islamisé surtout, l'autorité, même si elle côtoie la justice, est préférable à la meilleure des mesures qui apparaîtrait à nos sujets renfermer une part de faiblesse, un abandon de pouvoir. Et cela est d'autant plus indispensable que le prestige du blanc a singulièrement fléchi depuis quelques années au Tchad, dans le Bas Chari notamment notre domination n'est que nominale et si nous ne rétablissons bientôt une autorité dont le souvenir se perd chez les Chefs et chez leurs administrés, nous allons rapidement vers l'anarchie et des événements désagréables. Il faut certes s'intéresser aux indigènes, les aimer, mais s'ils sentent la faiblesse chez celui qui commande (et la bienveillance trop apparente sera toujours considérée par eux comme un manque d'énergie), le Chef cessera vite d'en être un à leurs yeux.

II

J'allais donner le « bon à tirer » de ce livre, lorsqu'on me communique un numéro de la *Revue de Paris* (1er Mai 1927) où M. Souday me fait l'honneur de protester contre les quelques lignes que l'on peut lire page 194 à la fin du chapitre V de cette relation de voyage.

Inutile de répondre. Mais comme le lecteur pourrait avoir oublié les phrases auxquelles je faisais allusion, M. Souday me permettra de les reproduire :

« ... Raffolez-vous de *Britannicus ?* Certes, c'est très bien fait, très bien écrit, mais de ce style oratoire et académique que Taine a défini avec force. Et les sentiments sont élémentaires. La fameuse tirade tant vantée de Narcisse, qui retourne Néron, ressemble pour le fond à ce que la première petite-femme venue dirait à son mari pour l'exciter contre sa belle-mère : “Elle se moque de toi derrière ton dos ! Elle se vante de te mener par le bout du nez !" etc. Ce n'est pas sorcier... La "tragédie des connaisseurs" me semble bien inférieure aux tragédies historiques de Corneille, à *Cinna*, même à *Nicomède*. Racine est avant tout un grand peintre de l'amour : ses chefs-d'œuvre, ce sont *Andromaque, Bajazet, Phèdre,* et il avait en lui une veine de poésie qui s'est même développée par exception dans *Athalie,* sous l'action de la ferveur religieuse. Mais il n'y a dans *Britannicus* ni lyrisme, ni pensée. »

Le retour du Tchad

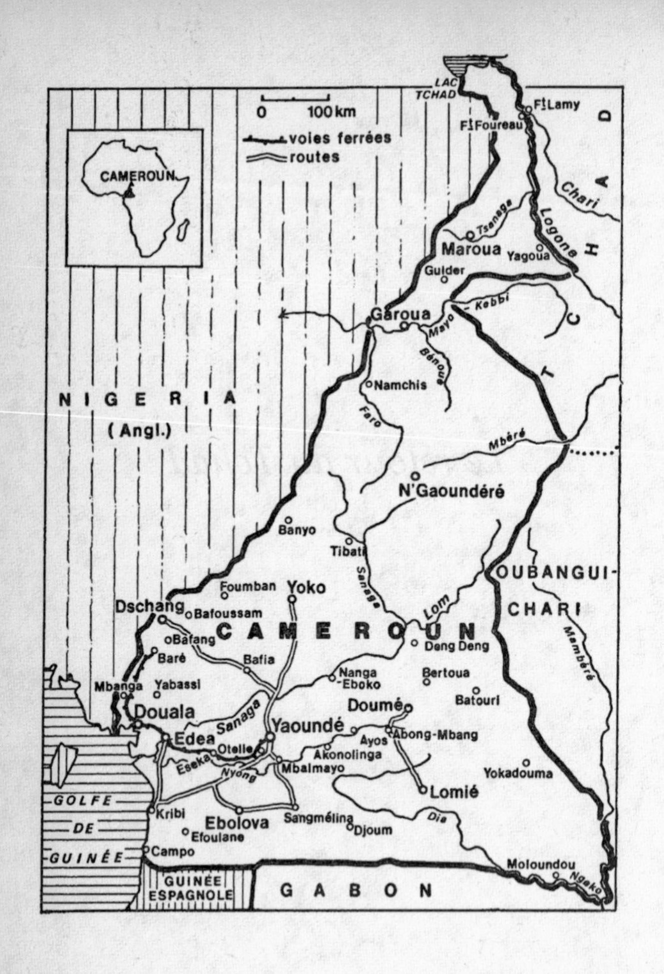

LAC TCHAD
0 100 km
voies ferrées
routes
CAMEROUN
Ft Lamy
Ft Foureau
T C H A D
Chari
Tsanaga
Logone
Maroua
Yagoua
Guider
Garoua
Mayo - Kebbi
Bénoué
Namchis
Faro
N I G E R I A
(Angl.)
Mbéré
N'Gaoundéré
Banyo
Tibati
Sanaga
Lom
OUBANGUI-CHARI
Mambéré
Foumban
Yoko
Dschang
Bafoussam
C A M E R O U N
Bafang
Deng Deng
Baré
Bafia
Nanga-Eboko
Bertoua
Mbanga
Yabassi
Batouri
Douala
Doumé
Sanaga
Yaoundé
Edea
Ayos
Abong-Mbang
Otelle
Akonolinga
Eseka
Nyong
Mbalmayo
Yokadouma
Lomié
GOLFE DE GUINÉE
Kribi
Ebolova
Sangmélina
Djoum
Dja
Efoulane
Campo
Moloundou
Ngoko
GUINÉE ESPAGNOLE
G A B O N

CHAPITRE PREMIER

Sur le Logone

20 février.

Nous quittons Fort-Lamy dans trois baleinières[1]. C'est le retour. Lente remontée du Logone ; assez exactement de la largeur de la Seine, me semble-t-il. Les eaux sont basses et les indigènes préfèrent à la rame la propulsion des perches sur lesquelles ils pèsent, quatre à l'avant, quatre à l'arrière, se penchant puis se relevant en cadence : ceci nous prive de leurs chants, réservés au rythme plus régulier des pagaies, mais cette avancée presque silencieuse effarouche moins le gibier et nous permet d'approcher de plus près les oiseaux qui peuplent les rives.

Dans cet étroit tunnel que forme le shimbeck de la baleinière, il ne fait pas trop chaud, et, si lente

1. La baleinière est une barque de 9 à 12 mètres de long, composée de plaques de tôle reliées entre elles par des boulons. Le milieu de la baleinière est le plus souvent protégé par une toiture de nattes, qui se recourbe en cintre et forme tunnel ; c'est le *shimbeck*, sous lequel, durant la nuit, le lit de camp est dressé ; à côté du lit, un étroit pliant, où poser ses vêtements, peut tout juste trouver place.

que soit la marche, elle entretient un exquis courant d'air. Étendu sur une chaise de bord, qui, de jour, prend la place du lit de camp replié, je relis le *Barbier de Séville*. Plus d'esprit que d'intelligence profonde. De la paillette. Manque de gravité dans le comique.

21 février.

Partis avant le lever du soleil. Une légère brume argente les bords du Logone, de proportions plus humaines que les bords du Chari. Austérité souriante des berges sablonneuses ; aucune mollesse. Quantité d'arbustes vert cendré, semblables aux saules et aux osiers de France. De même il y a, sur ces bords, des simili-cressons, des faux épilobes, des imitations de myosotis, des substituts de plantains. On dirait que les acteurs seuls ont changé, mais ni les rôles, ni la pièce. Qui tiendra l'emploi de la scrofulaire ?... Parfois c'est une plante de la même famille, une proche parente, comme il advient pour la balsamine. Mais c'est ce qui explique que l'on soit si peu dépaysé, encore que parfois les vedettes de nos contrées soient réduites ici au rang de comparses. Pour que le paysage prenne un aspect vraiment exotique, il faut l'intervention d'un de ces *végétaux axés et réguliers* : palmiers, cactus, euphorbes-candélabres, etc., dont nous n'avons pas d'autres équivalents dans nos contrées du Nord, que certains conifères.

L'inconvénient d'un voyage trop bien préparé, c'est de ne laisser plus assez de place à l'aventure. Pourtant nous approchons du lieu où le premier patron de notre boy Outhman (l'administrateur Noumira ?) trouva le moyen de se faire bousculer mortellement par les hippopotames. On nous signale précisément, non loin d'ici, une bande d'une trentaine de ces monstres, barrant le Logone, que les pirogues indigènes n'osent plus remonter. Allons toujours ; nous verrons bien.

Depuis que nous avons quitté Fort-Lamy, nous vivons de gibier, canards ou pintades. Selon mon habitude d'inviter imaginairement un ami, un inconnu parfois, à partager ma joie, ce matin je chasse avec Pesquidoux qui ne se doute guère, assurément, que je fus des premiers à m'éprendre de ses écrits. Des premiers avec Marcel de Coppet ; et nous nous amusions à Fort-Archambault, à nous remémorer ses anciens articles, qu'alors personne ou presque ne remarquait. — Oui, j'invite Pesquidoux à savourer avec nous ce canard « à la rouennaise », pour qu'il me dise s'il en a jamais mangé de meilleur.

Les hautes herbes du bord dissimulent le brusque effondrement des rives. Bosquets d'un vert plus sombre, peuplés de singes qui s'enfuient à notre approche. Grands arbres penchés sur l'eau ; leurs racines, déchaussées par le cours du fleuve, forment grotte. Avance somnolente. Ravissante paresse. Scintillement tendre de l'eau... Des appels de pintades. Au loin un troupeau de katambours [1]... Nous abordons et nous nous lançons au

1. Nom arabe de l'antilope-cheval.

hasard des pistes, bientôt ne songeant plus à la chasse, tout à l'attrait de tant de nouveauté.

Certains arbres atteignent des dimensions stupéfiantes ; pourtant leur cime n'échappe plus aux regards comme celle des géants de la forêt équatoriale ; c'est une énormité trapue ; et, tout autour du tronc, s'étend un vaste espace ombreux, que l'arbre investit, sur lequel il règne, étalant ses branches colossales comme pour repousser toute autre végétation. Ces branches s'arquent, se voûtent et, de leur extrémité au loin retombée, touchent le sol. L'on respire un instant dans ces belles clairières couvertes ; mais, sitôt qu'on en sort, on est tout empêtré dans l'enchevêtrement confus des ramures ; on se courbe, on se glisse à genoux, on rampe ; au bout d'un quart d'heure de reptation on a complètement perdu le sens de la direction, et, dans l'absence de points de repère, jamais nous ne pourrions retrouver les baleinières, sans les indigènes qui nous accompagnent et qui, eux, ne s'égarent jamais.

Quelle erreur de s'imaginer les oiseaux et les insectes des pays tropicaux toujours parés de couleurs vives. Même les martins-pêcheurs, ici, sont noirs et blancs et ne rappellent que par la forme les martins-pêcheurs de Normandie, ces cris d'azur que jetait parfois le petit ruisseau de la Roque, jadis, à quoi répondait un cri d'émerveillement dans mon cœur.

Les tsé-tsés nous harcellent. On ne peut ni les tuer, ni les chasser. À peine parvient-on à les voir. Leur piqûre, sans être très douloureuse, devient à la longue extrêmement énervante.

Vers quatre heures, entrée en scène des hippopotames. Leur mufle énorme vient crever la surface de l'eau. Nous en comptons sept, mais sans doute y en a-t-il davantage. Ils respirent à peu près tous en même temps. Nos baleinières s'arrêtent. Marc tire sur eux quelques balles, puis, espérant les approcher, se fait mener sur l'autre rive. Presque en face de lui, je m'assieds sur un tronc d'arbre au bord du fleuve. Un grand singe qui vient boire, s'approche de moi.

J'entraîne Outhman dans la campagne. Une prodigieuse quantité de sauterelles couvre les arbres, les taillis ; lorsqu'on s'approche d'un buisson bas, elles partent en un vol épais, à grand bruit. Sous l'arbre, où elles sont trop haut perchées pour me craindre, une pluie continue de petits projectiles allongés : ce sont leurs crottes.

Hautes herbes sèches, sillonnées de sentes. Arbustes épineux. Traces d'animaux de toutes sortes, de lion en particulier ; mais nous ne voyons rien que des singes ou des pintades. Si : une troupe de katambours — on dirait de loin de petits chevaux — qui viennent s'abreuver dans le fleuve. Admirable coucher de soleil ; les herbes, le ciel, le fleuve se dorent. Nous sommes à l'endroit où le Logone fait un grand coude : en face de nous s'étend un banc de sable où nous allons passer la nuit. Immédiatement après le coucher du soleil, le ciel s'obscurcit : c'est la horde des sauterelles qui repart vers l'est. Leur passage n'a pas duré moins de cinq minutes.

Le paysage est moins vaste et moins vague : il se tempère et s'organise.

22 février.

Sur les bords du fleuve (côté Tchad)[1], bords assez abrupts. Des norias nous attirent — ou quel autre nom donner à ces appareils élévateurs, simple fléau, porteur à l'une de ses extrémités d'un récipient, à l'autre d'un contrepoids, qui balance le poids de l'eau qu'on prend au fleuve et l'élève sans peine à hauteur du champ qu'il faut irriguer. Rien de plus primitif et de plus ingénieux que cette élémentaire machine d'une élégance virgilienne. Une grande calebasse sert de récipient.

Un indigène s'occupe à faire monter l'eau ; un autre à la répartir, ouvrant et fermant tour à tour, d'un coup de houe, de petites écluses de terre. L'eau, d'abord, est précipitée de la calebasse, sur une claie, de manière que la terre ne soit pas creusée par la chute de l'eau, mais garde sa pente. Le champ tout entier est en pente légère. Ce sont des aubergines qu'on y cultive. Il y a pour ce seul champ, pas très grand, six norias à une vingtaine de mètres l'une de l'autre. Je note longuement ceci, car je n'ai vu parler de ces machines dans aucune relation de voyage au Tchad.

Arrêt à Logone-Birni[2] (autrefois Carnak). Le

1. Le Logone sépare l'Afrique Équatoriale (Colonie du Tchad) du Cameroun.

2. En Cameroun. La plus importante agglomération de race Kotoko, après Goulfeï.

sultan vient à notre rencontre en pirogue. Boubou bleu, lunettes bleues : à la main une queue de vache teintée d'indigo, en manière de chasse-mouches. On est reçu par un concert de quatre instruments : deux tambours, une sorte de clarinette et une trompette extrêmement longue et mince, qui se démonte : elle rend des beuglements pleins d'harmoniques.

Un hôpital, avec 60 malades, dirigé, en l'absence du docteur, chef du secteur de prophylaxie, par trois indigènes. Ils prétendent arriver à guérir la trypanosomiase même à la troisième période. Excellente impression ; ordre, propreté, décence ; quatre microscopes ; registres bien tenus. Visible désir d'être à hauteur, de suffire et de satisfaire.

Divers arrêts le long du fleuve. Vaine recherche des hippopotames. Nous passons la nuit sur un vaste îlot de sable, à l'abri des lions, très nombreux, nous dit-on, dans la brousse avoisinante.

23 février.

Chose étrange : le Logone, tandis qu'on le remonte, s'élargit sans devenir apparemment moins profond, ni moins rapide. Les bords s'écartent, s'abaissent et le pays tout à l'entour semble s'enfoncer. Que j'aimerais le voir durant la crue qui, nous dit-on, le transforme en un lac immense semé, de loin en loin, de petits îlots de verdure où tous les animaux viennent se réfugier. Nous nous sommes arrêtés vers midi à Logone-

Gana (sur la rive orientale). Je quitte la baleinière et m'y rends à pied. Important village, en terrasse au bord du fleuve, entouré de murs crénelés, assez hauts. On y entre en passant par une petite poterne. Sur les créneaux, des marabouts semblables à des sentinelles. J'en compte sept sur sept créneaux successifs. Immobiles, énormes, on les croirait empaillés. Les eaux, durant la crue, viennent battre le pied des murs, paraît-il. Maisons assez hautes ; tantôt rondes, tantôt cubiques, entassées sans ordre aucun ; ruelles tortueuses, petites places irrégulières, et tout à coup un arbre énorme abritant un petit marché. À travers tout le village circule une intolérable odeur de poisson. C'est le principal commerce du pays ; dans chaque courette, on en voit de petits et de gros, à moitié secs, étendus sur des claies.

J'achète un mark (qui vaut trois jetons de cinquante centimes) ; il en circule encore quelques-uns dans le pays — mais les indigènes ne les apprécient guère, car ils ne peuvent servir pour le paiement de l'impôt [1].

Oublié de noter la rencontre d'une bande de pélicans — les premiers. J'en compte quinze, qui voguent tranquillement comme des cygnes et ne s'envolent à notre approche que pour se reposer une cinquantaine de mètres plus loin. Ils sont moins beaux que ceux que j'ai pu voir au Jardin des Plantes (de quel pays ?), que ceux dont parlait si bien La Fontaine [2]. Ceux-ci sont gris ou blancs

1. Nous verrons plus loin un chef de canton exiger en marks la totalité de la capitation, dans une contrée où le mark est coté deux francs.

2. « Leur plumage est blanc, mais d'un blanc plus clair que celui des cygnes : même, de près, il paraît carné, et tire sur la

(je pense que les gris sont les jeunes) mais ont les ailes bordées de noir. Il me semble me souvenir que les autres sont tout blancs, avec des tons carnés et soufrés.

Mais cet après-midi, après la sieste, sur un tout petit îlot de sable au milieu du fleuve, j'en vois tout un peuple. Entre 100 et 150. Nous mettons pied à terre pour les cinématographier de la rive. Très peu farouches, ils reviennent après qu'on les a chassés. Marc, un quart d'heure auparavant, en avait tué un. Pas à faire. Animal trop sympathique, et trop peu défiant. Nos hommes le dépèceront ce soir, et de la peau tout emplumée se feront des toques.

Arrêt au soir à un autre village. Douboul (Divel, sur la carte allemande).

Le village flotte dans une vaste enceinte qu'entoure une forêt de rôniers. Très pittoresque, un bras mort du Logone vient l'affleurer. Marécages, fièvre, moustiques.

24 février.

Nuit presque blanche. De brusques clapotis, des claques d'eau. On dirait, tout à côté de ma baleinière, des gens qui se baignent ou des oiseaux pêcheurs pillant la rivière. À la fin la curiosité l'emporte et je me lève. Il fait humide et froid. Les feux du campement, sur la rive, sont presque éteints. Parfois un des Sara tousse, se soulève et

couleur de rose vers la racine. On ne peut rien voir de plus beau. » *(Les Amours de Psyché).*

souffle sur des tisons mourants, puis se rendort. La lune à demi pleine est au milieu du ciel. Ai-je dit que nos baleinières étaient entrées assez avant dans un bras mort du Logone ? un peu plus loin il s'achève en marais sous les murs du village. Le bruit qui me tenait en éveil, c'est celui des ébats des poissons. Ils sont si nombreux, que, par places et par instants, l'eau semble bouillir ; on les distingue au clair de lune, à demi sortis de l'eau, qui se poursuivent ou chassent les insectes, jaillissent et retombent dans un éclaboussement sonore. Tout au ras de l'eau, de grands oiseaux bizarres, que je ne reconnais point, au vol fantasque et silencieux, passent et repassent. Quatre grands échassiers, grues royales, marabouts ou jabirus, traversent le ciel, le cou tendu, les pattes allongées, en poussant un long cri rauque. Et soudain je comprends que les autres, ceux qui rasent l'eau, sont des chauves-souris.

Ce matin le Logone rejoint assez exactement l'image que je m'en faisais. Les rayons du soleil levant dorent le sable et la glaise de la rive camerounaise, formant une petite falaise abrupte que surmonte une crête de roseaux. De-ci, de-là, quelques rôniers ; le ciel et l'eau d'un bleu parfait. Sur la rive orientale, plus basse, une herbe verte, qui fait un bruissement soyeux lorsque la baleinière la frôle.

Dans un grand banc de vanneaux (?) deux coups de fusil en tuent et blessent onze, que poursuit, rattrape et rapporte un des noirs de notre équipage ; tandis que le reste s'enfuit en un nuage épais.

Nous nous arrêtons près d'un groupe de pêcheurs. Deux enfants en pirogue vont rechercher dans la campagne des paquets d'hameçons qu'ils avaient été cacher à notre approche, dans la crainte qu'on ne s'en emparât. Et, de l'autre côté du Logone, nous rejoignons un autre groupe de pêcheurs. Ils sont d'une complaisance, d'une gentillesse extrême, et d'une reconnaissance émue lorsque je leur tends un billet de cent sous pour un gros poisson qu'ils nous offrent.

Un village extrêmement misérable (Cameroun) où vivent accidentellement les gens engagés ou venus de Moosgoum pour la saison de pêche. Toutes les femmes, même les plus jeunes, ont des plateaux aux deux lèvres — non de bois, mais d'argent (ou métal blanc) — ainsi qu'aux oreilles. Encore que ces plateaux ne soient pas plus larges qu'un cul de bouteille, l'aspect est hideux.

Arrivée à Kolem vers trois heures. Pourquoi marqué si grand sur la carte ? Pas plus important que le village d'hier soir. Extrêmement pittoresque. Étangs d'eau croupissante, à quatre places, dans la ville ; l'un recouvert d'une épaisse crème verte, et de bois flottants. Et, ceinturant à demi la ville, mais en deçà des remparts, une très large pièce d'eau, qui, à la saison des pluies, doit être reliée au Logone. Ce large étang, parallèle au fleuve, entre dans la ville, et la ville reprend pardelà, comme il advient aux Martigues ; et plus loin encore, au-dessus de l'étang et de la reprise de la ville on revoit le Logone, puis l'autre rive.

Nous n'avons rien vu de plus étonnant depuis Goulfeï.

J'insiste néanmoins pour que nous ne couchions pas à Kolem. Le voisinage de ces eaux croupissantes me fait peur. Nous repartons au soleil couchant, puis voguons à la clarté de la lune. Voici bientôt le banc de sable où nous allons pouvoir dîner et camper — où j'écris ceci avant de regagner mon lit dans la baleinière.

Sur le banc de sable, nos rameurs s'organisent pour la nuit qui s'annonce froide. Vingt degrés de différence entre le jour et la nuit. Et je parle de la température à l'ombre ; mais eux travaillent et peinent en plein soleil et toujours complètement nus. Je ne comprends pas comment ils résistent. (Mais certains ne résistent pas.) Des feux sont allumés, autour desquels ils se groupent. Ils s'étalent ou se recroquevillent, le ventre à la flamme. Une même natte en couvre deux, dos à dos, chacun faisant face à un foyer. Ils creusent le sable pour s'y étendre et en recouvrent les bords de la natte, pour être mieux à l'abri du vent — qui, Dieu merci, n'est pas très fort. S'il se mettait à souffler, ils attraperaient la crève. Jamais on ne me fera croire que ces gens, « qui n'ont besoin de rien », n'achèteraient pas des couvertures si quelque « magasin » leur en présentait. Je cherche si je n'ai rien à leur prêter et leur apporte la toile de mon lit (que nous avons fait remplacer par du cuir, à Fort-Archambault). L'un d'eux l'accepte avec empressement. Mais ils sont vingt-sept et je n'ai pu satisfaire qu'un.

Tâcher de faire *sentir* en quelques mots[1] la beauté surhumaine de la nuit sur ce petit banc de sable d'or, entouré d'eau, de ciel, de solitude et d'étrangeté. Parfois un vol de grands échassiers passe en sifflant comme un rapide de nuit : on entend le bruit de leurs ailes.

25 ou 26 février.

Plus un arbre, durant des lieues ; des rives à peine sorties des eaux. Paysage de plus en plus paludéen et tel que je le dépeignais dans la deuxième partie du *Voyage d'Urien*. Sur des bancs de sable, des compagnies de canards ; assez difficiles à approcher. Il y en a parfois tout un peuple ; quelques coups de fusil jetés au milieu du rassemblement en abattent une douzaine. Certains qui ne sont que blessés regagnent l'eau en voletant et plongent lorsque la baleinière approche. Il en est un en particulier sur lequel nous tirons par cinq fois ; il plonge, il nage entre deux eaux, reparaît plus loin. On voudrait l'achever. À la fin ce n'est plus qu'une épave, mais qui plonge encore et que trois nègres, qui nagent à sa poursuite, ont le plus grand mal à retrouver dans les roseaux. À chaque coup de fusil, s'il a porté, ils s'élancent de la baleinière, courant, nageant, se bousculant vers le gibier. Quels braves gens ! Que je voudrais comprendre ce qu'ils disent ! Peut-être qu'ils se

1. Même remarque que précédemment (voir *Voyage au Congo*). Je ne puis récrire ces notes, et renonce à regonfler artificiellement ces souvenirs.

fichent de nous, des coups que nous manquons ; mais leur joie est charmante, leur rire est si franc, si clair ; et leur sourire de jour en jour devient plus confiant, plus affectueux, j'allais presque dire : plus tendre. Et je m'attache à eux toujours plus. Marc a poursuivi longtemps, dans une lande incendiée, un troupeau d'am'raïs, mais n'a pu en abattre que deux. Un peu plus grands, mais de forme et de pelage moins charmants que l'antilope-Robert qu'il avait tuée l'autre jour. Un seul eût suffi pour tout notre équipage ; mais ils ne laisseront pas un morceau et sauront faire disparaître aussi les dix-huit canards que nous avons tués aujourd'hui. Ceux-ci ne sont pas tous de même espèce. Certains, gros comme des oies, portent une crête noire au-dessus du bec. Tous sont de chair succulente et même je ne sais si j'ai jamais rien mangé de meilleur.

Je tue également, au vol, un curieux oiseau gris à fine aigrette blanche, bec très long, gros œil de rubis, pattes jaunes presque échassières ; de la grosseur d'une corneille.

Kaséré ; village peut-être pas très pauvre, mais d'une saleté indicible. Le sol est fait par endroits d'une poussière de détritus. Pourtant les habitants ont l'air sain et heureux. Plus de pian, plus de gale ; enfin des peaux nettes.

Quelques arbres très beaux dans les cours et sur de petites places, — en particulier d'énormes palmiers doums, très ramifiés, d'aspect violemment exotique. Depuis deux ou trois jours, plus de tsé-tsés ; partant, plus de trypanosomiase (et alors pourquoi pas de bétail ?). Très peu de cultures.

Les habitants vivent de leur pêche, que viennent acheter les gens de Maroua, apportant du mil en échange. Beaucoup de moustiques au bord du fleuve, où nous campons. Ce n'est qu'un bras du Logone. Nous avons quitté ce matin et ne retrouverons que demain soir l'autre bras, plus important, trop profond pour que l'on puisse avancer avec les perches. À mesure qu'on le remonte, chose paradoxale, le Logone semble avoir de plus en plus d'eau.

Mazéra ; dernier village Kotoko. Ce soir, tandis que Marc charge ses appareils, je m'approche d'un groupe d'enfants qui dansent au son d'un tambour. Apprivoisement difficile de quelques petits. Mais, comme la question d'argent s'en mêle, les mères traînent de force leurs rejetons vers nous, dans l'espoir d'une pièce de dix sous. La plupart du temps, les petits hurlent. Il faut ensuite les reconquérir très lentement.

26 ou 27 février.

On se lève dès 5 h 30 ; mais vers 7 h, quel breakfast ! Porridge, canard froid, rognons d'am'raï, flan, fromage, le tout arrosé d'un thé excellent.

Adoum continue à traîner la jambe ; sa plaie au-dessus du pied ne se cicatrise pas ; elle semble empirer au contraire. Après s'être entendu dire par des médecins français qu'il avait la vérole, alors qu'il ne l'avait pas, il a perdu confiance et ne veut plus recourir qu'à la médecine indigène. Un vieux noir (assez sympathique, ma foi) lui vend pour deux francs une poudre d'herbes, qu'il sort d'un petit sachet. Adoum répand sur le vif de la plaie cette sale poussière. Le lendemain le pied ne va pas mieux, et hier soir, descendus à terre, nous voyons le pauvre garçon assis sur le sable, la jambe malade ensevelie sous une épaisse couche de boue et de crottin. Ce matin, le tirailleur qui nous accompagne obtient qu'Adoum use de certain jus végétal qu'il préconise. C'est un latex visqueux dont le tirailleur apporte quelques gouttes sur une pierre. Adoum en badigeonne sa plaie et cela le cuit affreusement.

Le pays devient toujours plus morne. L'incendie ajoute à l'aridité sa désolation. À perte de vue, on ne voit que du roux et du noir. Un peu de vert, au bord du fleuve sur une rive, et sur l'autre une marge de sable d'or. L'azur du ciel est presque tendre et l'eau, participant du vert, de l'azur et de l'or, prend un ton d'une exquise délicatesse.

Petit village en formation, sans nom encore sur aucune carte. Une cinquantaine d'indigènes, souriants, accueillants, et qui, dès qu'ils nous voient, font tam-tam sous le plein soleil de midi. Des femmes qui ne seraient pas laides, sans ces terribles plateaux qui distendent leurs lèvres. C'est bien une des plus déconcertantes aberrations, et que rien n'excuse ou n'explique — car les théories qu'on sort à ce sujet (dépréciation des femmes pour leur permettre d'échapper aux razzias) — ne tiennent pas debout. Ces pauvres femmes, aux lèvres toujours ruisselantes, ont l'air stupides, mais nullement malheureuses ; elles rient, chantent, se trémoussent et ne semblent pas se douter qu'on puisse ne pas les trouver ravissantes. Il n'en est pas une seule au-dessus de quatorze ou quinze ans qui ne soit ainsi défigurée [1].

Nous arrivons vers le soir à Gamsi devant les premières cases en obus. C'est un tout petit village de la tribu des Massa, après le confluent des deux bras du Logone. Le soleil est près de disparaître ; tout est rose et bleu, vaporeux, irréel. Devant le village, un banc de sable.

Au milieu du fleuve, un curieux îlot allongé, une étroite bande de buissons sur lesquels va bientôt percher une prodigieuse quantité d'échassiers, blancs, noirs et gris. D'instant en instant de nouveaux arrivants, qui d'abord hésitent : tout est « complet ». Bah ! en se tassant un peu on finira bien par trouver place.

Un peu en aval, une grande île s'achève en angle obtus, à l'extrémité de laquelle un peuple de canards, de sarcelles et de grues va gîter pour la nuit.

À l'horizon une rampe de flammes ; c'est la prairie incendiée dont l'embrasement rougit un côté de la nuit. Immense plaine, très rares arbrisseaux de loin en loin ; ce dénuement magnifie encore les trois grands arbres du village. Parmi nombre de cases rondes, les premières en forme d'obus paraissent plus belles encore que je ne pouvais supposer. D'une perfection de forme qui fait penser à quelque travail d'insectes, ou à un

1. Les plateaux sont néanmoins beaucoup moins larges que ceux de certaines autres tribus, des Sara en particulier.

fruit : pomme de conifère ou ananas. Dans l'intérieur des cases rondes, bétail, volailles et gens couchent ; mais non point pêle-mêle ; chacun a sa place attitrée ; tout est en ordre et tout est propre. Le toit, parfois, est soutenu par trois ou quatre grands troncs ou branches d'arbres, obliquement posés, et comme emportés dans un vortex ; presque à leur pied, le foyer, qui donne à la fois chaleur et ce qu'il faut de lumière pour distinguer, contre le mur circulaire, le troupeau de vaches ou de chèvres, séparé du reste de la case par un petit mur très bas, qui semble une margelle ; de sorte que le fumier et le purin ne viennent pas souiller le sol très net et propre de la case. Dans un petit coin à part, les poules. Et tout cela si exact, si bien agencé, proportionné, si net, si « cosy » que ce qui domine, c'est peut-être l'impression de confort.

Moosgoum.

Je m'étonne que les quelques rares voyageurs qui ont déjà parlé de ce pays, de ces villages et de ces cases, n'aient cru devoir signaler que leur « étrangeté ». La case des Massa ne ressemble à aucune autre, il est vrai ; mais elle n'est pas seulement « étrange » ; elle est *belle* : et ce n'est pas tant son étrangeté que sa beauté, qui m'émeut. Une beauté si parfaite, si accomplie, qu'elle paraît toute naturelle. Nul ornement, nulle surcharge. Sa pure ligne courbe, qui ne s'interrompt point de la base au faîte, est comme mathématiquement ou fatalement obtenue ; on y suppute intuitivement la résistance exacte de la matière. Un peu plus au Nord, ou au Sud, l'argile, mêlée à trop de sable, ne permettra plus cet élan souple, qui s'achève sur une ouverture circulaire, par où seulement l'intérieur de la case prend jour, à la manière du panthéon d'Agrippa. À l'extérieur, quantité de cannelures régulières, où le pied puisse trouver appui, donnent accent et vie à ces formes géométriques ; elles permettent d'atteindre le sommet de la case ; souvent haut de sept à huit mètres ; elles ont permis de la construire sans l'aide d'échafaudages ; cette case est faite à la main, comme un vase ; c'est un travail non de maçon, mais de potier. Sa couleur est celle même de la terre, une argile gris-rose, semblable à celle des murs du vieux Biskra. Les fientes des oiseaux souvent blanchissent les sommets des cannelures et rehaussent inopinément leur relief.

À l'intérieur de la case règne une fraîcheur qui paraît délicieuse lorsqu'on vient du dehors embrasé. Au-dessus de la porte, semblable à quelque énorme trou de serrure, une sorte de columbarium-étagère, où sont disposés des vases et des objets de ménage. Les murs sont lisses, lustrés, vernissés. Face à l'entrée, une sorte de tambour haut, en terre, très joliment orné de motifs géométriques en relief et en creux, peints en blanc, en rouge et en noir : ce sont des coffres à riz. Leur couvercle de terre est luté avec de l'argile ; le dessus, complètement lisse, semble une peau de tambour. Des instruments de pêche, des cordes et des outils, pendent à des patères ; parfois un faisceau de sagaies, un bouclier en jonc tressé. Dans un demi-jour de tombe étrusque, la famille vit là, durant les plus chaudes heures du jour ; la nuit, le bétail vient la rejoindre : bœufs, chèvres et poules ; chaque bête a son coin réservé, et tout reste à sa place, tout est propre, exact, ordonné. Aucune communication avec le dehors, aussitôt que la porte est close. On est chez soi. « Je suis réellement d'outre-tombe. Et pas de commissions. »

En plus des humains et du bétail, ces cases abritent une faune particulière : des hirondelles à queue semi-blanche ont construit leur nid au sommet de la voûte ; des chauves-souris volettent autour du rayon unique qui fait transparaître leurs ailes ; de petits lézards courent le long des murs où les nids des mouches-maçonnes posent des sortes de verrues.

Qu'on imagine une vache pénétrant dans un de ces obus où elle couche. Elle a tout juste la place de passer en baissant la tête. La porte épouse exactement sa forme ; et ceci explique son élargissement à hauteur du ventre. Le cadre de la porte est en relief, souvent ornementé. En cet endroit seulement le mur est si épais que l'embrasure forme presque un couloir ; on dirait l'ouverture d'une conque marine. Certainement depuis des siècles ces courbes, ces arêtes, ces ébrasements sont les mêmes. Oui, vraiment, cela est beau comme un produit naturel. Ah ! pourvu qu'un administrateur trop zélé ne vienne pas, au nom des principes de l'hygiène, percer ces murs, ouvrir des fenêtres, réduire à je ne sais quel commun diviseur, ces purs nombres premiers !

Ces obus, de taille inégale, sont réunis par petits groupes. Souvent ils se touchent à leur base, mais sans s'entre-pénétrer toutefois, car toujours leur élan part du sol et les cercles tangents que traceraient leur plan sont parfaits. Le dessus du couloir qui les relie alors à mi-flanc forme terrasse. Parfois une tour ronde complète l'ensemble et rompt l'uniformité de l'aspect. Un mur très bas va d'une case à l'autre et rattache dans un embrassement circulaire toutes les constructions d'une même communauté.

Devant certaines de ces cases s'étend une aire de terre battue et lisse où les Massa arrosent le mil qui doit germer et fermenter pour la préparation du « pipi » (sorte de bière). Et cette aire elle-même, comme tout ce qui appartient aux Massa, est nettement dessinée, de forme parfaite.

En plus des obus et des tours rondes qui servent de lieu d'habitation aux indigènes et à leurs troupeaux, l'on voit, dans l'enclos, d'autres obus, sensiblement plus petits, sans cannelures en relief, mais parfois ornés de vermiculures et de quadrillages. Ces obus mineurs ne reposent pas directement sur le sol, mais sur un treillis de branches. Ce sont des greniers à mil, qu'il importe de mettre à l'abri des rats, des insectes et de l'humidité. Une double ceinture d'herbes tressées permet d'atteindre leur goulot pour puiser dans la provision.

À noter encore, de-ci, de-là, près des demeures, une sorte d'ampoule lisse, sur le sol, de soulèvement arrondi : c'est une tombe.

Le village, ce premier jour, est à peu près

désert. Les gens travaillent aux champs. Nous décidons de gagner Pouss, où nous attendent les porteurs réquisitionnés pour nous accompagner bientôt à Maroua.

Le poste de Pouss, sur l'autre rive (camerounaise) du Logone, où nous arrivons à la tombée du jour, est très décevant ; dans un site assez morne, loin de toute case indigène. Assez sale, au surplus. Nous retournerons donc gîter à Mala.

Car, désireux de choisir le meilleur emplacement où filmer, nous avons voulu comparer à Moosgoum le plus important village suivant (après quantité de groupements de moindre importance), Mala, où nous ont conduits aussitôt nos baleinières. Le chef de canton est venu à notre rencontre, à cheval. Nous avons abordé pour le saluer. Il est énorme, ventripotent. Au demeurant, très aimable, souriant, déférent, manifestement désireux de nous prouver son bon vouloir. Grand boubou blanc, ceinture noire. Auprès de lui son vizir, ou je ne sais quel dignitaire, porte par-dessus le boubou une sorte de gilet tunisien caroubier. Les quatre chevaux du sultan et de sa suite s'impatientent. Nous repartons après échange de compliments.

Mala, vu du fleuve, est très beau. Quelques arbres, dans le pays alentour, aux abords immédiats du village et dans le village même ; des arbres énormes. Celui qui ombrage notre lieu d'abordage en particulier est monstrueux. Ce doit être un ficus. Le tronc, on ne peut plus bizarre, et d'une complication comme intentionnelle, semble un faisceau de lianes emmêlées [1].

1. Un ficus, en effet ; j'ai pu le constater par la suite et ap-

La race des Massa est une des plus belles de l'Afrique centrale. On ne rencontre point parmi les indigènes de ce pays, de ces hideuses maladies de peau dont souffrent à peu près tous les indigènes dans les régions voisines du Congo. Non seulement les gens d'ici sont robustes, bien découplés et sveltes, mais propres, grâce à la proximité du fleuve, où ils se baignent plusieurs fois par jour. Les hommes portent le plus souvent une simple peau de cabri qu'ils laissent flotter par-derrière et qui, par-devant, les laisse complètement découverts. Parfois pourtant ils se vêtent d'étoffe qu'ils achètent à des nomades, car ils ne savent pas tisser, ou la matière textile leur manque. Les femmes vivent nues, quel que soit leur âge ; car je ne peux appeler vêtements les colliers de perles dont elles se parent. Il n'est pas une d'elles dont les lèvres ne soient affreusement distendues par des disques de métal. Les vieilles ont presque toutes une pipe à la bouche, là où le permettent les plateaux, c'est-à-dire à la commissure des lèvres. Ajoutons que le port des plateaux entraîne un continuel ruissellement de salive.

prendre que cet arbre ne pousse pas d'abord directement sur le sol. Un autre arbre, sur lequel une fiente d'oiseau contenant la graine l'a semé, sert d'abord de support au ficus, qui, de ce perchoir, laisse tomber en abondance de flottantes racines. Celles-ci, sitôt en contact avec le sol, s'y enfoncent et s'y affermissent. C'est bientôt un réseau compliqué qui s'anastomose et peu à peu enveloppe et étrangle l'arbre premier support, lequel finit par disparaître complètement. Et le plus étrange, s'il faut en croire quelques naturalistes, c'est que la coupe en largeur d'un tronc de ficus de quelques années, présente un aspect parfaitement homogène.

Mala.

Un vieillard impudique, à barbe blanche, couverture sur l'épaule, bâton à la main, très rhapsode, nous raconte, à travers notre interprète, l'arrivée dans le pays du premier blanc (l'explorateur Gentil).

« À l'arrivée du blanc, nous dit-il, tous les gens du village traversent le Logone et fichent le camp dans la brousse. Seul le chef du village ose rester et reçoit les colliers que le blanc lui donne. Les gens reviennent dans la nuit, mais restent terrifiés par cette arrivée d'un être surnaturel qui s'amène sur un bateau marchant tout seul, et qui le lendemain matin a déjà disparu... »

Nous écoutons ce récit sous le grand arbre dont j'ai parlé. À son ombre, qui s'étend jusqu'à l'eau, une centaine de personnes sont assises ; dont quarante-cinq que nous venons de choisir parmi les gens du village, pour composer notre troupe. Tous sont groupés autour de nous en cercles concentriques. Trois vieilles sorcières, trois vieux, qui ont perdu toute pudeur. Ils sont nus comme des Sara, mais sans plus le geste décent et ridicule de ceux-ci pour dissimuler leur sexe entre leurs jambes. Certains jeunes, charmants, dont un vêtu d'une peau de cabri, viennent s'asseoir à nos côtés, appuyés contre nos fauteuils.

Hier soir, sur notre demande, il y avait eu un vaste tam-tam. L'affluence croissait d'instant en instant. D'abord rien que des enfants ; puis bientôt tous s'en sont mêlés. Cela commença dès notre retour de Pouss, et, du train dont ils y vont, on comprend que ça ne pourra pas durer longtemps. Plus rien de commun avec le lent et morne monôme ou ronde, où certains coloniaux prétendent voir mimer des gestes sexuels, et qui, affirment-ils, se termine toujours en orgie. C'est net, précis, rythmé, comme leurs demeures, comme tout ce que je connais des Massa. Et varié. D'abord une marche très accentuée, un pied, puis l'autre, le talon frappant le sol d'une attaque brève qui secoue très fort les crotales que les femmes attachent au-dessus du mollet. Aucune mollesse. Filles et garçons forment deux monômes séparés évoluant l'un en reflet de l'autre.

J'ai dit « crotale » par simplicité ; en réalité ce sont des cornets de jonc treillissé, fermés à la pointe par une natte de fil. La base du cornet est relié à un disque de bois mince et sonore sur lequel retombent à chaque secousse une poignée de petits graviers encagés. Ce cornet est de proportions à épouser exactement le gras du mollet sur lequel il s'applique. C'est d'un travail charmant, aussi net que de la vannerie japonaise.

La danse s'est animée, en changeant d'air. Au clair de lune ce lyrisme devient frénétique, démoniaque. Certaines femmes ont l'air possédées. Une vieille exécute de son côté un solo dans une petite cour. Elle se démène, gesticule, selon le rythme du tam-tam ; un instant se joint à la ronde, puis, tout à coup, cédant au transport, repart dans un espace vide, tombe et continue à danser sur ses genoux. Une toute jeune fille se sépare presque au même moment de la ronde, comme une pierre échappe à la fronde, fait trois bonds en arrière et roule dans la poussière comme un sac. J'attends les secousses, la crise d'hystérie ; mais non : ce n'est plus qu'une masse insensible, sur laquelle je me penche, doutant même si le cœur bat encore, car on ne la voit plus respirer. Un petit cercle se forme ; deux vieux se penchent et font des passes au-dessus d'elle en hurlant je ne sais quels appels ; auxquels elle ne répond point. Mais le tam-tam semble la réveiller ; la voici soudain qui se ranime ; pourtant elle est sans forces, elle se traîne et danse en se traînant, puis retombe définitivement sur le flanc, les bras étendus, les jambes à demi repliées, dans une pose exquise — d'où plus rien ne peut la tirer. Depuis la scène d'exorcisme chez les juives de Biskra que j'ai racontée dans mes feuilles de route [1], je n'ai rien vu de plus bizarre ni de plus terrifiant.

28 février.

J'ai vu travailler à la confection d'un de ces cornets dont je parlais hier. Un homme assujettissait les extrémités des joncs et fermait la pointe du cornet dans un travail de fil natté. Il procédait avec un poinçon qui soulevait légèrement les autres fils et permettait d'insinuer le fil qui devait relier l'ensemble. Celui-ci était enfilé à une longue aiguille.

Je n'imaginais pas qu'il y eût plusieurs façons

1. V. *Amyntas*.

d'enfiler une aiguille. Mais celle-ci n'a pas de chas. C'est seulement un éclat très fin et long d'une plante textile très résistante. L'extrémité opposée à la pointe est assouplie, décomposée en filaments, qui, tressés avec le fil, l'entraînent à la suite de l'aiguille.

Toute la nuit les vols et cris d'oiseaux ; un vacarme extraordinaire. Nos pagayeurs ont dormi dans des obus ; enfin au chaud. Nous, dans nos baleinières, au pied de la petite falaise de trois mètres sur laquelle la ville est assise. Cette falaise n'est, à l'endroit où nous amarrons, qu'une pente douce, à cause de l'amoncellement d'immondices dont le rejet permet la propreté de la ville.

Le coup de fusil, qu'on tire du milieu du fleuve, le cri que l'on pousse, se heurtant aux courtes falaises des rives, ont un retentissement prolongé ; renvoyé de bord en bord il remonte ou redescend au loin le fleuve, rumeur durable, qui fait lever tout un peuple d'oiseaux.

Chasse au canard, en pirogue, au coucher du soleil. Après l'accablante chaleur et l'aveuglante lumière du jour, quel repos, quelle sérénité ! Le soleil disparaît cramoisi derrière un voile de brume. Le ciel se dore et l'eau reflète sa splendeur. Le Logone, large de trois cents mètres je pense, on le traverse sans perdre pied. Pas un défaut, pas une égratignure, pas une ride, rien que le mol plissement que fait l'esquif où je suis monté avec Outhman et un garde, et que dirigent avec des perches deux grands noirs, l'un à l'avant, l'autre à l'arrière.

En prenant les noms des figurants de notre troupe, ce matin, nous sommes étonnés de la quantité de garçons et de filles qui portent le nom de Zigla. C'est aussi le nom d'un démon familier de la brousse que vont invoquer (et auquel vont sacrifier un cabri) les femmes qui attendent en vain un enfant. Si elles obtiennent enfin une grossesse, elles font vœu de donner à l'enfant le nom du génie [1].

Très importantes cultures de tabac, à fleurs blanches, larges et belles feuilles. Quantité de champs très petits mais d'autant mieux entretenus, enclos de claies ou de petits murs de terre dont les Massa vendent la récolte aux Bornouans ou aux Haoussas de la Nigeria qui circulent dans le pays en commis voyageurs.

Le groupe musical est de douze temps, la première note compte pour deux : les autres sont égales :

Le premier *sol* est très accentué, presque crié.

Une autre danse, sur une mélodie qui prend un autre caractère de ce seul fait que le *la* est rem-

1. Les noms qu'ils donnent à leurs enfants marquent souvent le désir de soustraire ceux-ci à l'attention des puissances malfaisantes, ou de désarmer leur malin vouloir. En M'bochi : *Ilonguebé* (mauvais sang). En Ouolof : *Ken bougoul* (personne n'en veut), *Amoul Yahar* (pas confiance).

placé par un *si* bémol. Seul le *sol* supérieur est *pur*.

Un autre :

et, encore ici, le *si* bémol vient remplacer le *la*, à la seconde partie de la danse — à ce moment le *do* lui-même est remplacé par un indistinct son intermédiaire ou composé du *si* bémol et du *sol*.

1er mars.

Hier soir, de nouveaux tam-tams. Moins nombreux que la veille ; danses aussi étonnantes. Cela dure deux heures, puis en un instant la place se vide et chacun va se coucher. On dirait une séance de gymnastique rythmique.

En y repensant cette nuit, il me semble que j'ai mal noté l'air d'hier et que les intervalles sont plus larges que nos tons, de sorte qu'entre le *do* et la dominante d'en dessous, il n'y ait *qu'une note*. Il peut paraître monstrueux que je n'en sois pas certain. Mais qu'on s'imagine cet air gueulé par cent personnes dont *aucune ne donne la note exacte*. C'est comme une ligne principale qu'on tâche de discerner entre maints petits traits. L'effet est prodigieux et donne une impression polyphonique, de richesse harmonique. Le même besoin leur fait mettre des perles aux griffes de métal de leurs petits « pianos » : horreur du son net, besoin de le troubler et de noyer son contour.

Une courte promenade à l'intérieur du pays m'amène inopinément devant une très large route dont j'ignorais l'existence. De retour à Moosgoum, je m'informe. Cette route irait jusqu'à Laï. Mais, annuellement inondée et recouverte trois mois par an d'une nappe d'eau qui mesure jusqu'à quatre mètres dans les dépressions et cinquante centimètres dans les parties hautes, on craint qu'elle ne demeure à jamais impraticable. Chaque année, après que les eaux se sont retirées, les indigènes doivent procéder aux remblais et aux désherbements. Tous les hommes valides sont réquisitionnés pour ce travail, qui ne dure pas moins d'un mois. Ils sont très raisonnablement payés, il est vrai. Le travail n'a rien d'excessif, et comme il ne les éloigne pas de leur village, ils y peuvent rentrer coucher chaque soir. Ils ne se plaignent pas. Mais quant à comprendre la nécessité de cette route précaire, parallèle à un fleuve qui déjà suffit à rendre inutile le portage...

Les renseignements que voici, je les obtiens d'un sultan gigantesque, en boubou bleu sombre, turban blanc ; quantité invraisemblable de gris-gris pendus à son côté, à une lanière de cuir (versets du Coran dans des sachets de cuir rouge) ; venu d'un village voisin, avec des gens de sa suite et un interprète pour nous présenter ses hommages. Charmant, courtois, souriant et de bonnes manières. Il se déclare très satisfait et dit qu'il n'a jamais eu à se plaindre d'aucun blanc français.

Las de coucher (à Mala) au pied du tas d'ordures, dépotoir de tout le village (j'avais annoncé à Marc que nous prendrions mal — et ce matin il se lève, fiévreux, avec un fort mal de gorge), je décide que nous retournerons au très agréable poste de Mirebeddine. Deux de nos pagayeurs ont pris une sorte de fluxion de poitrine. Rien d'étonnant. Ce qui m'étonne c'est qu'il y en ait qui puissent résister à ces sauts de température ; ce matin l'air s'est un peu réchauffé, mais hier, *après le lever du soleil*, le thermomètre que j'avais retrouvé ne marquait encore que dix degrés. Il avait dû descendre jusqu'à six. Puis, vers dix heures, la température *bondit* de 15° à 25° ou 30° et atteint un peu plus tard 35° et même 37°. (Température d'hiver.) On nous dit que, dans la belle saison, on a jusqu'à 50°.

Départ sitôt après déjeuner.

Nos pagayeurs répandent de l'eau sur la plaque de métal brûlante où ils devront poser leurs pieds nus. Ils toussent et crachent à qui mieux mieux. Quelques-uns sont partis ce matin au marché de Pouss ; des adolescents de Mala les remplacent.

Nous arrivons au poste de Mirebeddine (à 2 km de Moosgoum) vers deux heures. Marc se couche aussitôt. Il a plus de 39°. Après une sieste, je pousse une reconnaissance vers les obus voisins, particulièrement bien formés. Dans une des cours principales (on y accède par une poterne) un gigantesque pot-grenier fait penser à quelque décor pour Chantecler.

Je dispose ma baleinière de manière à pouvoir y

laisser Dindiki la nuit. Tout le jour il repose, appliqué comme une compresse sur mon estomac, ou cramponné à mon cou, et pousse des cris de putois si je cherche à le déloger. J'ai renoncé depuis longtemps à l'attacher par la patte ; il faisait tant de tours que je le trouvais au matin parfois presque étranglé par sa ficelle. Je l'ai enfermé dans des boîtes, dans des cages à poulets, dans des sacs ; mais il y était trop malheureux. Si, la nuit, je le laissais libre, dans la baleinière où j'étais couché, île d'où il ne pouvait sortir, c'en était fait du dormir, car c'est sur ma moustiquaire qu'il prenait de préférence ses ébats, s'amusant de l'élasticité de ce tremplin, bondissant, gambadant, cabriolant, menant un train d'enfer. À Fort-Lamy, de ma chambre à coucher il pouvait gagner une terrasse de derrière sans issue. Il avait là beaucoup d'espace ; mais c'est toujours à mon lit qu'il revenait ; c'est mon lit dont il faisait le siège, cherchant à pénétrer sous la moustiquaire et, s'il y parvenait, me faisant mille agaceries, cherchant à me forcer à jouer avec lui. Excédé, je me relevais et l'envoyais dans la chambre de Marc, qu'il importunait à son tour. Une nuit que Marc avait laissé sa porte ouverte, Dindiki avait pris la poudre d'escampette. Il avait descendu l'escalier, sans doute en suivant la rampe. Les boys des bureaux du rez-de-chaussée l'avaient retrouvé le matin, fort loin, dans les branches d'un petit arbre. Et ces nuits dernières je l'avais relégué dans la baleinière de Zézé, qu'une perche maintenait écartée de la mienne ; mais Dindiki, trouvant moyen de se servir de cette perche comme d'une passerelle, trois fois de suite était venu me rejoindre ; j'avais fini, de guerre lasse, par le boucler dans le sac au linge sale. Et le matin, lorsque je viens le délivrer, quelle joie ! enfin ! ! ! Il se cramponne à ma main, à mon bras et ne veut plus lâcher prise, même lorsque je fais ma toilette, même lorsque je suis dans le tub.

2 mars.

Hier soir Marc avait 40°. Angoisse abominable. Hanté par le spectre de la fièvre récurrente qui sévit tout à l'entour. Nous prenons toutes précautions pour pouvoir gagner en vitesse l'hôpital de Logone-Birni, si cela se gâte. Provision de boules pour nos pagayeurs. Je m'assure au surplus d'une double équipe, de manière que l'on puisse brûler les étapes et ne pas arrêter la nuit. J'avais bien averti Marc de l'imprudence qu'il y avait à coucher au pied de cette montagne d'immondices ; à pénétrer comme il faisait dans toutes les cases (mais combien me plaît sa curiosité), serrant toutes les mains, prodiguant les caresses et, le soir, restant longtemps au milieu du nuage épais de poussière soulevé par les danses. L'angine cependant semble à peu près calmée. Je lui fais prendre de l'aconit. La nuit n'est pas mauvaise (dérangés pourtant par un peuple de chauves-souris criailleuses) et, ce matin, il n'a plus que 38° 6. Il reste couché, mais avec l'espoir de pouvoir reprendre demain son travail.

Les pagayeurs, dans la grande cour devant le

poste, n'ont guère arrêté de tousser cette nuit. Il ne fait pas très froid ; mais le vent s'est élevé. Le sentiment de leur gêne, dont je suis indirectement responsable, me tient éveillé. Combien je me félicite d'avoir acheté à Fort-Lamy une couverture de laine supplémentaire pour chacun de nos boys. Mais que ces pauvres gens, à côté, soient tous nus, le dos glacé par la bise tandis que le ventre rôtit à la flamme, et n'osent s'abandonner au sommeil de peur de se réveiller à demi cuits (l'un d'eux nous montrait ce matin la peau de son ventre complètement rissolée et couverte de cloques) après qu'ils ont peiné tout le jour — cela est proprement monstrueux.

Bain dans le Logone, assez loin du poste, sur un banc de sable, en compagnie de deux aigrettes, d'un aigle pêcheur et de menus vanneaux (?). Ce serait parfait sans la nécessité de garder son casque. Immense bien-être ensuite.

Des edlen Körpers holde Lebensflamme
Kühlt sich im schwiegsamen Krystall der Welle.

La température de Marc ne baisse pas au-dessous de 38° 5. Si ce soir elle s'élève encore, nous partirons pour Logone-Birni. Il a de nouveau très mal à la tête.

3 mars.

Vers onze heures j'ai moi-même été pris, hier, d'un assez bizarre malaise. Tandis que je lisais

Faust sous la véranda, une brusque somnolence. Je regagne mon lit pour m'y étendre un instant, et, sitôt couché, des vertiges violents ; sueurs froides et nausées. Bientôt après, crise de vomissements. Le malaise a duré jusqu'à la nuit. Sans fièvre.

Marc cependant avait de nouveau près de 40°. Suées très abondantes et assez fort mal de tête.

Par instants je trébuche dans des gouffres d'horreur. Je crois même que ma violente inquiétude pour Marc a pu déterminer mon malaise... À moins que le bain de ce matin ?...

J'écris ceci couché dans la baleinière que j'ai regagnée avec peine, car le moindre mouvement provoque des nausées. J'ai pu éprouver de nouveau que les répits entre les vomissements sont presque voluptueux. Tout proche de la défaillance le corps peut goûter presque suavement *l'être.* Oasis parfois ravissantes entre deux reprises d'angoisse.

Nous avons envoyé une pirogue plus rapide encore pour prévenir l'hôpital de Logone. Les soins et le dévouement d'Adoum sont parfaits.

CHAPITRE II

Retour en arrière

Il me semble que je vais mieux. Des vertiges encore, mais j'ai pu manger un peu, au chevet du lit de Marc, et avec lui. Porridge et riz à l'eau, avec une délicieuse compote d'abricots (nous sortons de nos cantines ce que nous avons de meilleur) arrosés d'eau de Vichy et de Moët.

Après ce court repas, je me recouche. Et, tandis que j'essaie de dormir, mes pagayeurs d'arrière — six Sara que nous avions déjà à l'aller (ceux d'avant, cinq, sont des gens de Moosgoum) commencent un chant des paroles que me traduit Adoum,

Le Gouverneur[1], *il est malade.*
Ramons, ramons pour aller plus vite que la maladie.
L'amener jusqu'au médecin de Logone.

qui est bien le chant le plus extraordinaire que

1. J'ai omis de dire que, depuis Fort-Lamy, les boys, et à leur suite tout l'équipage, m'ont fait monter en grade. « Commandant » ne leur suffit pas. Et, plus tard, « Gouverneur » non plus. Rien à faire à cela. Par enthousiasme ils m'appelleront « Gouvernement ».

j'aie entendu dans ce pays. Ah ! que Stravinsky ne pût-il l'entendre ! C'est une longue phrase, gueulée d'abord et qui s'achève presque en pianissimo, mais chantée comme en canon, de manière que le fortissimo de certains coïncide avec le pianissimo des autres, celui-ci formant comme une basse murmurée. — Les notes ne sont jamais *exactement* données (ce qui fait qu'il est extrêmement difficile de noter l'air) ; pas plus qu'en anglais il n'est de voyelles *pures*. Très difficile à comprendre pour nos oreilles septentrionales qui attachent tant de prix à la *justesse* du son. Ici la voix n'est jamais juste. De plus, lorsque l'un chante do ré, l'autre chante ré do. Certains font des variantes. Sur six, chacun chante une chose un peu différente, sans qu'il y ait précisément des « parties ». Mais cela fait une sorte d'épaisseur harmonique des plus étranges. La même phrase — presque la même (avec le petit changement parfois, à la Péguy) se répète inlassablement un quart d'heure durant, une demi-heure. Parfois ils semblent se griser de ce chant, à tue-tête ; ils rament alors avec emportement, fureur. (Nous avons pris cette fois le bras profond du Logone.) Comment ai-je pu dire que les Sara ne chantaient pas ? (À noter pourtant qu'ils ne chantent jamais lorsqu'ils se servent de la perche, mais seulement pour accompagner le mouvement *régulier* des rames.)

Nos chants populaires, près de ceux-ci, paraissent grossiers, pauvres, simplets, rudimentaires. Ce matin, dans la baleinière de Marc, j'écoute le chœur de ses Sara — très différent de celui que chantaient les miens hier. Cela ne rappelle rien. Aussi bouleversant, plus peut-être, que les chants des bateliers russes. Cela commence pianissimo, un murmure, comme pour s'essayer — et assez longtemps ils ne chantent qu'à demi-voix — particulièrement le soliste. Comme toujours en A.E.F., le chœur n'attend pas que la phrase du soliste soit achevée, mais broche sur la dernière et même parfois l'avant-dernière note. L'effet est saisissant. Peu à peu, comme pris de confiance, ils s'animent. Le soliste a une voix admirable, de qualité toute différente de celle que nous exigeons au Conservatoire ; une voix qui parfois semble étranglée par les larmes — et parfois plus près du sanglot que du chant — avec de brusques accents *rauques et comme désaccordés*. Puis, soudain, ensuite, quelques notes très douces, d'une suavité déconcertante.

La phrase du chœur (traduction d'Adoum) :

Nous ne sommes plus emmenés comme captifs
Nous sommes libres de circuler dans le pays
D'acheter des boubous et des fardas.
Les blancs commandent le pays et ils sont bons.

Le reste est improvisé au fur et à mesure par le soliste.

L'invention rythmique et mélodique est prodigieuse — (et comme naïve) mais que dire de l'harmonique ! car c'est ici surtout qu'est ma surprise. Je croyais tous ces chants monophoniques. Et on leur a fait cette réputation, car jamais de « chants à la tierce ou à la sixte ». Mais cette polyphonie par élargissement et écrasement du son, est si désorientante pour nos oreilles septentrionales, que je doute qu'on la puisse noter avec nos moyens graphiques.

L'attaque du refrain se fait à la fois sur plusieurs notes. Certaines voix montent, d'autres descendent. On dirait des lianes autour de la tige principale, épousant sa courbe mais sans la suivre exactement. On dirait un tronc de ficus.

4 mars.

La fièvre de Marc est tombée ; encore qu'il se soit senti très souffrant hier soir, il va certainement beaucoup mieux. Faut-il néanmoins persister dans ce retour en arrière ?

Nous décidons d'aller tout au moins jusqu'à la rencontre de l'infirmier chef, qui aura dû être averti de notre venue par pirogue et venir vers nous avec des médicaments. Certainement Marc ne sera pas en état de se remettre en marche, ou même au travail de cinéma avant quatre ou cinq jours ; autant les employer ainsi ; au besoin pousser jusqu'à l'infirmerie et faire examiner notre sang. Presque penauds d'aller mieux. Il y a quelque respect humain ; le désir de ne pas avoir l'air de girouettes aux yeux des indigènes.

38° à l'ombre. Sans le courant d'air du shimbeck, on crèverait. Ma baleinière a perdu son gouvernail, et mes pagayeurs sont extrêmement maladroits à maintenir et surtout à retrouver la direction. L'esquif va donner du nez dans les roseaux de la rive, toupille sur lui-même, et l'on perd ainsi un temps considérable. Nous arrivons pourtant, ce second jour, à Logone-Gana, vers midi.

Une dizaine de kilomètres avant ce village, nous avons été retardés par un lugubre spectacle. Un Arabe de la brousse, qui regagnait avec quelques autres la route de Fort-Archambault pour y travailler, s'est noyé presque sous nos yeux. Le fleuve est guéable en maint endroit. Je ne sais comment, à l'endroit même où ses camarades venaient de passer, il a perdu pied. Un crocodile ? Ils affirment que non. Simplement, « il ne savait pas nager ». On l'a vu par trois fois lever les bras au-dessus de l'eau, pousser un cri d'appel — et Adoum, qui le regardait de la baleinière, a pu croire qu'il pêchait. « Viens vite voir un pêcheur », me crie-t-il. Je cherche un instant mes lunettes, car j'étais occupé à lire. Puis Adoum me dit : « Non ; c'est quelqu'un qui fait des blagues. » C'était quelqu'un qui se noyait. Quand, un instant plus tard, nous avons voulu porter secours, il était déjà trop tard. Et l'on imagine mon impatience devant la maladresse des gens de ma baleinière, qui la font valser à contre-courant, enlevant le dernier espoir, si tant est qu'il en restât encore. Les Arabes, ses compagnons, sur la rive, parlèrent avec volubilité, commentant l'accident, mais ne paraissant du reste pas trop affectés [1]. Un instant

1. Ici encore je me suis montré bien naïf. Voici ce que je lis dans Levy-Bruhl, (*La Mentalité Primitive*, p. 317 et sq.) :

« Quels sentiments éprouvera-t-on à l'égard de ceux qui ont été tout près de la "mauvaise mort", qui y ont presque succombé... Viendra-t-on à leur secours, leur tendra-t-on la perche, fera-t-on l'impossible pour les arracher à la mort ?... Un sentiment irrésis-

j'hésitai à faire chercher le corps... Mais à quoi

tible de crainte et d'horreur pousse le primitif, presque toujours, à faire précisément le contraire... Si quelqu'un tombait à l'eau accidentellement, c'était, selon les indigènes, un grand péché s'il s'en tirait. Puisqu'il avait été destiné à se noyer, il aurait eu tort, dans leur pensée, en se soustrayant à cette mort. Si un homme tombait à l'eau en présence d'autres, ils ne lui permettraient plus d'en sortir : au contraire, ils employaient la force pour le faire noyer et pour assurer sa mort.

« Peut-on imaginer une conduite plus inhumaine et plus atroce ? Pourtant, une minute avant que le malheureux ne fût en danger de mort, ses compagnons étaient prêts à tout partager avec lui, provisions, munitions, abri, etc., prêts à le défendre s'il en était besoin, à le venger si un membre du groupe ennemi lui faisait tort, à remplir en un mot, envers lui comme envers tout autre, les obligations multiples que l'étroite solidarité de ces sociétés impose. Il tombe à l'eau par accident et va se noyer : aussitôt il devient un objet de crainte et de répulsion. Non seulement on ne s'empresse pas de le secourir, mais, s'il a l'air de se sauver, on l'en empêche ; s'il reparaît à la surface, on le renfonce dans l'eau. Parvient-il cependant à survivre, le groupe social ne veut pas admettre qu'il ait échappé à la mort. On ne le connaît plus. C'est un membre retranché. Les sentiments qu'il inspire, le traitement qu'on lui inflige rappellent les excommuniés du moyen âge.

« C'est que les cas de ce genre sont rigoureusement comparables à la "mauvaise mort". Ce qui épouvante la mentalité primitive dans celle-ci, ce n'est pas la mort elle-même ni les circonstances matérielles qui l'accompagnent : c'est la révélation du courroux des puissances invisibles, et de la faute que ce courroux fait expier. Or, quand un homme risque de périr accidentellement, cette révélation est aussi nette et aussi décisive que s'il était déjà mort. Il a été "condamné" : peu importe que l'exécution ne soit pas achevée. L'aider à échapper, serait se rendre complice de sa faute, et attirer sur soi-même le même malheur. Le primitif ne l'osera pas... L'accident — qui n'était pas un accident, puisque rien n'est fortuit — équivaut à une sorte d'ordalie spontanée. De même que l'ordalie, dans nombre de sociétés africaines, décèle le principe malfaisant qui habite en telle personne, ici l'accident trahit la faute qui a fait condamner l'homme par les puissances invisibles. Dans les deux cas, cette révélation terrible détermine, instantanément, la même révulsion sentimentale. En une seconde, l'homme qui était un compagnon, un ami, un parent, est devenu un étranger, un ennemi, un objet d'horreur et de haine. »

bon ? Ils ne l'enterreraient pas — et entre les caïmans et les hyènes...

Un assez gros poisson bondit de l'eau, entre les rames de nos pagayeurs et retombe dans la baleinière.

Des bandes de pélicans. Bruneau de Laborie dit que « certaines comptent certainement plus d'un millier d'individus ». La bande la plus nombreuse, que je m'amuse à dénombrer, en compte 160. C'est déjà beaucoup. Bruneau de Laborie compte deux espèces, les gris et les blancs ; mais si je ne m'abuse les gris sont les jeunes — de même que pour les cygnes.

Inoubliables heures. Captivité en baleinière. J'avance avec ravissement dans le *Second Faust*. Je ne puis relire le dialogue avec le Centaure, sans réentendre la voix de Pierre Louÿs me le lisant pour la première fois. (Nous sortions à peine de rhétorique.) Je ne sais s'il avait découvert lui-même ces vers admirables ; je crois plutôt que Georges Louis, son frère, les lui avait d'abord montrés. Mais peu importe.

Flaubert connaissait-il ces vers lorsqu'il écrivait dans la *Tentation* :

« Ici, chimère ; arrête-toi...

— Non, jamais. »

Avec quel *Schaudern* sacré nous écoutions, Pierre et moi, Chiron répondre :

Il s'agit ici des indigènes primitifs du Kamtchatka ; mais sans doute même remarque peut-elle être faite pour les peuplades centre-africaines.

... Du stehst am Ufer hier,
Ich bin bereit dich durch den Flusz zu tragen.

Et les lèvres et la voix de Pierre tremblaient d'une dévotion véritable lorsque, parlant d'Hélène, il s'écriait avec Faust :

Sie ist mein einziges Begehren...

mots qui devaient dominer sa vie. Et c'est ainsi que je veux le revoir, à présent que la distance efface bien des taches et l'imperfection de certains traits ; c'est ainsi que je peux l'aimer.

Longues leçons de lecture à Adoum. Je vais mieux. Il a fait terriblement chaud.

Calme du soir. C'est l'heure où Dindiki se réveille. Sens de la volupté des animaux nocturnes.

... Now is the pleasant time,
The cool, the silent...

5 mars.

Campé hier où, à l'aller, nous avions campé le troisième jour. Une prodigieuse quantité d'insectes de toute espèce (mais pas de moustiques), viennent assiéger notre repas du soir. De tout petits forment feutre sur le verre du photophore ; ils entrent dans les oreilles, les yeux, se collent sur le front, le crâne en sueur, tombent dans les œufs brouillés, dans les verres. On en est excédé. Parmi eux, de plus gros, des perce-oreilles ailés, des coccinelles, une petite courtilière, une mante énorme. J'en fourre une quantité dans le flacon de cyanure.

Nous sommes repartis vers trois heures du matin. Moi dans un état de malaise assez bizarre. Vers huit heures, pirogue de l'infirmier venu de Logone-Birni à notre rencontre ; on fait, séance tenante, un prélèvement de notre sang. Une demi-heure après nous arrivons devant le dispensaire et la maison du docteur absent, où nous nous installons.

On ne trouve rien dans le sang de Marc ; non plus que dans le mien. Un peu confus de ne pas être plus malades, nous écrivons aussitôt à Marcel de Coppet une lettre rassurante qu'un courrier à cheval va porter.

Temps pénible. Le ciel est blafard, l'horizon bouché. Un vent assez fort soulève des nuages de sable ; il semble que l'air en soit chargé.

Le chef vient à nous, très aimable. Depuis que nous sommes passés à Birni, il a perdu sa mère.

Je revois avec plaisir les trois infirmiers pleins d'attentions, de zèle et de prévenances ; demande à revoir le petit sommeilleux qu'ils espéraient sauver, bien qu'à la troisième période ; mais nous apprenons qu'il est mort le lendemain de notre départ.

Après la compresse de bouse de vache, Adoum a posé sur ses plaies la bouillie d'herbes tièdes extraite de l'estomac d'un cabri qu'on vient de tuer. C'est, dit-il ensuite, la première chose qui lui ait fait vraiment du bien. Je consens à le croire. Et ce matin, en effet, ses plaies (il en a une à mi-jambe et l'autre à la cheville) ont un peu meilleur aspect. Le bol alimentaire du cabri a formé croûte, préservant des fâcheux contacts. Je lui propose d'aller se faire panser à l'infirmerie ; mais il n'en veut rien savoir. Aucune confiance dans notre médecine de blancs. Il sort de son mouchoir une poudre infecte (c'est ce qu'est devenu le bol alimentaire, séché) qu'il avait en réserve, se saupoudre les plaies après les avoir lavées à l'eau chaude, sous les yeux de notre garde et d'un vieil Arabe qui le conseillent.

Deux de nos pagayeurs sont tombés malades.

Logone-Birni.

Très grand village ceinturant le poste sanitaire au bord du fleuve. Sordide. Quantité de maisons effondrées ; les cours de ces maisons ruinées sont remplies de toutes sortes d'immondices. Saleté des rues.

Comme tous les villages de cette région, Logone-Birni est entouré de murs (à présent effondrés en partie, en particulier du côté du fleuve) mais le curieux, c'est l'énorme espace vague qui s'étend entre les murs et le village. Celui-ci semble flotter dans son enceinte [1]. Des

1. Ce grand espace vide, *intra muros*, était réservé pour permettre des cultures vivrières, en cas de siège.

oiseaux énormes, charognards, marabouts, aigles, se posent sur le haut des remparts ; parfois des marais dans ce terrain vague, de grands arbres.

6 mars.

Rien à noter de tout hier. Jour d'attente. Dépression. Très affaiblis, Marc et moi. Nous apprenons que de nouveau la fièvre récurrente sévit dans tous les villages de la région de Maroua que nous devons bientôt traverser. L'assistant sanitaire nous propose d'emmener avec nous un infirmier appelé précisément par une tournée d'inspection dans ces régions, et qui saurait, en cas de besoin, faire les piqûres intraveineuses préconisées contre la récurrente. J'écris à l'administrateur de Kousseri pour l'avertir et demander son autorisation.

Désireux de nous renseigner sur les coutumes des Massa, nous interrogeons le très intelligent Zigla qui nous accompagne depuis Moosgoum. Mais l'on n'est jamais certain de bien comprendre un indigène, qui, dans son désir de se mettre à votre portée, ou tout au contraire de demeurer hors de prise, apprête ses propos à votre usage et les incline au gré de votre interrogation, si prudente et souple et retorse soit-elle.

Les gens de ces peuplades primitives, je m'en persuade de plus en plus, n'ont pas notre façon de raisonner ; et c'est pourquoi si souvent ils nous paraissent bêtes. Leurs actes échappent au contrôle de la logique dont, depuis notre plus tendre enfance, nous avons appris, et par les formes mêmes de notre langage, à ne pouvoir point nous passer [1].

Hier soir, nouvelle visite du sultan ; en grande tenue. Étonnant boubou de soie blanche brochée, semée de portraits d'Édouard VII. Sur l'épaule, une grande écharpe de soie cramoisie, lamée de noir. Sous le boubou blanc, un épais vêtement de soie canari. Il a le chef couvert d'une sorte de bonnet grec, légèrement conique, brodé, à la manière des toques de tapisserie du temps d'Henri Monnier, avec des laines de toutes les couleurs. Tandis que l'assistant nous envoie un canard et un quartier de bœuf, le sultan nous fait apporter des pigeonneaux pris au nid, un cabri, et de la nourriture pour tous nos porteurs. Il se montre extrêmement désireux de nous plaire (et je pense que je lui fais le même effet). Nous cherchons l'un et l'autre le plus agréable à nous dire et, lorsque Adoum qui sert d'interprète lui transmet quelque phrase à laquelle il soit particulièrement sensible, pour marquer sa satisfaction émue, il applaudit doucement, silencieusement. Parfois les deux gardes du corps qui l'accompagnent imitent ce geste ; ainsi, lorsque, après, photographie prise, je lui dis que, non

1. Dès les premiers temps de notre séjour à Brazzaville, je notais que les rapports de causalité semblent n'exister point pour eux. Ce qui m'est confirmé par Lévy-Bruhl, dont je fus bien maladroit de ne lire les livres sur *la Mentalité Primitive*, qu'à mon retour de voyage. Ils m'eussent épargné nombre de bévues, éclairé bien des ténèbres.

content de lui en envoyer une épreuve, je suis désireux d'en garder une en souvenir de son excellent accueil et de la gentillesse extrême de tous les gens de Logone-Birni, on voit les trois paires de mains s'ouvrir et se fermer cinq ou six fois de suite, en cadence, de bas en haut, de haut en bas.

La ville de Logone-Birni a été longtemps la plus importante de la région ; dévastée par la maladie du sommeil. De plus, en 1915 et surtout 17, lors de la guerre avec l'Allemagne, grand exode des habitants pour Divel et Gofa. La quantité de maisons abandonnées et en ruine s'explique en outre par le fait que les Kotoko enterrent les morts dans les cours des cases ; puis, craignant le mauvais sort, abandonnent la maison. On a le plus grand mal à leur faire accepter des cimetières.

Il est souvent question chez eux de « massâs », c'est-à-dire de mangeurs de morts — partie légende et partie réalité, semble-t-il, car on a des exemples de violation de sépultures, incompréhensibles autrement.

Tous ces renseignements [1] nous sont donnés par le jeune lieutenant H... — qui vient d'arriver ce soir, à cheval — quittant définitivement Kousseri pour une autre subdivision.

7 mars.

Départ. Décrochage assez difficile. Quatre autres de nos pagayeurs (en plus des deux précé-

1. Mais ici encore Lévy-Bruhl me rend circonspect.

dents) sont tombés malades (congestions pulmonaires), — dont trois assez gravement, que nous sommes forcés de laisser. Je leur remets un mot pour Marcel de Coppet, qui les aide à se faire payer, une fois de retour à Lamy. Grâce aux douze Massa supplémentaires recrutés par nous à Moosgoum, nous n'aurons, je l'espère, pas trop à souffrir de ces défections.

Tsé-tsés en assez grand nombre. Outhman prodigieusement habile à les tuer, ainsi que les mouches ordinaires, leur fauchant ou coinçant les pattes avec une lame de couteau qu'il approche d'elles très doucement, comme pour se raser.

CHAPITRE III

Seconde remontée du Logone

7 mars.

Quitté Logone-Birni ce matin, emmenant avec nous l'aide-infirmier Gabriel Loko, métis d'Allemand, jeune, intelligent et très sympathique, que son service appelait précisément vers le Sud. L'air est de nouveau pur et léger ; la lumière splendide. Il ne fait pas trop chaud. Mais ma baleinière a de nouveau perdu son gouvernail ; le capita qui devait diriger mes dix pagayeurs, est insondablement bête ; et nous avançons avec une désespérante lenteur, louvoyant constamment d'un bord à l'autre de la rivière, les hommes ne cherchant même pas à rectifier la fausse direction. Je ne pense pas que nous fassions plus de trois kilomètres à l'heure. Les deux autres baleinières ont pris une avance considérable et vont s'impatienter à m'attendre. J'accepte sans protester ; mais, de ce train, nous mettrons bien huit jours à regagner Moosgoum.

Je lis *La Steppe* de Tchekhov, dans la traduction que m'a envoyée Charles Du Bos ; ou du moins les nouvelles qui font suite à ce très beau récit que j'avais déjà lu en anglais. Certaines sont excellentes.

Nouveau groupement des pagayeurs. On mélange les équipes ; on dépose mon capita incapable, etc. Bref, on en gagne un peu.

Après déjeuner, je lisais sous ma moustiquaire, quand je fus distrait du *Samson Agonistes* par un bruit étrange de cascade. La baleinière s'arrête. Je sors de dessous le shimbeck. Ce bruit d'eaux clapotantes est produit par le vent dans les palmes-éventails de quatre grands rôniers, au-dessus de nos têtes. La baleinière de Marc est également arrêtée. À ce moment Adoum me dit que des hippopotames sont en vue. Marc, arrivé quelque temps avant nous, les guettait, et notre venue interrompt un instant son affût. Mais bientôt les mufles monstrueux reparaissent en aval ; ils sont quatre tout près de nous et la rivière est à cet endroit très peu large. Nous gravissons la berge à pic. On canarde ces pauvres animaux qui, toutes les cinq minutes, laissent paraître un bout de museau pour respirer. Aucun résultat apparent, encore que quelques balles semblent porter. Mais voici que brusquement paraît en amont, à cinquante mètres de nous, un nouveau mufle, plus énorme qu'aucun des autres — et, tout à côté, le mufle d'un petit, qu'Adoum affirme être sur le dos de sa mère. Quel monstre qu'un chasseur ! Marc tire et cette fois on voit un grand remous. Certainement l'hippopotame culbute ; c'est un de ses pieds, non plus le mufle, qui paraît et fait jaillir l'eau. Nouvelle balle ; nouvelle culbute ; tous nos pagayeurs, sur la rive et dans les baleinières trépignent d'enthousiasme. Puis, plus rien. On attend.

Nous avons attendu jusqu'au soir, sur l'assurance que nous donnent nos gens que le monstre est tué, que, dans quelques heures, il va reparaître, ventre en l'air, et que s'il ne revient plus respirer, c'est bien la preuve qu'il est mort. L'étrange, c'est que les autres, les quatre autres, restent obstinément à la même place, tout près de nous, malgré les quelques décharges qu'ils reçoivent encore, comme ignorants du danger, ou peut-être à la manière des am'raïs et des canards, pour n'abandonner point le compagnon blessé.

Je voudrais savoir quand peuvent bien dormir les hippopotames ? Durant toute la nuit, ils pâturent. Le jour ils vivent dans l'eau, d'où ils sont forcés de sortir la tête, toutes les cinq minutes, pour respirer [1].

Le soir tombe. Il faut trouver un endroit où puissent coucher nos pagayeurs. Mais, désireux cette fois de n'abandonner point la partie, c'est en aval que nous camperons, avec l'espoir que le courant ramènera vers nous le cadavre de l'hippopotame. Nous voici donc redéfaisant encore une fois notre route.

1. Lisant ensuite l'excellent livre de Christy, *Big Game and Pigmies*, je fus particulièrement amusé de le voir se poser la même question au sujet des éléphants. Selon lui ces grands animaux n'ont besoin que de très peu de sommeil et ne s'assoupissent presque jamais.

Nous n'avions pas fait cinq cents mètres, longeant l'autre rive (Tchad) que Gabriel se précipitait vers moi, très excité : « Un lion, un lion ! »

Je bondis à l'avant, mais ne vois rien.

« Là, tout près de nous. Couché dans les herbes. Il dort. » Et son doigt désigne, à une vingtaine de mètres, ce qu'il s'impatiente que je ne parvienne pas à distinguer. Et, si le fauve est aussi près qu'il le dit, je m'étonne qu'il ne déloge point, car pour grimper sur le caisson de la baleinière, j'ai culbuté bruyamment une cantine. La baleinière de Marc est tout près. Armé du *Holland*, il se hisse sur le shimbeck ; et lui non plus ne distingue rien d'abord ; mais soudain, tout près de nous en effet, un lion, qui me paraît de belle taille, se dresse. Trois coups de feu partent à la fois. Aucun n'a porté. Mais tandis que je suivais des yeux le lion qui disparaît en un instant, il a dû se passer je ne sais pas quoi de peu ordinaire, car aussitôt après je vois quatre, cinq, dix hommes sauter de la baleinière dans le Logone, plonger à qui mieux mieux. Même Gabriel, tout vêtu, se jette à l'eau. Un instant je crains un accident, une noyade... Je ne comprends qu'un peu plus tard, ceci : Marc, fort incertainement perché sur le toit du shimbeck, avait perdu l'équilibre, par suite du recul du *Holland*. Il n'avait pu se raccrocher au toit, qu'en lâchant son fusil qui venait de disparaître dans le Logone ; d'où la précipitation des hommes.

Cinq minutes de recherche au fond de l'eau, et le *Holland* est retrouvé.

Nous voici campés sur la rive du Cameroun,

exactement en face de l'endroit où nous avons vu le lion. C'est une extrémité d'île très étroite ; on est presque dans l'eau. Je crains que la nuit ne soit froide. Presque tous nos pagayeurs toussent déjà. Le bois qu'ils ont apporté pour les feux sera-t-il suffisant ? Que faire ? S'il y avait de la lune, nous repartirions presque aussitôt ; mais le dernier quartier se lèvera très tard. Du reste ils auraient plus froid encore sur la baleinière, même en pagayant — et ils préfèrent, nous disent-ils, ne quitter leurs maigres feux que le matin. Et pas un d'eux ne se plaint, ne proteste... Au contraire, même toussant affreusement d'une grosse toux rauque, ils sourient encore. Comme je comprends que Coppet se soit attaché à ces braves Sara [1] !

8 mars.

Le thermomètre marque ce matin 8°. Les Sara ont toussé, craché, râlé fort avant dans la nuit. Malgré les « boules Quies » j'entendais les sifflements, les gargouillements de leurs souffles. Encore deux nuits pareilles et c'en serait fait d'eux. Il faut que nous trouvions le moyen de coucher dans un village, et qu'ils y puissent trouver un abri.

1. J'ai plaisir à lire, dans la relation de voyage de Bruneau de Laborie (p. 356), qui d'abord s'irrite de certains défauts des indigènes de ce pays, défauts qui contrarient insupportablement nos méthodes et nos habitudes : « On distingue alors, chez ces primitifs, de rudes et fortes qualités, insoupçonnées d'abord ; on les découvre sensibles au bienfait, fidèles dans l'attachement et dans la gratitude, hospitaliers, capables d'oublier leur cupidité pour une libéralité inattendue, leur égoïsme pour une généreuse assistance. »

Ce matin, en dédommagement de la mauvaise nuit, grande joie : l'hippopotame mort est en vue. Cela semble un tas d'herbes, une motte, près de la rive escarpée, formant îlot. Nous envoyons une des baleinières en reconnaissance. C'est lui ! Trépignements et hurlements de joie des hommes.

Nous interrompons le breakfast, et montés sur une autre baleinière, rejoignons le monstre. Il est échoué sur un bas-fond, d'où l'on a le plus grand mal à le déloger. On le pousse avec des perches, mais sans ensemble aucun ; les efforts s'éparpillent et tous nos hommes parlent à la fois. Ces indigènes, si près de la nature et qu'on pourrait croire fort habiles pour ces simples travaux, sont d'une maladresse et d'une sottise incroyables, dès qu'il s'agit d'inventer un geste nouveau. Tandis que tous prennent l'animal d'un côté, l'un d'entre eux, de la baleinière, fichant sa perche en travers, contrarie les efforts des autres. Malheureusement, les quelques-uns d'entre nous qui pourraient les commander, ne parlent pas leur langue. Pourtant, une chaîne à la patte, l'hippopotame finit par se laisser haler par la baleinière de Zézé. Nous remontons dans l'autre baleinière et apprêtons le cinéma. La lumière hélas ! n'est pas bonne. — Assez loin de la rive, l'hippopotame échoue de nouveau. C'est à présent seulement que je vois sa tête, que je comprends l'énormité de tout le corps. Ils se mettent à vingt pour le faire rouler sur lui-même, exposant tour à tour le dos, le flanc, puis le ventre rosâtre sur lequel se replient mignonnement des pattes toutes courtes.

Le voici enfin sur la rive et l'on procède au

dépeçage. Trente-quatre hommes pleins d'enthousiasme y travaillent à la fois, avec trois machettes et quelques coutelas, ridiculement petits pour une telle besogne. Les autres tiennent les membres ou tirent sur la peau qu'on entaille. Tous crient, se démènent, gesticulent ; mais pas la moindre dispute. Chacun s'amuse et rit. Le lent morcelage, l'émiettement progressif de cette masse dure deux bonnes heures. Morceau par morceau, tout est enlevé. Les tripes qu'on vidange, l'estomac qu'on ouvre dégagent des odeurs épouvantables. Un vent assez fort heureusement les balaie. Lorsqu'on arrache les poumons le sang caillé s'échappe de la veine cave, comme un long serpent pourpré ; je crois que je vais me trouver mal. Rien n'est rejeté, négligé. Les vautours et les aigles qui tournoient au-dessus de nous seront déçus. Ils deviennent d'instant en instant plus audacieux ; certains, d'une brusque et vaine plongée, nous frôlent presque d'un coup d'aile. Je rentre dans la baleinière prendre un coup de cognac pour me remettre le cœur en place. Il est tout chaviré de dégoût.

Si gros que soit l'animal, Zigla me dit en avoir vu de plus gros encore. Je voudrais connaître son âge. Peut-être pourra-t-on le présumer à l'examen des dents, que je rapporte. Je voudrais voir la cervelle. Je vaincrais mon dégoût pour examiner s'il ne s'y trouve pas de ces douves hideuses que Ruyters me disait avoir vues dans les boîtes crâniennes des hippopotames d'Abyssinie.

L'on ne peut pourtant pas tout emporter. Nous laissons sur la rive le crâne qu'on a renoncé à ouvrir, une patte de devant, une de derrière et le bassin. Mais voici des Kotoko en pirogue qui seront fort contents de disputer ces morceaux aux vautours.

Nous mangeons à déjeuner un bifteck d'hippopotame, fort bon ma foi ! Puis nous repartons dans des baleinières bardées de chair. L'odeur est infecte ; mais sera pire dans quelques jours. Pour regagner mon lit, j'escalade un pied, passe pardessus un maxillaire et un gros rouleau de peau plus épaisse qu'aucun tapis. Sur le shimbeck, un amoncellement de débris sanguinolents, de viscères, d'innommables lambeaux empestés que le soleil a mission de boucaner ; et, suspendus aux flancs des baleinières par de longues cordes de palmes, des festons de lanières violacées. Horreur ! à travers le toit du shimbeck il pleut du sang. Même pas du sang : c'est de la sanie. Je contemple, comme le roi Kanut, les gouttes rouges et jaunâtres étoiler le plancher, les cantines, mon sac, le ciel de ma moustiquaire sous laquelle je m'abrite. Mais qu'est ceci en regard de la joie des Sara, de leurs rires, de leur reconnaissance ?

Vers le soir, une sorte de tornade sèche ; presque pas de vent ; le soleil se voile ; le ciel blanchit, ternit ; l'atmosphère se fait oppressante et l'air paraît irrespirable.

Logone-Gana, 9 mars.

Si agréable que soit pour nous le campement sur banc de sable au bord du Logone, il est trop redoutable pour nos pagayeurs, et nous nous résignons à passer la nuit à Gana. Nous abandonnerons le poste à nos gens et coucherons dans ces charniers que sont devenues nos baleinières. Encore Adoum a-t-il soin de faire débarrasser la mienne des plus nauséabonds morceaux. Le plancher est gluant de sang, ou plus exactement de ce liquide sanguinolent qui s'écoule, non des quartiers de viande, mais des plaques de peau tapissant le dessus du shimbeck. Il faudra presque du courage pour se dévêtir. Partout règne une odeur fade et puissante où se mêlent parfois, lorsque le vent s'y prête, des relents aigres très peu mystérieux ; car, comme il advient souvent dans ces villages, l'on jette l'ancre, près du poste, au pied du monticule formé de détritus divers et d'excréments. C'est le dépotoir et la sentine du village. L'on ne sait trop, pour descendre à terre, où poser le pied. Encore quand il fait clair peut-on choisir ; mais la nuit est sans lune et le dernier verre de notre photophore vient de claquer [1]. Depuis longtemps les lampes-phares, de système trop perfectionné pour la brousse, sont hors d'usage, et Zézé, pour la cuisine, a besoin de la lanterne-tempête. Aussi, lorsqu'un peu plus tard, je veux sortir de ma baleinière, je m'empoicre dans une immonde fondrière. Forcé de changer de souliers, de pantalons, de chaussettes. Tout ceci, tâtonnant dans le noir.

J'admire que nous trouvions, malgré tous ces dégoûts, un peu d'appétit pour faire honneur au

1. Quelques jours plus tard nous en retrouverons un à demi brisé dans une cantine.

dîner qui nous attend sur la rive, un peu à l'écart des odeurs. Sitôt ensuite, aidés de l'infirmier, nous faisons subir à deux de nos Sara, les plus malades, un énergique traitement de ventouses scarifiées. La confiance avec laquelle ces pauvres gens s'abandonnent à nous est émouvante. Faute de mieux, nous devons nous servir de nos gobelets de table comme ventouses. En quittant le poste, après les pansements, je trouve le moyen de me précipiter du haut de la terrasse, m'avançant où je n'avais pas vu que je n'avais plus pied. Mais les détritus font une couche pleine de mollesse. Je n'ose me tâter, mais renifle... Je n'ai rien.

Grande difficulté d'obtenir quelques calebasses de mil pour le repas du soir de nos hommes. « Il n'y en a pas », répond le chef, un vieux birbe à l'air abruti. Même réponse lorsque nous parlons d'envoyer au village suivant un homme à cheval pour avertir que, demain soir, l'on tienne tout prêts des gâteaux de mil. « En pirogue, alors ? » Le chef explique que la pirogue n'arriverait pas avant nous — ce dont je reste peu convaincu. Mais le garde qui nous accompagne nous explique, après que le birbe s'est éloigné, que nous avons affaire à un chef qui n'a aucune autorité sur ses hommes, craint de se faire mal voir et n'ose rien leur demander. Puis, comme il craint également de nous déplaire, le voici qui nous apporte trois poulets et quelques œufs — que nous payons il va sans dire, et plutôt trop. La quantité de mil apportée est manifestement insuffisante, mais nos hommes mangeront d'autant plus de viande. Il en restera toujours assez pour empester.

Je n'ai pas dit que nous avions mis à pied à terre peu avant d'arriver au village. Campagne monotone, ex-champs de mil semés de palmiers doums ; chaque palme-éventail porte un vautour ou un marabout. Parfois le palmier n'est plus qu'un squelette, tout en haut duquel, sur les palmes séchées, quelques grands marabouts dégingandés vous reluquent de haut en bas.

Sitôt après avoir quitté la baleinière, je retrouve, échoué sur la rive, le cadavre du pauvre noyé de l'autre jour, pâle, gonflé et la peau crevée par endroits.

Je n'aurai pas dressé le bilan exact de ce jour si j'omets Browning et Milton. Relu avec ravissement, transport, quelques sonnets, le début de *Samson* et de longs passages du *Paradise lost* ; avec moins d'enthousiasme *In a balcony* de Browning, qui m'avait laissé meilleur souvenir. Il y a souvent avantage à ne point parfaitement comprendre. Mon imagination prêtait au mirage et diaprait généreusement mes incertitudes. À présent que j'y vois plus net, je suis un peu déçu.

Étendu sous ma moustiquaire, j'ai lu avec une sorte de frénésie (qui a fini par me donner un fort mal de tête). Je ne me souviens pas avoir jamais porté sur un texte un regard plus perspicace, plus avide et plus frémissant, ni chargé de plus d'appétit.

C'est sans doute pour Jules Romains [1] que Milton écrivait :

1. Ou pour son ami Farigoule, auteur de « la Vision extra-rétinienne ».

... Why was the sight
To such a tender ball as th'eye confin'd ?
So obvious and so easy to be quenched,
And not as feeling through all parts diffus'd,
That she (the soul) might look at will through every pore ?

Grand désir de marche ; à ceci je reconnais que je vais mieux. La baleinière me dépose, avec Adoum, l'interprète Zigla et un garde, devant le village de Divel. Nous devons nous retrouver devant Gofa, où il y a de grandes chances que nous arrivions avant la baleinière, marchant aussi vite qu'elle et coupant les détours du fleuve. 10 heures. Il fait chaud déjà, mais l'air est léger, presque vif. J'ai pris mon fusil ; le garde a le Moser. Au sortir du village, quelques petits canards bruns, les meilleurs [1] — que je manque misérablement. Du moins celui que je blesse d'abord réussit à s'enfuir tandis que la seconde détente percute la cartouche sans la faire partir. Ces ratés sont exaspérants. Tout à l'heure le Moser percutera vainement six cartouches ; mais du moins quand nous les avons achetés à Brazzaville, l'on nous a prévenus de la mauvaise qualité de la marchandise, reliquat du stock allemand. C'est contre une troupe d'am'raïs que s'exerce notre impuissance. Au sortir d'un interminable champ de hautes herbes, où l'on avance, suivant l'étroit sentier, les mains en avant faisant chasse-chaume, sans rien voir que l'endroit où l'on doit

1. Non ; je crois, à présent, que les meilleurs sont les plus gros ; crêtés de noir, de la grosseur d'une oie, aux ailes vertes et mordorées.

mettre le pas suivant — un vaste espace qu'a dévasté l'incendie annuel, où déjà repousse, au pied des chaumes brûlés, l'herbe verte. En se dressant on aperçoit, à deux cents mètres de nous, les am'raïs qui déjà, nous ayant senti venir, lèvent tous la tête. Et d'abord, je n'en distingue que deux ; mais quand, à l'approche du garde, ils commencent à fuir, tous en file, l'un suivant l'autre à la manière des indigènes, j'en compte quarante-huit ou cinquante. Ils parcourent quelques mètres, puis s'arrêtent et se retournent ; la curiosité semble l'emporter sur la peur. Un coup part ; tous bondissent en avant ; un peu de désordre rompt la disposition de la troupe. Certains font, au-dessus des chaumes, de grands bonds en hauteur, sans doute pour dominer la situation. Mais ils ne vont pas loin, et de nouveau tous se retournent. Ils semblent attendre, vous inviter à les poursuivre. De loin nous assistons à ce manège, qui se répète plusieurs fois — qui va se répéter encore si nous ne rappelons le garde à grands cris. Le soleil commence à taper ferme et nous ne voulons pas risquer de laisser passer la baleinière.

Un peu plus loin, deux gros canards noirs. Confus de mon premier échec, je passe à l'interprète mon fusil ; mais il n'est pas plus heureux que moi. Les canards s'envolent avant d'être à portée.

Un peu plus tard, nouvelle troupe d'am'raïs ; ils ne sont cette fois qu'une douzaine, mais tout près. C'est au tour d'Adoum de les manquer.

Nous ramassons en cours de route, sous des

arbres buissonneux, de petits fruits de la couleur, forme et grosseur des dattes sèches. Une mince enveloppe fragile protège un noyau qu'enveloppe un millimètre de pulpe sèche, sucrée et savoureuse jusqu'à l'âpreté. La dent s'y agace, car cette chair adhère au noyau. Cela occupe agréablement la soif.

J'attends patiemment la baleinière, sur ce même banc de sable où Marc photographiait les petits enfants pêcheurs. L'odeur de la viande est à présent si forte que peu s'en faut qu'on ne sente les baleinières avant de les voir. Je comprends pourquoi j'avais si grande envie de faire la route à pied, tout à l'heure.

Zigla qui m'avait un instant quitté pour parlementer avec le chef de Gofa et tâcher d'obtenir du mil, revient sans les boules, et avec mon fusil brisé. Que de reproches je me fais de le lui avoir confié ! Adoum avait oublié de me dire que, l'attache de la bretelle ayant cédé, on avait remplacé la virole d'acier par une insuffisante clavette de bois. Non avertis, nous n'y avions pas pris garde. Il eût fallu ne porter l'arme en bandoulière qu'avec précaution ; elle s'était brusquement détachée de l'épaule de Zigla. Mais je n'aurais point cru que la crosse d'un fusil, tombant de si peu haut, dût se briser. « On va pouvoir le rafistoler avec des ficelles », m'affirme Zigla, qui pourrait être un peu plus confus, me semble-t-il. Mais, ne possédant rien, l'indigène...

C'est maintenant aussi le capita de ma baleinière, du moins celui qui d'abord commandait la baleinière de Marc — et qu'on a fait passer sur la mienne, en remplacement de l'incapable — qui tombe malade. Il grelotte de fièvre au chevet de mon lit, à côté du petit Sara à qui nous avons mis des ventouses. Tous deux s'endorment bientôt ; moi aussi sous ma moustiquaire, après un petit coup de Milton.

À 4 heures, arrêt au village de Karsé (Cameroun). Je monte dans la baleinière de Marc pour le thé. C'est à ce village que nous avions vu les premières femmes à lèvres ornées de plateaux. Ce sont, paraît-il, les compagnes des Massa qui se sont enfuis de leurs villages, naguère, pour se soustraire aux travaux de la route de Moosgoum. Ils s'apprêtent à revenir, nous dit-on.

Les indigènes, d'après ce que nous dit Zigla (un des noirs les plus intelligents que nous ayons rencontrés), auraient un plus grand nombre de femmes aujourd'hui, parce que, en cas de contestation, répudiation, ils trouvent facilement appui auprès du juge blanc pour se faire rendre la dot ; que d'autre part ils n'ont plus à craindre les razzias ; et qu'enfin et surtout, si, pour payer l'impôt, le chef du village va trouver un indigène et lui dit : tu as plusieurs bœufs ; on va en vendre un pour parfaire la capitation, il ne peut opérer ainsi avec les femmes. Alors, mieux vaut acheter une femme qu'un bœuf. (Ajouter que l'indigène fait travailler la femme et ne fait pas travailler le bœuf.)

Les Kotoko se plaignent qu'à notre dernier passage, nos pagayeurs aient fait main basse sur deux perches. Ceux-ci avouent. Nous proposons deux francs par perche. Les Kotoko haussent les épaules : ils ont besoin de ces perches et demandent qu'on les leur rende. Rien n'est plus difficile à trouver, dans ce pays, que des tiges d'arbre de près de 5 mètres de long.

10 mars.

Kolem, où nous avons passé la nuit par grand dévouement pour nos hommes. Ils ont pu dormir à l'abri. La nuit a du reste été moins froide. Mais on n'imagine pas village plus sordide. En plus de l'indicible saleté des cours des maisons et des rues, les étangs (dont j'ai parlé, je crois), ces flaques d'eau stagnante au milieu des places, ces vieux dépotoirs où le village déverse les déjections et déchets, donnent à Kolem son pittoresque et sa particulière hideur.

Pour ne point dématiner trop tôt nos malades, nous acceptons de n'arriver à Moosgoum que demain. Nous coucherons à Mazéra. On prend son parti de cette lenteur. Qu'importe un jour de plus ? Je n'ai jamais mieux lu, ni plus amoureusement. Le paysage monotone berce la pensée sans la distraire. Parfois pourtant, une troupe d'antilopes est signalée ; on aborde ; on gravit la berge ; l'immense plaine (ah ! que je voudrais voir ce pays couvert d'eau !) tournoie et vibre sous l'ardent soleil. Je laisse Marc poursuivre les am'raïs, et contemple le cours de l'eau glauque et sa bordure de roseaux.

J'ai appris à me défier de ces roseaux. Dans ce pays, les herbes coupent, les arbres griffent, les lianes déchirent. Pour avoir voulu m'aider de ces roseaux, en ayant pris à pleine main une touffe pour me hisser sur la berge, j'ai depuis quinze jours, au médius de la main droite, deux panaris qui se refusent à guérir. Ce sont d'abord de presque invisibles poils de velours que le roseau vous laisse au doigt. Ces dards soyeux, il faut se hâter de les extraire, sous peine de voir se former un petit abcès, qui grossit, suppure, devient mal blanc, panaris, je ne sais quoi d'absurde et d'affreux qui fait qu'on ne peut plus que gauchement se servir d'un couteau, d'une fourchette, d'un stylo — et d'un fusil plus mal encore.

Marc me rejoint à Maggière (Mazéra [1]) que je gagne à pied. Il a longtemps attendu sur la rive sa baleinière, au retour d'une longue poursuite d'am'raïs, assez fatigué de cette course en plein soleil ; mais du moins a-t-il tué un assez beau mâle. Quant aux canards, ils demeurent à peu près invulnérables lorsqu'on tire sur eux de face ; les plumes forment carapace sur laquelle le petit plomb glisse.

Innombrables bandes d'am'raïs, de tous côtés. Tout près de ma baleinière, j'en vois trois qui descendent boire au fleuve. Gabriel, l'infirmier, part à leur poursuite.

1. Dernier village Kotoko.

Sur treize occupants de ma baleinière, quatre malades. Ils n'arrêtent pas de tousser, d'une toux affreusement rauque, et de cracher.

Il semble, d'après ce que dit le chef de ce village (très sympathique), que le chef de canton (celui-là même qui venait nous saluer en pirogue, à notre premier passage, et qui va venir demain matin réclamer le paiement de l'impôt : 11 francs par personne) exige la totalité de ce paiement en « pièces blanches » (*id est :* en marks).

Je sais que, le mark n'ayant plus cours, l'administration s'occupe à le « faire rentrer » ; et je comprends que l'on exige la moitié du paiement en monnaie blanche — ce que le chef de ce village dit pouvoir payer. La totalité... cela, dit-il, n'est pas possible. On n'en peut point trouver assez — et déjà le peu qu'il obtient, est coté ici le double du jeton jaune — c'est-à-dire qu'on achète chaque mark 2 francs (jetons). La capitation se trouverait ainsi doublée.

J'ai pris le nom de ce chef de canton et serais curieux de savoir s'il fait cela au su et avec l'approbation du chef de circonscription — que je vais prévenir ; ou si, comme on peut craindre, il garde par-devers lui le profit de cette majoration.

Nous décidons d'attendre demain l'arrivée de ce chef de canton et on le fait prévenir pour qu'il ne tarde pas trop. Le village où il s'attarde se trouve à une heure d'ici, mais le messager ne partira que demain à l'aube car, à cause des lions, il n'est pas prudent de circuler la nuit.

11 mars.

Par suite de l'abominable puanteur, la nuit dans la baleinière est une sérieuse épreuve. Le vexant, c'est que nos hommes ne profitent pas, du moins pas tous, de cette possibilité que nous leur donnons de coucher à l'abri dans les cases du village, à cent mètres de là. Au milieu de la nuit, je me rhabille, pour aller voir pourquoi ceux dont la toux m'empêche de dormir ont préféré camper au bord du fleuve ; ils sont là dix, autour de trois feux. Devant le premier se chauffent un des gardes, Zézé et notre marmiton. « Le village est trop loin », dit le garde. Autour du second feu somnolent trois Sara. Autour du troisième feu Gabriel, Adoum, Outhman et Zigla sont profondément assoupis. Mais ces derniers du moins ont des couvertures. Je crois qu'ils ont horreur des campements, redoutant les poux qui s'y trouvent, et plus encore des cases Kotoko où sévissait naguère la récurrente. C'est ce que Gabriel finit par m'avouer. C'est par les poux [1] que se transmet la récurrente, il le sait — et que les poux, nés de ces poux contaminés, peuvent transmettre la maladie sans qu'il soit besoin qu'ils aient eux-mêmes pris contact avec des malades. Tout cela est peu rassurant, et, cette nuit, tourmenté par des démangeaisons bizarres, je prends de la rhoféine pour dormir. C'est aussi que mon lit perd l'équilibre et laisse déborder le mince matelas jusqu'à la natte du shimbeck ; il ne forme plus île et je ne me sens plus à l'abri.

1. Ou plus exactement : par les tiques.

Imagine-t-on bien ce que peut être la vie dans une baleinière, parmi les tonnelets, cantines, sacs, affaires de toilette, fusils, réchauds, vivres, etc., la mienne habitée, durant le jour, par treize hommes (moi compris) dont quatre malades. Si parfois quelque objet tombe et glisse entre les lattes du plancher mobile, on hésite à le rechercher dans le jus fétide qui clapote au fond — que l'on ne peut que difficilement laver, par défaut d'écoulement.

Oui, si parfaite que puissent être la méditation et la lecture dans la baleinière, je serai content de quitter celle-ci. Tout allait bien jusqu'à l'hippopotame ; mais depuis que les pagayeurs ont suspendu tout autour de nous ces festons puants, on n'ose plus respirer qu'à peine.

Je me lève avant le jour, et dans le petit matin grelottant (il fait 8° sous le shimbeck et 6 au-dehors) je vois venir à nous le chef de canton dont nous souhaitions la visite. Sept hommes l'accompagnent ; tous à cheval ; tous assez bien vêtus ; lui, particulièrement décoratif. La traversée de la rivière est très belle ; les chevaux ne perdent point pied, mais ont de l'eau jusqu'au poitrail.

Nous précipitons un peu l'entrevue, car Marc voudrait aller chasser l'am'raï. Mais qu'y a-t-il tant à parler ? En quelques mots le chef nous rassure. Certainement il y a malentendu. Il n'a jamais été question d'exiger la totalité, ni même la moitié de l'impôt en marks. On donne en marks ce qu'on peut. Le reste en jetons.

Comme précisément voici le chef du village, je fais répéter devant lui ces affirmations rassurantes et nous partons chasser, espérant l'incident clos.

Mais, après que nous sommes revenus bredouilles, que nous avons quitté Mazéra et depuis 2 heures avons repris notre remontée du Logone, le chef de Mazéra nous rejoint (ou du moins un notable du village envoyé par lui), nous n'étions pas plus tôt partis que le chef de canton a réitéré ses exigences : il n'acceptera que des marks.

Je lui fais aussitôt reporter le petit bouquet de plumes d'aigrettes qu'il m'avait donné (il m'en avait offert une quantité ; j'avais cru désobligeant de tout refuser, mais eu soin de choisir le plus petit bouquet « en bon souvenir de notre rencontre », lui faisais-je dire par l'interprète), « ne voulant pas garder le cadeau d'un menteur ». De plus, j'écris aussitôt à Thiébaut, chef de la circonscription de Kousseri (de qui dépendent ces villages) pour l'avertir.

Je serais bien curieux de connaître la suite de ce différend, nouveau chapitre de l'histoire des camouflages[1]. C'est un ennui de ce voyage, de toujours laisser en arrière les réponses aux points d'interrogation soulevés.

Et je me replonge dans *The flight of the Duchess*, qui m'amuse et me ravit encore bien plus qu'à ma

1. J'appris bientôt après que M. Thiébaut avait fait le nécessaire pour mettre fin à cet abus. Hélas ! j'appris également, quelques mois plus tard, que cet administrateur excellent venait d'être emporté par un accès de fièvre bilieuse, dans un des gîtes d'étapes de cette longue route que nous venions de parcourir, alors qu'il était sur le chemin du retour, avec sa jeune femme.

première lecture où je ne le comprenais pas si bien.

Le pauvre capita de ma baleinière va mal. Une pneumonie, dit l'infirmier. Je ne le croyais pas si malade et suis resté quelque temps sans l'observer. Le voici tout glacé, bien qu'au soleil ardent, et mouillé de sueur. Il respire avec peine, et son pouls bat très faiblement. Gabriel veut lui faire prendre de l'ipeca. Les vomissements vont le soulager peut-être, mais le fatiguer, et peut-être faudra-t-il lui faire une piqûre de caféine. Aussi je dis à la baleinière de Marc de rester derrière la nôtre, prête à répondre au moindre signe, car c'est là qu'est la pharmacie.

On déplace à grand-peine quelques cantines, les deux sacs de mil que je viens d'acheter à des commerçants de passage, les maxillaires de l'hippopotame, des nattes, des pagaies, deux caisses de films, le sac à linge sale, le gouvernail cassé, les bûches de bois à demi consumées que les hommes emportent (car le bois est rare) en vue du campement prochain, — pour permettre d'ouvrir, à l'avant de ma baleinière, une chaise de bord où installer le malade. Il n'a que 38° 7. Comme nous espérons arriver ce soir à Moosgoum, où l'on pourra laver la baleinière, je lui dis de vomir sous lui, car il n'a guère la force de se pencher de côté par-dessus bord. Quelle confiance, quelle résignation, quel abandon chez ces pauvres noirs ! Mais jamais un mot, un signe de remerciement. J'ai demandé souvent comment on disait « merci » dans tel ou tel idiome indigène : « Il y a pas de mots. »

Et, chaque jour, de nouveaux malades. Le plus jeune de nos pagayeurs souffre d'une otite, à qui je glisse dans l'oreille une mèche imbibée de glycérine phéniquée (au moins notre pharmacie sert à quelque chose) dont il y a quelques jours j'usais moi-même. Et qu'on ne vienne pas parler de « tire-au-flanc », car ce petit n'en fait pas moins, et très vaillamment, son travail.

Les eaux ont dû baisser sensiblement depuis notre premier passage (au retour de Logone-Birni, nous avons « emprunté » le bras profond du Logone). Deux ou trois fois par heure la baleinière s'enlise ; tous les pagayeurs sautent dans la rivière et halent et poussent durant un long espace. On entend le crissement du métal sur le sable mouillé. Curieux mode de locomotion.

And quench its speed in the slushy sand.

12 mars.

Malgré les efforts des pagayeurs, nous ne pourrons dépasser Ghamsi aujourd'hui. La lettre à Thiébaut, l'administrateur de Kousseri, au sujet du trafic des marks, puis les constants enlisements, nous ont beaucoup retardés. Marc, renonçant peut-être un peu vite à arriver ce même soir à Moosgoum, a relâché sa surveillance, et le capita le mieux capable de diriger l'esquif entre les bancs de sable, est précisément le malade. J'ai dit que je l'avais laissé vomir tout son soûl dans ma baleinière, assuré que j'étais de ne plus avoir à y dormir. Cet arrêt forcé me consterne ; mais rien à faire : nos hommes, malgré leur bonne volonté (et les Massa de Mirebeddine se réjouissaient beaucoup de regagner ce même soir leurs foyers) sont fourbus. La nuit est close ; force est de s'arrêter précisément à l'endroit où nous campions voici quinze jours, près de cet îlot buissonnant hanté d'aigrettes (dont j'ai parlé), au pied d'une colline de coquilles de ces huîtres énormes et informes qu'on récolte sur les berges du fleuve (et dont je n'ai jamais parlé).

Nous gagnons le village afin de nous assurer d'un abri pour nos hommes. On va de case en case ; on déloge quelques vieilles femmes qu'on dédommage. Le capita, très chancelant, doit gagner au bras d'un de ses compagnons la meilleure de ces cases. Il a le regard perdu d'un mourant.

Nous prenons notre repas du soir sur la berge, à la clarté des étoiles et d'un feu qu'on entretient près de nous. Vraiment, ce soir, on se sent quelque peu désemparé. La chaleur m'a passablement éprouvé vers la fin du jour et j'ai un assez fort mal de tête. Mais Zézé nous sert un canard de la chasse d'Outhman, cuit à point, capable de faire oublier tout.

L'aspect et l'odeur de ma baleinière sont tels que j'hésite un instant si je ne vais pas faire dresser mon lit à terre (ajoutons à tout le reste des horreurs ceci : convaincu que nous allions coucher à Mirebeddine, j'ai fait prendre une purge à Dindiki constipé !) ; mais le vent s'élève... Résignons-nous. Du moins prends-je du sonéryl qui me procure un salutaire oubli.

Le capita est mort cette nuit. Vers 3 heures du matin, Gabriel vient nous l'annoncer. Il n'y a plus lieu d'essayer d'une piqûre : le cœur a cessé de battre. Je me doutais bien hier que, dans l'état de faiblesse où il se trouvait, le peu de sédobrol que nous lui avons fait prendre (en bien faible dose pourtant) risquait de l'endormir à jamais ; mais du moins aura-t-il eu une agonie plus tranquille. Il ne semble pas, d'après ce que dit son frère qui le veillait, avoir beaucoup souffert, et s'être bien rendu compte qu'il trépassait. Une piqûre n'eût fait que l'exciter. On n'eût pu le sauver qu'à grands soins, que nous n'étions pas à même de lui donner.

Au petit matin, nous nous rendons dans la case où repose enfin ce pauvre homme. Quelle misérable existence aura-t-il connue ! Il est là, sur une natte, près d'un petit feu, complètement enveloppé, enlinceulé d'un boubou bleu, que dépassent un peu les pieds nus. Près de lui quatre « Boa » de son village accroupis près du feu. Le soleil se lève comme nous ressortons de la hutte (la porte est si basse qu'il faut beaucoup se courber). Le frère a choisi, non loin du village, un petit emplacement pour la tombe. Kara avait quarante ans environ. C'est le fils aîné d'une nombreuse famille. Il laisse une femme, mais pas d'enfants. Il quitte la vie sans espérance et durant toute sa vie n'a jamais eu l'espoir sans doute de pouvoir gagner plus de 1,50 F par jour. C'est lui qui aurait mené au Tchad le chasseur anglais Powel Cotton. Il nous avait montré un papier l'attestant.

Les Sara et les Boa achèvent de creuser une

fosse. La terre est très dure et l'on n'a comme instruments de travail que deux petites houes, composées d'une feuille de métal trop mince, ajustée à une branche fourchue, formant angle aigu.

Le cadavre est bientôt apporté par quatre hommes et posé provisoirement près du trou. Il est complètement enveloppé et ficelé dans une toile. On cherche des branches sur lesquelles, paraît-il, doit reposer le corps et qui l'isoleront un peu du contact immédiat de la terre.

Nous quittons Ghamsi vers huit heures. Lecture assidue durant tout le trajet.

Arrivés à Moosgoum, nous descendons pour revoir le village et faire à pied les deux kilomètres qui le séparent du poste de Mirebeddine.

Dans le dénuement d'alentour et après cette longue remontée du Logone, le poste de Mirebeddine nous apparaît comme un havre de grâce. Un nouveau cas de pneumonie s'est déclaré parmi nos pagayeurs. Cette fois du moins nous prenons toutes nos précautions pour tâcher d'enrayer le mal ; mais le pauvre garçon, si vigoureux d'aspect et tout jeune, a une forte fièvre et semble bien gravement atteint. Nous lui posons des ventouses, que Gabriel scarifie, mais elles prennent très mal ; nous recourons aux applications d'iode.

Nous apprenons par le malade que, cette avant-dernière nuit, à Mazéra, si froide — où je me suis relevé pour voir ceux qui s'obstinaient à dormir en plein air — le capita qui vient de mourir s'était senti trop faible et fatigué pour gagner le village (distant de cent mètres à peine) et était resté près d'un feu, à grelotter toute la nuit. Et lui, le nouveau malade, avait pris froid, ne consentant pas à quitter son ami. Il eût été si simple de faire porter le capita jusqu'au village, si seulement nous avions pu savoir ; si seulement il avait parlé. Mais ces pauvres gens attendent la dernière extrémité pour se plaindre. Indifférence, apathie, résignation, accoutumance à la misère, et peut-être la crainte d'une rebuffade, d'être considérés comme geignants, douillets, ou « tire-au-flanc ». Et l'exemple de ce dévouement amical, si simple, si modeste, et que le pauvre garçon va peut-être payer de sa vie...

Une excellente sieste achève de me remettre d'aplomb. Je ne suis pas plutôt relevé que s'amène le sultan de Mala avec une importante suite. Le sultan est un homme énorme, qui n'entrerait pas dans un fiacre. On frémit à l'idée de lui offrir un siège. Chaises de bord, fauteuil anglais, vont sûrement s'effondrer sous son poids. On est bien soulagé lorsqu'on voit un de ses serviteurs avancer vers lui un meuble robuste à son usage particulier.

Après les premiers compliments, échangés par voie de double interprète, je m'informe de la valeur des marks dans le pays et de leur plus ou moins d'abondance. Ici nous sommes sur le territoire du Tchad. Le mark, nous est-il répondu, circule ainsi que la monnaie jaune, mais n'a pas plus de valeur, et les paiements se font indifféremment en pièces blanches ou en jetons. Mais chez les Fellata (Cameroun) le mark fait prime, lorsqu'ils vont commercer de l'autre côté du fleuve, les Fellata leur réclament dix centimes en plus du jeton jaune, pour un mark. Quel trafic les Fellata doivent faire ! Ce mark, qui vaut ici 1,10 F, vaut deux francs, à deux jours de marche d'ici.

Désireux de voir si je peux amener un sourire sur les lèvres du sultan, je fais raconter par Adoum la chasse à l'hippopotame, puis le dépeçage de la bête et l'odeur épouvantable de nos baleinières transformées en boucaneries. L'histoire a grand succès. Toute la suite du sultan (quinze personnes) s'associe au rire de celui-ci.

— « C'est à cela, me fait-il dire, qu'on reconnaît que tu es vraiment un grand chef. Jamais un petit chef n'aurait supporté cela pour ses hommes. »

Comme je remarque qu'il tient à la main une chicotte, je lui fais demander si quelques lanières de peau d'hippopotame pourraient lui plaire. Ma proposition semble lui faire un grand plaisir. Nouveaux rires et protestations amusées de toute sa suite lorsque j'ajoute que je lui propose ceci parce que je suis bien sûr qu'il ne se servira pas de ces chicottes pour frapper ses hommes. Et l'on sort des caissons de la baleinière un énorme pan de peau (que je ne savais pas y être) sur lequel on prélève de quoi satisfaire le sultan.

13 mars.

Indiscrétion des indigènes qu'explique sans doute leur *absence de réserve :* on leur offre une cigarette, ils prennent le paquet, on leur offre un gâteau sur un plat, ils prennent tout le plat.

Nous nous avisons un peu tard de faire vider les baleinières. Des débardeurs disposent tant bien que mal et sans beaucoup d'ordre les bagages sous la véranda : caisses à gauche, cantines à droite, tonnelets au milieu. À la lueur haletante de la bougie dans le photophore au verre plus qu'à demi brisé, l'aspect du poste est très « lendemain de naufrage ».

Le malade va mieux ; sa température a passé, durant la nuit, de 40° à 36° ; mais il est encore loin d'être guéri.

Un courrier vers Lamy emporte une lettre que j'écris pour la Compagnie de l'Ouham et Nana, afin d'annoncer la mort et de régler les affaires de Kara. J'écris également à Coppet pour être sûr que ce règlement soit bien fait. Après quoi, nous décidons de gagner Mala, dans une de nos baleinières. Grande difficulté pour le recrutement des pagayeurs. Le plus grand nombre se défile. Voici comment je m'explique la brusque (et momentanée) défection de gens si complaisants d'ordinaire. La Compagnie de l'Ouham et Nana a coutume de les payer, non à la journée, mais au voyage. Ils doivent recevoir tant pour le trajet de Lamy à Moosgoum, puis Bangor. Ce que nous leur demandons est du rabiot, dont il ne leur sera pas tenu compte. Quelques mots d'explication eussent pu éviter le retard occasionné par la débandade de ce matin ; mais nous n'avons pu nous aviser de tout cela que plus tard. J'écris à Coppet également à ce sujet, afin que ces pauvres gens ne soient point frustrés ; de plus, quelques matabiches récompenseront les bons vouloirs.

CHAPITRE IV

Second séjour chez les Massa [1]

Je revois Mala avec le plaisir le plus vif. C'est bien un des points les plus étonnants de notre voyage, et même un des plus beaux *I ever saw*. Les habitants de Mala sont charmants ; ils semblent sincèrement heureux de nous revoir (il faut dire que nous avions fait pleuvoir sur eux pièces et piécettes).

La gravité des formes, la subtilité des couleurs, rappellent certains Corot d'Italie. (Je songe particulièrement à une vue du Forum.) Ce village l'aurait ravi. Les rapports des tons et des masses, le bleu très tendre du ciel, le gris-rose des murs des maisons, le peu de vert des quelques arbres énormes admirablement étalés sur les places, l'étendue d'eau du Logone vert-gris-bleu, aperçue dans l'effondrement du « carnak » [2], tout concourt au ravissement.

Lumière et chaleur très éprouvantes toutes les après-midi, ces derniers jours. Et le matin, ces

1. Ainsi que le propose M. Van Gennep pour éviter les confusions et erreurs de prononciation, nous n'avons pas mis d's au pluriel des noms de tribus centre-africaines.
2. Mur d'enceinte de la ville.

jours derniers, le soleil ne sort des limbes que vers dix ou onze heures.

Le soir, la nuit, rampe de feu au loin, sur une immense étendue d'horizon. Et, sur l'horizon qui fait face, de-ci de-là, de larges meurtrissures rouges dénoncent encore des incendies plus lointains.

14 mars.

En panne. Le soleil est sans rayons ; la terre sans ombres ; la lumière est délicate, une lumière argentée d'Écosse, parfaitement impropre au cinéma. Marc se désespère et je me désole avec lui.

Nos malades vont sensiblement mieux.

Des enfants (un en particulier, protégé de Marc, d'une douzaine d'années, d'une surprenante robustesse, d'admirables proportions, moins faune, malgré la peau de bouc autour des reins, qu'Hercule enfant) m'apportent des piécettes à changer. Le franc fait prime ; du moins, c'est contre des jetons d'un franc qu'ils viennent changer les pièces de deux francs et les piécettes de cinquante centimes. Ils en ont les joues pleines, la bouche servant couramment de porte-monnaie, de tirelire, d'où sont extraites, baignées de salive, les petites économies.

À Mala nous avons réquisitionné dix figurants qui, ainsi que convenu, s'amènent ce matin en pirogue. Mais la lumière est si mauvaise qu'on ne peut faire qu'une répétition. C'est dans la cour du père de Zigla (notre interprète), chef de Mirebeddine, que l'on fait exécuter diverses scènes de la vie courante. Certaines extrêmement réussies. Hercule enfant est admirable lorsqu'il monte, d'échelon en échelon, jusqu'au haut d'un obus. Un peu gênés par la soixantaine de notables et de curieux qui s'empressent dans la cour, autour de nous, font du zèle, donnent de la voix, s'interposent, et surtout crachent de tous côtés. Certains acteurs se montrent insuffisants ; il s'agit de les remplacer, et Marc demande des volontaires, parmi lesquels choisir. On lui amène trente-deux petits garçons et petites filles. Un vrai conseil de révision s'organise sous la véranda, derrière le poste. Il se dégage de tous ces corps nus, enduits d'huile, une odeur de poisson séché, presque intolérable.

Qu'on ne vienne pas dire que la coutume des lèvres percées va se perdant. À la seule exception de la sœur de Zigla, toutes les filles du pays, à peine nubiles, commencent à porter les plateaux. Le père de Zigla se refuse à laisser percer les lèvres de sa fille, mais c'est à la grande désolation de celle-ci qui déclare qu'elle ne pourra trouver à se marier avec des lèvres « comme celles des garçons » et profitera d'une absence du père pour passer outre la prescription paternelle.

Que ces bandes de pélicans sont belles ! qui, chaque soir, dans le ciel pur, regagnent le banc de sable où ils vont passer la nuit. C'est une très longue ligne ondulant par inflexions molles ; chacun suit l'autre, à distances égales. De minute en minute on voit se déployer sur l'or du couchant une bande nouvelle. Je m'amuse à les dénombrer. J'en compte une fois quatre-vingt-six ; une autre fois, plus de cent.

15 mars.

Lumière un peu meilleure au réveil. Des nimbus se sont formés, aux dépens de ce voile confus qui s'opposait à la lumière.

Très attristés d'apprendre que notre principal malade va de nouveau moins bien ; reprise de fièvre. Hier on le croyait déjà presque guéri.

Tous les malades, ce matin, viennent se réfugier autour de l'unique feu de la cuisine ; ils crachent tant qu'ils peuvent. Ce n'est pas très appétissant. D'autre part, on ne peut les laisser sans feu. Nous parlons d'envoyer nos pagayeurs désœuvrés « faire du bois » dans la brousse ; mais on affirme qu'ils devront aller le chercher à plus de dix kilomètres. Pourtant l'on voit d'assez nombreux arbres dans la campagne environnante ; tabous sans doute. Les indigènes ne brûlent que des gâteaux de bouse sèche, et des tiges de mil.

Je tâche de me remettre à *Faust*, abandonné depuis huit jours pour Milton et Browning.

Le ciel s'est éclairci. Marc peut faire ce soir du bon travail. Il fait terriblement chaud. Lorsque, après la sieste, on sort, vers trois heures, sur la véranda, lumière, température, qualité spéciale de l'atmosphère, un vertige vous prend, une sorte de brûlure à la nuque, de coup de chaleur. On regarde le thermomètre. Il ne marque que 36°. On songe avec terreur qu'il peut monter jusqu'à 45 (même 49°, disait Coppet). On se dit que, passé 40°, on crèverait. Tant l'air est sec, la reliure souple du *Concise Oxford dictionary* [1] commence à boucler.

Au coucher du soleil, je vais chasser la perdrix, dont Marc, hier soir, m'avait signalé une compagnie dans le voisinage. J'en rapporte deux ; mais c'est Outhman qui les a tuées. J'ai dû lui passer le fusil, n'y voyant plus assez.

Zigla a fort joliment réparé la crosse qu'il avait brisée, l'enveloppant étroitement dans un bracelet de peau de cabri.

Une curieuse espèce de libellule vole devant nos pas, avec une macule noire ou grenat à l'extrémité des ailes de tulle transparent (m'a-t-il semblé, pour autant que j'ai pu les distinguer). Ce qui m'a surpris, c'est de les voir commencer à voler à cette heure vespérale, car je ne pensais pas qu'aucune espèce de libellules fût crépusculaire.

16 mars.

Hier, un peu de rouspétance parmi nos gens. Certains refusent d'aller chercher, à défaut de

1. Sachant que je partais pour un long voyage, la *Clarendon Press*, par l'entremise d'Abel Chevalley, avait eu l'extrême gentillesse de m'envoyer ce livre, qui me fut précieux entre tous.

bois, des tiges de mil pour les feux de nos malades. Il faut aller trop loin. Un des capitas déclare qu'il ne saurait toucher aux boules de mil qu'on nous apporte du village ; les femmes à plateaux qui les ont faites ont bavé dessus et ça le dégoûte. (Je le comprends [1].) Il préfère piler le mil lui-même et le cuire comme il pourra. Enfin un des pagayeurs voudrait que nous mettions Zézé en mesure et en demeure de lui payer les dix-neuf francs qu'il lui doit encore sur trente-quatre qu'il lui gagnait hier au jeu. Ce jeu est une sorte de pile ou face, qui se joue avec des petites coquilles. Je ne sais s'il est possible d'y tricher, mais ce pagayeur a, paraît-il, gagné sans cesse. Je me méfie. Pourtant Zézé n'avait qu'à s'arrêter après avoir perdu les 15 francs qu'il avait en poche (qu'il venait de nous demander de lui avancer sur son mois). Le pagayeur lui a prêté, puis a regagné ces 15 francs ; puis 4 francs encore, sur parole. Pourtant le jeu est interdit. Je le leur redis, et qu'à Fort-Lamy on se serait saisi de leurs enjeux, et qu'on les eût foutus en prison. Ils le savent. J'interdis désormais à nos pagayeurs de jouer avec nos boys. (Adoum, échaudé déjà, se retient.) Que Zézé donne cent sous encore, que je prélève de nouveau sur son mois, et que l'autre, qui n'a déjà que trop gagné, se tienne pour satisfait. L'incident se prolonge encore quelque temps ; le pagayeur nous sert une comédie de larmes, refuse de prendre le billet, etc.

1. Je crois aujourd'hui que je prêtais à ces gens des sentiments dont ils sont incapables. Il n'y avait sans doute pas là du dégoût, mais respect des « appartenances », dont la salive fait partie. Voir à ce sujet Lévy-Bruhl.

Un des traits dominants du caractère de l'indigène est son absence de « réserve ». Le peu qu'il a, il le dépense aussitôt, le boit, le mange ou le joue [1]. Lorsque je parlais au Gouverneur Lamblin de la possibilité d'introduire des caisses d'épargne dans sa colonie : « C'est, me disait-il, ou ce serait, un des premiers et des plus importants progrès auxquels je songe ; mais je crains que les indigènes ne soient pas encore mûrs pour m'aider à le réaliser. » Le mieux serait sans doute de leur permettre des achats, qui ne soient pas de simples dépenses.

Ce matin, le temps est splendide. Marc se donne beaucoup de mal pour obtenir un lever d'indigènes, une sortie de vaches, de chèvres ; mais l'un tire à hue, l'autre à dia ; et lorsque cela commence à marcher, le soleil est déjà trop haut ; les ombres sont trop courtes ; la lumière trop chaude ; l'atmosphère du premier matin n'y est plus.

Somme toute il me paraît que ce qu'il y aura de mieux dans ces vues prises (et sans doute il y aura de l'excellent), sera plutôt obtenu par un heureux hasard ; des gestes, des attitudes sur lesquels précisément l'on ne comptait pas. Ce dont on convenait par avance restera, je le crains, un peu figé, retenu, factice. Il me semble que j'eusse procédé différemment, renonçant aux tableaux, aux scènes, mais gardant l'appareil tout prêt, et me contentant de prendre, par surprise et sans qu'ils s'en doutent, les indigènes occupés à leurs travaux

1. C'est bien pourquoi il accepte si volontiers une poignée de sel en paiement d'un travail.

ou à leurs jeux ; car toute la grâce est perdue de ce qu'on prétend leur faire refaire. Le plus souvent, c'est après que Marc a cessé de tourner, immédiatement après parfois, que le geste naïf, exquis, ininventable, irrefaisable est donné. On dit à cette mère d'abreuver son enfant ; elle le fait tant bien que mal ; on lui dit de pencher plus à droite ou plus à gauche la calebasse qu'elle incline vers la soif de l'enfant. Puis, sitôt après, je la vois, posant à terre la calebasse, prendre une poignée d'eau qui ruisselle par le pouce tendu en manière de tétine jusqu'à la bouche du poupon. C'est charmant ; un geste inconnu, je crois, de nos mères françaises, si paysannes qu'elles soient. Mais hélas ! Marc ne tournait plus. On veut le réobtenir. Mais l'enfant n'a plus soif ; il pleure, se rebiffe... Le poing de la femme vient devant la figure du mioche ; on ne comprend plus ; on ne s'explique plus le geste ; rien n'y est plus. Ah ! que n'a-t-il su saisir tout cela par surprise ! Tout ce que l'on dicte est contraint.

Je viens de trouver mon petit Dindiki, mentionné dans l'excellent livre de Cuthbert Christy : *Big Game and Pigmies*, p. 240.

« The Potto is very slow and deliberate in his movements. »

Le *deliberate* est parfait. « He is comparatively rare. »

Ai-je dit que le messager que j'avais envoyé de Fort-Archambault à Carnot avec mission de m'en rapporter un couple, était revenu bredouille.

Je lis ceci, dans le même livre, p. 281 :

« In Africa the forest natives are full of little items of observation that delight the field naturalist. »

Ceci m'encourage à tenir pour exact ce que les indigènes me disaient de Dindiki, concernant son habitude d'étrangler des singes, souvent beaucoup plus grands que lui ; ce qui s'explique, car les singes dorment aux heures où Dindiki vadrouille. Son étreinte est puissante et rien ne peut le faire lâcher prise. Le singe, surpris par-derrière et saisi par le cou, sur la branche où Dindiki s'aventure, est incapable de se défendre sans doute... Curieux de savoir si Dindiki suce leur sang ?...

Cette après-midi, tandis que Marc travaille dans la cour du chef de Mirebeddine, père de Zigla, un messager vient de Mala nous apprendre la mort du père d'un des interprètes, après six jours de maladie. Cette triste nouvelle entraîne le départ de l'interprète et de quelques autres figurants. Les renseignements pris sur la nature de la maladie ne permettent aucun doute : c'est la fièvre récurrente. Pourquoi ne nous ont-ils pas avertis, à notre passage à Mala ? L'infirmier eût fait au malade une piqûre qui fort probablement l'eût sauvé.

Nous apprenons d'autre part que la récurrente fait de grands ravages à Maroua. Je ne crois guère possible pourtant de modifier notre itinéraire.

Il me semble parfois qu'un gouffre plein de flammes me sépare de M., une géhenne, que je désespère de jamais franchir.

17 mars.

Hier, à la nuit tombée, les sons d'un tam-tam, à quelque 100 mètres du poste. Je m'y rends, tandis que, dans une chambre noire improvisée, Marc remplit à neuf ses magasins. La lune à son premier quartier éclaire à peine, mais la terre battue du petit sentier que je suis luit faiblement entre les mottes d'un futur champ de mil.

La curiosité qui m'attire là-bas n'est pas bien forte. Si même le photophore éclairait mieux, je resterais à lire ; mais son verre est brisé et la flamme de la bougie s'affole au moindre souffle. Je m'invente un devoir professionnel d'observateur...

À présent, chacun me connaît dans le village et le tam-tam ne s'interrompt point à mon approche. Quelques enfants s'empressent vers moi ; mais il fait si sombre que je ne reconnais personne. C'est tout au plus si je puis distinguer dans la nuit le groupe des danseurs noirs. Ils ne sont qu'une quarantaine, qui chantent assez mal et se trémoussent un peu confusément, au son d'un unique tambour. Un petit tam-tam de famille. Se peut-il que cette médiocre excitation suffise à provoquer les spasmes, la frénésie, la crise de cinq personnes, durant le court temps que je suis demeuré spectateur ? Ah ! le triste, le hideux spectacle. Un tout jeune et frêle corps (au luisant des perles de ceinture je reconnais une fillette), se roule dans la poussière, avec des gémissements, une plainte d'animal blessé. Elle halète ; les jambes sont agitées de frémissements convulsifs ; puis, plus rien. On m'explique que c'est « le diable » qui l'agite. Je me penche sur elle ; on ne distingue même plus le léger soulèvement d'une poitrine qui respire. Le corps semble déshabité. Le démon l'a quitté. Un vieux s'agenouille auprès d'elle et l'exorcise. Un long temps s'écoule ; puis la fillette se relève ; elle semble sortir d'un songe. Mais bientôt la danse, qui ne s'est pas interrompue, la reprend ; et deux fois encore, dans l'espace d'une demi-heure, je la vois retomber à terre. C'est un démon tenace, décidément, et qui ne veut pas lâcher prise. D'autres démons agitent et malmènent d'autres femmes tout auprès. Une vieille s'échappe de la danse générale ; elle recule par petits bonds en arrière, au grand amusement des spectateurs qui l'excitent à grands cris. La vieille tombe enfin, se tord sur le sol. Plus loin, c'en est une autre ; une autre encore. Puis un homme. On dirait qu'ils y mettent une sorte de complaisance, que cet état de transe est celui qu'ils souhaitent d'obtenir et qu'ils s'efforcent de provoquer. La danse n'a donc ici (et n'avait à Mala) nullement le caractère qu'elle avait ailleurs. Cela semble un exercice hygiénique, antidémoniaque. Mais quoi ? Ces gens sont-ils tous des malades ? ou deviennent-ils épileptiques ou hystériques par persuasion ? La croyance au diable, ainsi que la croyance en Dieu, suffit-elle à déterminer sa présence ? Cette croyance semble jouer un grand rôle dans l'existence des Massa. De-ci, de-là, tantôt dans la campagne, tantôt aux abords d'un village, ou dans le village même, au pied d'un arbre, n'importe où, l'on s'étonne d'une petite éminence de terre le plus souvent peinte en blanc, de la taille et de la forme d'une ruche. On s'informe. — « C'est le diable », vous est-il répondu. Et je n'ai pu parvenir à comprendre s'ils pensaient qu'Eblis fût enclos là-dedans, si c'était là un autel propitiatoire, un piège à diable, un repoussoir ou pare-diable... Toujours est-il que, voit-on ces petits monuments, diable il y a.

Il ne m'a point paru que cette croyance en un pouvoir malfaisant soit balancée, dans l'esprit de ces pauvres gens, par la croyance en quelque pouvoir tutélaire. Le mieux qu'ils puissent espérer, c'est l'absence d'inimitié... Mais je puis faire erreur. Il est à peu près impossible, à celui qui ne parle point la langue et ne fait guère que passer, de pénétrer bien avant dans la psychologie d'un peuple, malgré la gentillesse et l'ouverture (je veux dire : la disposition à l'accueil) de celui-ci. Il m'a paru qu'hier soir ils ne me voyaient pas d'un très bon œil assister à la célébration de ces sortes de mystères. Je ne m'étais pas plus tôt écarté de la danse que les cris redoublaient, comme si la danse eût été quelque peu contrainte et la frénésie retenue par ma présence. De plus, à trois reprises, tandis que je m'attardais auprès d'eux, j'ai reçu un projectile. Ce n'était qu'une petite motte de terre, lancée contre moi d'une main si molle que d'abord je pus m'y tromper ; je crus avoir été frappé au ventre, involontairement, par le bras d'un danseur en délire ; mais non ; le second projectile, cinq minutes plus tard, me fit comprendre le premier. Le troisième, que je reçus dans le dos, me fit presque mal. Je ne me retournai pas aussitôt, préférant ne pas marquer le coup, et je ne pus savoir d'où il venait. L'affabilité de ces jours derniers, d'autre part, était si grande, que Marc, à qui je racontai le fait, me dit que j'avais dû me tromper, que cette motte de terre jetée ne signifiait sans doute rien d'hostile ; qu'il fallait y voir peut-être même, au contraire, une provocation, un appel... Pour moi je n'y pus entendre autre chose, sans aucune intention de me blesser, désobliger ou nuire, qu'un anonyme et discret : « Va-t'en. » Je ne partis pourtant pas aussitôt, ce qui me permit d'assister aux trois dernières crises. Il m'est désagréable de céder la place. Je me dis bien, ensuite, qu'il n'était peut-être pas très prudent d'être venu seul, et de repartir, seul, en plein champ, dans la nuit. Dès l'instant que le diable s'en mêle, il n'y a plus de gentillesse qui tienne. On peut tout craindre... Je devrais peut-être avoir peur ; je n'y parviens pas. Deux robustes gaillards emboîtent le pas à ma suite. Le mieux, c'est de faire camarade. Je leur tends la main et marche quelque temps en gardant leurs mains dans les miennes. Si vous avez affaire aux diables, le mieux est de les apprivoiser. Massis sait que je m'y entends à merveille.

Longue conversation avec Adoum, truchement obligé, qui à son tour fait parler Zigla. Tout confirme ce que j'avançais plus haut. Les indigènes d'ici croient au diable, aux diables — et ne croient qu'à eux. Aucune autre puissance surnaturelle n'aide l'homme à se défendre d'eux. Tout au plus peut-on dire que certains objets, certains gestes, ont la propriété d'effrayer le diable et de traverser son mauvais vouloir ; mais cette propriété bienfaisante n'est empruntée à aucun principe suprême. Rien non plus qui puisse incliner la conduite de l'homme, dont toute la sagesse consiste à connaître ce qui peut nuire et ce qui peut préserver.

De même, après la mort, il n'y a rien. « Après qu'un homme est mort » — me redit Adoum, qui lui est musulman et compte bien aller en paradis — « chez eux c'est comme après que le vent a passé ».

Je voudrais savoir dans quels cas leurs morts ne sont pas ensevelis, mais simplement jetés dans la rivière ?

Matinée extrêmement fatigante, à cause de la chaleur excessive, toute employée aux prises de vues.

Désireux d'éclairer l'intérieur d'une de ces cases si curieuses, pour permettre la photographie, nous achetons 50 francs la permission de la défoncer. Trois travailleurs s'y mettent, qui grimpent en douze enjambées au sommet de l'obus — avec deux machettes et un pilon. En peu de temps la paroi cède ; l'édifice est découronné. Un flot de lumière envahit l'intérieur, où Marc, lorsque la poussière est un peu retombée, fait travailler ses interprètes.

Retour au poste vers une heure p. m., crevés de chaleur ; 38° à l'endroit le plus obscur et le plus aéré de la véranda. La lumière est glorieuse, étourdissante, formidable.

Vers 3 heures, après la sieste, nous gagnons Mala en baleinière, avec Adoum, Zigla, Gabriel l'infirmier, son aide et cinq figurants de notre troupe, sans compter douze pagayeurs et un capita. Les figurants, qui, dans la baleinière, se couchent à nos pieds, répandent un parfum d'huile de poisson sec, à faire presque regretter celui de la viande d'hippopotame.

Sous l'éclatante lumière du soir, Mala me paraît encore plus charmant, plus splendide. Mais Gabriel, l'infirmier, qui fait un tour dans le village, revient consterné par le nombre des maladies : pneumonies, tuberculose et fièvre récurrente. Il nous déconseille vivement de coucher à Mala demain soir, ainsi que nous en avions l'intention. Même il n'est pas prudent de s'attarder dans ce village. C'est pourtant là que nous voudrions travailler. Mala est incomparablement plus beau qu'aucun autre village Massa de notre connaissance.

Au retour, un heureux coup de fusil me réconcilie avec moi-même. D'une seule cartouche de « deux », j'abats quatre canards que j'ai la chance de pouvoir prendre de revers, je veux dire : à rebrousse-plumes, de ces gros canards aux ailes verdorées, au bec noir, casqué d'une protubérance. Je dis « abats », mais, comme presque toujours, lorsqu'un des pagayeurs s'approche pour les prendre, on s'aperçoit qu'ils ne sont pas tout à fait morts. Ils plongent au fond de l'eau et l'on ne les voit plus reparaître que très loin ou pas du tout. Ou bien ils s'enfuient à tire-d'aile, bien que blessés, et pour mourir se cachent dans des roseaux, dans des herbes. Mes pagayeurs, lancés à leur poursuite, ne peuvent m'en rapporter que trois.

Un peu plus loin, rencontre de deux cadavres (dont un déjà signalé à l'aller). — Noyés ? non pas. Des morts qu'on a jetés dans le fleuve, avec tout leur « bagage », enveloppés dans des feuilles de rônier.

Je descends sur la rive et achève la route à pied, heureux de marcher un peu, et surtout de me soustraire à l'odeur affreuse de la baleinière.

18 mars.

Quinine et rhoféine. Nuit assez bonne. Je craignais une fâcheuse suite à l'excessif éblouissement d'hier. L'air, ce matin, paraît caressant et frais, exquis à respirer. Nous quittons le poste de Mirebeddine vers 8 heures.

« En forêt ou en brousse, j'ai pu connaître par expérience que les jours ne sont pas assez longs pour étudier, ou seulement porter attention au quart du spectacle qui passe devant le voyageur comme une vision cinématographique. L'on s'attache à un sujet ; on laisse échapper le reste, comptant sur une occasion future, qui, hélas ! ne s'offre jamais plus. » (Christy, p. 44.)

Je note dans Christy les passages *worth translating*, croissance des ficus (pp. 29 et 30) — décroissance de la forêt primitive (pp. 30 et 31).

Très médiocre séance de travail à Mala, cet après-midi. Rien de ce qu'on a commandé n'est prêt. Les gens fichent le camp lorsqu'on a besoin d'eux ; les ordres sont mal compris ou exécutés de travers. Le soleil est tapant. Nous avions, vers 2 heures, 41° sous la véranda. Mais, dès 4 heures, la lumière faiblit, pâlit, le soleil se voile, et nous voici forcés de remettre à demain la suite de la séance.

À mi-route, au retour, sur la rive camerounaise, des cavaliers qui manifestement nous attendent. Nous voguons vers eux. Ce sont des envoyés du chef de canton qui guettent notre retour à Pouss et nous font savoir que leur maître nous attend au poste. Effectivement, nous voyons, de loin déjà, sur la rive — sous un immense dais, une gigantesque ombrelle pareille à la tente déployée au-dessus d'un manège de chevaux de bois, où le vert, le jaune et le rouge alternent — un homme formidablement grand et gros, environné d'une nombreuse escorte. Tandis que nous descendons de baleinière, il se lève et s'avance vers nous. Puis, après les premières salutations à l'orientale, il nous fait signe de passer devant, et nous le précédons dans le poste ; des sièges sont apportés sous la véranda ; heureusement il a sa chaise à lui, ainsi que le sultan de l'autre rive. Aucun de nos fauteuils n'eût résisté.

Soixante familiers ou « clients » et serviteurs envahissent avec lui notre véranda, forment cercle autour de nous, assis à terre ou penchés au revers de la balustrade. C'est beau et étouffant. — « Qui sont ces gens, demandons-nous, et que font-ils ? — Ils ne font rien ; ce sont des clients du sultan, qui vivent près de lui, venant souvent de très loin dès qu'ils sont assurés de trouver à sa cour abri, nourriture et le reste. » Il semble que chaque grand chef ait ainsi, dans ce pays, nombre de parasites-partisans qui paient en encens les privilèges et les faveurs qu'il dispense et le préservent d'un contact trop direct avec le bas peuple. Ceci reste vrai je pense pour toutes les cours, qui, dans ce modèle réduit, paraît d'une manière flagrante et exemplaire. Un souverain non entouré, chose insouhaitable, impossible. Le courtisan vaut ce que vaut le souverain.

X. va de nouveau très mal. Il se plaint de violentes douleurs de tête ; et de nouveau sa température monte. Ce répit de deux jours nous a trompés. Gabriel parle de le renvoyer à Logone-Birni. Je crains qu'il ne soit pas en état de supporter ces trois jours de pirogue ; avec qui ? soigné comment ? nourri comment ? couchant où ? Mais le laisser ici, sans aide, sans soins ?... Cette presque impossibilité où je me trouve de sauver ce pauvre homme me révolte, m'indigne, m'exaspère. Je fais revenir Gabriel, après avoir été voir le malade — et cause longuement avec lui. Il m'affirme que le sultan d'ici (celui dont nous venons de recevoir la visite) est très bon (on l'aurait proposé pour « la médaille » ! ?) et qu'il ne sera pas embarrassé pour trouver un garde qui accompagne jusqu'à Logone-Birni le malade et prenne constamment soin de lui.

Pouss 19 mars.

Nous gagnons Mala en baleinière, de bonne heure. Mais, comme je le prévoyais hier, la lumière est pâle, le ciel voilé. Très bon travail néanmoins, au début. Puis peu à peu cela se gâte. Certains des figurants choisis par nous se découvrent stupides dès qu'on les sort de leur routine et font les éperdus. J'en reviens à ce que j'écrivais hier : Tout ce que l'on dicte et *veut* obtenir est contraint. Mieux eût valu, souvent, cueillir les heureux apports du hasard. Mais alors il faudrait disposer de plus de temps, et renoncer à tout enchaînement, toute suite.

Un petit crocodile vivant, qu'on nous apportait ce matin et que nous eussions voulu montrer dans le film, fait le mort et semble une loque. Le poisson vif, qu'on est censé voir prendre, crève dans la pirogue-réservoir malgré de constants renouvellements d'eau. La chaleur devient accablante.

Une grande complication vient de la double traduction du moindre ordre. Et l'on est rarement sûr que cet ordre soit bien compris déjà par le premier traducteur Adoum, qui redit en arabe à Zigla ce que Zigla redit en massa. L'ordre arrive à destination, complètement dénaturé. Adoum traduit toujours — et c'est souvent on ne sait quoi — car il comprend parfois tout de travers, mais ne reste jamais à court. Et parfois l'on est stupéfait, tout au contraire du Bourgeois Gentilhomme, de voir un ordre bref devenir une très longue phrase, tout un discours.

43° sous la véranda, 40° dans les pièces. Il en faisait bien 45° dans les cours du village de Mala, où nous avons travaillé cet après-midi. J'ai pensé me trouver mal. Je ne suis pas assuré que le résultat récompense notre dévouement.

Nous décidons de partir, si possible demain matin, et non l'après-midi comme convenu d'abord. On fait prévenir le *lamido* [1]. En vain je cherche à acheter une couverture pour notre malade, que nous envoyons à Logone-Birni en pirogue. Heureusement les nuits sont plus chaudes ; il va mieux et je donne au garde, chargé de l'accompagner et de le soigner en route, de quoi subvenir à ses besoins.

Que ces départs sont compliqués ! paiement des boules au chef de poste, certificats aux gardes, matabiches aux pagayeurs. Il en est quelques-uns que je quitte avec un réel regret ; Boïbossoum en particulier, le plus jeune d'entre eux, qui voudrait bien nous suivre et sourit très tristement en nous disant adieu. Qu'on ne croie pas que je m'aveugle : parmi nos gens nous avons eu quelques crapules — et même je tiens pour un farceur le charmant et très intelligent Zigla qui nous servait d'interprète. Je ne lui en veux pas beaucoup de nous avoir chipé celui des trois gros canards que je destinais à nos boys, mais bien d'avoir, sitôt ensuite, nié le fait. N'importe ; à quelques exceptions près, je dis qu'on chercherait longtemps, qu'on chercherait en vain, une équipe de quarante hommes, d'Angleterre, de France, d'Allemagne ou

1. Sultan.

d'Italie, de contact aussi souriant, aussi aimable, aussi confiant.

Nous allons devoir quitter le pays sans avoir pu voir certain sorcier dont on nous parle, que nous tâchons de faire venir du village voisin où il habite présentement. Plusieurs ont vu ce magicien couper en deux d'un coup de sabre un poulet vif ; ont vu, de leurs yeux vu, les deux moitiés de poulet gisant à terre, se ranimer soudain lorsque le magicien jette un peu d'eau dessus, se rassembler, se recoudre, et le poulet reformé s'en aller picorer plus loin. Mais ceci n'est rien. Sur la place publique, on l'a vu froisser entre ses mains des feuilles d'arbre, les déchirer, en jeter les débris sur le sol, et, de ces débris, former, sous les regards d'une nombreuse assistance, d'authentiques petits enfants vivants, filles ou garçons, à volonté de spectateur. Nous promettons la forte somme pour assister à ce miracle. Mais sans doute le sorcier se défie de nous, craint d'éventer ses trucs et de compromettre son prestige. Nous devons nous contenter du récit de ses tours.

CHAPITRE V

À travers la brousse. Maroua, départ d'Adoum

20 mars.

Nuit courte. Nous n'avons pas achevé hier soir l'emballage. On n'imagine pas ce que c'est gênant de ne plus avoir de luminaires. Levés dès que le ciel pâlit.

Quatre-vingts porteurs — quatre chevaux.

Traversée d'une immense lande complètement vide. Des grues royales, isolées, ou par petits groupes, ou par nombreuses compagnies (très Pontigny). Quelques rôniers, de-ci de-là, durant les premiers kilomètres. Le sultan va être décoré pour les avoir fait planter, paraît-il. Il aurait pu en planter davantage. Espèce beaucoup moins belle que celle de Bangassou. Quelques-uns ont le tronc percé de trous : rats de palmiers, je suppose. Une grosse araignée a tissé sa toile en travers de la route ; incompréhensible ; on ne voit à cette toile, pourtant verticale et tendue, aucun support.

Arrêt à 14 kilomètres environ. Quelques arbres isolés, sur un sol calciné (genre poterie, terre cuite). Il est 11 heures environ. Le soleil tape.

Arrêt à l'ombre du plus grand de ces arbres. Le vent qui passe rôtit la peau. C'est une curieuse tresse de vents alternés, mêlés ; l'un qui sans doute vient du fleuve, à 37° , paraît frais ; l'autre, souffle de fournaise, haleine de l'enfer. Quelque objet que ce soit que l'on touche, sinon mouillé, est plus chaud que la main.

Oublié de parler hier de cette trombe parfaite, au-dessus du village de Mala, au retour de Pouss ; une colonne de vapeur ou de sable, égale, semblable à un gigantesque fût de rônier, complètement verticale, sans renflure ni défaut du sol au ciel. Elle ne s'est défaite que très lentement, après avoir duré dix minutes peut-être (sûrement plus de cinq).

La seconde partie de la journée a été des plus éprouvantes. La plus fatigante de tout notre voyage, je crois bien. Le ciel s'est couvert, chargé de je ne sais quoi, qu'on savait, hélas ! ne pouvoir être de la pluie. À cheval, dans cette vaste plaine sans attrait, sans sourires, complètement calcinée ; couverte d'une herbe sèche et peu haute, d'un vilain jaune sale, qui laisse presque préférer les grands espaces où l'incendie a tout carbonisé.

Le poste de Guirebedic est furieusement loin. On n'arrivera jamais. Excédé, on descend de cheval, espérant un peu de repos dans la marche. On est recru.

Ce soir, après trois heures de repos, d'ombre, de nuit, il me semble que je n'ai pas encore éliminé l'excès de soleil. Je me sens semblable à ces espaliers, qui restent emplis d'ardeur encore longtemps après que le soleil a disparu. Complètement déshydraté en arrivant et sans plus de salive qu'une sorte de bave amère, j'ai bu depuis trois heures une quantité de liquide capable de noyer une Brinvilliers. Chose étrange, on accepte de ne plus boire frais ; on accepte une eau presque tiède ; par bonheur, aujourd'hui celle qu'on a fait bouillir en partant n'a pas l'affreux goût de caïman qu'avait l'eau du fleuve ces derniers jours.

Les fils du sultan absent se montrent d'une grande complaisance. Encore aucune prise de contact avec nos nouveaux porteurs. Les quelques sourires que nous leur adressons restent sans échos. Comme ils n'ont pu avoir de communication avec les pagayeurs que nous avons congédiés, nous ne pouvons bénéficier de la réputation de gentillesse qu'ils n'eussent pas manqué de nous faire. Tout est à recommencer.

Les cases en obus, si belles, ont disparu ; on demande pourquoi, au premier village, encore Massa, qui n'offre plus que de vilaines cases à toit de chaume. La terre, ici, est mêlée à trop de sable ; une case en obus s'effondrerait dès les premières pluies.

Gingleï, 21 mars.

Couchés en plein air dans la vaste cour du bordj. Départ à 5 heures. Trop tard, hélas ! Grande route d'auto, large comme la route royale de Versailles. À quoi bon ? — Confection d'un tipoye avec la grande chaise longue de Coppet. Curieuse nouvelle espèce de termitières, s'achevant, à

50 centimètres du sol (environ) par une série d'ouvertures de tuyaux, évasés en forme de tromblons, où les termites travaillent *à découvert*. N'ont-ils donc pas à craindre les fourmis ? Ou de quel autre moyen de défense disposent ces termites de mœurs si différentes ? — Que je voudrais pouvoir les observer longuement !

Il n'a pas fait trop chaud d'abord ; guère plus de 35° ; mais 43° au gîte d'étape de Gingleï, tandis que j'écris ceci. On crève. Et quelle lumière ! Elle poignarde les yeux.

Nombreuses rencontres de charmantes petites biches, par groupes de deux, trois ou quatre. Guère plus farouches que des chèvres. Couleur café au lait, ventre crème. Sur chaque côté, large bande transversale couleur chocolat.

Rareté de l'eau. Des puits près des villages, pour les besoins domestiques. Des points d'eau où l'on mène abreuver les troupeaux. Une pauvre vieille femme défend un de ces réservoirs précaires, toute seule, contre la soif de nos porteurs.

Hier, deux passages de fausses rivières ; petits remblais à l'entour pour empêcher ou détourner l'inondation.

Un très beau mimosa, à fleurs blanches.

Arbre à saucisses ; bignoniée (?) ; larges fleurs ou grappes violacées.

Une gourde dans les fontes de ma selle. Dans la gourde du thé tiède. Il n'y en a qu'une gorgée, et je l'avale de travers...

Celui qui supporte le moins bien la chaleur,

c'est mon petit Dindiki, habitué à la moiteur constante de la forêt équatoriale. Il halète, ne sait où ni comment se tenir ; ne mange plus. Purgations et lavements restent sans effets. Certainement, dans la forêt, il savait quelles écorces ronger, quels fruits grignoter, etc. Je dispose autour de sa cage une serviette mouillée, couronnée d'une ruisselante éponge. Mais il s'impatiente, s'échappe et va se nicher à l'endroit le plus haut, et, partant, le plus chaud du toit pointu de la case où nous venons de déjeuner, d'où il fait pleuvoir des brindilles, de la paille, un tas de débris poussiéreux.

Gingleï ; important et hideux village, agglomération hasardeuse de pagnotes sordides et délabrées. De-ci de-là, dans la campagne avoisinante, d'assez beaux arbres — certains à feuilles persistantes — s'élevant d'une brousse monotone, mais assez boisée. Un hiver torride [1].

Quand nous voulons repartir, Outhman grimpe à la poutre centrale de la case, pour se ressaisir de Dindiki, que nous avions vu s'élever petit à petit à travers l'embroussaillement des solives, des brindilles et du paillis. Outhman ne redescend de là-haut qu'une pauvre petite masse molle et flétrie. Sans doute, comme dans sa forêt natale, avait-il pensé trouver plus d'air et de fraîcheur en montant (il devait faire là-haut plus de 50°) ; peut-être aussi quelque scorpion, quelque araignée l'avait-

1. Est-il bien nécessaire de rappeler que les saisons des régions équatoriales n'ont aucun rapport avec les nôtres. Il n'y a pas là-bas, à proprement parler, d'hiver ni d'été, mais bien une saison sèche et une saison des pluies.

elle piqué ?... Je m'étais attaché à ce petit animal comme à pas un chien ; compagnon constant. Le cœur bat encore faiblement. Les pattes et le museau sont brûlants. Je le prends sur mes genoux et, comme l'on fait aux noyés... respiration artificielle et frictions — tout en humectant son poil. Au bout d'une heure j'ai la joie de le voir recommencer à respirer très faiblement. Marc m'aidait. Nous avons fait courir Adoum après les porteurs déjà repartis, pour rattraper la cantine 4 où se trouvait la pharmacie. Gabriel a injecté trois gouttes de caféine. Nous ne sommes repartis qu'après que Dindiki s'est un peu ranimé. Il a vomi. J'ai repris espoir. Je l'ai nettoyé, couché dans un casque et pris avec moi dans le tipoye.

Étrange tipoye, improvisé en attachant une grande chaise longue sur deux longues traverses que quatre énormes porteurs ont hissé sur leurs têtes. J'étais suspendu à plus de deux mètres du sol. Nous n'arrivons qu'à la tombée du jour au campement.

Le sultan est venu à notre rencontre, avec musique et une douzaine de cavaliers. Selon l'usage, ils foncent sur vous, sagaies et fusils dirigés vers vous à bras tendus comme pour une attaque, soulevant une poussière effroyable. Le vieux sultan, extrêmement sympathique, fait tuer un bœuf pour nos porteurs, que ceux-ci dépècent et cuisent aussitôt devant de grands feux. Nous dressons nos lits en plein air, près d'un arbre gigantesque au milieu de la cour du poste. Dindiki boit un peu de thé. Pour la première fois j'ai traité d'imbécile Zézé, à qui je demande de faire cuire des pruneaux pour Dindiki, et qui deux fois de suite les rate absurdement.

L'eau du poste a la couleur du café crème ; mais pas le goût hélas ! Nous dormons deux ou trois heures, puis donnons le signal du départ.

La demi-lune n'est pas encore couchée, il s'en fallait d'une heure ; il devait être une ou deux heures du matin. (À minuit — 28° — sentiment d'exquise fraîcheur.)

23 mars.

Prodigieuse marche de nuit ; d'abord à travers le village de Bogo, qui paraît immense ; puis dans une indistincte plaine ; je ne regarde que le ciel, fixé sur ma chaise longue, et si secoué que je confie Dindiki encagé au marmiton. Marc, avec tous les autres, est parti de l'avant, emporté sur un cheval fougueux. Je ne le retrouve qu'à la première étape, un peu avant le lever du jour, à Balasa — dernière halte avant Maroua. Nous avions fait avertir le chef de circonscription, Marc Chadourne, qui a la gentillesse d'envoyer à notre rencontre sa « charrette anglaise » chargée de légumes pour notre déjeuner, car il ne nous attendait que plus tard. Nous montons dans la voiture et laissons galoper tout son soûl le petit cheval qui la traîne. Nous voici devant les murs de la ville. Il faut laisser le temps au lamido d'organiser la réception traditionnelle. Tant que je n'aurai pas vu celle de Reï Bouba je n'imaginerai rien de mieux. Une trentaine de cavaliers. Beauté des selles et des costumes. Mais nous sommes si joyeux d'arriver enfin, que nous regardons à peine. Il n'est pas encore 9 heures. Chadourne nous prépare un breakfast monstre — café au lait, œufs, confiture, papaye, bananes — suivi d'une sieste profonde.

Nous avons installé Dindiki près d'une serviette mouillée, au haut d'un petit buffet triangulaire, sous une énorme calebasse, dans l'endroit le plus frais de la maison — où il ne fait que 37°.

Maroua.

Terrible chaleur depuis trois jours. Curieuse épidémie incompréhensible. Ce n'est pas la fièvre récurrente, et le traitement préconisé pour celle-ci reste sans effet. Des gens, des femmes surtout, tombent, pris d'un mal subit et succombent presque aussitôt. Cela dure depuis un mois et semble à présent décroître ; mais le nombre des décès a été formidable. Je n'ose donner les chiffres.

24 mars.

Nous étions montés au poste sans nous retourner. Ce n'est qu'un peu plus tard que, débouchant sur la terrasse, ou du moins sur la véranda qui entoure la maison, nous avons découvert l'immense pays qui se déployait devant nous. Chadourne a fait aménager le poste avec mieux que du goût ; avec intelligence ; une entente parfaite de ce qui convient au pays. La grande pièce centrale, aux murs terre de Sienne, le plafond en nattes maïs, encadrées largement, et coupées, à l'endroit qu'occuperaient les solives, de nattes semblables couleur caroubier. Sur un des murs, une sorte de tapis-natte de Reï Bouba en mosaïque de joncs, noir, ocre et blanc. Sur le mur en face, formant coin, une bibliothèque ou du moins un rayon de livres, et, au-dessus, des objets de vannerie et sparterie indigènes ; puis une autre natte, plus sombre, de Reï Bouba également. La proportion et la couleur de tout cela, des grands divans de jonc, des quelques meubles, sont parfaites. Deux grandes portes-volets et quatre larges baies se font face. Toutes soigneusement closes pour ne pas laisser entrer la géhenne enflammée du dehors. Mais, quand le soleil baisse, on ouvre tout. La galerie circulaire autour de la maison (sur trois côtés du moins) est bordée de grandes et belles ogives ; on dirait une galerie de cloître ; les murs et les piliers sont passés au lait de chaux. Chadourne a fait abattre les balustrades, ce qui permet au regard de plonger aussitôt jusqu'au fleuve, suivant le dévalement abrupt et rocheux. Le fleuve ? Le lit du fleuve. Un large fleuve de sable d'or, qui contourne les roches du poste. L'agglomération des cases indigènes entre le fleuve et la montagne, repoussée par les roches du poste, franchit le fleuve d'or, puis le refranchit à nouveau, pour reparaître beaucoup plus loin. Le poste lui-même est dominé par une montagne pelée, de couleur cendreuse, très belle. De loin en loin, d'autres impatiences du sol ; brusques sursauts dans la plaine immense. Un des paysages les plus nobles qui se puissent voir ; l'un des plus éloquents, des plus désolés.

25 mars.

Hier je me suis efforcé bien absurdement de décrire ce paysage. Rien ne donne une idée des proportions. La montagne au-dessus du poste doit être de la hauteur de l'Esterel. La colline du poste est très peu haute ; pas même le premier étage de la tour Eiffel ; mais l'étendue qu'elle domine est immense.

Il fait chaud. On ne peut penser à rien d'autre... et qu'à partir.

Pour gagner du temps, nous renonçons à la course en montagne que Chadourne nous proposait. Tout ce qui reste de faculté, de puissance, reste tendu vers le retour.

Dindiki ne prend aucune nourriture. Je m'étonne qu'il puisse vivre encore.

Nous dormons en plein air, sur la terrasse. La température, après minuit, baisse un peu et devient exquise. On sent qu'au-dessous de 30° on prendrait froid. Les draps sur lesquels on s'étend paraissent brûlants comme si l'on venait de les bassiner. Tout ce qu'on touche, les vêtements, le linge, les coussins sur lesquels on s'assied, sur lesquels on pose sa tête, tout est chaud. Chadourne, fort éprouvé lui-même par la chaleur, ne se soutient depuis quelque temps que grâce à des piqûres de cacodylate.

Je relis le *Cœur des Ténèbres* pour la quatrième fois. C'est seulement après avoir vu le pays dont il parle que j'en sens toute l'excellence.

Il va falloir nous séparer d'Adoum. Il serait inhumain de l'entraîner plus loin à notre suite. Lorsque nous l'avons emmené de Brazzaville où l'aventure l'avait fait échouer, c'était pour le ramener près du Ouaddaï, sa patrie, dont chaque jour l'écarte à présent davantage, depuis que nous redescendons vers le Sud. Il doit retourner à Fort-Lamy, où Coppet lui procurera toutes facilités pour aller retrouver à Abécher sa vieille mère qui ne l'a pas revu depuis plus de deux ans. Gabriel Loko, l'infirmier métis qui nous accompagne, et qui doit également regagner son poste, fera route avec lui jusqu'à Logone-Birni [1]. Occasion qui ne se retrouverait plus, qu'il faut saisir. Oui, depuis quelque temps je me répète cela chaque jour ; et je le lui répète, et il le sait. Mais le cœur me manque à l'idée de me séparer de ce brave garçon, qui volontiers nous accompagnerait jusqu'à N'Gaoundéré, jusqu'à Douala, jusqu'en France, car il n'a rien sur terre désormais, je le sens bien, qui lui

1. Ce n'est qu'à mon retour en France que je reçus des nouvelles de mon boy et de son compagnon de retour. Le lendemain du jour de leur départ, à la première étape, Gabriel Loko mourait, brusquement emporté par cette terrible épidémie, sorte de méningite cérébrospinale, qui ravageait encore la contrée. « Ce décès nous a beaucoup laissé à désirer », dit avec une maladresse émouvante la lettre de l'assistant sanitaire indigène de Logone-Birni qui me faisait part de ce triste deuil.

soit plus cher que cette confiance, cette amitié que nous lui témoignons, et dont je mesure la profondeur à ma tristesse.

Tant de dévouement, d'humble noblesse, d'enfantin désir de bien faire, tant de possibilité d'amour, qui ne rencontrent le plus souvent que rebuffades... Adoum assurément n'est pas très différent de ses frères ; aucun trait ne lui est bien particulier. À travers lui, je sens toute une humanité souffrante, une pauvre race opprimée, dont nous avons mal su comprendre la beauté, la valeur... que je voudrais pouvoir ne plus quitter. Et la mort d'un ami ne m'attristerait pas davantage, car je sais que je ne le reverrai jamais.

Il s'était agenouillé près de moi, pour marquer mieux sa déférence, et détournant son front pour que je ne le visse pas pleurer, comme aussi je lui cachais mes larmes. Il était tout glacé, tout tremblant, quand j'ai posé ma main sur son épaule. Ne sachant pas de mots pour exprimer sa tristesse ou sa reconnaissance, il murmurait simplement, d'une voix comme dolente : « Merci... merci... » lorsque je lui disais que j'avais écrit au gouverneur pour qu'il me donnât des nouvelles de son retour à Lamy, et qu'il l'aidât à regagner Abécher, où déjà j'avais envoyé de sa part quelque argent à sa vieille mère.

X. me dit : « Dans quelques jours, il ne pensera plus à vous. » Eh parbleu ! c'est bien ce que je souhaite. La belle avance que d'assombrir de regrets cette vie ! Pourtant combien d'exemples de fidélité chez les nègres m'ont été rapportés, par

Marcel de Coppet, et d'autres, de boy faisant jusqu'à vingt jours de marche (le sien par exemple) pour retrouver un maître dont il avait gardé bon souvenir.

J'avais tenté cette expérience : Lui remettre onze patas[1] en liasse en lui disant : « Voici 50 francs », pour une commission. Je faisais cela pour tâcher de convaincre un sceptique ; car, pour moi, je ne doutais pas un instant qu'Adoum ne m'avertisse de l'erreur, aussitôt qu'il aurait compté les billets ; ce qu'il n'a fait que le lendemain.

— « J'ai acheté pour 10 francs de tabac, m'a-t-il dit.

— Alors il doit te rester 40 francs.

— Non. 45, parce que hier tu m'avais donné 5 francs de trop. » Et ceci le plus simplement du monde.

Je ne vois rien en lui que d'enfantin, de noble, de pur et d'honnête. Les blancs qui trouvent le moyen de faire de ces êtres-là des coquins sont de pires coquins eux-mêmes, ou de bien tristes maladroits. Je ne doute pas qu'Adoum, pour me protéger, ne se fût jeté au-devant d'un coup, fût-il mortel. Je n'ai jamais douté de lui ; c'est de là surtout que vient sa reconnaissance.

Mais partout et toujours c'est de la bêtise des nègres que l'on parle. Quant à sa propre incompréhension, comment le « blanc » en aurait-il conscience ? Et je ne veux point faire le noir plus intelligent qu'il n'est ; mais sa bêtise,

1. Billets de cinq francs.

quand elle serait, ne saurait être, comme celle de l'animal, que naturelle. Celle du blanc à son égard, et plus il lui est supérieur, a quelque chose de monstrueux.

26 mars.

Nuit sans sommeil, malgré sédobrol et sonéryl. Angoisse ; crainte de n'avoir pas la résistance nécessaire pour traverser ces trois semaines de brasier qui nous séparent encore de N'Gaoundéré. Vertiges hier, en cherchant à refaire ma cantine ; j'ai dû y renoncer et laisser ce soin à Marc. Dindiki continue à ne plus se nourrir.

On ne peut penser à rien qu'à la chaleur.

Je n'ai rien vu de plus pathétique que la tristesse de ce pauvre garçon. Peut-être était-il surpris de me voir si triste moi-même. Son front, tout son visage était couvert de sueur et glacé. Il était pareil à celui qui sent ses muscles fléchir, dont tout le corps défaille. Quand je lui pris le bras, ce fut comme lorsque je ramassai Dindiki l'autre jour, tout évanoui, du haut du toit.

Je voudrais peindre ses qualités, montrer que, précisément, elles n'avaient rien de particulièrement personnel. Je suis bien certain qu'Adoum n'est pas un être d'exception. Il me paraissait au contraire parfaitement représentatif de son peuple, de sa race — et c'est pourquoi me bouleversait à ce point sa modeste reconnaissance.

Cet abominable crime, de repousser, d'empêcher l'amour.

Sa déférence était telle que jamais, lorsque je lui donnais mes quotidiennes leçons de lecture, il ne s'asseyait près de moi, sur une chaise, ou même sur une caisse. Il avait ce sentiment, que du reste je ne cherchais pas à modifier, que cela « ne serait pas convenable » — et ne s'installait, avec son livre, qu'à genoux, ou qu'assis à terre.

À toute heure du jour, il s'isolait, se cachait avec un livre de classe ou le cahier d'écriture sur lequel, chaque jour, je transcrivais de courtes phrases qu'il apprenait par cœur — si vif était son désir de s'instruire, et par là de se rapprocher de nous.

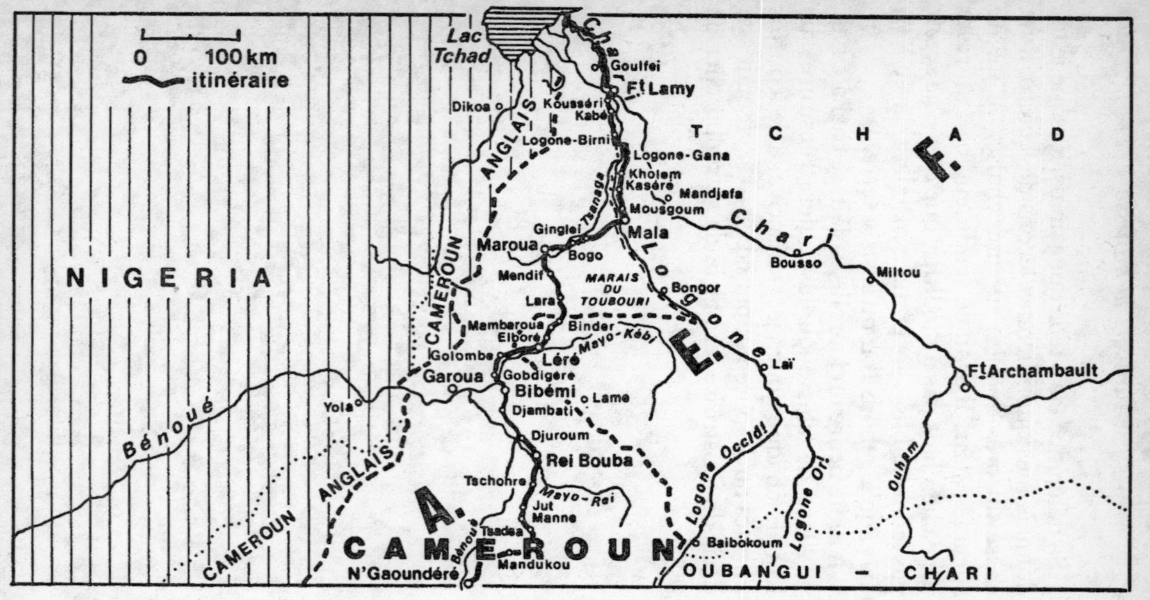

Le Nord-Cameroun

CHAPITRE VI

Léré, Binder, Bibémi

Mindif, 27 mars.

Sortis de la fournaise. 5 heures du matin, l'air est *suave*. Je supporte deux sweaters au petit lever. Plus que 24° . On reprend espoir. Dindiki lui-même semble aller mieux.

Fait en voiture, hier soir, les 25 kilomètres qui nous séparent de Maroua. Partis peu avant le coucher de soleil, arrivés tard dans la nuit. À longs intervalles, le frère du sultan, puis son tout jeune fils (un enfant d'une douzaine d'années, très entouré) puis le sultan lui-même (lamido) sont venus à notre rencontre. Ce dernier avec une importante escorte — protégé par un grand parasol comme ceux que l'on voit sur la plage de Deauville, monté sur une tige extrêmement longue car le sultan est à cheval et le parasolier le suit à pied — d'un curieux effet sous la pleine lune.

Mindif est couché entre trois soulèvements de terrain, on ne peut plus surprenants. L'un, le plus important de beaucoup, ressemble au gros piton de Rio de Janeiro. Il paraît énorme. C'est un bloc abrupt, d'apparence inaccessible, et je ne parviens à m'expliquer cette soudaine formation géologique, ni par soulèvement volcanique, ni par plissement du sol, ni par érosion. Le sol tout alentour est uniformément sablonneux. Les deux autres soulèvements sont granitiques. Énormes verrues monolithes.

Passages de mayos [1]. Le lit de la rivière, en cette saison, n'est qu'une arène sèche. On gratte le sol ; l'eau affleure aussitôt.

Marc saigne du nez. Il donne son mouchoir à laver. Un charognard passe au-dessus de la cuvette et emporte le mouchoir ensanglanté.

J'ai fait l'ascension de l'énorme boulder qui domine le campement. Je m'aperçois qu'il y en a, de-ci de-là, dans le pays, quantité d'autres — (tous les 3 km environ), plus ou moins gros. Celui que je gravissais était des plus remarquables. D'une seule pièce — granit à très gros grain et de couleur violâtre assez vilaine. À sa base et sur ses flancs, de gros éclats, des débris aux arêtes vives, sous lesquels s'ébattent et se cachent des sortes de marmottes.

Dans les fissures de la roche, des essaims d'abeilles.

Le lamido nous envoie du lait, du riz, des dattes, du miel.

Marc saigne du nez, régulièrement, matin et soir.

1. Rivières.

28 mars.

Arrivés exténués, excédés à Lara, vers 10 heures du soir. Chaleur effrayante, effarante. On voudrait se mettre à l'abri d'on ne sait quoi. L'air est si sec qu'il flétrit paupières et tempes. Nous dînons à la clarté de la lune, ne songeant déjà qu'à dormir. Nos lits sont dressés tout auprès ; mais avant que nous ayons pu nous endormir le vent se lève si violent qu'il risque de déchirer nos moustiquaires. Il faut rentrer, étouffer dans le campement.

Lara (il y a sans doute un village mais nous ne le voyons pas) est abrité par un demi-cercle de petites montagnes, de ces élévations subites dont j'ai parlé, qui rabattent sur nous la chaleur thésaurisée pendant le jour. Le poste est un groupement de huttes ; une sorte d'esplanade ; et, devant la case principale, un de ces arbres énormes que je ne me lasse pas d'admirer. Soleïman, notre nouvel interprète, nous prie instamment de ne point nous écarter, par crainte des très nombreux serpents qui infestent ce pays. — « De gros serpents ? — Non, de très petits serpents, mais très venimeux. »

Le vent devient féroce. Deux fois je me relève, croyant une trombe. On dirait qu'il commence sur place et ne va pas plus loin. Le toit de la case va partir. Souffle de l'enfer. Imagine-t-on ce que peut être un vent féroce, plus chaud que le corps. Plus il est violent et plus sa brûlure est profonde ; il fait se fendre la terre ; il flétrit tout.

La route avait été extrêmement fatigante. Partis sans doute trop tôt de Mindif où nous avait accompagnés Chadourne (reparti sur Maroua sitôt après le breakfast) il semblait que le soleil ne se coucherait jamais. J'avais fait arroser la toile de bâche qui recouvrait mon tipoye ; malgré quoi j'étouffais, au point que j'ai cru tourner de l'œil. Fait à pied et à cheval la fin du trajet. La nuit vient et n'apporte aucune fraîcheur.

Repartis de Lara vers 4 heures du matin.

Arrivés à Domourou avant la grande chaleur. À partir de 6 heures, on halète. On se demande avec inquiétude, angoisse presque : Vais-je tenir ? On vit au ralenti, dans le campement. Grâce à des arrosements qui, sur la couverture du lit dressé, forment aussitôt des rivières et des lacs où vient s'abreuver Dindiki, on parvient à ramener à 40° la température ; mais, à cause de l'humidité, l'on ruisselle. Je ressors me sécher sous la véranda-fournaise. On songe avec terreur que l'on n'a peut-être pas atteint le maximum. Et il ne faut pas dire : l'on s'y fait. Tout au contraire ; de jour en jour plus affaibli, on est de jour en jour plus excédé.

Cependant je savoure et déguste à petits traits la troisième livraison de *Bella*, où, à travers quelque peu de procédé, surgissent à chaque détour des choses charmantes.

« Il venait chaque après-midi avec un pliant s'asseoir auprès du berceau et face à lui, comme auprès d'un fleuve. »

Binder, 29 mars.

Étape peu fatigante. Presque on s'étonne de toucher au but sans plus de peine. Route assez monotone, mais pays toutefois plus accidenté. Bois taillis continu, très peu exotique. On croirait un bocage français. Parfois un grand arbre. Quelques-uns, très rares, ont gardé leurs feuilles. Une espèce même est en fleur — sortes de grandes grappes couleur canari — analogues (d'aspect) aux cytises — mais n'est pourtant pas une papilionacée.

Dîner au clair de lune. J'ai mal à la gorge. Coucher dans la cour du bordj. La température enfin baisse. Il fait presque frais au matin (16°). Repos indicible.

Le lamido, extrêmement aimable — et très simple — organise ce matin une sorte de carnaval. Les chevaux des cavaliers (j'allais dire : des chevaliers) de sa suite revêtent leur extraordinaire couverture (qui semble une courtepointe) molletonnée à losanges noirs et blancs (ou rouges et blancs). On dirait le grand Simone Martini de Sienne — qui me fait penser à

A gentle knight was pricking on the plain

de Spenser...

Mais je ne sais plus porter attention à rien.

Je quitte néanmoins ma lecture, pour rejoindre un instant le tam-tam où je pense retrouver Marc. Rien de moins particulier — de plus morne.

Subite et inexplicable pudeur des femmes. Elles

ne se contentent pas de s'envelopper dans leurs boubous traînant à terre, couvrant jusqu'aux pieds. Elles tournent le dos et se cachent à la façon des lapins, la tête enfoncée dans un coin, dans un trou.

30 mars.

Arrivés à 9 ou 10 heures du soir. Partis à 4 heures du matin, pour tâcher d'éviter la chaleur. On ne peut penser à rien d'autre. À peine trouvé-je la force de prendre ces quelques notes informes.

Un arbuste rabougri porte quelques larges fleurs tubulaires, d'un blanc de gardénia, embaumées.

Léré, 31 mars.

Le pays se creuse et s'accidente légèrement. Par une pente insensible, on s'élève et l'air est un peu moins étouffant.

Le moment fantastique où les porteurs ont une ombre double — la lune les éclairant de droite, tandis que leur flanc gauche reçoit les premières lueurs de l'aube. Tout est gris de cendre et argent.

Quelques sourires, quelques bonnes paroles ont eu raison de la mauvaise volonté des porteurs. Hier soir, ils refusaient d'aller plus loin. À présent, par enthousiasme, ils se déclarent prêts à nous accompagner jusqu'à Douala. Un vieux, chargé de la lourde caisse du cinéma, est pris d'une crise de lyrisme. Il se met à courir dans tous les sens, à travers la brousse, en riant et criant ; il tourne sur place, et, quand il voit un tronc d'arbre, court à lui, menaçant, et le frappe de trois coups de la javeline qu'il porte en main. Est-il devenu fou ? Non. C'est du lyrisme, simplement. Ce que nous appelions, enfants : « le transport sauvage ». Et, par instants les tipoyeurs, sans doute pour appeler le matabiche, me remercient, soit séparément, soit en chœur. M'appeler « Gouverneur » ne leur suffit même plus. Ils crient : « Merci, Gouvernement, merci. »

Pauvres gens ! Il n'y a vraiment pas de quoi le remercier, le gouvernement. Celui du Tchad [1] ne consentira à les payer qu'à raison de 1,50 F par jour de portage, sans souci des jours de retour. 1,25 F pour 30 kilomètres, avec 25 kilos de bagages sur la tête, et non nourris. C'est-à-dire que, sur cette minime somme, ils auront à payer leur nourriture. Et l'on m'entend bien : le trajet de retour n'est pas compris. En rentrant chez eux, on imagine ce qui leur reste.

Le Cameroun est sensiblement plus généreux que le Tchad. Il compte 1,75 F par jour de portage et 50 centimes par jour de retour à vide. Le règlement voudrait (et le cahier du poste le spécifie) que le porteur payât là-dessus sa nourriture ; je sais que nous n'avons pas été les seuls à passer outre. Il est certain que la bonne volonté des porteurs dépend beaucoup de la nourriture qu'on leur donne — et, de plus, pensant au pays où ils

1. La subdivision de Léré, que nous traversions, appartient à notre colonie du Tchad et fait enclave dans le Cameroun.

sont étrangers et souvent peu aimés, ils ont moins de facilité que le blanc pour obtenir des gens d'un village les boules de mil et le peu de « sauce » dans laquelle ils les trempent. Si on leur offre en plus quelques cabris, à défaut de la viande de chasse, voici des gens ravis : — « Merci, Gouvernement ! Merci. »

Trouvant toutefois dérisoire cette rétribution, estimant que ces gens du Cameroun doivent bénéficier des tarifs du Cameroun, tout au moins pour les trois jours (sur cinq) qu'ils ont fait au territoire du Cameroun, nous proposons à M. Bénilou (chef de la subdivision de Léré) de ne leur régler (au tarif du Tchad) que les deux jours de portage sur le Tchad — et de prendre à notre charge les trois jours en plus ;

Soit 2 jours à 1,25	2,50
3 jours à 1,75	5,25
Plus 3 jours de retour à 0,50	1,50
	9,25

à quoi nous ajoutons 75 centimes de matabiche pour arrondir la somme et nous permettre de les payer avec deux billets de cent sous. — Ils se montrent ravis du matabiche — mais fort déçus par les billets qu'ils ne vont savoir où changer — de sorte que je doute si, les payant au tarif de famine du Tchad, mais en piécettes, nous ne leur aurions pas fait plus de plaisir.

Dans la région la plus élevée, avant Léré, la

nature de la végétation change. Il semble qu'on change de saison, presque brusquement. Ce n'est plus l'hiver torride et désolé, arbres nus, buissons secs, chaumes roux ou brûlés. Soudain la presque totalité des essences nouvelles garde ses feuilles. Que dis-je ? Certains, et des plus grands, des plus beaux, sont fleuris, thyrses épais, rutilants à la lueur pourpre de l'aurore. Le pays, doucement vallonné, semble un parc de la campagne anglaise. Que cette ombre est reposante et rafraîchissante aux regards ! Et ce feuillage n'est plus d'un vert sombre, presque noir, semblable au vert des forêts du Congo, mais d'un vert aigu, joyeux, vibrant comme ces champs d'orge rencontrés soudain au défaut d'une dune, en Tunisie, après des lieues de sable roux. Arbres monstres, admirables de port, majestueux, voisinant avec des palmiers doums très ramifiés à la manière des dracénas.

Cela ne dure pas. Le pays redevient aride, ardent, recuit. Léré n'est pas sur le lac. Il est peut-être sur la rivière, en saison de pluies, mais le Mayo Kabbi qui joint au lac de Léré celui de Trêné est partiellement à sec.

Très important village composé d'un quartier Bornouan (décrire les seccos, tout neufs) d'un quartier Goubléa (?) et d'un quartier Moundang.

Nous avons vu, une ou deux heures avant d'atteindre Léré, le premier village Moundang ; il était à 200 mètres de la route, mais nous nous sommes arrêtés pour le visiter. Architectures des plus curieuses — mais des plus laides — et d'abord à cause de la matière employée — une sorte d'argile extrêmement grossière, et mêlée de graviers. Murs très peu hauts, coupés de sortes de petits donjons ou tourelles ; le tout formant bracelet. On entre par le fermoir du bracelet et l'on se trouve dans une minuscule cour intérieure où vit la famille dans un état de complète nudité. Pourtant certains hommes ou adolescents portent des pagnes ; d'autres ont le membre engainé dans un étui de paille. Les femmes n'ont qu'une ficelle ou qu'un rang de perles autour des reins.

Quantité de ces donjons sont des greniers à mil. Ils ont la forme d'un dé à coudre allongé, et sont ouverts en haut et sur le côté, ce qui fait ressembler le tout à une construction de mouches-maçonnes. Cette ouverture, juste assez grande pour permettre à un homme de se glisser à l'intérieur, de loin forme tache noire ; à moins qu'elle ne soit exactement fermée, à la manière d'une coquille, par un opercule de paille tressée. Les autres menus édifices, sortes de tours rondes, servent de cases. Murs, cases et tout ce qui n'est pas greniers, est couvert de toits de chaume (ou roseaux) et de boue, extrêmement épais, sans aucune élégance. Dans la cour, d'assez curieuses échelles faites d'un tronc d'arbre en Y incliné, taillé d'encoches où pouvoir poser le pied. Accumulation d'objets ménagers, poussière, désordre. Quantité prodigieuse de lézards (margouillats) de toutes tailles [1]. Certaines femmes aux formes pleines, très Maillol.

Hier soir tam-tam terriblement poussiéreux.

1. Les plus grands, toutefois, ne dépassent pas la longueur de l'avant-bras. Certains semblent peinturlurés — coupés en quatre : rouge, bleu, blanc, rouge. Au repos, ils hochent la tête continuellement.

Ce matin je laisse Marc visiter le village. Fatigue et incuriosité.

En arriver au point que l'air, à 38°, paraisse frais !

1er avril.

Il peut faire, nous dit-on, « beaucoup plus chaud ». Tant pis. On aurait voulu toucher le maximum. Mais quoi ! vais-je céder moi aussi au démon du record ? — Incapable, tout le long du jour, de rien faire. Je passe les heures les plus chaudes sur le lit de camp, dans le noir, ne laissant passer qu'un mince rai de lumière pour éclairer un peu le livre de Christy dont je ne parviens à lire que quelques pages.

2 avril.

Repartis de Léré vers la tombée du jour ; beaucoup trop tard. Mais jamais décollage n'a été plus difficile. Marc a dû tout faire ; et rien qu'à le regarder se démener je suais à grosses gouttes. À la suite d'un déjeuner trop copieux chez le chasseur Rousseau, d'un retour au soleil, de la sieste manquée, faiblesse de cœur et malaise. Incapable d'aucun effort, d'aucune décision.

Nous avons renvoyé nos porteurs de Maroua et de Binder, à l'exception de 12 qui préfèrent ne point nous quitter. Les 75 autres, réquisitionnés à Léré, se montrent fort peu satisfaits de partir. On les comprend du reste. Ces pauvres bougres viennent de s'acquitter de l'impôt. Les voici quittes. La récolte a été bonne. Ils vont pouvoir se reposer... Pas du tout ! Vous allez faire une trentaine de kilomètres par jour, avec 20 ou 25 kilos sur la tête, en temps de ramadan (ils n'observent pas tous le jeûne) et par une accablante chaleur — vous éloigner de votre patelin, à plus de douze jours de marche — et ceci à raison de 1,25 F par jour, nourriture à vos frais — rien pour le retour ! Esclavage *provisoire*, je le veux bien ; mais esclavage tout de même.

Doit-on emmener le marmiton ? Ce brave garçon, qui nous accompagne depuis Carnot, engagé volontaire — par enthousiasme — est très souffrant depuis deux jours. Maigre comme un clou les premiers jours, il avait, à notre service, prodigieusement « profité », était devenu costaud comme un lutteur de foire ; très endurant ; toujours de bonne humeur ; on l'eût cru capable de résister à tout. La chaleur excessive l'a fauché. Il se plaint de violentes douleurs de tête, a été pris de vomissements, est tombé de cheval entre Binder et Léré (car à cause d'un semblant d'adénite, nous l'avions fait monter). Cœur battant à crever la poitrine. 39°. Fait prendre quinine et stovarsol. Et, de nouveau : le nègre qui se croit perdu, qui s'abandonne. Plus une parole, plus un sourire. Néanmoins, hier il allait mieux. Mais nous jugeons plus prudent de le confier à l'infirmier de Léré, avec une cinquantaine de francs et prière de le diriger sur Archambault dès qu'il ira mieux. Fâcheux qu'il ne parle que le sango, que personne ne comprend ici.

Même Rousseau, depuis sept ans dans le pays — endurance parfaite, etc. (80 km par jour à la poursuite des éléphants, dit-il) déclare « qu'il fait terriblement chaud ». Ciel complètement couvert, non de brume, comme à Mala, mais d'assez épais nuages. Bénilan, chef de la subdivision de Léré, souffrant, a écrit pour demander son rapatriement.

Rousseau ressemble à Claudel : front bas, forte encolure. Tourangeau, fils unique. Durant la guerre, a fait son service dans ce pays ; et depuis ne l'a plus quitté (mais compte, lui aussi, se rembarquer à Douala le 13 mai) avec désir de revenir en septembre. Il rentre par la Bénoué ; parle de cet itinéraire de manière à nous laisser fort perplexes. Mais quand nous le revoyons, il nous fait part des dernières nouvelles reçues de Garoua : crainte de ne pouvoir trouver à Garoua les grandes pirogues permettant de redescendre la Bénoué jusqu'à Bénoué-Bridge (en vingt jours) où l'on retrouve le chemin de fer. Tout compte fait il n'y aurait pas grand avantage, même assurés de trouver des pirogues.

Idée fixe du retour.

Tout le matin, malgré le temps très défavorable, Marc a tourné une danse des Moundang en vêtements de parade des plus étranges : grand tablier brodé de noir et de bistre ; immense jupe (qu'ils écartent du corps en tournant, lorsqu'ils veulent s'asseoir). Toujours des trémoussements de droite et de gauche, assez peu plaisants ; mais par instants de très belles avancées par grandes enjambées ; puis pirouettes et évanouissements ; étalements contre le sol.

Parler aussi des énormes figures fantastiques, complètement recouvertes d'algues noires (on ne sait quel est le devant, le derrière) à crêtes de porc-épic, à voix de guignol. Terreur panique des femmes et des enfants. Je me prête au jeu, à la frénétique joie de chacun et cours chercher protection dans les bras du chef, lorsque je vois s'approcher de moi le plus petit, qu'on dit être le plus terrible ; il tient une petite hachette de bois à la main, qu'il brandit et agite avec des gestes d'insecte. Je lui fais remettre un matabiche de 5 F, pour partager avec les autres, mais, très conscient de son rôle de père Ubu, il déclare vouloir garder le billet « pour lui tout seul ». Féroce et mystérieux. Extrêmement réussi. Ravirait Stravinsky ou Cocteau.

Une mouche-maçonne, de la plus grande espèce, commence à construire ses alvéoles sur le chambranle de la porte, à côté de mon lit (dressé à l'intérieur l'après-midi, car la nuit on dort dans la cour) au poste de Léré.

Le soir de notre arrivée je suis fort amusé à la voir apporter, puis enfermer dans l'alvéole une assez grosse larve gris-brun (j'ai cassé mes lunettes et ne puis distinguer nettement). Je me promets de défaire son travail et d'extraire la chenille (ou le ver) sur lequel, dans lequel, elle a vraisemblablement pondu ses œufs. En attendant je la laisse faire. Elle bloque complètement la cellule, mastiquant et ensalivant la glaise qu'elle apporte, bouchant hermétiquement la petite ouverture par où elle a pu introduire sa proie. Cela est net, lisse, parfait comme un travail de potier, gros comme un noyau d'olive. À mon grand amusement, je la vois aussitôt recommencer le même travail à côté. Le soir du second jour, quatre ou cinq alvéoles ont été jointes à la première. Le tout forme un bloc ; on ne distingue plus les partitions. La terre a durci. Elle cède difficilement au couteau, se brise, et lorsque, au moment du départ, je cherche à enlever le nid pour revoir la chenille enfermée, je suis stupéfait de trouver, *à sa place*, un très gros asticot gris-blanc, sans yeux, plein de vie, la partie postérieure très fine et l'antérieure très large, autrement dit : en forme d'éteignoir. Aurait-il vraiment, en moins de deux jours, eu le temps d'éclore, de dévorer la chenille, et de grossir ainsi aux dépens de celle-ci ? À vérifier.

Très attristé par la mort de Boylesve que m'apprend un numéro de *L'Illustration* prêté par Bénilan. Je crois que je représentais un peu pour lui « les péchés qu'il n'avait pas osé commettre » (en littérature s'entend). De là la considération et l'affection très particulières qu'il m'avait toujours témoignées. Je crois qu'il se trompait en me poussant à me présenter à l'Académie et qu'il avait tort de miser sur moi. Mais il le faisait, malgré mes retraits, avec une insistance si charmante que je ne laissais pas d'être à la fin presque ébranlé.

Certain jour, après lecture attentive de *La Jeune Fille bien élevée*, qui m'avait plu, je m'étais amusé à démonter son livre. « Voici comment sans doute, vous avez été amené à le composer, lui écrivais-je dans une assez longue lettre et à la suite de sincères éloges ; et le personnage de la grand'mère (autant qu'il m'en souvient ?), dites si vous n'avez pas cru devoir le rajouter au dernier moment, le former au détriment de tel autre personnage, plus riche d'abord, et de la substance duquel vous avez nourri celui-ci ? »

Il se trouva que c'était vrai. Boylesve s'amusa de ma perspicacité, et nos relations, à la suite de cette lettre, devinrent plus étroites, sans jamais cesser, du reste, d'être exclusivement littéraires. Il n'était pas si bourgeois qu'il le paraissait d'abord, mais chez lui tout était discret ; sa sensibilité n'en paraissait que plus exquise.

Les femmes Moundang sont d'ordinaire complètement nues. Certaines pourtant portent une étroite pièce d'étoffe, d'abord blanche, tendue entre les jambes et rattachée au cordon de perles formant ceinture. D'autres, en particulier les filles du sultan, ont, par-devant, un petit tablier de perles brodées tombant jusqu'à mi-cuisse, aux dessins toujours géométriques (losanges et triangles). Quelques-unes sont très belles.

Course de nuit, pour éviter la chaleur. On nous avait dit : 10 à 12 kilomètres, mais il y en a probablement davantage. Commencé la route en tipoye ; mais j'y suis si insupportablement secoué et les tipoyeurs, mal dressés, avancent avec une telle lenteur, que je préfère aller à pied, après avoir essayé quelque temps d'un cheval rétif. Marc m'a succédé dans le tipoye et n'arrive qu'une demi-heure après moi et Kabi ; poste fort agréable ; où nous trouvons du lait excellent. La nuit est très obscure, car le ciel est complètement couvert. Mais aucune menace d'orage, aussi dressons-nous nos lits en plein air, sur un tapis de gros sable de rivière.

Dans la campagne environnante beaucoup d'arbres, mais aucun très beau. On entrevoit, du village et du poste, la rive assez morne du lac de Léré, que nous avons longée sans le savoir, depuis hier, et que nous allons laisser en arrière.

Nous nous sentons trop fatigués pour repartir dès avant l'aube, ainsi que nous le pensions d'abord. Et, ce matin, c'est jour de marché.

Prodigieux grouillement de femmes nues. Les hommes sont vêtus de braies et de boubous, qui leur tombent jusqu'aux pieds. Sous les boubous, nombre de jeunes gens sont couverts de colliers qui paraissent dans l'échancrure du boubou sur la poitrine. Ils portent des bracelets aux pieds et aux mains ; certains ont le dos même de la main couvert de coquillages et de perles rattachées aux bracelets des poignets. Le boubou n'est du reste pas obligatoire. Il en est qui n'ont qu'un simple pagne ou cache-sexe, mais, même si peu vêtus, ils le sont encore plus que les femmes. Quelques relations de voyages nous apprennent que les Moundang auraient pris des Foulbé l'habitude de se vêtir, à la suite de leur victoire sur ceux-ci ; ils vivaient d'abord complètement nus, ainsi que leurs femmes, portant tout au plus une peau de cabri rejetée par-derrière, à la manière des Sara, et le sexe protégé dans un étui de paille.

Ce sont exclusivement les femmes qui font le

service du portage de l'eau (dans des *bourmas*). Rareté et mauvaise qualité de l'eau. Ne pouvoir *bien* se laver, est une des pires épreuves de cette partie du voyage. État de saleté indicible, surtout après avoir cheminé dans les prairies incendiées.

Arrivés à Biparé avant le coucher du soleil. Courte étape, à cheval. Ciel toujours plus encombré. On entend au loin un tonnerre continu. Exaltant espoir d'atteindre bientôt la région et la saison des orages.

Le chef des Bororo, race nomade de pasteurs, au type sémite fortement accusé, nous a accompagnés de Léré jusqu'à Biparé. Il vient au poste ; s'installe ; on lui dit adieu et cela ne le fait point partir.

L'orage se rapproche. Il vient sur nous. Déjà la température se fait plus clémente. Comprend-on ce que c'est : *la première pluie de l'année*. On s'attend à des cataractes — hélas ! quelques gouttes seulement tombent parcimonieusement d'un ciel d'encre. Un coup de vent prolongé balaie toute la poussière du camp.

Nous traversons le petit village et poussons jusqu'au Mayo Binder ; le Mayo Kebbi est plus loin, au pied de la montagne dont nous nous approchons.

Quantité d'éclairs énormes — et, ce que je n'avais jamais vu : *des éclairs de couleur* — la plupart *dorés* ; certains *roses* — ou mieux : *rubis pâle*.

3 avril.

Quitté Biparé vers 4 heures du matin. L'orage d'hier a complètement modifié la qualité de l'air. Détente électrique. On respire. L'air est bleu. Les bords du Mayo Kebbi, contournant une très belle montagne rousse et noire, profondément vallonnée (isolée dans le paysage ; mais on en voit d'autres, formant de très petites chaînes, sur plusieurs points de l'horizon). Bords sablonneux. Joie de revoir de l'eau courante, qui du reste se perd parfois dans le sable. Très beaux lotus blancs dans les pools dormants. Deux grandes antilopes, et des compagnies de canards, difficiles à approcher. J'en tue pourtant un (de la grande espèce, à casque noir).

Le ciel est couvert. Étape assez facilement gagnée (à pied, à cheval, en tipoye) en six heures.

Golombé. Gîte d'étape suffisant, tout à côté d'un grand arbre à capoc (faux fromager) dont nos porteurs abattent les fruits — gros comme de très grosses bananes, de même forme, écorce très dure quoique assez mince — contenant un soyeux duvet dont chaque porteur rembourre son coussin porte-charge.

Nous repartons vers 2 heures, profitant du ciel très couvert. Il fait néanmoins encore 38° dans l'ombre du gîte, et, pendant la sieste, à cause de la pluie de la veille, on ruisselle.

Pays de transition, assez mouvementé ; de la roche. Parfois le sentier (si peu tracé par endroits, qu'on a besoin d'un guide) circule dans des bosquets de mimosas, contournant, hésitant entre des soulèvements de roches. Que cela doit être beau au printemps ! Puis de grands arbres à saucisses ; puis de soudains affaissements du sol, larges espaces sans arbres, où l'herbe est encore verte, où parfois paissent au loin de grands troupeaux de bœufs. Partout ailleurs des graminées très hautes, dépassant d'un mètre l'homme à cheval, couleur d'étoupe. Au soleil elles se dorent admirablement sous un ciel violet, presque noir.

Nous arrivons à la tombée de la nuit à Déo. Le trot de nos chevaux a beaucoup distancé nos porteurs. Nous faisons allumer un grand feu d'herbes, sur une éminence, pour leur redonner du cœur. Enfin, les voici. Malgré cette double étape : 6 heures ce matin et près de 6 heures ce soir, ils sont d'excellente humeur, chantent, rient. L'important pour eux c'est d'être bien nourris. Je leur ai donné un mouton ce matin, un mouton ce soir (c'est peu pour 80, mais impossible d'en avoir un second), plus des boules en abondance avec sauce, poissons, etc. Je leur promets un bœuf à l'étape suivante.

Certains portent, pendu à leur cou, un sifflet fait d'une corne de chevreau percée de deux trous. Ils soufflent là-dedans inlassablement, comme font ces enfants insupportables dans les petits sifflets de deux sous ; cela fait un son grêle, aigu ; un exaspérant petit air de trois notes, qui, à la longue, vous rendrait fou. Ils n'ont pas d'autres chants, pas d'autre musique.

Depuis qu'Adoum nous a quittés, Outhman prend du galon. Il comprend peu, parle un indistinct charabia ; mais Madoua, le successeur d'Adoum, comprend et parle encore moins bien. De plus, je crains qu'il ne soit un peu bête. Chaque fois que nous recourions à Adoum, c'est à Outhman que nous recourons aujourd'hui. Il met toutes ses phrases à la troisième personne, qu'il s'agisse de lui, de nous ou de n'importe qui. On dirait que le « je » lui fait peur.

4 avril.

Campé hier soir dans le village de Déo, sur une petite place parmi des dépotoirs. Une odeur infecte sort de l'un d'eux, auquel, sans le savoir ou le vouloir, nos porteurs ont mis le feu. C'est une combustion cachée et lente, sans flamme, mais avec une abondante fumée âcre et nauséabonde, qu'un vent léger rabat obstinément vers nous. Si copieusement qu'on l'arrose, elle repart ; et, ce matin, je crois que c'est cette fumée étouffante qui nous a réveillés, deux heures plus tôt que nous n'eussions voulu. Notre intention était de ne quitter Déo qu'à l'aube ; mais dès 4 heures nous nous sommes remis en route. Je me sens si exténué que j'accepte bien volontiers le tipoye, qu'Outhman vient d'aménager de manière que ma tête trouve un support — et où bientôt je perds conscience. La nuit commence à pâlir lorsque nous arrivons sur les bords d'un petit lac, où les porteurs vont boire, abreuver les chevaux et se reposer un instant.

Vers le milieu du lac, un remous, puis ce bruit

de soufflerie mouillée qui nous faisait battre le cœur à la descente du Chari, ou à la remontée du Logone. La surface lisse se déchire et l'on voit apparaître dans le clair de lune, à 25 mètres de nous, le mufle d'un monstre énorme. Dans ce petit paysage intime, la disproportion de cet hippopotame fait paraître aquarium ou bassin pour Zoo le petit lac. Malheureusement nos porteurs ont à ce moment une effroyable palabre avec Zézé, notre cuisinier, qu'ils menacent d'assommer, je ne sais pourquoi. Leurs clameurs effraient un autre monstre, qui s'ébrouait non loin dans les roseaux du bord et qui replonge aussitôt.

Paysage montueux, coupé de dépressions, écrins pour petits lacs d'Écosse. On rejoint et l'on traverse à nouveau le Mayo Kebbi. Suivi d'un large espace de savane. Puis à l'horizon un petit village dépendant de Bibémi, où nous décidons de nous arrêter pour le déjeuner et la sieste. Palmiers doums, baobabs et euphorbes candélabres. Non loin du village, un nouveau lac. Le sultan de Bibémi vient à notre rencontre ; très beau : corpulent comme toujours. Le haut et le *bas* du visage cachés par la lehfa noire et vernissée du turban. Quelques captifs somptueusement vêtus l'escortent. Il nous introduit dans la poterne de sa résidence où l'on apporte des chaises, du lait, des dattes de deux espèces, l'une *violacée* (du ton des caroubes) sans noyau, des arachides, du blé. Comme j'admire les bottes en mosaïque de cuir entrelacé d'un des gens de sa suite, le sultan me fait chercher et m'offre une paire de pantoufles du même style, et pour Marc une peau de lion. On a coupé des branchages et réquisitionné des seccos pour faire, devant la poterne, un péristyle ombreux.

5 avril.

Le lamido de Bibémi, en rivalité constante avec le sultan de Reï Bouba son voisin, tient à nous montrer que lui aussi sait recevoir. Il nous a précédés à la capitale de son sultanat, d'où le voici qui revient à notre rencontre, escorté d'une centaine de cavaliers multicolores. Lui seul est en blanc, enturbanné de noir. Une douzaine de seigneurs, ou de captifs, l'accompagnent et n'arrêtent pas de vociférer, ce que l'on pourrait prendre pour des injures, d'après le ton. L'on nous traduit : — « Comme il va bien ! » (Je crois un optatif à la manière du *God save the King*, plutôt qu'un indicatif à la manière du *fluctuat nec mergitur*.) — « Il n'a pas son pareil. Aucun chef n'est aussi grand que lui. — Il est bon, généreux, il fait profiter tout le monde de sa richesse » (et sans doute parlent-ils en connaisseurs). Quand c'est le prince héritier, comme hier, lorsque prenant les devants vers nous il précédait son père : — « On comprend rien qu'à le voir qu'il est le fils d'un très grand chef. »

Tout cela est peu varié ; mais il y a plusieurs manières de le dire :

1° par enthousiasme ; échappement. Il faut que ça sorte. Je ne peux pas garder ça pour moi plus longtemps. Genre « Avez-vous lu Baruch ? »

2° par conviction profonde ; à demi-voix ; sur un ton comme rageur. Genre « e pur si muove » ; comme si quelqu'un disait le contraire.

3° Il y a enfin le genre « matter of fact ». Que dirais-je d'autre ?

4° Et celui qui ne cherche même pas à bien jouer. Genre : en voici pour ton argent.

Ces coups d'encensoir partent comme des coups de fronde, ou comme les sanglots des pleureuses salariées. Se peut-il vraiment que les oreilles du lamido s'en trouvent caressées ? Mais se peut-il de même qu'un Dieu prenne plaisir aux prières de commande, aux litanies des chapelets et des rosaires ?

La visite que nous fit hier soir le lamido, nous la lui rendons ce matin. Passé la poterne, une quantité de huttes basses forme une sorte de cité intérieure, avec détours manifestement aménagés pour rendre difficile une intrusion. Dans ces huttes, toutes à peu près semblables, se cachent les femmes et les enfants du lamido. Il m'est offert une superbe paire de bottes en cuir ouvragé, des calebasses pyrogravées et coloriées, qui pour ne valoir que quelques sous, n'en sont pas moins ravissantes et des bourses en cuir ouvragé comme les bottes. En échange de quoi nous ne savons guère que lui laisser. Nous faisons exprimer par Mahmadou, notre interprète (qui nous accompagne depuis Binder) notre regret de n'avoir rien avec nous qui soit digne d'être offert à un aussi grand chef et notre promesse de lui envoyer de Paris tels objets capables de lui plaire.

Il nous remercie d'avance. Promesse également de lui envoyer les photographies que Marc a prises de lui, de son fils et de sa cour. Je n'ose proposer de rien payer, pas même le bœuf offert à nos porteurs, ou du moins que d'une manière indirecte. Tous les gens de la suite du lamido doivent garder un bon souvenir de notre passage et je tends un billet de 100 francs qui, sitôt que le lamido le montre aux gens de son escorte, en transmettant le plus clair de mes vœux, soulève un concert de vociférations quasi terrifiantes. Certains des captifs-courtisans ont des têtes caractéristiques, l'un en particulier, très Acomat, au nez en bec-de-corbin, dont Marc prend la photo. Le jeune chef de Biparé a été longtemps « captif » de Bibémi, qui, dit-il, le traitait toujours comme son propre fils.

Nous repartons à deux heures, pour coucher à Djembati.

6 avril.

Hier, de Bibémi à D'jembati, ciel blanc ; un éblouissement diffus et morne. Oublié de parler de la soi-disant révolte de nos porteurs. Il faut dire qu'à présent notre caravane se compose de 70 Moundang pris à Léré, et dix Foulbé qui nous suivent depuis Maroua. Or, tandis que nous étions chez le sultan, l'on vient nous avertir que les Moundang refusent de nous accompagner plus loin ; qu'ils veulent repartir aussitôt pour Léré ; qu'une bande d'entre eux sont repartis déjà ; qu'on a dû les ramener de force...

Sitôt de retour je fais venir leur capita, et leur explique à travers l'interprète que je ne veux rien leur faire faire de force, que je suis venu dans le pays pour défendre les intérêts des indigènes et que, s'ils le désirent, je suis prêt à les laisser partir. (C'est m'avancer beaucoup, car s'ils me plaquaient aujourd'hui, je me trouverais fort embarrassé, le sultan m'ayant dit expressément qu'il venait d'envoyer à Garoua, sur la demande de l'administration, la totalité des hommes valides dont pouvait disposer son village.) Mais que je m'inquiétais de la manière dont ils seraient payés, car je ne pourrais, s'ils me quittaient à présent, exiger pour eux, de l'administration de Léré, un autre tarif que celui du Tchad [1], tarif qui restait sensiblement inférieur, ils le savaient sans doute, à celui du Cameroun que je comptais leur appliquer s'ils me suivaient jusqu'à Reï Bouba. Ce discours à la Tite-Live fait merveille et je croirais avoir retourné mes gens, si je n'apprenais aussitôt qu'ils n'ont jamais songé à s'enfuir ; que ceux que l'on a pris pour des fuyards étaient simplement partis pour aller chercher de l'eau dans le fleuve.

Je ne rapporte ceci que comme exemple de malentendu qui eût pu fort mal finir pour peu que j'eusse voulu employer la manière forte préconisée par certains. Tout s'est heureusement terminé sur des sourires et des acclamations.

La route — ce n'est qu'un presque invisible sentier, que nous ne reconnaîtrions pas sans le garde qui nous guide — s'engage dans un pays assez

1. La circonscription de Léré fait partie, je l'ai dit, de la colonie du Tchad.

mouvementé, presque montagneux ; haute roche de granit ; très Fontainebleau.

Rencontre de quelques singes énormes (cynocéphales (?) qui s'en vont tout doucement à quatre pattes et ne pressent à peine leur démarche que lorsque nous faisons avancer vers eux nos chevaux.

Non loin d'un de ces misérables villages, groupes de huttes enveloppées de seccos, deux oiseaux énormes (tout est énorme, ici) un peu plus grands que des pélicans, tout noirs mais aux ailes ourlées de blanc, ce que l'on voit quand ils les ouvrent. Ils marchent à la manière des oies, la tête et le cou dressés très haut ; grande difficulté, semble-t-il, à prendre leur vol lorsque nous les poursuivons à cheval. On nous dit qu'à la saison des pluies, ils perdent leurs plumes, ce qui fait que les habitants du village s'emparent d'eux facilement. C'est, je crois, avec le jabiru, l'oiseau le plus grand que j'aie vu.

Pressant un peu nos chevaux nous arrivons avant le coucher du soleil à l'étape, laissant loin en arrière nos porteurs. L'étape a été longue. On s'attend à les voir arriver fourbus. Je fais allumer un feu qui les guide et les encourage. La nuit est close depuis longtemps. Nous nous sommes étendus, en les attendant, sur des claies de jonc, n'en pouvant plus. Ils arrivent enfin, envahissent la cour et, à notre grande stupeur, sitôt posé leur faix, se mettent à danser autour de nous une danse échevelée, extravagante, aux cris de « Merci Gouvernement ! » Je transmets.

Ah ! que ces braves gens sont donc peu mûrs pour les revendications sociales !

Repartis de N'Djembati peu avant le jour. Passé le plissement de terrain granitique, traversée de pays d'une indicible monotonie ; sans aucun caractère. Petit bois clairsemé ; on se croirait aux environs d'Achères ; et cela durant des lieues et des lieues. Parfois une légère dépression sans écoulement, où le sol craquelé marque le marécage de la saison des pluies. Inespérément quelques gouttes d'eau viennent abattre un peu la poussière, rafraîchir et humecter l'air. On eût souhaité, après ces mois de sécheresse, quelque formidable tornade, abreuvant immensément le sol, et redonnant vie à la végétation endormie. Mais non ; à peine de quoi faire que l'on s'étonne ; les gouttes n'ont pas l'air de tomber ; on les dirait en suspens dans l'air.

On passe le lit d'un petit cours d'eau à sec. Sur l'autre rive un cavalier nous attend pour nous souhaiter la bienvenue : nous sommes chez Reï Bouba.

À l'étape, un groupe de 4 envoyés, qu'accompagnent 15 porteurs, ceux-ci chargés de 10 paniers de riz, 10 bourmas de miel, 6 de beurre, 5 calebasses de gâteaux au miel, plus un bœuf, mais qui vient de s'échapper et qu'on poursuit dans le village.

Incertain de la route que nous pourrions prendre, Reï Bouba a fait envoyer, nous disent ces messagers, de pareils présents sur l'autre route. Il n'avait pas encore reçu la lettre que le scribe de Bibémi lui écrivait hier de notre part mais seulement celle de Chadourne, renvoyée de Garoua où l'on pensait que Reï Bouba s'était rendu.

Interminable traversée de plaines ; tous les trois kilomètres, un bel arbre... et encore. Quelques traces de gibier ; mais nos porteurs, avec leurs insupportables petits sifflets et leur cris font tout fuir.

Est-ce en raison de cette monotonie que l'arrivée devant le Mayo Tchina paraît si belle ? De l'eau — et qui de loin paraît bleue — une vaste arène. Quelque temps le sentier suit le lit du fleuve puis se décide à le traverser en face du village où nous campons. Nous pensions arriver à Reï Bouba demain soir, mais l'on nous fait savoir que le sultan préfère nous voir différer d'un jour, afin de mieux préparer sa réception.

CHAPITRE VII

Reï Bouba

7 avril.

À quelle heure sommes-nous repartis, ce matin ? sans doute avant 4 heures. Dès 3 heures peut-être... Sous prétexte de remédier à certaine lenteur du réveille-matin (qui, par lubies, se remet à marcher), Marc a poussé l'aiguille du côté du *Fast* ; à l'excès.

Un nouvel envoyé de Bouba me rencontre à l'aube. C'est l'interprète particulier du sultan. Il s'exprime en français, fort décemment. Autant que j'en puis juger d'après les élèves dont voici l'un, l'école de Garoua est infiniment supérieure à toutes les écoles que j'ai pu voir en A.E.F. Il est porteur d'une longue et fort intéressante lettre du Capitaine Coste, qui commande la circonscription de Garoua. L'interprète, lui aussi, nous a d'abord cherchés sur l'autre route, qui, paraît-il, est bien meilleure (mais sensiblement plus longue). Nouveaux présents du sultan.

À l'étape, trois bœufs à l'attache nous sont offerts pour nos porteurs (nous n'en acceptons qu'un) ; des jattes d'un lait excellent, dont j'arrive à boire des quantités incroyables, et des fausses pistaches grillées — disons plus simplement, des cacahuètes.

J'étais parti en tipoye longtemps avant Marc ; il me rejoint au galop précisément au point de tangence de la route et du Mayo Reï. Voici de l'eau, de l'eau claire et courante. Je m'empare d'un peignoir et m'empresse vers une roche de granit fin au bord de l'eau. Hélas ! le fond est trop vaseux... Quelques huîtres énormes, appliquées comme des patelles contre le rocher.

Le morne aspect de la brousse ou du *bush* était agrémenté depuis hier par des fleurs, peu apparentes, tubulaires et charnues, blanc crème — sans grande beauté, mais d'un parfum suave rappelant celui de la fleur d'oranger ; et, depuis ce matin, par une exquise plante ayant l'aspect d'une asparaginée, mais grimpante et couvrant parfois un arbuste d'un voile de mousseline blanche ; fleurs très menues, comme celles des spirées. Tiges munies de quelques petits crocs. Oignons, parfois très gros. Odeur très particulière, assez forte et point désagréable.

Quelque temps avant d'arriver à Djoroum, la route s'insinue entre le Mayo et un lac assez large, où l'on voit, crevant la surface de l'eau, quelques mufles d'hippopotames et le dos d'un crocodile.

Nous arrivons à Djoroum, à 8 heures.

Poste très propre, au sol sablé, bien aménagé — à côté d'un village extrêmement pauvre et sordide.

Je vais avec Outhman tuer deux perdrix (c'est du reste lui qui les tue). Nous sommes très protégés, très honorés, très surveillés et ne pouvons, Marc ni moi, faire un pas sans être escortés de l'interprète et de deux gardes.

Depuis que nous sommes chez les sultans, le contact avec le bas peuple est devenu impossible.

Invasion de minuscules petites mouches, pendant le dîner, attirées par le photophore. Elles se collent aux bras nus, au front en sueur, entrent dans l'échancrure de la chemise, ne piquent pas, mais chatouillent effroyablement. On devient enragé, et l'on se précipite sous sa moustiquaire.

« Le sultan Reï Bouba est le propriétaire de tous les biens de tous les hommes [1]. La capitale est un gros centre où se trouve une élite de notables et de nombreux Kirdis de toutes les races du sultanat. Ce sont les anciens guerriers des précédents sultans qui, après avoir défendu leur maître, se sont fixés autour de sa demeure. Ils travaillent pour leur chef, sont vêtus et nourris par lui.

« ... Les autres lamidos de la circonscription, qui ont plus ou moins dépendu de Yola, sont pour lui des anciens "captifs". Il les appelle "ses fils" et marque sa supériorité en les écrasant de son luxe

1. « La famille *Hilaga* a conquis le pays il y a deux cent cinquante ans.

Ardo Boudi meurt âgé de cent ans.

Ardo Djoda meurt âgé de soixante-douze ans.

Boubandjiba meurt à quatre-vingt-dix-neuf ans, après soixante-neuf ans de règne.

Bouba, son fils, règne de cinquante-deux à quatre-vingt-dix sept ans.

Malou Hamadou, nommé sultan, de préférence à ses quatorze frères, qui sont tués après révolte. Seul le quatorzième échappe, père de Bouba, le sultan actuel. »

et en offrant à chaque occasion des cadeaux qu'ils acceptent. *Donner* est pour lui la marque de la supériorité.

« Reï Bouba sait regarder et juge. Il ne croit pas avoir en tout blanc un supérieur ; mais il sera extrêmement dévoué à celui qui aura sa confiance. »

(Extrait de la lettre du Capitaine Coste.)

8 avril.

Nous quittons Djoroum dès 4 h 30 du matin.

Il s'agit d'arriver devant Reï à 9 heures, ainsi que nous l'avons annoncé. Il y a quatre heures d'ici à Reï, et d'heure en heure un nouveau messager s'amène, renouvelant, en les amplifiant encore, les souhaits de bienvenue du sultan, l'expression de son attente et son impatience de nous voir.

À tel point désigné par l'interprète, nous avons arrêté tous les porteurs, mis pied à terre, afin d'attendre que tout soit prêt, de n'arriver ni trop tôt, ni trop tard, pour cette entrée résolument théâtrale ; afin aussi de lacer nos bottes et de passer une veste propre. Il semble qu'on joue au « Loup, y es-tu ? » des enfants.

Enfin l'on nous fait savoir que le moment est venu.

Et déjà l'on voit s'avancer vers nous 25 cavaliers d'aspect bizarre, sombre et sobre ; ce n'est que lorsqu'ils sont tout près que l'on comprend qu'ils sont vêtus de cottes de mailles d'acier bruni, coiffés d'un casque que surmonte un très étrange cimier. Les chevaux suent, se cabrent, soulèvent une glorieuse poussière. Puis, virevoltant, nous précèdent. Le rideau qu'ils forment devant nous s'ouvre un demi-kilomètre plus loin pour laisser s'approcher 60 admirables lanciers vêtus et casqués comme pour les croisades, sur des chevaux caparaçonnés, à la Simone Martini. Et presque sitôt après, ceux-ci s'écartent à leur tour, comme romprait une digue, sous la pression d'un flot de 150 cavaliers enturbannés et vêtus à l'arabe, tous portant lance au poing.

Les nouveaux flots de gens se succèdent de plus en plus pressés, poussés en avant par une épaisse muraille d'hommes à pied : des archers, étroitement serrés, dans un ordre parfait. Derrière eux l'on distingue quelque chose d'incompréhensible d'abord : — c'est une quantité de boucliers en peau d'hippopotame, presque noirs, tenus à bout de bras par les figurants de l'arrière. Emporté moi-même dans cet extraordinaire ballet — tout se fond pour moi en une symphonie glorieuse ; je perds de vue le détail et, derrière ce dernier rideau d'hommes qui se déchire, je ne distingue plus que, devant les murs de la ville, à un jet de flèche de la porte par où nous allons entrer — au pied d'un petit dévalement et dans l'ombre d'un bouquet d'arbres énormes — le sultan environné de son escorte. À notre approche il descend d'une sorte de palanquin traîné par des hommes nus et courbés. Deux parasols, l'un pourpre l'abritant directement ; l'autre beaucoup plus grand, noir lamé d'argent, couvrant l'autre. Nous descendons de cheval et, très soucieux de représenter de notre mieux la France, la civilisation, la race blanche, nous avançons lentement, dignement, majestueusement, vers la main tendue du sultan ; flanqués de nos deux interprètes, celui qui nous accompagne depuis Binder, et l'interprète du sultan, venu hier à notre rencontre.

Le sultan est très grand ; moins pourtant que je ne le croyais d'après dire. La beauté de son regard me frappe. Certainement il cherche moins à se faire craindre qu'à se faire aimer. Il parle à voix basse, la main, le bras, posés paternellement, comme tendrement, sur l'épaule de l'interprète. Les premiers compliments échangés, nous remontons à cheval et le précédons dans sa ville. Six trompes sonnent continûment (composées d'une très longue corne d'antilope qu'une gaine en peau de caïman relie à une embouchure d'ivoire). Le peuple au pied des murs, est harmonieusement disposé par groupes, à mi-flanc du dévalement.

Nous remontons à cheval et nous rendons au campement très net, très propre. Les cases pour notre suite sont en paille brillante, dorée, toutes neuves ; les portes sont ourlées comme une housse de malle anglaise. Notre gîte, suivant le modèle adopté presque partout, est composé de deux cases rondes, assez vastes, aux portes se faisant face, reliées par un péristyle couvert de 12 à 15 mètres, au toit retombant largement au-delà du petit mur bas... Inutile de continuer ; ces descriptions ne font rien voir. — Dans l'une des deux cases sont rangés les présents de Reï Bouba.

Une heure plus tard, visite au sultan que nous

avons fait prévenir ; au pied du grand mur d'enceinte, de six mètres de haut, en terre, rangés le dos au mur, une centaine de captifs en grande tenue — les javelots jetés à leurs pieds. Très large et longue poterne. En franchissant ce seuil les serviteurs se dévêtent, car il ne leur est permis de se présenter devant le sultan que le torse nu. La toiture est soutenue par de grands piliers au faux chapiteau rappelant les entablements du palais de Suze. Massivité des portes de bois. Trois hommes nous précèdent, profondément courbés. Ils avancent comme en rampant, avec des gestes à ras de sol. Nous voici dans une cour oblongue, sablée de gros sable de rivière, en face d'une petite butte au haut de laquelle, sous un grand arbre, le sultan est assis. Il se lève à notre venue, descend du terre-plein et nous serre la main, renouvelant ses compliments de bienvenue. Nous le suivons dans une étroite pièce oblongue, une sorte de couloir ; il nous fait asseoir sur une sorte de divan-canapé ; lui-même s'étend sur un divan plus bas, non en face de nous, mais à côté. Les deux interprètes sont accroupis devant la porte ; l'interprète particulier du sultan reste comme prosterné durant tout le temps de notre visite. Un sujet de conversation important, c'est la Citroën que le sultan a commandée et qui sans doute est restée à Lagos, attendant la saison des pluies pour pouvoir remonter la Bénoué. Marc écrira tantôt toutes les lettres qu'il faudra pour aider à la dégager.

Nous réglons les soixante-dix porteurs de Léré, qui veulent repartir. Chacun d'eux reçoit

12 francs, car nous préférons les faire bénéficier du tarif du Cameroun, beaucoup plus avantageux pour eux, je l'ai dit.

Devant la porte de la case, abrité par le toit de la véranda, je fais avancer tour à tour chacun des hommes, et remets à chacun un billet de l'A.E.F., un billet français, plus quatre pièces de 50 centimes. Mais ces pauvres gens ne connaissent pas plus ce qu'on leur doit qu'ils ne comprennent ce qu'on leur donne. Il m'a paru que tous, sans exception, étaient stupéfaits de recevoir tant ; mais qu'ils étaient encore plus sensibles aux quatre petites pièces qu'aux deux billets — et je tiens pour à peu près certain que, leur eussé-je donné à choisir entre les deux, ils eussent préféré les piécettes. Je fis cette expérience, à trois reprises, de ne tendre à tel des porteurs qu'un billet et que deux pièces ; il partait avec ses 6 francs, souriant, satisfait, presque autant, en apparence, qu'après que, l'ayant rappelé, je lui eus remis le double. Ceci suffirait à me prouver que ces pauvres braves gens sont exploitables à merci et, si l'administration ne les soutient, incapables de la moindre défense contre le commerçant qui les gruge et qui sera toujours à même de vous dire : — « Ils sont contents comme ça. Qu'est-ce que vous voulez de plus ? »

Je m'informe à travers capita et interprète de ce qu'ils vont faire de cet argent. Je crains qu'ils ne le bâfrent en route ; pourtant l'on affirme que, de ces deux billets, ils vont garder l'un pour l'impôt.

— « Mais ils viennent de le payer.

— Oui ; ce sera pour l'année prochaine. »

Nous circulons dans le village. Rues tortueuses entre les paravents de *seccos*[1]. Vergers de papayers. Activité incessante. Longues processions de femmes allant chercher ou rapportant de l'eau. Les rues se vident à notre approche ; les enfants se cachent, les femmes se détournent ; ceux qui ne s'enfuient pas se lèvent et gardent le regard baissé. Nos deux interprètes nous enveloppent de prévenances et de respect, nous circonviennent.

À Reï, comme Marc s'apprête à filmer, l'interprète nous demande s'il est vrai qu'il y ait en France des gens qui descendent du ciel avec des ailes ? (C'est ce qu'on a cru bon de montrer aux indigènes de Garoua dans une séance cinématographique.) Je rapporte ceci comme exemple de la bêtise, non certes des indigènes, mais de celui qui a choisi le film susceptible de provoquer de telles questions.

9 avril.

Nouvelle visite au sultan, à qui nous apportons quelques menus objets que nous pensons pouvoir lui plaire : carte du pays, bouillotte en caoutchouc, miroir grossissant, feux de bengale, paquets de ouate en rouleau. Nous promettons de lui envoyer de Paris une montre et une carte neuve. Nous promettons également de faire le nécessaire, à Douala, pour dégager une machine à

1. Sortes de longues nattes en herbes treillissées.

coudre qui reste en souffrance. Tant d'amabilité de notre part l'encourage sans doute, et lorsque je prends congé de lui, il me tend la main en souriant, mais ne se lève pas. Ce à quoi je n'attacherais pas d'importance, si je n'étais averti du danger qu'il y a de le laisser trop se gonfler. Pareille aventure est arrivée déjà à Bruneau de Laborie ; vais-je faire comme celui-ci et renvoyer à Reï Bouba ses cadeaux ? Non pourtant ; mais me retrouvant avec l'interprète (Hamandjoda) je laisse entendre à ce dernier que je n'ignore pas ce qui s'est passé ce jour-là, et Marc, un peu plus tard, le persuade qu'il est décent que le sultan vienne me rendre ma visite.

Nouvelle visite du sultan. Très simple, cordial, se montrant intéressé par tout ce que nous lui montrons et disons. Sans doute le rester-assis dont je m'étonnais tantôt, n'avait-il rien d'intentionnel. Sur notre demande il donne des ordres pour notre départ. Jamais il n'élève la voix, et ces ordres mêmes sont donnés dans un chuchotement au serviteur qui se tient courbé près de lui ; puis transmis aussitôt de bouche en bouche.

Nous dressons nos lits devant le gîte, sur la place, à l'abri d'un ficus géant. Par instants, cette nuit, il semble que l'air s'épaississe ; il fait intolérablement tiède et oppressant. Fatigue intense. Et, dans le grand silence de la nuit, après que les tourterelles dans le ficus se sont tues, on entend les quintes de toux, rauques comme des chants de coqs, se répondre de case en case.

10 avril.

Encore que levés avant l'aube, nous ne quittons Reï qu'assez tard, car nous avons affaire à de nouveaux porteurs et le répartissement des charges est toujours très compliqué.

Au sortir de la ville, la route traverse de larges champs de mil, vides en cette saison de l'année. Ces champs sont cultivés à la bêche. Le sultan, paraît-il, a jugé inutile d'introduire des charrues dans un pays où la main-d'œuvre est abondante et ne lui coûte rien. Car tous les gens et tous les champs lui appartiennent.

Sur les bords de la route, de plus en plus boisés, enfin et déjà quelques fleurs : de gros panicauts azurés, de grandes véroniques, des hypericums et des promesses de pivoines.

Bouba nous a soignés : jamais nous n'avions eu si fringante équipe. Chacun des porteurs témoigne d'un zèle lyrique et, comme soucieux de prouver sa valeur, proteste si l'on trouve trop lourde pour lui la charge qu'il assume. Un enfant de quatorze ans, Wilkao, s'est emparé de la valise de Marc et tient à honneur de la porter jusqu'au bout. Mala, tout jeune archer de formes parfaites, vêtu d'une sorte de blouse qu'une ceinture de cuir relève un peu, de côté, sur sa cuisse nue ; bras nus, coiffé d'une petite toque, l'arc au bras, le carquois sur l'épaule et une calebasse pendant à son côté, il semble un Benozzo Gozzoli. Ce n'est pas un porteur ; c'est un page ; compagnon de luxe à qui nous confions le panier de Dindiki.

La forêt s'épaissit à mesure qu'on approche de la montagne, derrière laquelle le soleil se couche ; au pied de laquelle, lorsqu'on l'a doublée, apparaît Tcholéré, dépendance de Reï Bouba.

Majoresque cadunt altis de montibus umbrae.

Nous avons dressé les lits hors du camp, dans l'enveloppement étrange de huit larges ficus. Devant les cases du gîte ils encerclent et couvrent une plate-forme de sable fin. En face des cases, se dresse la montagne d'où déroulèrent jusqu'au pied des ficus ces gros boulders de granit sur lesquels s'assied, par petits groupes, notre escorte. Le soir tombe. On vient de tuer un bœuf, cadeau du sultan, pour nos hommes ; ceux-ci mangent, bavardent et par instants poussent des rires si clairs que l'on croirait des cris d'oiseaux. Quand je passe près d'eux, ils sourient, portent la main au visage dans une sorte de salut militaire : « Merci, Gouverneur. » Quels braves gens ! — Tantôt, comme j'allais à pied, près du tipoye, par un soleil abrutissant, l'un des tipoyeurs m'a tenu un vrai discours, que Mahmadou traduit : — « Il fait trop chaud pour toi marcher sur la route. Le Gouverneur va tomber malade s'il ne monte pas en tipoye. »

Mais sous la bâche surchauffée du shimbeck, c'est un enfer.

Ce soir, étendu sur la chaise du bord, trop fatigué pour rien faire, que lire un peu de Milton.

Nuit admirable. Dans les ficus, est-ce une rainette qui jette inlassablement la même petite note perlée ? Sans doute. Outhman, que j'interroge, me dit que ce n'est pas un oiseau.

11 avril.

Nous espérions pouvoir attendre ici le soir ; mais on nous dit que l'étape est très longue. En effet, partis vers 7 heures nous n'arrivons à 13 heures qu'à moitié route ; excédés. Qu'il fait chaud ! Monotone contrée, interminable forêt, fort peu exotique (les faux karités semblent des châtaigniers) mais de plus en plus fournie, et de plus en plus vaste. De gros singes ; une antilope. Les marmitons de Zézé n'ont pas de chance ; le nouveau (remplaçant l'autre depuis Léré), souffrant depuis deux jours, ne semble guère en état de nous suivre. Je ne sais ce qu'il a ; comme tous les nègres, sitôt qu'ils sont malades, il devient *mou*. C'est du cœur qu'il semble souffrir. Dans ce cas, il me paraît absurde d'exiger de lui un tel effort. Je tâche de l'engager (Marc voudrait même le forcer) à rester. Mais l'idée d'être abandonné dans ce pays, dont il ne connaît pas la langue, le terrifie. Il ne proteste pas très fort, mais sue à grosses gouttes son angoisse. Je crois qu'il a peur que Bouba ne le retienne captif et préfère crever près de nous. Ces malheureux se cramponnent à la caravane comme des tiques ; on songe aux soldats, en pays ennemis, qui, malades ou blessés, supplient qu'on les achève, plutôt que de languir abandonnés.

Je fais monter le marmiton sur le cheval de Mahmadou, qui prend le mien. Aussi bien suis-je content de marcher. Mais que c'est long ! Nous arrivons, exténués, à un gîte où pouvoir nous reposer quelques heures. C'est au sommet d'un tertre calciné, noir d'incendie, un groupement de mornes cases de terre au toit de paille, très laides, très délabrées. L'une d'elles a deux entrées qui permettent un presque insensible mais pourtant bienfaisant courant d'air ; nous y dressons la table et les lits, pour nous y reposer une heure, et débouchons une demi-bouteille de Clicquot.

Repartis vers 4 h 30 du soir.

Le chemin s'enfonce dans la montagne (de très humbles monts). Faux acacias, faux châtaigniers, fausses Cévennes. Le soleil se couche tandis qu'on atteint le tout petit campement fort pittoresque de Jet, tout en haut du soulèvement rocheux, qui serait plus pittoresque encore si l'un des deux grands arbres qui l'abritaient n'avait été couché bas par la foudre, ou par un incendie [1]. Il est tombé fort malencontreusement sur celui qui reste, saccageant ses plus belles branches. Ces incendies de brousse finiront par faire de tout ce pays une nouvelle région désertique.

12 avril.

Partis très tôt avec l'espoir de pousser jusqu'à Tsatsa. Et même, d'abord, trompé par les feux qu'allument nos porteurs, c'est dès une heure

1. Voir deux pages plus loin.

après minuit que je me lève et m'apprête. Mais la nuit est sans lune ; il fait noir comme dans un cercueil. Ivre de fatigue et de sommeil, je me recouche, mais dors mal et n'attends pas la sonnerie du réveil pour donner le signal du départ.

Le sentier est très mauvais : rocailleux, en pente rapide, encombré de cailloux délités sur lesquels, dans l'obscurité, le pied pose avec crainte. On n'avance qu'à petits pas, les nerfs tendus, trébuchant et glissant sans cesse. J'admire et plains nos pauvres porteurs ; chacun d'eux s'aide de sa sagaie. Enfin l'on parvient au fond de la vallée ; le jour se lève à peine ; c'est un mayo aux eaux abondantes, tumultueuses et claires. Nous nous asseyons, Marc et moi, sur une roche de granit émergeant du flot, pour regarder passer notre troupe. L'eau par endroits est assez profonde ; le courant est rapide, le fond incertain. Quand tous ont passé, nous montons à cheval pour traverser à notre tour. Tout le jour me suivra le désir et le regret de ces eaux claires.

Rencontre une heure plus tard de la sœur du Capitaine Coste, qui avec son escorte de porteurs va rejoindre son frère à Garoua, où elle dirige une école professionnelle.

Peu à peu l'on s'enfonce dans la montagne. Ce sont encore les Cévennes, mais les hautes Cévennes. Les mouvements de terrain s'accentuent et le sentier perd toute prétention à la ligne droite. Nous faisons à pied presque tout le trajet et arrivons assez tôt au petit campement de Manne, où l'on nous dit qu'il ne serait pas prudent de pousser le même jour jusqu'à Tsatsa, car nous n'y arriverions pas avant la nuit ; la route est très mauvaise et difficile, impraticable dans l'obscurité. C'était bien la peine de nous être levés si matin ! Par instants on se sent recru de fatigue ; on n'en peut plus ; on voudrait lâcher la partie et, comme l'enfant pour sortir du jeu, crier « pouce ». Mais le plus admirable de ce voyage, peut-être, c'est cette obligation d'avancer, cette impossibilité, le plus souvent, de tenir compte de l'état du temps, de la fatigue... On me dit qu'un abondant mayo est tout près. J'y cours avec ce qu'il faut pour me baigner. Hélas ! je ne trouve, parmi les roches, que quelques mares d'eau brune, sur fond de boue et de feuilles mortes. Car nous sommes en pleine forêt. (On jurerait à présent des chênes.) De tous côtés, sur tous les flancs des monts, elle s'étend à perte de vue.

Durant quelque cent mètres, je descends le lit à sec du torrent qui forme une petite galerie forestière. (C'est-à-dire que la végétation en est assez différente ; on retrouve de grands arbres penchés, sur des restants de pools, des lianes énormes et des oiseaux chanteurs.)

Puis je regagne le camp où Marc, en attendant le gros de notre troupe, a organisé entre tipoyeurs et pages, un concours de sagaies et de flèches. Le soleil devient accablant. Je cherche de l'ombre au pied d'un énorme boulder. L'incendie a tout séché, noirci, sali, désenchanté. Au pied des arbres, sur un sol calciné, un tapis inégal de feuilles mortes, de cendres et de charbons. Plus une herbe, plus rien de frais, de tendre ou de vert.

Mais comment ces feuilles mortes n'ont-elles pas brûlé ? Ce sont des feuilles qui n'étaient pas mortes, des feuilles que l'incendie a brusquement flétries. Les arbres qui les portaient pourront-ils supporter cette rôtissure et asphyxie momentanée ? Un grand nombre d'entre eux ne s'en relèveront pas. Le tronc achèvera de sécher et, l'an suivant, deviendra tout entier la proie des flammes — un de ces troncs que l'on voit parmi la désolation d'alentour, qui se consument lentement et achèvent de devenir cendres, fumant encore des jours et des semaines après que l'incendie a passé. Le plus souvent le feu, les attaquant par la base, fait œuvre de bûcheron, les abat. Si l'air est calme, on peut suivre à sa cendre, sur le sol, le dessin de chaque branche. Parfois l'arbre est creux et, se consumant tout debout, fait cheminée. Dans la nuit, on dirait un tuyau d'usine ; des gerbes d'étincelles, des flammes, jaillissent de sa cime. Parfois même, des trous, en cours de route, font appel d'air et semblent de grands yeux rouges, d'incompréhensibles signaux. Souvent cette consomption se prolonge au-delà de la surface du sol ; elle suit la racine et s'enfonce...

Et, parmi cette désolation, au ras du sol, de-ci, de-là, ces larges fleurs mauves semblables aux fleurs de cattleyas — qui, je crois, produisent cette graine couleur de corail, que mangent les indigènes.

À cause de ces perpétuels incendies, à cause des déplacements de races, de villages, à cause du remplacement de la vieille forêt par des végétations plus récentes, l'impression constante de pays neuf, *sans passé,* d'immédiate jeunesse, d'inépuisable surgissement, domine encore, pour moi du moins, celle de l'ancestral, du préhistorique, du préhumain, dont parlent de préférence ceux qui voyagent dans ce pays. Les arbres les plus gigantesques de la forêt équatoriale ne paraissent peut-être pas si vieux que certains chênes de France, que certains oliviers d'Italie.

Nous donnons aux gens des villages qui ont apporté des boules pour nos porteurs, une assiettée de sel, qui semble leur faire grand plaisir ; et plus même que les billets. C'est que ceux-ci, nous dit-on, devront être intégralement versés à Bouba, ainsi que le moindre matabiche ; ils ne garderont pour eux que le sel, de consommation immédiate.

Ce n'est pas le tout d'emporter assez de conserves. Nous en avons été jusqu'à présent trop économes, les réservant pour de pires jours. Le moment est-il venu d'ouvrir la compote de poires ?... Aujourd'hui, deuxième breakfast avec un exquis jambonneau Olida.

13 avril.

Partis à 5 heures du matin, nous arrivons exténués, excédés, à l'étape, vers 1 heure, après deux brefs arrêts de vingt minutes. Je m'attendris en songeant à nos porteurs. Non seulement, Marc et moi, nous ne portons rien, mais nous avons pour nous aider le cheval, le tipoye au besoin (encore que nous n'en usions guère) et, pour nous rafraîchir en route, de la citronnelle et du thé froid. Nous savons que nous trouverons à l'étape une chaise de bord où s'affaler, un lit où faire la sieste, une table toute servie. Eux feront tout ce trajet avec une vingtaine de kilos sur la tête. On s'attend à les voir arriver fourbus ? — Ils chantent. — Ronchonnants ? — Ils disent : « Merci, Gouverneur. » — Pas une récrimination, pas une plainte. Un bon sourire, en réponse à nos quelques paroles affables lorsque nous passons près d'eux. Ces gens sont admirables.

Des avant-coureurs ont averti le village invisible qui se cache on ne sait où, non loin du poste. Il faut que la caravane puisse trouver ici, en arrivant, les « boules » prêtes — et une bonne « sauce » que nous agrémenterons d'une poignée de sel. La sauce aujourd'hui ce sera d'énormes champignons blancs, semblables aux mousserons, mais d'odeur trop désagréable pour nous laisser la curiosité d'y goûter.

Ciel couvert. La nuit n'apporte aucune fraîcheur. De rampe en rampe, on finit par s'élever passablement. Même, si l'on regarde autour de soi, on ne voit guère plus haut ; il n'y a pas plus haut. Le sol est presque partout aussi sec ; mais il a dû pleuvoir dernièrement, car voici des tiges nouvelles, tendres ramilles ; de l'herbe verte... Je dresse le bilan de ce jour :

Intérêt botanique des plus vifs. Certains vallonnements forment tourbières, où l'humidité constante permet une végétation continue. Beaucoup de fleurs inconnues. D'autres dont on connaissait les parentes. Balsamines au bord des ruisseaux — à fleur mauve, largement étalée, presque plate ; moins belle que la petite balsamine à fleurs jaunes des environs de Gérardmer. Dans le lit d'un ruisselet à sec, de grands amaryllis à fleurs blanches, veinées d'un ton vineux assez inattendu. Non loin, un orchis charmant, à fleurs discrètes sur une haute hampe, verdâtres, pétale inférieur maculé de grenat. Nombre de plantes portent encore leurs graines — en particulier des aconits (?) et une autre sorte de renonculacée, présentant d'abondantes houppes de graines duvetées à la manière de celles de nos clématites. Un petit aster grenat. Une nouvelle sorte d'éryngiums (panicauts). Mais le plus étonnant, c'est, à ras le sol et souvent aux endroits les plus calcinés, les plus rocheux, cette grande belle fleur mauve pâle, dont je parlais hier. Elle est, à mesure qu'on s'élève, toujours plus abondante. Chose étrange, certaines ont une odeur suave ; la plupart ne sentent absolument rien. J'en trouve ici une variété à peine un peu moins large, pourpre sombre. L'une et l'autre ont la carène au fond lavé de safran. Cette fleur sans tige (la tige est dans le sol et porte plusieurs fleurs ; chacune d'elles s'épanouit au ras du sol), sans feuilles, jaillissant du sol à la manière des colchiques, dont elle a presque la teinte et la fragilité, est une des plus belles de ce pays. Réapparition de quelques papillons.

Il y eut un moment exquis, au souvenir duquel céderait celui de la fatigue. Ce fut l'instant du bain. Depuis... avant Bosoum, nous n'avions plus revu d'eau claire. Un épais ruissellement frais, transparent... Quittant le sentier, avec Outhman porteur d'un peignoir, je gagne un pool assez profond pour s'y plonger, sous une épaisse voûte de feuillages.

Grande surprise de trouver, en remontant une petite rivière, à un arrêt de la caravane, quelques palmiers. Et, plus surprenants encore, des bananiers [1] (très peu fréquents — je n'en ai vu que quatre), ou du moins des squelettes, des momies de bananiers, sans plus de feuilles ni de régimes — ne présentant qu'un pauvre restant de fût calciné. Bananiers sauvages apparemment — à très grande distance de toute habitation — sur le haut du plateau, avant d'arriver à Tsatsa.

Nous renonçons à gagner Haldou le même soir, encore qu'on le dise tout proche, mais nous sommes tous fourbus.

Ineffable détente : de la pluie, un essai d'orage. Encore qu'il n'ait pas beaucoup plu, toute la nature semble aussitôt lavée, rafraîchie, revernie. Après des mois de sécheresse et d'attente, la rapidité de la pousse, à la première averse, doit être stupéfiante.

Outhman, ce soir, accourt me signaler un oiseau balancier, que, dit-il, il vient de voir, semblable à celui qu'a tué Coppet [2].

J'interroge les gens du pays au sujet des bananiers rencontrés sur la route. Ce sont bien, disent-

1. Mon étonnement vient de ce que je croyais le bananier importé d'Amérique.

2. Voir *Voyage au Congo*, pp. 231-232.

ils, des bananiers *sauvages*. On en trouve un certain nombre sur le plateau, près des endroits humides. Ils sèchent ainsi, puis rechipent du pied après les pluies. Ne donnent que des fruits insignifiants.

14 avril.

De la pluie ; une douce, tranquille, lente pluie ; pas du tout la formidable tornade que j'attendais, souhaitais presque. Cette pluie même est aussi peu exotique que possible. Elle détend les nerfs délicieusement. La route fait un énorme circuit sur le plateau — assez incompréhensible puisqu'il aboutit à une descente extrêmement abrupte. Végétation très peu variée ; pas revu de bananiers. Dans un plissement humide, arbre flamboyant ; bractées d'un rouge légèrement orangé, du plus bel effet ; fleurs très petites, d'aspect insignifiant, tubulaires, jaunes, rappelant celles des *Bougainvillées*, au point que je doute si ce n'est pas une espèce très voisine, encore que de port si différent.

Toujours, partout, des traces d'incendies plus ou moins récents. Même aux endroits où repousse l'herbe verte on distingue sous elle cette constante salissure noire ; de grandes étendues ne présentent plus que, sur le sol charbonneux, ces dards de porc-épic que sont les chaumes des graminées [1]. Pas un tronc d'arbre qui n'emplisse de

1. Ils offrent de régulières alternances de blanc et de noir, exactement semblables à celles des pointes du porc-épic, qui, parmi elles, peut circuler inaperçu. L'espace blanc est dû à la

suie la main qui le touche. Tout le paysage est abîmé, sali.

Il semble qu'après ce voyage plus aucun pays ne paraîtra monotone ; plus aucun trajet, lent. Hier, lorsque après l'interminable montée (intéressante du reste ; et puis on revoyait de l'eau), on se croyait presque arrivé, on n'était pas même à mi-route.

Arrivés à Haldou vers 11 heures. Grande fatigue nerveuse. Exaspération contre les porteurs qui bavardent et nous empêchent de dormir. Ce n'est pas mauvais vouloir de leur part, mais impossibilité de comprendre que des bruits si menus puissent nous déranger. D'ordinaire, ils répondent admirablement au premier signal, et quand je crie « Silence ! » se le tiennent pour dit. Mais le camp est ainsi disposé qu'on est ici par trop les uns sur les autres. Trois fois je me relève ; fais emmener plus loin un cheval, arrêter un récurage de vaisselle, interrompre un jeu de je ne sais quoi... À la fin l'exaspération est telle que je renonce à la sieste.

Vers 5 heures, un peu détendu, sinon reposé, je repars avec Outhman porteur d'un fusil, car ce matin, cherchant au bord du petit mayo qui coule à deux cents mètres du campement, un endroit où me baigner (en vain : les bords étaient protégés par une barricade de roseaux) j'avais fait lever une

protection momentanée de la feuille qui, elle, brûle mais dont la base engaine la tige et la soustrait en cet endroit à la carbonisation.

perdrix. Nous obliquons aussitôt vers la gauche et gagnons un endroit de la rivière assez beau, où celle-ci coule sur de grosses dalles de granit. Puis l'ayant traversée nous circulons à flanc de coteau, à travers d'anciens champs de mil. Nous retraversons un peu plus loin la rivière et parvenons à un village incendié. À la seule exception de deux huttes miraculeusement et bien inutilement préservées, tout a brûlé : j'entends tous les toits, bois et chaume. Il ne reste plus que les murs de terre des huttes abandonnées [1].

Village assez grand ; huttes pas toutes misérables. Nombre d'entre elles ont une double entrée ; elles sont disposées presque toutes de même manière, divisées et compartimentées par un ingénieux système de cloisons basses.

Où sont partis ces gens ? Dans ce grand silence du soir, dans ce pays perdu, l'aspect de ce village abandonné est d'une mélancolie indicible. Un triste ciel de Normandie.

Haldou, 15 avril.

Trop fatigué, je ne m'endors que vers le matin, malgré la rhoféine. Et je dormais profondément lorsque Marc est venu secouer ma moustiquaire. La pluie. Il faut en hâte rentrer les lits que j'avais fait dresser en plein air. L'étape suivante est fort longue. Nous pensions partir dès 5 heures. Force

1. Le « mur » de la case (en particulier des gîtes d'étape) dans ce pays, consiste parfois simplement en un *secco* dressé comme un paravent rond, contre douze pieux plantés circulairement.

est de différer un peu. Le ciel est noir. Mais nous n'en dormons pas davantage. Je suis exténué. Et c'est peut-être à l'obscurcissement de ma vue que je mesure le mieux ma fatigue... Si l'on trouve que je me plains beaucoup, je dirai que je ne vois pas pourquoi je m'en ferais faute. Par amour-propre ? Je n'en ai guère, et le mets ailleurs qu'à me taire. Ce silence stoïque, que l'on admire chez Vigny et qui lui fit prêter au loup un des plus mauvais et des plus absurdes vers de notre langue :

Puis après, comme lui, souffre et meurs sans parler.

(Comme si c'était le stoïcisme qui retenait de parler les loups plutôt que les carpes !) je ne l'admire point tant que je ne le trouve ridicule et, comme eût dit Molière : « d'affectation pure ». Quant à moi j'ai coutume, lorsque je souffre, de pousser de gros soupirs romantiques, je veux dire : plus gros que le mal, de sorte que la douleur me paraisse toute petite à côté.

J'ai pourtant repris un peu de fraîcheur d'esprit, de vigueur et même de joie, sur la route. La forêt continue s'est faite plus dense et plus belle. Le sol même a bientôt changé. Des grandes plaques de ce que je crois être de la latérite ont commencé de recouvrir le sol, parfois dépouillé. La roche, lorsqu'elle apparaît, dans le lit des ruisseaux par exemple, n'est plus de granit, mais de pierre très dure à cassure un peu vitreuse, couleur cuir de botte.

Un des porteurs est venu nous apporter des bananes sauvages trouvées dans la brousse ;

vertes encore, mais aussi grosses que les bananes du marché et comestibles, nous affirme-t-on maintenant, en contradiction avec les affirmations d'hier. C'est tout le temps comme ça dans ce pays.

Mahmadou et Outhman, ce matin, cueillent aux arbres de petits fruits de la couleur, grosseur et forme des mirabelles ; un peu sucrés mais d'une âpreté presque intolérable. Comme pour presque tous les fruits de ce pays, la chair est indétachable du noyau, ce qui fait qu'on ne peut que les sucer un peu, avant de les cracher.

J'use du tipoye, ce que je n'ai pas fait depuis longtemps ; d'où enthousiasme des tipoyeurs qui tous ces jours derniers se faisaient constamment attendre, qui maintenant partent de l'avant au petit trot, chantant, riant, poussant des cris, racontant je ne sais quoi où l'on distingue revenir les mots de *matabiche* et de *gouverneur*. Si, glissant ma main derrière le dossier du tipoye, je la laisse pendre, aussitôt Ghidda la saisit ; c'est du délire : « Merci, Gouverneur, merci. »

À quelques rares exceptions près, combien ces gens sont peu « tire-au-flanc » ! Les plus jeunes surtout mettent un point d'honneur à porter les plus lourdes charges.

Partis de l'avant avec tipoyes, chevaux et gardes (les porteurs semés loin en arrière), nous tombons sur un troupeau de grandes antilopes. Elles sont là, tout près, une dizaine je crois, qui traversent le sentier à pas lents et ne semblent pas remarquer notre présence. Nous restons longtemps à les observer. Elles s'en vont. Je pousse Marc à les poursuivre ; mais le fusil n'est point là. On envoie Mahmadou le rechercher dans la caravane, en arrière, et tandis que Marc attend, je repars, seul, à pied, et prends beaucoup d'avance. Ivresse de se trouver dans l'inconnu, très loin, tout contact perdu avec l'homme ; de n'entendre plus aucun bruit, que des chants d'oiseaux, etc. Grands espaces vides où l'on espère surprendre le gibier. Et, dans cette forêt monotone, de place en place, de surprenants palmiers bas à larges feuilles.

Arrivés à Mandoukou vers une heure. Extrême limite du territoire de Reï Bouba ; un mayo forme la frontière. La rivière est encaissée, à la manière du pays. Comme Beaucaire et Tarascon, sur les deux berges, deux gîtes d'étapes. Nous occupons celui de Reï et, pour n'être pas dérangés par les bruits, envoyons nos porteurs sur celui du territoire de N'Gaoundéré où ils mènent aussitôt grand train.

Je revois ce soir un engoulevent à balancier. Mais il doit y avoir plusieurs variétés ; car il ne me paraît pas que ce soit exactement le même que celui des bords du Chari ; qui déjà n'était pas le même que celui que j'avais vu près de l'Ouham. De vol très rapide et inconstant, très difficile à atteindre.

Libellules du soir. Ce midi, pendant le bain, j'en ai vu une couleur *corail* sur les bords de la rivière. Libellules de nuit.

Je relis *Horace* — pièce entre toutes qui m'exaspère, où les sentiments paraissent les plus forcés et le plus facilement forcés, parce qu'ils demeurent abstraits. Je suis surpris pourtant ; après un début traînant et ergoteur, Corneille s'élève bientôt au plus haut ; le caractère de Curiace est admirablement dessiné ; admirable son opposition à celui d'Horace. Tout cela mérite d'être relu avec l'attention la plus soutenue. Tout le second acte est admirable, du meilleur Corneille, et tel que je ne connais rien de plus grand. Les adieux du vieil Horace à Curiace atteignent l'émotion la plus délicate et la plus vive.

16 avril.

La suite de la lecture me rencogne dans mon premier sentiment. Le début du troisième acte, à commencer par le monologue de Sabine : un modèle de psychologie fausse, factice, de rhétorique froide et sans beauté. Et que dire de ce qui suit ! En particulier la scène IV, où les deux belles-sœurs discutent si la perte d'un amant est plus douloureuse que celle d'un mari... etc., avec quels arguments ! Rien ici qui soit humain, sincère, vrai, naturel. Tout l'acte III est des plus médiocres lorsqu'il n'est pas des plus mauvais.

Bien absurde également le monologue de Camille de l'acte IV où se préparent et chauffent les prochaines imprécations. Ce résumé de la situation, cette récapitulation des revirements et des travers, quelle actrice pourrait jouer cela, sauver cela ?

Mais admirable de tous points le cinquième acte. Combien il me plaît qu'une plaidoirie, après l'action, parachève et couronne la tragédie.

Réveil dès 4 heures. Fatigue extrême, qui cède un peu à la curiosité et à l'intérêt que présente la forêt. Elle est à présent plus dense et plus haute. Jamais si dense pourtant qu'on ne puisse circuler partout à cheval, sans souci des routes. Mon cheval a un galop très agréable, j'en profite et nous partons, Marc et moi, escortés d'Outhman, de Mahmadou l'interprète et des guides, loin en avant des porteurs, qui pourtant nous précédaient d'abord. Le sol est constamment coupé de brusques dévalements et de petits mayos, encore à sec le plus souvent. Pourtant on sent partout qu'il a plu. Assez belle orchidée haute sur tige ; des fleurs violet velouté, rappelant celles de l'orchis faux-bourdon. M'écartant un instant du sentier, je fais lever une exquise petite biche presque sous les pieds de mon cheval. Elle était tapie dans les chaumes. Elle part en bondissant avec une grâce et une légèreté merveilleuses.

Un peu plus loin, tandis que Marc reste en arrière, Outhman, qui est parti de l'avant avec moi, me signale un cynocéphale. « K'bir, K'bir [1]. » Un instant après je le distingue, et comme il s'en va très lentement, je pousse vers lui mon cheval à travers la futaie. Le singe en effet est énorme, presque aussi gros qu'un homme. Bien que mon cheval aille sur lui, il ne presse pas son allure ; et même bientôt, le voici qui s'arrête, se campe sur

1. « Grand », en arabe.

un rocher, et, tandis que je m'approche encore, se retourne, se dresse, montre les dents et commence à pousser une série de cris, sorte de jappements, non tant de fureur, semble-t-il, que d'appel. — « Il appelle des plus grands que lui », me dit Outhman, en me déconseillant d'avancer. L'on m'a si souvent dit que tous les animaux sans exception fuyaient l'homme, que je ne parvenais pas à croire que ce singe pût nous attaquer. — Non ; mais peut-être nous tenir tête... Et effectivement il fait deux pas vers nous. Nous ne sommes guère qu'à vingt mètres de lui. Je juge plus prudent de tourner bride. Mais voyant Marc passer au loin sur la route, je l'appelle. À l'approche de ce renfort, le cynocéphale s'enfuit.

Très beau ravin ; grands arbres ; grands rochers de granit. De l'eau courante ; mais il n'est pas l'heure de se baigner.

La forêt cesse ; commence un plateau dénudé. Immense espace. De-ci, de-là, dispersés à un ou deux kilomètres de la route, petits groupements de cinq ou six cases. Nous arrivons vers 10 heures à un assez grand village (premier village *Drou*) où nous pensons que se trouve le gîte. Village le plus propre, le plus net que j'aie vu depuis que je suis en Afrique. Tous les seccos sont neufs. Malheureusement nous ne sommes pas encore au but, à Gangassao. Il faut repartir. On nous dit le gîte « tout près » — *id est :* 4 kilomètres en plein soleil, plus fatigant que toute la course du matin. Nous espérions trouver du lait. Mais les troupeaux appartiennent aux Foulbé, et nous sommes chez les Drou — qui refusent de frayer avec ces derniers. (Nous parvenons pourtant, mais à grand'peine, en envoyant une députation, à obtenir une pleine écuelle.)

Gangassao. Village à demi déserté. Quantité de cases incendiées. Les habitants ont fui le chef du village qu'ils n'aiment pas et se sont installés depuis deux ans dans le nouveau village, si propre, que nous avons d'abord traversé. Impossible de reconstituer ce qui s'est passé. On croit comprendre que le chef tâchait d'être du côté du manche et ne défendait pas suffisamment ses gens contre les exigences du lamido de N'Gaoundéré. Impossible d'obtenir des indigènes des réponses précises — fût-ce aux questions qui n'attendent qu'un oui ou qu'un non.

Nous repartons après une sieste enfin tranquille et reposante, Marc ayant exigé que les porteurs campent tous très loin de nous. Ils partent avant nous ; et comme l'étape n'est pas très longue, ce n'est qu'à M'bang, petit village Foulbé, que nous les retrouvons, encore qu'ayant fait au grand galop, sans arrêt, ces huit ou dix kilomètres ; talonnés aussi par un ciel menaçant. Ce galop, sur ce grand plateau découvert, sous un ciel de cataclysme, est si exaltant, qu'il triomphe un instant de ma fatigue.

Joie de retrouver au poste d'excellentes bananes. Tout le village est verdoyant. Le pays est sorti de la saison aride. Nous dînons devant la case, sur la place, extrêmement propre, bien sablée. Mais, sitôt à table, invasion de « bobos » — sorte d'éphémères aux très longues ailes [1], que l'insecte laisse tomber presque aussitôt. La table est bientôt couverte d'ailes. Quant à comprendre ce que sont devenus les insectes...

18 avril.

N'Gaoundéré. Venu fort loin de la ville à notre rencontre, le lamido, seul en blanc comme toujours, environné d'un important déploiement de cavalerie, reste à attendre, au haut de la plus haute colline, la troisième avant d'atteindre N'Gaoundéré ; de sorte que la marche, ensuite au pas, car ainsi le veut le décorum, semble interminable. À peu près cinq cents figurants ; grand nombre de drapeaux français. Acclamations ; hurlements ; tout cela beau, mais sans ordre, et terriblement poussiéreux.

Rien pu noter hier. Paysage peu exotique, mais qui paraît trop vaste pour qu'une France le puisse contenir. Ciel gris. Route sans épisode. Air vif et presque frais. Nous devons être déjà à près de mille mètres [2].

1. Termites adultes.

2. Je laisse ces notes telles quelles et m'excuse de l'informe aspect qu'elles doivent à ma fatigue. J'ai craint, en m'efforçant de les récrire, de leur faire perdre cet accent de sincérité qui sans doute fait leur seul mérite.

CHAPITRE VIII

N'Gaoundéré

Toute l'amabilité des administrateurs, M.L. et M.N., n'a pu faire que nous ne soyons péniblement campés. La seule case qu'on eût souhaité nous offrir vient de flamber. Force a été de se rabattre sur un malheureux bâtiment de deux pièces, à peine achevé, encore blanc de plâtre, de peinture, de mastic, car il y a des vitres aux fenêtres ; le sol est feutré d'une poussière de brique, de terre, de gravats, que le vent soulève en tourbillons. Ni tables ni sièges. Mais l'hôpital est à côté.

Étant donné l'importance de N'Gaoundéré, l'on reste stupéfait également de la laideur, de l'inconfort des bureaux de l'administration. Avec leurs toits de tôle ourlée reposant sur des murs de caserne, ils déparent hideusement la colline qui fait face à la ville indigène. Cela pourrait être très beau ; c'est affreux.

Vers le soir Marc se déclare tout à coup à bout de forces. Et je prends aussitôt honte de ma fatigue et de ma plainte. Depuis dix jours (et déjà

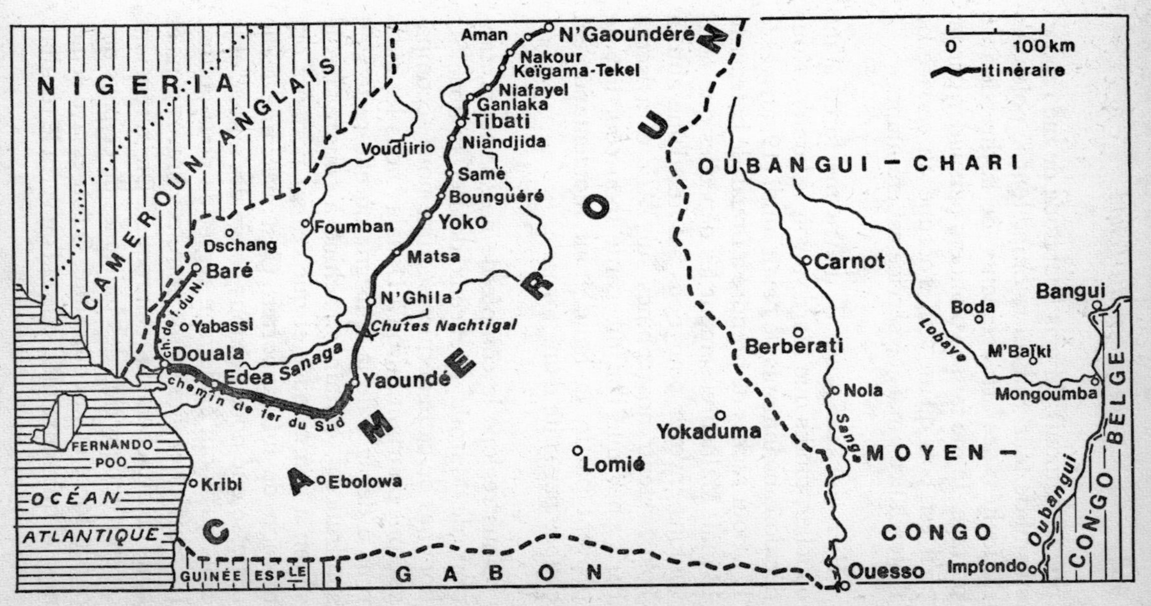

Le Sud-Cameroun

précédemment) j'ai pris l'habitude de me reposer sur lui de tout. Sur lui retombe tout le poids des difficultés, des arrangements, de la direction du portage. Je me laisse volontiers persuader par lui qu'il est bon qu'un seul s'occupe du service de l'intendance ; mais ce service est éreintant.

Hier soir, un accès de fièvre me force à me coucher, tandis que Marc va voir le lamido. Nous décidons néanmoins de partir lundi (19, arrivés le 17), pour tâcher de prendre à Douala le bateau du 13 mai. Malheureusement les dépêches que nous voulons envoyer pour nous assurer d'une auto à Yoko, retenir nos cabines sur l'*Asie* et aviser à Paris pour que l'on me garde mon courrier, ne peuvent partir, la ligne étant momentanément coupée par suite d'une tornade.

Nous réglons le compte de nos porteurs, tant ceux de Maroua que ceux de Reï Bouba. Six hommes de cette dernière équipe nous accompagneront pourtant, jusqu'à Douala ; nous les aiderons à dégager de la consigne où elle reste « en souffrance », certaine machine à coudre que le sultan a commandée et que ces six porteurs ont mission de lui rapporter. C'est avec une réelle tristesse que nous prenons congé des autres, et je crois qu'ils ont également regret de nous quitter. Il s'était assez vite formé entre ces braves gens et nous un attachement réciproque... On va répétant qu'on n'obtient rien des indigènes de ce pays que par la force et la contrainte. Qu'on essaye seulement d'une autre méthode et l'on verra le résultat.

Ils savent parfaitement bien distinguer, quoi qu'on en dise, la bonté de la faiblesse et n'ont pas besoin d'être terrorisés pour vous craindre. Mieux vaut encore se faire aimer. C'est, je crois, le système du sultan Reï Bouba. Ce fut le nôtre. Au bout de peu de jours, nous avons pu voir naître chez ces êtres naïfs un dévouement qui serait vite devenu du fanatisme.

J'ai déjà dit qu'aucun des sujets de Reï Bouba ne possède rien en propre, ni ne peut même disposer librement de sa personne. Il doit remettre au sultan tout ce qu'il reçoit, salaire ou pourboire. De cette coutume, qui d'abord peut paraître abusive, attentatoire au droit des gens, nous comprîmes la raison, lorsque nous apprîmes que tous nos porteurs libres (ceux de Maroua) s'étaient laissé rafler au jeu, par des miliciens habiles et peu scrupuleux, la totalité de leur paye le soir même du jour où nous la leur avions remise ; les sujets de Reï Bouba, par contre, s'étaient abstenus de risquer au jeu le salaire qu'ils devaient remettre à leur maître.

Amane, 20 avril.

Service d'intendance particulièrement difficile à chaque changement de porteurs.

Départ de N'Gaoundéré, hier, très tard. Regrets d'avoir dû faire à la nuit une grande partie du trajet, qui, à la demi-clarté d'une lune à moitié pleine, m'a paru belle et d'aspect assez neuf. Et ce n'est peut-être pas tant la forêt qui change, que la saison. Nous entrons dans le printemps. Forêt sillonnée d'abondants ravins aux pentes abruptes. Dans l'un de ceux-ci, que nous traversons longtemps après le coucher du soleil, nous entendons le coassement étrange d'une grenouille, énorme à en juger par le volume de son cri. Mouches à feu inconnues, beaucoup plus grandes que les lucioles du Congo, des fulgores semble-t-il. Impossible de s'en saisir. Terrain trop accidenté.

Arrivés à Amane vers 9 heures du soir.

Je n'ai rien dit de N'Gaoundéré ; à peine vu ; fatigue et incuriosité. Pourtant au petit matin, dans la brume, vue de la colline qui fait face à celle du poste, la ville paraît très belle. Vers le soir je me décide à courir les rues — grandes, propres ; — peuple obséquieux — tous les gens se lèvent lorsqu'on approche et saluent très bas — les femmes fuient et se cachent. Extraordinaire animation sur la place du marché ; mais il est tard ; on plie bagage. Les rues : on circule entre des murs de terre ; à l'intérieur de ces murs, des cases à toit pointu, d'un chaume tout différent que celui des toits précédents (dont on enlève une poignée pour faire torche), d'un chaume plus menu, plus souple, formant tignasse non égalisée et tombant en franges au bord du toit (aspect très indochinois) — couvrant le toit en éteignoir.

Nakourou, 21 avril.

Encore une étape franchie. Les indications portent de nouveau 29 kilomètres. Pays assez beau. Toujours la même forêt (surtout des faux karités) mais plus variée. Dans les ravinements, des essences nouvelles.

Notre troupe n'a jamais été plus nombreuse, bien que les charges diminuent. Nous laissons à N'Gaoundéré deux vastes chaises de bord données par Coppet, qui n'ont plus chance de nous servir — et diverses provisions superflues. Mais nous emmenons deux tipoyes, soit seize porteurs. Tipoyes dont nous usons fort peu. C'est plutôt un « en-cas ». Mais dans l'état de fatigue où je me trouve après deux ou trois heures de marche, et deux ou trois heures de cheval, je suis heureux de le trouver. De plus, de Tibati, à cause des tsé-tsés, et, partant, de la maladie du sommeil, nous serons tenus de renvoyer les chevaux à N'Gaoundéré.

Keïgama Tekel, 22 avril.

Nous voici à Keïgama Tekel, exactement à mi-route entre N'Gaoundéré et Tibati. Après une bonne nuit, cette étape, la plus longue, s'est effectuée sans trop de fatigue. Partis un peu avant 6 heures, après avoir expédié les porteurs. Fait la première heure à pied ; le reste à cheval. Les ravinements sont de plus en plus fournis d'une végétation toujours plus tropicale ; presque des galeries forestières déjà. Réapparition du *vernonia*. Vu de nouveau deux bananiers en pleine forêt ; le vieux fût est desséché, mais le jeune repart à côté, tout « vermeil ».

Certains passages de rivière sont enthousiasmants. Le pont en treillis de branches sèches, souvent rongé par les termites, inspirant peu de confiance, on risque de préférence cette acrobatie de lancer son cheval à côté du pont, dans la pente abrupte qu'il descend avec crainte, puis, le gué franchi, remonte en quelques bonds.

Arrêt à l'un de ces marigots pour prendre un repas d'œufs durs, de chester et de thé froid ; sous un arbre formidable, dans l'embrassement de ses racines formant voûte au-dessus de l'eau. Petits fruits blets très agréables ; d'autres, exactement semblables à nos prunelles, mais à pulpe blanc de lait, gluante, autour d'un noyau mauve ; extrêmement astringents et à goût de térébenthine.

Rencontre de deux blancs accompagnés de leur convoi. Ce sont : Lamy, « agent spécial » envoyé à Maroua et T. Monod, préparateur au muséum, section d'ichtyologie, qu'on envoie étudier les poissons du Tchad.

Je suis presque étonné d'aller mieux. Il semble que des glandes à sécrétion interne recommencent à fonctionner : celle du cran et celle de la curiosité.

Réveillés d'une sieste profonde par l'approche d'une tornade. L'aspect du ciel est proprement terrifiant. Couleur d'encre, uniformément sombre du côté du nord. Le vent violent pousse vers nous cette menace. Il soulève des tourbillons de poussière, bouscule les tipoyes, arrache un grand morceau de toit. Nous nous asseyons au bord du plateau (sur lequel est construit le poste, dominant une immense étendue de pays boisé, très mouvementée) pour voir approcher la catastrophe. Les couleurs sont admirables ; un ocelle ensoleillé, vert pâle, se déplace rapidement parmi le vert sombre des forêts proches, et, plus loin, un fond de collines violettes, lavées de pluie. Elle semble tomber au loin avec abondance. Par instants, à l'horizon, de monstrueux éclairs, répétés. Ils jaillissent à trois et quatre reprises exactement dans le sillage du premier, ainsi que nous avions pu voir à Coquillatville. Tout cela vient rapidement vers nous. Voici déjà les premières gouttes. Nous rentrons précipitamment... Et puis non ; c'est une fausse alerte. L'orage semble respecter le poste. Il pleut partout à l'entour ; nous en sommes quittes pour une très courte et faible averse ; à peine de quoi rafraîchir le sol et abattre un peu la poussière.

Niafayel, 23 avril.

Marc a été pris hier soir d'une furieuse rage de dents qui a duré presque toute la nuit, n'a cédé que vers le matin à la double dose de sonéryl et à la rhoféine. Et ce matin, en brousse, la crise, un instant calmée, repique de plus belle.

Partis assez tard (7 h 30) mais l'étape est moins longue. Le pays est de plus en plus intéressant. Les abords des marigots se couvrent de fleurs ; il y eut en particulier, aux abords du premier marigot après avoir quitté le poste, des amaryllis aussi abondantes que les courbadonnes dans les prés d'Uzès. Fleurs énormes, et parfois jusqu'à sept épanouies à la fois sur la même hampe ; mais sentant un peu l'eau de Javel.

Je trouve dans le lit d'un autre marigot une autre amaryllis ; plus grande encore ; complètement blanche.

Dans une prairie (tout petit espace formant pré au bord du marigot) une fleur d'un jaune éclatant, très étrange et que je ne sais à quelle famille rattacher ; à ras de sol, dans un gobelet de feuilles rondes.

Troisième espèce d'amaryllis dans la rivière, ou sur les bancs de sable à demi couverts d'eau ; six pétales (ou trois sépales et trois pétales) très longs, blancs.

Mais la fleur la plus étonnante, Marc la trouve en descendant de la « montagne », un peu avant d'arriver au poste — sans feuilles — surgie d'un oignon peu profondément enfoncé ; semblable à une énorme graine de pissenlit rouge corail (crinium ?).

Très belle, la descente du plateau. Chemin très rapide. On longe des ravins épaissement boisés. Arbres de plus en plus hauts.

Tandis que Marc repose, je gagne à travers la savane, à un kilomètre du poste, le lit (à sec encore) d'une rivière qui suit le bas du dévalement. Fort intéressé par les termitières. J'en bouscule une vingtaine et trouve six ou sept variétés ; incompréhensible ; parfois hantées de fourmis ; parfois cohabitant avec elles (?). Petits termites noirs. D'autres occupées par des termites adultes à très longues ailes ; on se demande comment ils pourront sortir de dessous terre, car il semble que toutes les issues soient bouchées. Ce sont ces insectes ailés qui venaient en masse sur notre table, l'autre soir, que Dindiki broutait, et *qui perdent leurs ailes ;* la table en quelques instants s'en est trouvée jonchée ; mais nous n'avons pas pu voir ce que devenaient les insectes après la perte des ailes. Dindiki, quand je le penche sur une termitière culbutée, se précipite et donne force coups de langue, s'emplissant la bouche de termites et de terre.

Ganlaka, 24 avril.

Chaque jour de nouvelles fleurs. Un tout petit crocus safran. Une large fleur de la couleur et de la forme des cistes pourpres. De nouveau, en assez grand nombre, la fleur jaune serin d'avant-hier, dans un gobelet de feuilles épaisses, charnues comme celles du sédum ou de l'écheveria (de la forme de ces dernières) délicatement lisérées de carmin. Elles poussent sur un rhizome extrêmement fragile et que je ne parviens pas à extraire intact du sol très rocailleux.

Bien dormi grâce au sédobrol. Cette étape, bien qu'une des plus longues d'après les indications officielles, ne m'a pas fatigué. Partis à 5 heures, arrivés à Ganlaka dès 11 h 30. S'il fallait repartir ce soir, je serais prêt. Nous savions que la route passe près d'un lac (dans un ancien cratère, dit-on... il ne me semble pas que ceci soit exact).

Et d'abord on pouvait prendre pour un lac, dans une dépression de terrain non boisée, une abondance de brume épaisse. Oui, vraiment, à travers les branches, on eût dit de l'eau. Mais plus loin, c'est vraiment de l'eau qu'on découvre sous l'écartement de la brume : on dirait un lac d'Écosse, partiellement entouré de bocages, puis de grands joncs, de roches noires ; un large espace entre la route et le lac, qui semble de tourbière, mais complètement sec, où nous lançons nos chevaux. Des brumes flottent encore sur l'eau ; le soleil n'est levé que depuis une heure. Lorsque nous approchons de l'eau, trois grandes biches s'enfuient, longeant la rive. Quantité de poissons, certains assez gros, zébrés comme des perches ; d'autres plus petits, dont Outhman et Zézé, entrés dans l'eau, cherchent en vain à s'emparer. J'aurais voulu en rapporter au muséum, ayant appris hier que Monod, bien qu'ichtyologue, ne s'était pas arrêté ici. Je me console en capturant deux cicindèles. Je les mets, sans plus songer à leur pugnacité, toutes deux dans une même petite boîte, en attendant le flacon de cyanure. Quand je rouvre cette prison préventive, je ne trouve plus que des débris.

Essaim de libellules (de deux sortes : les unes avec taches grenat ou noires, les autres aux ailes complètement transparentes) me suivant à ras de sol, enveloppant chacun de mes pas.

À un ou deux kilomètres du lac, dans un espace abondamment boisé, couvert, d'aspect un peu humide, quantité de bananiers sauvages. Rien ne peut dire la beauté de ces grandes feuilles vert tendre, encore intactes, formant *chou,* dans l'ombre et la fraîche lumière du matin. Sur l'un d'eux, je trouve une petite rainette complètement jaune ; à l'extrémité des pattes, des ventouses roses.

25 avril.

Dernière étape avant Tibati, Signalée comme la plus longue. Partis dès 4 h 30, les porteurs dès 4 heures. Arrivés vers 11 heures, peu fatigués. À pied d'abord, devançant les chevaux qu'on a fait dormir au village. Seul, à l'aube, traversée d'un marigot, au bord duquel je m'assieds pour attendre Marc ; et bientôt je distingue dans les feuilles mortes, à mes pieds, un bruit des plus singuliers. On dirait le crépitement d'une averse, non d'eau ni de grêle, mais de grésil. Le bruit n'est pas continu ; il parcourt le sol comme une vague, se propage, meurt et reprend à intervalles réguliers. On comprend, à observer bien, qu'il est produit par une quantité d'insectes, évidemment sous les feuilles. Le sous-bois est trop sombre pour que je puisse rien distinguer. Outhman, que voici venir, reconnaît aussitôt ce bruit rythmé comme un chœur de pagayeurs : ce sont des termites. Il gratte une allumette, soulève la couche de feuilles mortes ; l'armée dévorante est là.

Traversée de deux importants oueds ; arrêt au bord du premier, à l'ombre, après traversée du gué à cheval ; l'eau lui vient au ventre. Parallèle à l'oued et non distante de lui, une tranchée allemande. Le second oued traversé en pirogue. On est déjà très près de Tibati. Deux groupes d'envoyés sont venus à notre rencontre (sans parler de ceux qui nous attendaient à l'étape d'hier, et nous ont offert du beurre horriblement rance). Bientôt le lamido lui-même avec une escorte de gens en une sorte d'uniforme rouge. Salutations, puis chacun remonte à cheval et l'on fait au petit pas les trois derniers kilomètres.

Village important. Les groupes d'habitations Sarés toujours ceinturées de seccos. Marché permanent sur la place. Importants étals de bouchers. On vend du sel de deux sortes : gris et blanc. De la farine de manioc dans des calebasses, que viennent butiner des abeilles ; de l'antimoine (?), des perles, quelques mangues ; différentes épices : clous de girofle ; des cigarettes au détail.

Mais, de ma part, *incuriosité* grandissante. Poste agréable. Non loin s'est établi un missionnaire norvégien.

Depuis deux jours, odieuse réapparition des chiques ; ce matin, extractions des plus pénibles, suivies d'arrosements d'iode pour cautériser les plaies.

Hier, quarante-deux de nos porteurs demandaient à repartir aussitôt pour N'Gaoundéré. Il avait été convenu qu'ils nous accompagneraient jusqu'à Yoko — ou même, plus exactement jusqu'à Matsa, étape suivante accessible à l'auto qui doit venir nous prendre et nous emmener à Yaoundé. Problème : a-t-on vraiment besoin de ces gens pour les cultures, ainsi qu'eux le disent — auquel cas on les laisserait aller, le lamido d'ici se faisant fort de nous fournir d'autres porteurs. Il est inadmissible en effet que, pour la commodité d'un blanc, on risque d'affamer un village ; on emmène ces gens à 12 jours du leur, soit une absence de 22 à 24 jours environ. Ainsi l'exige l'absence, sur cette route du Cameroun, de postes administratifs qui permettraient des relais intermédiaires entre Yoko et N'Gaoundéré. Cas de conscience que nous débattons avec l'interprète ; celui-ci proteste que les cultures n'ont pas encore vraiment commencé, que ce que ces gens nous disent à présent ils eussent pu le dire au départ ; qu'on ne les prend point par surprise. Je leur fais valoir qu'il n'y a pas de poste administratif à Tibati, de sorte que le paiement régulier ne peut être fait qu'à Yoko ; que du reste ils sont bien payés, sensiblement mieux qu'au Congo, et que de plus je leur donnerai, si je suis content d'eux, un bon matabiche. Bref, je suppute le bien-fondé de leur résistance ; celle-ci cède enfin devant nos arguments et bientôt il n'en reste plus trace. Au demeurant il n'est aucune équipe de porteurs dont je me serai séparé avec moins de regrets. Pour la première fois, aucun contact cordial, ou presque, ne s'est établi entre eux et nous durant ces six jours. Ce sont des porteurs professionnels qui déjà ont pris un certain esprit de métier et de corps. Ils se soumettent à cette dure exigence de l'administration (ou des lamidos), mais avec mauvaise grâce et parce qu'ils ne peuvent faire autrement.

Les indigènes de Tibati sont plus insaisissables, inapprochables que jamais. Dès qu'ils vous voient, les enfants fuient, les femmes se cachent. Je n'ai plus la patience, ni surtout plus la curiosité qu'il faudrait pour des travaux d'approche et de lent apprivoisement. D'ailleurs ces gens de ville sont corrompus — je veux dire moins naïfs, et partant moins intéressants que ceux de la brousse.

26 avril.

Hier soir, invités à prendre le thé chez le missionnaire norvégien. Je n'ai pas assez d'imagination pour parvenir à voir dans cet être simple et naïf un espion. Séance un peu traînante, qui devait être suivie d'une prédication en plein air, comme chaque dimanche. Le brave homme a appris la langue Haoussa *en Danemark*. Il avoue n'avoir obtenu jusqu'à présent aucune conversion, et n'être pas écouté. Cette « lecture » pouvait être curieusement pénible.

— « Ils continuent à parler entre eux, mais ils m'écoutent tout de même, et la vérité du Christ les pénètre lentement », nous disait-il. Marc se proposait de filmer cela. Un violent orage souffla sur ces projets. La première tornade. Pluie diluvienne et formidables coups de tonnerre.

Vers le soir Marc pique une rage de dents. Le voici couvert de sueur et se tordant de douleur. La douleur devient bientôt si forte, que nous nous décidons à faire une piqûre. Mais quel aria ! Morphine et seringue sont dans la pharmacie, laquelle est calée dans la cantine n° 1, parmi le fourbi le plus compliqué de menus objets. Je l'atteins pourtant tandis que Marc baigne sa souffrance dans des gorgées de cognac, puis d'eau de Botot. Je réveille Zézé qui rallume le feu. Il faut d'abord faire bouillir la seringue, car, après nous en être servis pour l'injection de caféine à Dindiki, nous avons négligé de la laver ; à présent le piston de cristal adhère. Dans mes vains efforts pour le décoller, je ne parviens qu'à briser l'instrument et à m'ensanglanter les doigts. Heureusement une double dose de sonéryl commence à agir et la nuit s'achève dans le sommeil.

Nous n'avons quitté Tibati ce matin qu'assez tard. La pluie d'hier a rafraîchi l'atmosphère. Je pars à pied, après les porteurs, mais avant Marc et les chevaux [1] qui ne me rejoignent qu'au bout d'une heure. Je vais bien ; ai pu dormir sans soporifique. J'ai plaisir à marcher, à respirer, à vivre. Extrêmement intéressé par l'élan de la végétation. Les traces d'incendie disparaissent, absentes en cette région, ou couvertes par l'éruption printanière. Mais plus encore que les plantes, les insectes ici m'intéressent. Le meilleur de cette matinée a été occupé à la chasse aux cicindèles. J'en ai trouvé, depuis quelques jours, sept espèces. Certaines sont très difficiles à saisir ; non seulement en raison de leur agilité, de la promptitude et rapidité de leur essor, mais aussi de leur habi-

1. Car si l'on nous a priés de ne pas emmener les chevaux de N'Gaoundéré plus loin que Tibati, le lamido de Tibati propose de nous en prêter de nouveaux pour les deux ou trois premières étapes vers Yoko, les tsé-tsés n'étant à craindre qu'ensuite.

leté et de cette singulière habitude qu'elles ont de ne pas fuir *devant* l'ennemi, mais de le contourner aussitôt, de manière à échapper à sa vue. On se retourne brusquement, mais il est extrêmement difficile de distinguer où elles se posent. Nous nous mettons plusieurs à les poursuivre, à quatre pattes le long du sentier. Outhman se montre, comme toujours, particulièrement adroit et roublard, et c'est lui que j'appelle à la rescousse quand j'aperçois une espèce nouvelle (souvent, du haut de mon cheval) et que je craigne de manquer, car ma vue a beaucoup faibli depuis quelques mois. La plus petite espèce, que je ne connaissais pas encore, pas plus grosse qu'une mouche et complètement terne d'aspect, se montre particulièrement défiante. Nous parvenons pourtant à en saisir quelques-unes que je roule dans du papier de closet, en attendant le tube d'alcool.

Dans le bush, grande orchidée violette, sur hampe, comme une digitale artiste.

C'est sans doute la tornade d'hier qui a brisé le fil télégraphique qui longe la route depuis N'Gaoundéré. Accident très fréquent. Nous retournons en arrière avec la prétention de réparer. Impossible sans instruments. Je m'étonne que le fil ne soit pas fixé sur chaque isolateur, mais simplement posé, de sorte qu'il demeure flottant, beaucoup plus capable de céder, me semble-t-il, au premier effort de la tempête [1].

1. La ligne a été réparée ce même soir, par un ouvrier envoyé aussitôt de Tibati, qui nous rejoint ce soir au poste. Elle était brisée en deux endroits. Le service semble parfaitement bien organisé.

Auprès du poste de Niandjida, que nous atteignons après midi, réapparition de quelques plants d'ananas (mais rien que des feuilles). Une grande solanée à fleurs violet sombre, à fruit comme un œuf blanc luisant, déjà vue ces derniers jours.

Sitôt arrivé chacun s'occupe à examiner ses pieds. Les chiques du Congo n'étaient rien. Ici elles surabondent. Elles respectent un peu nos pieds blancs, et ceux, particulièrement cornés je suppose, de nos porteurs ; mais ceux de nos pauvres boys, encore que chaussés, en sont couverts. Et je n'avais vu, jusqu'à présent, la chique qu'enkystée ; mais Zézé nous appelle pour nous en montrer quatre, cinq, six, courant sur son pied, à la recherche d'une gerçure ou d'un endroit tendre.

Après la sieste je gagne, par un petit sentier, le marigot voisin. Chacun de ces ruisseaux, à mesure que l'on descend vers le sud, s'enveloppe d'une végétation plus tropicale. Suivant la galerie forestière, j'enfonce dans du marécage. Je revois avec grand amusement le palmier liane (eremospatha cuspidata) laissé de l'autre côté de la ligne. Eh quoi ! ce n'est pas lui ; encore que, de loin, il ait le même aspect. Je m'approche : la tige d'où jaillissent les palmes est hérissée de dards ; par contre la palme ne porte pas ces harpons qui font de l'autre une liane si redoutable.

Voudjiri, 27 avril.

Ces dernières étapes sont de beaucoup les plus intéressantes. Il semble que le pays cherche à nous laisser des regrets. Je l'interroge anxieusement ; non que j'attende de lui quelque « leçon » ; mais j'ai besoin de lui parler seul à seul, comme à l'ami qu'on va quitter bientôt. Dans la nuit qui s'achève, je pars en avant, précédant la troupe. Le jour se lève tandis que je parviens au bord d'un marigot aux eaux abondantes. Sur l'autre rive, des jappements que je reconnais pour ceux des cynocéphales ; dans la pénombre du crépuscule matinal et de la galerie forestière, je ne parviens pas à les voir, mais seulement une bande de très petits singes qui font de l'acrobatie dans les branches des plus hauts arbres, et que dénoncent leurs cris aigus.

Je m'écarte du sentier pour observer de près le drame végétal d'un arbre énorme que s'apprête à étouffer lentement un ficus. Le tronc de l'arbre est oblique. Le ficus verticalement chu d'une des branches de l'arbre dix fois plus gros que lui, enserre celui-ci par le milieu ; ses radicelles, devenues tronc à leur tour, l'étreignent comme les bras d'une pieuvre. L'arbre est fichu.

Sur le sentier que je regagne, cinq indigènes sont arrêtés. L'un d'eux porte une charge d'éclats de bananiers prêts à être bouturés. Tous les cinq s'enfoncent bientôt dans la galerie forestière, où l'on ne distingue qu'une très étroite piste, où je les suis un instant, et je les vois traverser la rivière sur un énorme tronc d'arbre abattu.

Un nouvel orchis, que, de loin, je prends pour un glaïeul. Les fleurs, de ton citrin, sont délicatement striées d'incarnat.

Encore un marigot, caché sous une végétation toujours plus exotique. Parmi les grands arbres de la galerie forestière, presque aussi haut que les plus hauts d'entre eux, un prodigieux pandanus, extraordinairement ramifié. Mais pourquoi, dans un repli de ce marigot, cette quantité d'arbres morts ? La mort ne semble pas due à l'incendie [1], car le terrain très marécageux ne se prête à aucune culture.

Sur la route, où je cherche des cicindèles, je m'attarde à observer une mouche-maçonne qui entraîne une assez grosse araignée, à reculons. Où l'emmène-t-elle ? Sans doute dans un terrier semblable à celui que nous regardions hier soir, où une mouche-maçonne de la même espèce s'enfonçait, ramenant de chaque plongée, à reculons, une pattée de terre qu'elle égalisait au-dehors et repoussait assez loin du trou pour qu'elle ne risquât pas d'y retomber.

Je retrouve cette étonnante aroïdée que j'admirais aux cascades du Djoué ; composée d'une feuille unique ; celle même, me semble-t-il, dont parle Costantin dans son livre sur la végétation tropicale [2].

Un porteur nous apporte une des plus curieuses fleurs que j'aie vues. Une vingtaine de clochetons pentagonaux, largement ouverts, disposés autour d'un point central (comme la fleur d'ail), pédoncules mous et un peu retombés. L'étrange, le prodigieux, c'est la matière et la couleur de cette

1. Procédé de défrichement le plus souvent employé par les indigènes, en vue d'une mise en culture.

2. Dracontium gigas (?).

fleur. On la dirait taillée dans du velours : *gris*, couleur inconnue chez les fleurs ; gris comme des gants de Suède demi-deuil (et c'en est d'ailleurs presque la matière). Un peu plus tard, dans le bush, je vois la plante : 40 à 50 centimètres de haut ; port de l'alstroemère ; graine semblable, autant qu'il m'en souvient (vérifier) pentagonale ainsi que la fleur. Et, faisant déterrer le pied, je sors un assez gros oignon (ou bulbe) plat comme une galette — que je vais rapporter, sans grand espoir qu'il reprenne.

Rencontre de M. Pascalet qui monte à Garoua, pour étudier la culture du coton. Il me dit, lorsqu'il apprend mon nom : « Je suis précisément en train de lire un livre de vous. » Mais, comme toujours, il y a erreur. C'est le *Traité d'Économie Politique* de mon oncle qu'il a dans son tipoye.

Le chemin suit un dos-d'âne entre deux profonds ravinements épaissement boisés. C'est la partie la plus belle et la plus intéressante depuis Pouss.

Un gros arum pourpré, à fleur basse, très large.

Sur le bord de la galerie forestière, quantité d'arbustes fleuris ; les uns à bractées blanches ; d'autres à bractées écarlates, somptueuses. Puis, dans le bush, d'autres arbustes isolés, à fleurs en boules exactement rondes, grosses comme des châtaignes, en velours épinglé blanc de lait sur fond orange. Beaucoup d'arbustes couverts de fruits. Les herbes, depuis les dernières pluies, ont atteint déjà près d'un mètre de haut. Il est vrai que nous sommes plus au sud, où tout est plus avancé.

Admirable descente, en quittant le dos-d'âne. On distingue un petit village ; huttes rondes à toit de paille en pointe, dans un repli de marigot, profondément encaissé. Mais la route le laisse sur la droite et passe outre, remontant le versant opposé.

Si belle que soit la route, l'étape est trop longue. Nous arrivons à Voudjiri à midi passé, claqués.

Le village est abandonné ; transporté plus loin. Après la sieste, nous gagnons le marigot très important (abondance de crocodiles, nous dit-on). Eaux limoneuses, coulant lentement sous les rameaux penchés des grands arbres. Un petit sentier à peine visible suit le cours de l'eau, en aval, jusqu'à des rapides. Végétation luxuriante. Énormes punaises rubis et vert émeraude, lisérées d'un damier jaune et noir ; qui dans l'alcool hélas ! vont devenir noires.

Samé, 28 avril.

Presque pas pu dormir cette nuit. De nouveau très fatigué. Une sorte de courbature interne ; de point de côté ; je ne puis me tourner sur mon lit. Je suis forcé de renoncer au cheval. Je vais à pied. Je pars sans breakfast, avant les porteurs, dans la nuit, accompagné d'un type de Tibati, et gagne à pied un village encore endormi. On réveille le chef, un énorme noir tout riant, amusé d'avoir été surpris dans son sommeil ; il me fait apporter des bananes. Voici le tipoye ; je n'en peux plus.

Dindiki fait un repas de cicindèles, sur lesquelles il se jette furieusement. Deux nouvelles espèces ; en tout, neuf :

1° Une noire avec quatre paires de taches jaune clair, disposées comme celles de nos cicindèles de France, mandibules blanc d'ivoire [1].

2° Une noire lisérée de rose.

3° Une, plus grande, de vol moins prompt (peut-être même les élytres sont-elles soudées). Serait-ce un carabe ? Il me semble également que les pattes de derrière, moins longues, ne permettent pas le bond. Noire, avec une tache blanc jaunâtre, au milieu de l'élytre, sur le côté.

4° Grande quantité de la petite arrondie, vert émeraude, qui devient bleue, ou violette dans l'alcool.

5° Noire aux rayures brunâtres, transversales.

6° Une toute petite, noire, qui semble une mouche.

7° De la taille de nos cicindèles de France, couleur carmélite, avec grosse raie médiane, en velours noir.

8° Une grosse, vert terne ; sensiblement plus grande que les autres.

9° Noire avec une petite tache de sang sur le côté.

Désolé de les voir ternir et noircir uniformément dans l'alcool, je tente d'en garder quelques-unes, des dernières espèces capturées, dans le flacon de cyanure, puis dans une boîte d'allumettes.

Les cicindèles, avec leurs puissantes mandi-

1. La même, sensiblement plus grande (femelle ?), a les mandibules noires, lisérées de blanc.

bules-tenailles de carnassières, sont incapables de trouer le papier dans lequel je les enferme, tandis que certains petits coléoptères couleur abricot (chrysomèles) aux mâchoires, en apparence, inoffensives, trouvent le moyen, humectant un peu le papier, de le forer très rapidement.

Étape antépénultième. Samé, où nous devons laisser nos chevaux. Poste bien tenu ; gîte très vaste (trois pièces comme toujours — celle du centre largement aérée — véranda extérieure). Au poste dernier nous avons laissé l'Islam et son influence. Le chef du village (je crois que Samé est son nom) vient à notre rencontre en redingote très longue et très fripée, casquette kaki, culotte kaki, leggins noirs, gros souliers ferrés. Le tout ineffablement laid et ridicule. Gros visage bonasse, moustaches à la Guillaume II ; mais, rasé sous le nez, il n'en a gardé que les pointes. On le revoit un peu plus tard ; il a encore la redingote, mais ses pieds nus sortent d'un pantalon de pyjama bleu et blanc. Il nous offre un ananas.

Près des marigots, de nouveau de grands et beaux papillons ; mais hélas ! je n'ai plus rien pour m'en saisir.

Bounguéré, 29 avril.

Une fameuse étape de moins à faire. L'une des plus longues et des moins intéressantes du trajet ; pourtant, à mi-route, très belle traversée d'une étroite bande de grande forêt. Chose curieuse : ce n'est pas une galerie forestière. Ou du moins, la forêt s'étend du fond du ravin jusqu'en haut de l'éminence. Admirable épaisseur de la végétation. Disparition des cicindèles, à la seule exception de la plus petite espèce, celle si difficile à saisir ; encore ne suis-je pas sûr que ce soit la même. Quelques nouveautés végétales ; en particulier un arbuste portant des thyrses de petites fleurs vertes, en forme de cornets pointus, et un beau lys rouge et jaune, un peu « vulgaire » et, comme les amaryllis de ces derniers jours, de pas très « bon goût ». Dimension et port du lys martagon.

Yoko, 30 avril.

Étape assez courte. Partis à peine un peu avant 6 heures. Arrivés à 11 heures. Route sans grande nouveauté. Un arbre à grandes fleurs jaunes : sorte de bignonia ; feuilles de séphora. Habité par un petit charançon ; je recueille sa larve, dans la pulpe du calice.

Gîte d'étape très délabré ; toit crevé — et, de plus, la moitié du bâtiment servant de séchoir à caoutchouc (noir du Congo) pour un commerçant indigène. Odeur infecte de latrines. Les huttes pour les porteurs sont effondrées. Et nous nous étonnons également que l'administrateur, chef de subdivision, M. Berrier, ne soit pas venu à notre rencontre. Mais le voici qui arrive un peu plus tard, la pipe à la bouche. Tout s'explique. C'est la fin du mois. Surcharge de besogne administrative. Le vrai poste a flambé il y a trois semaines.

On a dû se replier sur le bâtiment précédemment cédé au commerçant. Quant aux porteurs, ils ont des cases pour eux dans le village. Nous sommes attendus à déjeuner, avec le Père X..., belge, qui doit aller à N'Gaoundéré.

1er mai.

Tout assombri par la mort de mon petit Dindiki. Ce matin, je m'étonnais, en ouvrant le panier où je l'enferme toutes les nuits, de le retrouver, pour la première fois, exactement à la place et dans la position où je l'avais laissé la veille. Il était anormal que ce petit animal nocturne n'ait point bougé de la nuit. Je voulus le prendre avec moi, selon mon habitude ; mais il ne supportait point qu'on le touchât et mordait du plus fort qu'il pouvait, ce qu'il ne faisait jamais d'ordinaire. Visible inquiétude. Certainement il cherchait quelque chose (et depuis plusieurs jours) que je me désolais de ne savoir lui donner, écorce, herbe ou fruit. Terriblement constipé, il devenait depuis treize jours, de plus en plus difficile pour la nourriture ; essayant des choses nouvelles ; ces derniers jours ne mangeant presque plus ; puis brusquement, hier soir, bouffant une grande quantité de riz, et sans doute eus-je tort de le laisser faire. Son ventre était gonflé ; ses yeux rentrés ; l'expression de ce petit *visage* que je connaissais si bien ; où je lisais si bien les marques du plaisir, du désir, du mécontentement, et même de l'amusement, de la farce... Rien qu'à son regard je le jugeai perdu.

On voyait qu'il devait souffrir. Quand je le mettais à terre, il se traînait de côté, se couchait presque. Je m'inquiétais beaucoup ; mais ne pouvais, avant l'étape, donner le lavement d'huile, que j'aurais dû lui donner plus tôt et qui, du reste, ne l'aurait pas sauvé. L'absurde c'est que je ne savais trop si ce que je lui donnais à manger, compote, confiture, gomme d'arbre, cicindèles — pouvait avoir un effet laxatif ou au contraire constipant. J'aurais eu besoin de conseils. À un arrêt, ayant avisé, près d'un ruisseau, un gros arbre blessé, du tronc duquel de la sève coulait en larmes semblables à de la stéarine, j'en approchai Dindiki qui commença par se jeter dessus ; puis se détourna vite, comme soudain dégoûté. Marc le prit dans son tipoye ; c'est-à-dire que Dindiki, qui s'y était introduit, refusa d'en descendre, donnant à qui tentait de le déloger de grands coups de dents, comme il n'avait jamais fait. Marc m'avertit bientôt qu'il allait plus mal. Sitôt arrivés à l'étape nous lui administrâmes un lavement d'huile tiède. Puis je l'installai dans le panier de Reï Bouba, enveloppé dans une serviette. Nous montâmes bientôt dans les autos qu'on avait envoyées de Yaoundé à notre rencontre. Quand, au bout d'un instant, je rouvris le panier que j'avais pris avec moi, le cœur de Dindiki ne battait plus.

Près d'une heure durant, je crois bien, je tentai, ainsi que j'avais fait à Gingleï, de ramener le rythme respiratoire. Mais à quoi bon ?... Quand bien j'y serais parvenu, je n'aurais pu supprimer la cause du mal. J'étais consterné et révolté de voir me quitter ainsi ce compagnon de tous mes instants. Si monstrueux que cela puisse paraître, il me semblait que je comprenais, comme je ne l'avais jamais fait, ce que peut être pour une mère la perte d'un tout petit enfant. La ruine subite de tout un édifice de projets et le sentiment du contact charnel interrompu. Même il s'y ajoutait quelque chose de presque superstitieux ; c'était mon démon familier.

Ce dernier jour, ce petit être si affectueux, ou du moins si sensible à la caresse, s'était mis à me détester. On se rendait compte de l'inconscient travail de cette obscure intelligence qui *savait* ce qui devait guérir. Dindiki se révoltait d'être constamment arrêté par moi lorsqu'il partait à la recherche de l'herbe ou de l'écorce salutaire. Pourtant, dans les derniers moments encore, en un geste d'une gaucherie charmante, il levait au-dessus de la tête son petit bras, pour être caressé sous l'aisselle.

L'étape dernière avait été une des plus longues, mais des plus belles. La pluie nous a surpris avant d'arriver à Matsa. Le poste est tout près d'un immense rocher de granit gris, du plus étrange aspect. Les autos sont arrivées peu après nous. Nous étions donc repartis après avoir pris juste le temps de soigner Dindiki, de payer nos porteurs et de faire un maigre repas.

La route de Matsa jusqu'à N'Ghila (?) où nous couchons ce soir, m'a paru des plus belles. Elle traverse une forêt qui m'a rappelé les plus beaux endroits de celle de la région de Bangui. Et même cette luxuriance m'a ravi plus encore qu'à mon premier contact avec la végétation tropicale.

Il fallait qu'elle fût bien belle, cette route, pour me distraire de la lecture d'un courrier qu'on nous apportait de Yaoundé.

Un flot de journaux et de revues, où s'étale cette extraordinaire et assez vaine querelle sur la « Poésie pure ». Heureux de n'être point à Paris ; je ne sais si j'aurais pu me retenir de donner de la voix, ne fût-ce que pour approuver entièrement Souday, qui parle de tout cela le plus congrûment du monde. Que prétend l'abbé Bremond ? Enseigner à faire les vers ?... À les goûter ?... Son « ut musica poesis » est aussi ruineux pour la poésie que le « ut pictura » d'Horace. Et que ne voit-il pas qu'il suffit qu'une poésie soit essentiellement intraduisible, à cause du rythme et de la sonorité, sans aller jusqu'à dire que ce rythme et cette sonorité nous suffisent.

Jamais Gautier n'a déclaré que

La fille de Minos et de Pasiphaé

était « le plus beau vers de la langue française », ainsi que certains lui font dire. Il protestait que « ce paltoquet de Racine » n'avait pas écrit d'autre vers supportable ; ce qui n'est pourtant pas la même chose.

Il fallait s'attendre, en pendant à la « peinture pure » des cubistes, à voir ces vaines revendications se produire.

Mais qu'il y ait, dans la poésie, un élément inanalysable d'harmonie subtile, qui le nierait ? Des philistins insensibles à cette harmonie, comme ce célèbre romancier (dont *L'Illustration* publie la dernière œuvre) qui, croyant citer Baudelaire, écrit :

Là tout est ordre et beauté [1],

sans s'apercevoir de la cacophonie du : tou tes tordre...

Au demeurant, pour admirer les vers d'un athée, Souday a beau jeu ; l'abbé, lui, doit recourir au subterfuge ; et toute cette complaisante théorie ne vient là, me semble-t-il, que pour mettre sa conscience à l'aise : Le sens de ce poème importe peu ; écoutons seulement son chant, vraie prière !

Et tandis que l'abbé Bremond désintellectualise pieusement le poème, la musique, par une déplorable revanche, tend à s'alourdir de cette signification qu'il refuse aux vers. Poèmes symphoniques, dont on suit l'explication sur les programmes ; ce qui me fait fuir les concerts. Confusion des genres.

Quelques éreintements des *Faux-Monnayeurs* m'apprennent que le livre enfin a paru.

2 mai.

Levé de bon matin, requis au-dehors par le beau temps, que positivement je *sentais* avant d'avoir vu l'éclat du ciel. Admirable sérénité de l'azur. Une lune presque pleine, encore reine du

1. Le vers de Baudelaire :
Tout n'est qu'ordre et beauté.

ciel, pâlissant dans l'aube. Extraordinaire qualité de l'air, d'une suavité incomparable, tiède, caressant, léger... Près des grands arbres, noyés dans les brumes que le soleil va bientôt dissiper, des parfums inconnus flottent. Végétation flexueuse et molle, riche d'une force cachée. Groupes d'arbres si beaux, si grands, si nobles, qu'on se dit : c'est là ce que je suis venu voir. Chants d'oiseaux ; bruissements d'insectes. Une sorte d'adoration confuse ruisselle de mon cœur. Mais est-ce la végétation exotique que j'admire ?... N'est-ce pas surtout le printemps ?

Nous quittons N'Ghila vers 8 heures. Peu après, traversée de forêt admirable. Étalement paresseux des feuillages ; grâce des lianes ; solennité des arbres, élancés extraordinairement. Beauté de la seule lumière. J'avais voulu partir devant, mais l'autre camion (Berliet), où est monté Marc, me précède. Nous avions décidé de coucher au poste, sur la Sanaga, différant d'un jour notre arrivée à Yaoundé, pour nous attarder en forêt. Un indigène, assis en lapin sur le marchepied de la première voiture, a mission de regarder constamment en arrière si nous suivons et d'arrêter la voiture au premier signe. De plus, le petit Pierre (le frère de cette andouille de Madoua qui, depuis Maroua, a pris la place d'Adoum) est dans le camion, nous fait face, regardant en arrière, chargé de veiller à ce que les objets délicats, pied du cinéma, etc., ne chahutent pas.

Au passage d'un marigot particulièrement attrayant, je fais les signaux convenus pour l'arrêt.

En vain hélas ! Nous jouons du klaxon, nous crions, et même, à la montée qui suit, l'indigène installé sur le marchepied de mon camion, s'élance à la poursuite de l'autre auto ; et ce petit imbécile, qui voit nos efforts désespérés, sourit et ne bronche pas ; de sorte que l'autre auto continue à prendre de l'avance. Nous ne nous retrouverons qu'au poste. Marc, convaincu, sur les affirmations mensongères du veilleur, que mon auto suivait, attendait toujours le signal que je devais donner... Tandis que je m'enfonçais seul dans un sous-bois enchanteur.

Silence, traversé de chants d'oiseaux mystérieux. Fleurs de plantes gigantesques ; l'une extraordinairement poilue, ou plus exactement hérissée de dards, porte des grappes de fruits orangés, comme de gros raisins hirsutes. Tristesse de voir tout cela sans Marc. Je ne sais jouir de rien tout seul.

Au poste, je retrouve Marc furieux et désolé. Nous engueulons le petit Pierre et son frère, dont la négligence et la stupidité nous font rater nos adieux à la forêt vierge. C'est par pure charité que nous les avions pris avec nous, pour les ramener à Yaoundé. Nous refusons de les emmener plus loin. Ces deux tristes produits de grande ville (Yaoundé), voleurs, menteurs, hypocrites, justifieraient l'irritation de certains colons contre les noirs. Mais précisément ce ne sont pas des produits naturels du pays. C'est au contact de notre civilisation qu'ils se sont gâtés.

Nous sommes au dernier jour. Le voyage est fini. Peut-être que je ne reverrai jamais plus la forêt vierge. Elle n'a jamais été plus belle, et nous avons passé comme des voyageurs pressés d'arriver au but, alors que le but, c'était elle. Ah ! la voir encore, ne fût-ce qu'un instant. Nous ne sommes qu'à 25 kilomètres d'elle. L'auto nous y ramènerait en moins d'une heure... Hélas ! l'auto doit repartir aussitôt. Du moins télégraphions-nous à Yaoundé pour que celle qui doit venir nous prendre demain arrive d'assez bonne heure pour nous permettre ce retour en arrière.

La savane à l'entour du poste rappelle les environs de Fort-Archambault. Au poste même on retrouve la civilisation. C'est là qu'arrivent, par une route très bien entretenue, une grande abondance de marchandises pour le nord. Je gagne le bord de la Sanaga. Sur l'arène humide, des vols de papillons gris-brun, extrêmement nombreux, se lèvent à mon approche et tourbillonnent autour de moi ; il y en a non des centaines, mais des milliers. Et plus loin, je revois l'énorme papillon à ailes très longues, comme des ailes de libellules, noires zébrées de bleu clair, à l'abdomen très volumineux, jaune safran, que j'avais déjà capturé à Carnot. C'est de beaucoup le plus grand papillon que j'aie vu en Afrique Équatoriale.

Cascades et rapides en amont du poste.

mai.

Ciel complètement couvert. Photographie impossible. Inutile de revenir en arrière. Nous filons à Yaoundé directement.

On nous apporte ce matin, au bout d'un jonc, quelques poissons qui ressemblent à des carpes, avec des mufles d'hippopotames.

Chaque matin on procède à l'extraction des chiques. À la quatrième, grosse déjà comme un grain de riz, on prend un verre de cognac, car on croit qu'on va tourner de l'œil. Certaines laissent des cavernes profondes qu'on arrose d'iode. De toutes petites, non encore alourdies, fuient devant le scalpel ou l'épingle et, si l'on ne se hâte, s'enfoncent toujours plus avant dans la chair. Ce sont souvent les plus difficiles à extraire. Si on les laisse, elles deviennent énormes ; elles pullulent, font colonie. Il n'y a bientôt plus qu'à couper l'orteil.

Du 3 au 6 mai.

Retour à la civilisation. Prodigieuse beauté de la forêt traversée par la ligne du chemin de fer. Nous voyageons dans un fourgon, fort bien installés, avec nos boys et tout notre fourbi. Mais je n'ai plus le goût de rien noter.

Douala, 7 mai.

Quel hôtel ! Le plus rébarbatif des gîtes d'étape est préférable. Et quels blancs ! Laideur, bêtise, vulgarité... Pour moi qui crains sans cesse de déranger autrui, la pensée d'autrui, le repos d'autrui, la prière d'autrui, tant de sans-gêne me consterne d'abord, puis m'indigne. Mais je me dis bientôt que, si ces gens nous dérangent, c'est sans le savoir, car eux-mêmes ne méditant pas, ne lisant pas, ne priant pas, et dormant d'un sommeil de brute, ne sont jamais dérangés par rien. Je voudrais écrire un Éloge de la délicatesse.

Il s'agit de rapatrier nos boys. 200 francs de Douala à Matadi. Après, je ne sais. On leur doit d'autre part près de trois mois de gages. Avec 400 francs, en plus du billet jusqu'à Matadi, j'espère qu'ils ne resteront pas en panne. Pourtant je tremble qu'ils ne se laissent voler, ou qu'ils ne jouent, et nous convenons qu'ils confieront à M.M. leur fortune jusqu'au jour du départ (le 15). Mais sur le pont de l'*Asie*, où nous allons nous embarquer et où ils nous accompagnent, je les surprends en train de se payer chacun un parapluie de 35 francs. J'arrive juste à temps pour les retenir.

14 mai.

C'en est fait. Nous avons bouclé la boucle. Le navire a levé l'ancre et le mont Cameroun disparaît lentement dans le brouillard.

J'ai confié au maître de cambuse un affreux petit animal, acheté hier soir à Douala : une civette, je crois.

Ce matin, au breakfast, l'évêque de Yaoundé, qui rentre en France, est venu s'asseoir à côté de moi. Je commande un jambon, sans réfléchir que nous sommes vendredi ; ce qui fait qu'ensuite je n'ose plus parler à l'évêque.

Quelques enfants à bord, de onze à quatorze ans ; toute pose et affectation. L'aîné d'entre eux, de beaucoup le plus poseur, déclare à une petite fille que, plus tard, il veut être « critique littéraire », ou ramasseur de mégots. Tout ou rien. Pas de milieu ; c'est ma devise ». Caché dans un coin du salon et abrité derrière une *Illustration*, je les écoute inlassablement. Qu'il est difficile à cet âge, pour un blanc du moins, d'être naturel ! On ne songe qu'à épater autrui, qu'à paraître.

Je le retrouve un peu plus tard, accoudé au bastingage, en compagnie d'un camarade un peu plus jeune que lui ; tous deux causent avec un Suédois.

— « Nous, les Français, nous détestons les autres nations. Tous les Français... n'est-ce pas, Georges ?... Oui ; c'est très particulier aux Français, ça, de ne pas pouvoir souffrir les autres nations... À moins que nous ne leur reconnaissions des qualités... Oh ! alors, quand nous leur reconnaissons des qualités, ça, c'est à fond. » (Cette dernière phrase manifestement dite par égard pour son interlocuteur, qui a l'air de s'amuser beaucoup. Et il y a de quoi.)

— « Moi, j'appelle un musicien, dit-il encore à la petite fille, quelqu'un qui comprend ce qu'il joue. Je n'appelle pas un musicien quelqu'un qui tape sur le piano comme on donne des coups de pieds à un nègre. » Et, comme il ajoute autoritairement, qu'il faudrait « supprimer » ces derniers, non point les nègres peut-être, ni sûrement ceux qui tapent dessus, mais les faux musiciens, la petite fille s'indigne et s'écrie :

— « Mais alors qui est-ce qui nous fera danser ? »

Appendice

Contenant les documents
relatifs à la question
des grandes compagnies
concessionnaires

I

Lettre à M. le Gouverneur Général intérimaire de l'Afrique Équatoriale française

Nola, 6 novembre 1925.

Monsieur le Gouverneur,

Je voulais vous écrire encore toute la reconnaissance que je garde de votre accueil. Sur divers points de notre parcours l'effet de votre intervention s'est déjà fait sentir et, répondant à vos instructions, les administrateurs de votre colonie ont fait de leur mieux pour faciliter notre voyage. Nous avons quitté Bangui lundi 26 octobre pour rentrer ce même jour dans le Moyen-Congo.

Ma lettre ne devait contenir que des remerciements mais voici qu'un concours de circonstances inattendues m'a soudain fait dépositaire d'un message que je me hâte de vous transmettre.

Samba N'Goto, chef de région, regagnait Boda où il réside, et y était déjà presque arrivé lorsqu'il croisa sur la route l'auto du Gouverneur Lamblin qui nous emmenait à N'Goto. Croyant avoir affaire à vous-même il rebroussa chemin tout aussitôt, arriva à N'Goto à la nuit tombée. Nous étions alors attablés, Marc Allégret et moi ; Samba N'Goto, craignant de nous déranger, nous salua rapidement et remit au lendemain la conversation qu'il se promettait d'avoir avec vous-même. Mais déjà sa contremarche avait été connue. Un coureur, dépêché par M. Pacha, administrateur de Boda, arrivait à N'Goto quelques heures après Samba N'Goto, et lui transmettait l'ordre de revenir.

Je comprends de reste que M. Pacha craignît la divulgation des tristes faits dont Samba N'Goto voulait vous instruire. Celui-ci, pressé par l'ordre de l'administrateur, plutôt que de laisser éteindre cette lueur d'espoir, prit sur lui de nous réveiller à deux heures du matin. Il y eut long discours, à quoi, faute d'interprète, nous ne comprîmes pas un mot. Assumant la responsabilité de son retard, nous lui promîmes une attestation qui le couvrît auprès de l'administrateur, et remîmes au lendemain la palabre. Or voici ce que Samba N'Goto, chef de tous les villages Bofi de la région de Boda, avait à vous dire :

Le 21 octobre dernier, le Sergent Yemba fut envoyé par l'administrateur de Boda à Bodembéré pour exercer des sanctions contre les habitants de ce village (Les Bossué, entre Boda et N'Goto). Ceux-ci avaient refusé d'obtempérer à l'ordre de transporter leur gîte sur la route de Carnot, désireux de n'abandonner point leurs cultures. Ils arguaient, en outre, que les gens établis sur la route de Carnot, sont des Baya, tandis que eux sont des Bofi.

Le sergent Yemba quitta donc Boda avec trois gardes (Bondjo, N'Dinga et N'Gafio). Ce petit détachement était accompagné de Baoué, capita, et de deux hommes commandés par ce dernier. En cours de route, le sergent Yemba réquisitionna deux ou trois hommes dans chaque village traversé, et les emmena après les avoir enchaînés. Arrivés à Bodembéré les sanctions commencèrent. On attacha douze hommes à des arbres, tandis que le capita du village, un nommé Kobelé, prenait la fuite. Le sergent Yemba et le garde Bondjo tirèrent sur les douze hommes ligotés et les tuèrent. Il y eut ensuite grand massacre de femmes que Yemba frappait avec une machette. Puis, s'étant emparé de cinq enfants en bas âge, il les enferma dans une case à laquelle il fit mettre le feu. Il y eut en tout trente-deux victimes.

Ajoutons encore à ce nombre le capita M'Biri lequel s'était enfui de son village (Boubakara, près de N'Goto). Yemba le retrouva à Bossué, premier village au N.-E. de N'Goto, et le tua le 22 octobre environ ; je n'ai pu m'assurer de la date.

Veuillez croire, Monsieur le Gouverneur, qu'il n'était nullement dans mes intentions, en venant dans ce pays, de mener une enquête. Encore une fois c'est à vous que Samba N'Goto prétendait parler ; qu'il croyait parler tout d'abord, car il va sans dire que je l'ai vite détrompé, lui promettant pourtant de faire parvenir jusqu'à vous le récit de ces faits, qui risquerait sinon de ne jamais vous atteindre. Ils me paraissent graves et ne laisseront pas de vous alarmer, j'en suis certain.

Veuillez considérer, Monsieur le Gouverneur, qu'une instruction imprudemment conduite risque d'entraîner la perte de Samba N'Goto à qui M. Pacha ne pardonnera pas d'avoir parlé. Si vous interrogez M. Pacha, tout porte à croire qu'il fera retomber la responsabilité de ces actes abominables sur le sergent Yemba, qui aura mal compris ou mal exécuté ses ordres. Il me paraît pourtant que Yemba n'avait fait que s'inspirer de l'esprit de son maître, homme sombre et maladif, m'a-t-il paru lorsque je l'ai vu à mon passage, qui ne se cache point de « haïr le nègre » et qui le prouve.

À Bambio le 8 septembre, jour du marché, dix récolteurs de caoutchouc travaillant pour la C.F.S.O. — pour n'avoir pas apporté de caoutchouc le mois précédent (mais ce mois-ci ils apportaient double récolte) — furent condamnés à tourner autour de la factorerie, sous un soleil de plomb, et porteurs de poutres de bois très pesantes. Des gardes, s'ils tombaient, les relevaient à coups de chicotte. Le « bal » commencé dès 8 heures dura tout le long du jour sous les yeux de MM. Pacha et

Maudurier, assis au poste de la C.F.S.O. vers 11 heures, le nommé Malingué, de Bagouma, tomba pour ne plus se relever. On apporta son corps à M. Pacha, qui dit simplement : « Je m'en f... » et fit continuer le bal. Tout ceci se passait en présence des habitants de Bambio rassemblés, et de tous les chefs des villages voisins venus pour le marché. Je tiens le récit de plusieurs.

Croyez bien que, déjà sceptique par nature, le peu de mois que j'ai passés en A.E.F. m'a mis en garde contre les « récits authentiques », les exagérations et les déformations des moindres faits. C'est pourquoi j'ai tenu dans mon premier récit à préciser les noms et les chiffres. Pour cet autre fait, qui, je le crains, n'eut rien d'exceptionnel s'il faut en croire les racontars — j'ai procédé à des recoupements divers et n'avance rien que je ne tienne à la fois de plusieurs témoins directs, de situation et d'origine très différentes (car il n'y eut pas rien que des noirs présents ce jour-là) et ne se connaissant pas. La terreur que leur inspire Pacha les a fait me supplier de ne point les nommer. Il se peut que par la suite ils se « défilent » et nient avoir rien vu. Lorsque M. Antonetti ou vous-même parcourez le pays, vos subordonnés se présentent, et présentent dans leurs rapports, de préférence, les faits qu'ils jugent les mieux capables de vous contenter. Ceux que je vous rapporte ici échapperaient à votre investigation, je le crains, et l'on étouffera soigneusement les voix qui risqueraient de vous les faire connaître. Voyageant en simple touriste, il peut m'arriver parfois de voir et d'entendre ce qui est trop bas pour vous atteindre.

En acceptant la mission qui me fut confiée, je ne savais trop tout d'abord quel pourrait être mon rôle et à quoi je serais utile... Si cette lettre peut vous servir, je ne serai pas venu en vain.

Hélas ! Monsieur le Gouverneur, j'aurais encore beaucoup à vous dire et ma lettre serait bien plus longue si je ne craignais de vous importuner. Depuis que me voici dans la colonie, j'ai pu me rendre compte du terrible enchevêtrement de difficultés que votre intelligence et votre zèle seuls peuvent résoudre. Loin de moi la pensée d'élever la voix sur ces points qui échappent à ma compétence et nécessitent une étude suivie. Mais il s'agit ici de certains faits précis, complètement indépendants des difficultés d'ordre général. Peut-être serez-vous instruit de ceux-ci d'autre part — et dans ce cas je vous prie de vouloir bien excuser une lettre qui perd sa raison d'être.

Je quitte Bambio demain à l'aube pour gagner Nola par la forêt, puis Carnot, d'où, par Bosoum, je pense rejoindre la grande route de Batangafo et atteindre Fort-Archambault où je séjournerai quelque temps. C'est là que je fais adresser mon courrier. C'est là qu'un mot de vous me soulagerait d'un grand poids, s'il me disait que vous n'avez point trouvé ma lettre importune. Peut-être même ce mot m'inviterait-il à vous parler davantage :

— et du régime des prisons de Boda (où par suite des sévices et de l'alimentation insuffisante, meurent plus de 50 % des prisonniers. Sur vingt indigènes d'un village en particulier, il n'en est revenu que cinq. À noter que les trois quarts au moins de ces gens (dont des chefs) sont emprisonnés pour avoir apporté une quantité de caoutchouc que certains représentants de la Forestière, approuvés par M. Pacha, ont jugée insuffisante) ;

— et des travaux de la route de Bambio (cette route qui a déjà coûté un si grand nombre de vies humaines — vous le savez, n'est-ce pas — et qui ne sert qu'une fois par mois à la seule auto qui emmène au marché de Bambio M. Maudurier de la C.F.S.O. accompagné de l'administrateur Pacha) ;

— et du portage incombant uniquement aux femmes et aux enfants, tous les hommes étant occupés fort loin de leurs villages à la récolte du caoutchouc pour faire face aux exigences de la Forestière ; partant, du délaissement des cultures (sur la route que nous suivions dans la subdivision de Boda, le manioc, le ricin, etc., n'ont pu être récoltés) ;

— des divers procédés employés parfois par la C.F.S.O. pour ne point payer à l'indigène les 2 francs par kilo consentis par le dernier contrat — pour un caoutchouc de qualité supérieure (de l'aveu de M. Béroule représentant de la Forestière) ;

— enfin de l'inquiétant exode des indigènes de la subdivision de Boda pour une moins maudite contrée.

Sur tout ceci j'ai pris des notes précises que je tiens à votre disposition.

Je dois ajouter que ce triste état de choses me paraît très particulier à Boda ; sitôt quitté cette subdivision pour entrer sur celle de Nola, nous n'avons plus entendu de plaintes ; l'indigène au contraire se déclare satisfait ; on le laisse vaquer à ses cultures, et la production de caoutchouc ne l'accapare plus exclusivement.

- -

II

(1)

Lettre à M. Poissenot, Directeur Général de la Compagnie Forestière Brazzaville

Carnot, le 19 novembre 1925.

Monsieur,

C'est en tant qu'ami de M. J. Weber, que je me permets de vous écrire, et en reconnaissance de la grande amabilité que MM. Allibaud et Béroule m'ont témoignée rue de la Rochefoucauld avant mon départ pour l'A.E.F.

N'était la distance, c'est à M. Weber directement que j'écrirais, désireux de l'avertir, en toute cordialité, que, devant l'acte d'accusation porté contre M. B. par la

Forestière, je vais me trouver amené à faire usage des notes que j'ai prises en cours de route ; notes ayant rapport avec les accusations de M. B. contre la Forestière, et laissant paraître le bien-fondé de certaines de celles-ci.

Je ne connais pas M. B. pour l'avoir rencontré deux fois, et ne sais rien de ce dont on l'accuse. Je sais, par contre, que l'acte d'accusation dressé contre cet administrateur, émane de la direction de Paris ; que du moins, elle a reçu son approbatur. Mais M. Weber n'est jamais venu en A.E.F. et, sans doute, ignore beaucoup de ce qui s'y passe. Je vous serais obligé de bien vouloir lui envoyer au plus tôt cette lettre, après en avoir pris connaissance, et d'accepter, Monsieur, l'assurance de mes sentiments bien distingués ;

Signé : André GIDE.

(2)
Réponse de M. Poissenot

Colombes, 13 janvier 1926.
85, rue du Sud.

Monsieur,

Votre lettre du 19 novembre dernier m'est parvenue en France, étant rentré fin novembre dernier en congé régulier.

Suivant votre demande, j'ai fait tenir de suite votre lettre à M. Weber.

Notre Président du Conseil *en a pris attentivement connaissance et ne manquera pas de vous parler de cette affaire à votre retour en France* [1].

Avec mes souhaits de bonne continuation de voyage, je vous prie d'agréer, Monsieur, l'expression de mes sentiments très distingués ;

Signé : POISSENOT.

1. C'est moi qui souligne.

(3)
Lettre à M. Weber, Directeur à la Compagnie Forestière Sangha-Oubangui.

Je n'ai malheureusement gardé de cette lettre que le brouillon incomplet ; il se peut que certaines phrases en aient été légèrement modifiées.

Cher Monsieur Weber,

« Je viens d'envoyer à M. Poissenot une lettre que je le prie de vous communiquer ; à vrai dire c'est à vous que cette lettre devrait être directement adressée ; mais pour des raisons que vous pouvez entrevoir, j'étais désireux que votre représentant en prît connaissance au passage. Je ne veux point douter que cette lettre vous parvienne ; je vous en envoie le double néanmoins. Il importe que vous soyez averti. L'excellent souvenir que je garde de votre accueil, ainsi que de celui de M. Allibaud, m'y presse et vous ne pourrez vous méprendre, j'en suis sûr, sur le sentiment qui dicte ma lettre.

« Savez-vous ce que disent ici ceux qui vous connaissent et qui connaissent M. Allibaud ? C'est que tous les deux vous êtes "roulés"... Je ne puis croire que vous soyez au courant... M'eussiez-vous si obligeamment guidé de vos conseils pour visiter cette contrée, si vous aviez connu ce qui s'y passe ? »

Cette lettre est restée sans réponse.

Par la suite, lors de l'Assemblée ordinaire (20 décembre 1927), de la Compagnie Forestière Sangha-Oubangui dont il est président, M. Weber déclara : « M. Gide s'est prévalu d'une lettre, laissée par moi sans réponse, qu'il m'a adressée alors qu'il était déjà en route pour le retour et était passé par les territoires du Tchad. »

Monsieur Weber fait erreur.

La lettre que j'adressai au Gouverneur Général fut

expédiée de Nola ; celles adressées à MM. Weber et Poissenot, écrites sitôt ensuite, furent expédiées de Carnot, premier poste après Nola d'où il m'était possible d'expédier un courrier. Pour plus de célérité, je dirigeai la lettre à M. Weber, *par coureur spécial*, vers le Cameroun (où je ne devais moi-même pénétrer que six mois plus tard), ce qui faisait gagner environ six semaines. D'où le timbre « YOKADOUMA-CAMEROUN 27 NOVEMBRE 1925 » que porte le *reçu* que l'on me fit parvenir ensuite, et que j'ai eu le bon esprit de conserver. C'est ce timbre du Cameroun, sans doute, qui abusa M. Weber, et lui permit de croire que je ne lui avais écrit que « sur le point de rentrer en France ».

je ne fais nul grief à M. Weber de cette erreur ; mais une simple collation des dates de ma relation de voyage l'eût retenu de la commettre. Elle marque le peu d'attention qu'il prête à cette grave affaire. Quoi qu'en dise dans *Le Temps* M. Ed. Julia, son beau-frère, la « légèreté » n'est pas de mon côté.

III

« ... Je crois à la sincérité de M. Gide », écrit M. Weber dans sa longue lettre ouverte à Léon Blum, en réponse aux articles que celui-ci fit paraître dans Le Populaire *au sujet de mon* Voyage au Congo *et des accusations que ce livre contient sur la Compagnie Forestière dont M. Weber est le Directeur.*

Je ne puis lui donner meilleur gage de ma bonne foi que de reproduire in extenso *sa longue défense. Il me permettra d'y ajouter quelques réflexions que l'on trouvera en notes :*

Lettre de M. Weber à M. Léon Blum, député, directeur du Journal Le Populaire.

Paris, le 12 juillet 1927.

Monsieur le directeur,

Sous le titre « Voyage au Congo » vous avez publié les 5 et 7 juillet deux articles contenant de graves accusations contre la Compagnie Forestière Sangha-Oubangui, que j'ai l'honneur de représenter. Veuillez me permettre de vous adresser à ce sujet une protestation courtoise mais énergique, et de demander à votre impartialité l'insertion de la présente réponse.

Vos articles, je ne l'ignore pas, résument simplement un livre récent de M. André Gide. Je n'en suis que mieux à l'aise pour vous prier d'apporter, dans l'instruction de cette cause devant l'opinion, un esprit d'équité et un souci des formes élémentaires de la justice qui me paraissent avoir fait défaut à l'auteur de cet ouvrage.

C'est un principe admis par toute conscience droite, qu'on ne condamne personne sans l'entendre et lui avoir donné les moyens de se défendre. M. Gide l'a oublié. Il le devait d'autant moins qu'il était porteur, en Afrique, de lettres des dirigeants de la Compagnie Forestière lui assurant toutes facilités d'information auprès des agents de celle-ci. À aucun moment, au cours de la parodie d'enquête qu'il s'est à lui-même donné mandat de conduire [1], il n'a voulu provoquer ni

§ 1. — Je proteste que je n'étais nullement qualifié pour mener une enquête judiciaire. Tout ce que je pouvais faire était d'avertir le Gouverneur, et de provoquer cette enquête officielle qui vint bientôt apporter pleine confirmation des abus que je dénonçais.

Le témoignage des commerçants d'une part, parce que suspect, des administrateurs d'autre part, parce que risquant de les compromettre, étaient ceux dont je

les explications des personnes qu'il incriminait, ni celles de leurs chefs, ni les témoignages de tiers indépendants et honorables.

L'autorité de ses jugements est encore infirmée par la légèreté et la crédulité dont il a fait preuve en édifiant son réquisitoire sur les dires, acceptés sans contrôle, de deux repris de justice, l'un noir, le nommé Samba N'Goto, l'autre Européen, le sieur X... [2].

---

pouvais le moins me servir, tout au moins de manière directe, car n'allez pas croire que je n'en fisse pas état.

Vous représentez-vous la situation dans laquelle je me trouvais vis-à-vis des représentants, là-bas, de la Forestière ? J'arrivais avec des lettres de recommandations pour eux, lettres extrêmement aimables et qui déjà m'obligeaient. Pensez-vous que, quoi que ce fût qui se passât de répréhensible, c'est par eux que je l'eusse appris ? M. X., un de ces agents, nous reçut fort aimablement à M'Baïki ; ce n'est qu'à grand-peine et en le pressant indiscrètement de questions, devant l'administrateur, que je parvins à savoir de lui que la ration donnée aux travailleurs (dont parle l'exposé de M. Weber) était prélevée sur les salaires (ce qui change complètement l'aspect de la question et dégage l'indigène de cette accusation « d'indélicatesse » qui provoqua, selon M. Weber, le bal de Bambio). Cette conversation était également pénible pour nous quatre. J'ai cru ne pas devoir la renouveler (ni non plus la mentionner dans mon livre), et du coup renonçai à me servir des autres lettres de M. Weber à d'autres agents.

§ 2. — Ma lettre au Gouverneur a été motivée en effet par les dires de Samba N'Goto, du Sieur X..., et de plusieurs autres (« repris de justice » ou non). Mais, encore une fois, je n'en aurais pas fait état, si l'enquête administrative, et maints autres témoignages n'étaient venus apporter confirmation des faits incriminés. Nous assistons ici, comme dans toute affaire de ce genre, à un effort systématique pour discréditer les témoins à

Je me permets de vous mieux présenter ces deux sympathiques personnages.

Samba N'Goto, ancien boy de tirailleurs, parvenu en 1906 par son intelligence et ses intrigues à se faire nommer chef du village, a eu depuis vingt ans maille à partir avec tous les administrateurs militaires ou civils de la région. Au début de la guerre, en 1914, il faisait assassiner nos soldats ; déporté en 1918, remis en fonctions, destitué de nouveau, il fut encore une fois replacé à la tête de sa tribu par le fonctionnaire même contre lequel il a déchaîné les foudres de M. Gide. Anthropophage avéré, commerçant en esclaves, pillard et voleur, il a totalisé par ses nombreux crimes tellement d'années de prison que, si l'inexplicable longanimité de l'administration se détendait, il lui faudrait deux existences pour accomplir ses peines.

Quant au sieur X..., seul Européen dont M. Gide ait recueilli la déposition, c'est un escroc en fuite du Congo belge, où la prison le guette. Réfugié en territoire français, il y a vécu d'expédients, profitant de l'inertie d'une autorité démunie de tous moyens de police.

Je suis étrangement surpris que ce soit à moi qu'il incombe de discuter les faits rapportés par M. Gide et de redresser les erreurs et les exagérations qui en faussent le récit. Cette tâche ne devrait incomber qu'à

---

charge. Certes, je ne cherche pas à prendre la défense de Samba N'Goto, dont je ne connais à peu près rien. Il se peut que ce soit un bandit. Mais, pour faire peser sur lui de telles accusations, M. Weber s'est-il entouré de toutes les garanties qu'il me reproche de ne pas avoir prises ? Quant au sieur X..., je puis douter que ce soit « un escroc en fuite du Congo belge où la prison le guette ». En effet, si mes renseignements (faciles à contrôler) sont exacts, c'est précisément en Congo belge qu'il se serait réfugié à la suite des brimades de tous genres que lui a values la dénonciation où j'avais dû faire appel à son témoignage.

ceux à qui ils peuvent être reprochés. Or je nie péremptoirement que la Compagnie Forestière, directement ou indirectement, y ait eu une part quelconque de responsabilité, et je le démontrerai [3].

M. Gide du reste n'a pas apporté le plus petit commencement de preuve à l'appui de sa thèse. Pour prétendre, comme il le fait, que la seule présence de notre Compagnie dans le pays est l'explication profonde des abus qui ont pu être commis, tout à fait en dehors d'elle, par quelques égarés, il faut autre chose que des suppositions, des déductions, des inférences arbitraires et une argumentation où la passion a plus de part que la logique [4].

Je repousse avec indignation cette dialectique faite de pétitions, de principes et d'affirmations gratuites, émaillée au surplus d'erreurs matérielles.

Plus que quiconque, nous déplorons l'état de barbarie où végète notre malheureux Congo. Ce n'est pas en traitant de pirates ceux qui essayent d'y faire œuvre utile au milieu de conditions terribles, qu'on remédiera à des maux dont la cause première est l'incapacité du noir à s'élever lui-même et à se défendre contre la nature, et dont la persistance ne s'explique que par la misère chronique de l'administration française. Comment faire régner l'ordre, distribuer la justice, provoquer le développement économique d'une population qui croupit depuis des millénaires dans l'inertie et la famine, quand le pouvoir directeur n'est représenté que

---

§ 3. — Lorsqu'il écrivit ceci, M. Weber ignorait sûrement encore le rapport de M. de N., Procureur Général, Chef du Service Judiciaire de l'A.E.F. dont je cite plus loin les phrases les plus significatives. V. pp. 527-528.

§ 4. — Il ne s'agit pas ici de *ma* sincérité, de *ma* dialectique, ni de *ma* vision personnelle, mais de renseignements officiels. Voir mon article de la *Revue de Paris* (15 octobre 1927), où je n'avance rien dont ne témoignent les rapports administratifs. V. p. 531 et sq.

par de rares fonctionnaires isolés, ayant chacun la responsabilité de territoires grands comme plusieurs départements, au surplus mal payés, surmenés, souvent malades, et ne disposant comme auxiliaires que de quelques tirailleurs indigènes prêts à confondre la plus minime parcelle d'autorité avec un droit à la violence, voire la férocité ?

Je crois à la sincérité de M. André Gide.

Mais notre charité envers l'humanité souffrante ne doit pas aller jusqu'à prendre de paisibles moulins à vent pour de méchants géants.

Avec une aussi aventureuse imagination, M. Gide se représente la Compagnie Forestière comme une sorte de monstre capitaliste qui, tapi dans son anonymat, manœuvrant par je ne sais quel pouvoir occulte les fantoches administratifs, exploite sauvagement le pays et transmue en or le sang et les larmes des malheureux noirs.

Vision de poète — comme la pieuvre de Victor Hugo.

La réalité est moins romantique.

La Compagnie Forestière est une société comme toutes les sociétés, et qui n'a guère fait jusqu'à présent le bonheur de ses 6 000 actionnaires, tous modestes épargnants de France et petites gens, très peu « puissances d'argent ».

Elle n'est pas une Compagnie à charte.

Elle n'est même pas une Compagnie concessionnaire selon la formule du partage du Congo en 1899. Il ne reste plus d'ailleurs que cinq entreprises de ce type périmé. Toutes les autres ont renoncé à un privilège anormal, qui avait été de la part du Gouvernement une erreur et pour elles un vain mirage. La Compagnie Forestière s'honore d'avoir été la première à accomplir ce geste de progrès et de sagesse [5].

---

§ 5. — Que M. Weber ne se méprenne pas. Ce n'est pas particulièrement à la Forestière que j'en ai, mais bien au régime même apporté par les grandes compagnies. Il se peut, après tout, que la sienne soit une des meilleures. Si je ne parle que de celle-ci, c'est que je

Elle n'a aucun droit territorial, aucun monopole commercial, encore moins aucun pouvoir vis-à-vis des populations. Elle est une entreprise de commerce comme toutes les autres qui existent à ses côtés dans la même région ; sa seule particularité est d'avoir acquis, à titre onéreux, le droit à la récolte du caoutchouc dans des forêts domaniales nettement déterminées ; son contrat n'a rien de plus exorbitant que celui que peut passer en France l'exploitant d'une coupe de bois ou d'un peuplement d'arbres résineux appartenant à l'État.

Naturellement elle a recours pour cette récolte à la main-d'œuvre indigène. Jamais elle n'a éprouvé la moindre difficulté à recruter ses travailleurs. Les hommes groupés dans ses équipes se montrent satisfaits de leur sort. Ils se rengagent en grande majorité. Ils sont placés sous le contrôle de l'administration, tutrice des indigènes ; aucun contrat n'est passé, aucun paiement n'est fait, aucune contestation n'est jugée que devant celle-ci et par ses soins. La Compagnie n'a aucun pouvoir de molester ni de punir qui que ce soit. Son seul recours, dans le cas très rare d'indélicatesses commises à son préjudice, est de déférer le coupable au représentant de l'autorité.

À côté de la récolte ainsi organisée par la Compagnie,

---

connais insuffisamment les autres. Ces grandes compagnies ont exploité le pays, ne l'ont nullement mis en valeur. D'autres, plus importants que moi, l'ont officiellement constaté. M. Weber dit que je n'apporte pas de preuves. Quelles preuves demande-t-il et que veut-il de plus convaincant que la comparaison du résultat de ses dix-sept années d'exploitation avec les admirables résultats obtenus en dix ans par le Gouverneur Lamblin, dans la contrée voisine, *où le commerce est libre ?* M. Weber nous apprend au surplus que la Compagnie Forestière n'a pas enrichi ses actionnaires. C'est vraiment dommage. Car alors, je voudrais bien savoir à quoi elle a servi.

il existe celle — qu'elle tolère simplement — à laquelle procèdent de temps à autre, surtout au moment de la perception de l'impôt, les indigènes des villages. Ceux-ci opèrent en dehors de tout contrôle de sa part. Elle se borne à leur payer leur production au même prix que celle de ses équipes. Ce genre de travail, destiné essentiellement à procurer aux noirs l'argent nécessaire au paiement de leur taxe de capitation, n'est évidemment pas populaire parmi eux[6]. En France, la feuille du percepteur n'est pas accueillie avec plus de joie. Il serait loisible aux villages de s'assurer autrement les ressources nécessaires, en produisant d'autres denrées qui trouveraient acheteur au prix de la concurrence. S'ils ne le font pas, c'est sans doute que la récolte intermittente du caoutchouc convient mieux à leur indolence native.

La Compagnie Forestière, dit M. André Gide, paie le caoutchouc 1 franc le kilo ; pour gagner 10 francs, il faut à un récolteur un mois de travail en forêt. Dans l'Oubangui, où la récolte n'est pas affermée, le caoutchouc est acheté à l'indigène 10 francs le kilo.

Au moment où M. André Gide passait dans la région, la Compagnie, en vertu de ses accords officiels avec l'Administration, payait 1,50 F le kilo sec, plus un sursalaire de 0,75 F. Elle venait, par une nouvelle entente avec l'autorité locale, de porter ce salaire total de 2,25 F à 3 francs, taux qui a été aussitôt après appliqué[7]. Il a

---

§ 6. — Les noirs assimilent volontiers la capitation à une rançon de guerre exigée par le peuple vainqueur, ce qui fait qu'ils ne la contestent pas. Je n'ai pas rencontré un seul cas de protestation contre un impôt qui n'a rien d'excessif, du moins lorsqu'un recensement bien établi ne fait pas retomber sur la tête d'un seul, la capitation de plusieurs. Voir mon *Voyage au Congo*, pp. 247, 248, 256.

§ 7. — Je connais parfaitement ces chiffres. Il ne me paraît pas qu'ils diffèrent de ceux que j'ai donnés, et que M. Weber cite inexactement (voir note p. 120 du

été en outre convenu que *la ration serait servie en plus de ce prix*, ce qui représente une dépense totale de 3,60 F par kilo au profit de l'indigène. Si l'on veut comparer avec l'Oubangui, il faut dire qu'en outre de ce salaire, la Compagnie doit une redevance à l'État, dont le montant atteignait alors près de 3,50 F par kilo — et que par contre la taxe de récolte perçue dans l'Oubangui venait d'être portée à 5 francs, ce qui ne laissait aux mains de l'indigène, sur un prix de vente de 10 francs, que la moitié, 5 francs.

D'ailleurs les cours élevés dont fait état M. Gide n'ont duré que quelques semaines. Ils avaient rapidement monté à raison de la hausse en Europe, où ils avaient atteint 4 et 5 shillings par livre-poids anglaise. Aujourd'hui qu'ils sont retombés au tiers de cette valeur, personne ne paie plus le caoutchouc 10 francs le kilo dans l'Oubangui.

J'ajoute que la maison de commerce qui les a imprudemment poussés jusqu'au niveau indiqué par M. Gide, est aujourd'hui dans une situation voisine de la faillite.

Au Cameroun, où la récolte est libre et où les forêts sont exactement semblables à celles du Congo, mais où les difficultés d'évacuation sont moindres, le caoutchouc est actuellement acheté aux indigènes 2,50 F le kilo tout venant, ce qui correspond à 3,50 F le kilo sec.

Voyage au Congo). Mais je dis également que je doute que les tarifs consentis en théorie soient souvent appliqués. Ce doute, je ne suis pas seul à l'avoir : plusieurs administrateurs les plus dignes de foi, me l'ont également exprimé — en particulier le très regretté M. Michaut, directeur du bureau politique de l'Oubangui-Chari. C'est le seul administrateur dont j'ose citer le nom, *parce qu'il est mort*, et que par conséquent je puis le nommer sans courir le risque de ruiner sa carrière : « Si, comme il est probable, ce sursalaire n'a jamais été versé aux indigènes... », m'écrivait-il en janvier 1926, se montrant moins crédule que moi, qui suis encore un peu novice en ces matières.

Quant à l'effort nécessaire pour récolter 10 kilos de caoutchouc, voici la vérité : un *funtumia*, l'arbre à caoutchouc commun dans la forêt congolaise, fournit en une seule saignée 100 grammes de caoutchouc sec. Pour produire 10 kilos il faut donc que le récolteur traite 100 arbres. Un travailleur de plantation en Extrême-Orient saigne 300 à 400 hévéas dans sa journée [8].

M. André Gide mêle abusivement [9] le nom de la Compagnie Forestière aux actes qu'il reproche à M. P...,

---

§ 8. — Je fais toutes réserves sur les chiffres que fournit M. Weber au sujet du rendement des *funtumias*. Mais, même en prenant ces chiffres pour exacts, comment M. Weber ose-t-il comparer l'exploitation méthodique d'une plantation dont les arbres se touchent et qui est située aux abords immédiats d'un village, à la saignée des *funtumias* de la forêt vierge, toujours plus rares et qu'il faut aller chercher toujours plus loin, puisque l'indigène, imprévoyant et harcelé, les détruit pour en extraire le latex. Au surplus les quelques phrases que je cite plus loin (pp. 549, 550) d'un rapport médical officiel, éclaireront suffisamment le lecteur sur les conditions de vie faites aux récolteurs de caoutchouc, dans les régions précisément soumises au régime de la Compagnie Forestière.

§ 9. — Abusivement ? Voir le rapport du Procureur, pour ceci et pour tout ce qui suit. Ce que dit ensuite M. Weber peut être parfaitement exact ; mais il se défend, à propos de la participation de la Compagnie Forestière aux massacres de la Lobaye, d'une chose dont je ne l'ai jamais accusé — non plus que Samba N'Goto, que je sache. La phrase qu'il cite un peu plus loin « d'abandonner leur gîte et leurs cultures qui gênent apparemment la Compagnie », et trouve absurde n'est pas de moi, et je ne sais où M. Weber a pu la lire.

commis des affaires indigènes faisant alors fonction d'administrateur dans la région.

Celui-ci a eu à en répondre devant la justice, et à aucun moment notre Compagnie, au cours du procès, n'a été directement ni indirectement mise en cause. Les faits sont aujourd'hui établis judiciairement et les voici.

En raison de la pénurie des fonctionnaires, l'action administrative s'étant détendue en 1924 dans la circonscription de la Lobaye, diverses tribus s'étaient mutinées ; des gardes de cercle avaient été attaqués, cinq d'entre eux tués et mangés.

La recherche et l'arrestation des coupables donna lieu à divers incidents qui créèrent un état de tension entre certaines tribus et les miliciens.

Un chef, de complicité avec quelques-uns de ceux-ci, crut l'occasion opportune pour mettre à mal les gens d'un village voisin, avec lesquels il avait d'anciens dissentiments. C'est au cours de cette opération, en dehors de la présence de tout Européen, sans ordre aucun du chef de la subdivision, et à son insu, que furent commises les atrocités rapportées. Il s'agit là d'une querelle de nègres, qui laisse à supposer dans quel état idyllique vivraient ces malheureux, si l'autorité française venait à disparaître.

Pour tenter d'impliquer la Compagnie Forestière dans ces événements, il faut toute la fourberie et la mauvaise foi du bandit qu'est Samba N'Goto. Il est absurde de prétendre, comme l'a écrit légèrement M. Gide [10], que les victimes avaient commis le « crime » de refuser « d'abandonner leur gîte et leurs cultures qui gênaient apparemment la Compagnie ». Celle-ci n'a pas même une sous-factorerie dans le lieu visé, et l'on se

---

§ 10. — Même remarque. Je ne me pique nullement à ce reproche de « légèreté » que M. Weber m'adresse. Mais j'admire qu'il me l'adresse précisément au sujet d'allégations que je n'ai jamais écrites, dites ou pensées, et qu'il a ramassées je ne sais où.

demande comment et en quoi ces pauvres gens auraient pu la gêner.

Même chose en ce qui concerne les prisonniers laissés sans nourriture au poste et dont l'un aurait été tué d'un coup de crosse à la mâchoire par un milicien [11]. Ces hommes n'étaient nullement, comme il a été faussement avancé, des récolteurs de la Compagnie Forestière. C'étaient des malfaiteurs condamnés ou en prévention pour crimes divers (incendies, destruction de plantations, meurtres, cannibalisme, etc.) ; les miliciens qui les gardaient, sachant que certains avaient mangé leurs camarades, leur appliquaient avec la logique nègre, à l'insu de l'administrateur, une sorte de talion en les privant d'aliments. Quant à l'homme qui succomba, dans des conditions d'ailleurs demeurées obscures, c'était un infâme féticheur coupable d'assassinats et d'autres méfaits innombrables, de plus anthropophage notoire.

Je passe rapidement sur le récit relatif à la réfection de la route de Bambio. Ce n'est pas la Compagnie Forestière qui décide des travaux de ce genre ni qui en règle l'exécution [12]. Si l'outillage nécessaire manque, il n'y faut chercher d'autre raison que l'indigence de l'administration. Il est ridicule de dire que cette route

---

§ 11. — Je n'ai jamais parlé de cette histoire et n'en connaissais rien. Je ne sais d'où M. Weber la tient ni à qui il en a. Quant à l'état de la prison de Boda je ne puis que renvoyer au rapport du Procureur. Les considérants de M. Weber n'ont qu'un rapport lointain avec les faits précis dont il est question. J'ajoute que, pour discréditer un indigène de tribus anthropophages, comme le sont toutes celles parmi lesquelles nous circulions, l'on peut toujours, sans grand risque, l'accuser de cannibalisme.

§ 12. — En apparence ; mais en fait c'est tout comme. Ce qui est ridicule, ce n'est pas de le dire, mais bien de le contester.

ne sert qu'à l'automobile de la Compagnie. Une route, c'est l'instrument indispensable de la suppression du portage [13] ; et le portage généralement effectué par les femmes tandis que leurs maris se livrent aux charmes

---

§ 13. — Je répète que cette route n'a servi et ne peut servir, qu'aux intérêts particuliers de la C.F.S.O. Il est souhaitable en effet que le pays soit sillonné de routes, qui permettront de mettre fin au portage lorsque des services de camions automobiles seront plus tard organisés. Et de ce que je disais ici, je ne faisais point grief à la Compagnie Forestière. Je constatais simplement que cette route, particulièrement difficile à établir en raison de la nature du sol, n'avait servi jusqu'à présent, et d'ici longtemps ne pourrait servir, qu'aux intérêts particuliers de la C.F.S.O. En plus de l'auto que nous occupions, je ne sache pas qu'elle ait servi, qu'elle ait pu servir à d'autres véhicules que la voiture du représentant de la Compagnie. M. Weber me force ici d'insister :

1° La route en question devait en principe, il est vrai, être menée jusqu'à Nola et permettre une communication rapide entre le Bassin de l'Oubangui et celui de la Haute-Shanga.

2° Mais cette route allait nécessairement se heurter à l'obstacle du Grand Marigot (région marécageuse) infranchissable sans d'importants et coûteux travaux d'art, inexécutables avec les moyens très réduits dont disposaient les administrateurs. Dès lors la raison première qui faisait entreprendre cette route tombait.

3° Or depuis trois ans l'on continue néanmoins à l'entretenir et il n'y a dans la région d'autre auto que celle qui permet au représentant de la Forestière de se rendre une fois par mois au marché de Bambio. En fait de portage je ne vois pas que cela en supprime d'autre que celui de 8 ou 16 tipoyeurs. Car la Compagnie n'a pas de camions, et le transport du caoutchouc continue à être effectué à dos d'hommes (ou de femmes) malgré la route.

de la fainéantise [14], est un mal autrement grand que l'effort de construction et d'entretien d'une voie convenable.

Quand la route existe, elle sert tout d'abord à faire les transports à l'aide de charrettes à bras traînées par des hommes — qui souvent ne se font pas faute de les jeter dans les ravins pour se dispenser d'un travail beaucoup moins dur que celui qu'ils imposaient à leurs femmes.

Vient ensuite l'automobile, et il faut vraiment une singulière conception des choses pour reprocher à la Compagnie Forestière d'avoir doté ses exploitations de moyens de transport modernes, qui constituent l'une des améliorations les plus pratiquement utiles et les plus bienfaisantes dans des pays où il n'existe pas d'autre bête de somme que l'homme.

J'arrive enfin au seul fait précis [15] où le nom de notre Compagnie a pu être prononcé sans un évident affront à la plus élémentaire bonne foi : le « bal » auquel furent condamnés à Bambio, le 8 septembre, dix récolteurs, et au cours duquel l'un serait mort à la suite de sévices graves.

J'ai dit plus haut et je répète que la Compagnie n'a aucun pouvoir de punir ses engagés indigènes ; tout ce qu'elle peut, c'est les signaler au représentant de l'autorité.

---

§ 14. — « Fainéantise ». — C'est-à-dire à la récolte obligatoire du caoutchouc à plusieurs jours de distance de leurs villages.

§ 15. — C'est bien aussi le seul où je me prononce. Pour toute l'affaire précédente, sur laquelle M. Weber s'étend si longuement, c'est contre les dires de M. Garron, non contre les miens qu'il proteste. Bien qu'il n'y ait que trop lieu de croire à l'exactitude du témoignage de M. Garron, témoin oculaire, je ne puis en prendre la responsabilité. M. Weber embrouille ici la question, et je prie le lecteur vraiment soucieux d'y voir clair, de se reporter à la page 109 de mon *Voyage au Congo*.

L'Administration lui impose, lorsqu'elle envoie ses équipes en forêt, de faire aux hommes diverses avances, notamment celle de leurs rations. S'ils s'égaillent en route et se livrent à un farniente d'autant plus agréable qu'ils ont les provisions de bouche les dispensant de tout souci alimentaire, ils commettent à son égard un véritable vol. Le fait, en France, serait puni. Il est particulièrement fréquent aux Colonies.

Dans le cas qui nous occupe, il s'agissait sans doute d'une indélicatesse de ce genre. Peccadille, dira-t-on ; soit, mais peccadille qui, si elle n'était pas réprimée, démoraliserait vite les équipes fidèles par l'effet du mauvais exemple toléré.

La peine prononcée par l'administrateur était en soi bénigne ; c'est celle qu'accomplissent dans nos corps de troupe les hommes punis de prison ou de salle de police — le sac et le fusil étant remplacés par un morceau de bois porté sur l'épaule. — Elle avait le tort d'être illégale. Mais ceci ne concerne que le fonctionnaire qui l'a infligée. L'enquête judiciaire a établi que les hommes n'avaient été ni frappés ni malmenés [16] ; la mort de l'un

---

§ 16. — Quant à tout ce que dit M. Weber de la prison de Boda, qu'il me permette de lui répondre qu'il est en complète contradiction avec le rapport de l'enquête, lequel confirme et renforce tous mes dires.

M. Weber parle de rations alimentaires données aux indigènes, qu'il appelle fort justement des « avances », car elles sont retenues sur les salaires, comme finit par nous l'avouer, à M'Baïki, le représentant de la Compagnie, en présence de l'administrateur. C'est sans doute ce qu'ignore M. Weber lorsqu'il parle de l'« indélicatesse » c'est-à-dire de l'abus de confiance, qui aurait eu pour sanction le « bal » de Bambio.

Au surplus, puisque M. Weber semble ne pas le connaître, je copierai pour lui ces quelques phrases du rapport de M. le Procureur général, chef du service judiciaire de l'A.E.F., ayant trait au « bal » de Bambio :

« M. P. ayant reçu l'ordre, dit-il, de forcer la producd'entre eux fut un accident déplorable, qui a rendu plus grave l'irrégularité commise. Si M. P... avait prononcé une peine légale, par exemple un jour de prison, il n'aurait pu, quoi qu'il fût advenu, être recherché à ce titre.

Au surplus, la Compagnie n'a aucune responsabilité dans cet incident [17]. Elle n'a ni décidé ni conseillé la peine infligée. Elle n'est pas plus sujette à reproche que vous ne le seriez si, ayant fait arrêter un serviteur

---

tion du caoutchouc, mit *au service des intérêts privés de la Compagnie Forestière* tout l'arsenal de ses pouvoirs disciplinaires, dans le but d'activer l'apport de ce produit, qui était payé au prix modéré de deux francs le kilo... et ces sanctions il les appliqua, il faut le constater, à des indigènes *qui n'étaient liés à cette compagnie par aucun contrat de travail collectif ou individuel.*

« Contre ceux qui lui parurent insuffisamment actifs *dans leurs travaux de récolte* il prononça des peines d'amendes *absorbant la totalité de leurs gains* et appliqua *le maximum des peines d'emprisonnement*. En outre, il infligea à ceux qui furent particulièrement *signalés pour leurs faibles rendements*, un châtiment corporel : chargés de lourdes poutres, ils furent astreints à tourner sans arrêt *dans la cour de la factorerie*. Cette épreuve, commencée à 8 heures du matin, ne fut arrêtée qu'à midi, à la suite de la chute d'un homme, Malingué, qui mourut la nuit suivante. »

Des extraits de l'effroyable rapport de l'enquêteur dont j'ai reçu communication confidentielle, seraient plus accablants encore, mais j'avais promis de n'en point prendre copie et j'ai tenu parole.

§ 17. — En ce qui concerne le « bal » de Bambio, et la prison de Boda, il suffira au lecteur de lire le rapport du Procureur Général que je cite. Il jugera lui-même si, comme le dit M. Weber, la Compagnie Forestière Sangha-Oubangui n'a « aucune responsabilité dans cet incident ».

indélicat, vous vous trouviez ainsi indirectement cause qu'il aurait été, selon l'expression consacrée, « passé à tabac », ce qui est aussi une sanction illégale.

Je vous prie en terminant, Monsieur le Directeur, de croire que la Compagnie Forestière est aussi désireuse que quiconque de contribuer à l'amélioration du sort des indigènes congolais. La politique féroce qu'on lui prête ne serait pas seulement une monstruosité dont l'idée même lui est intolérable ; ce serait aussi la plus absurde des folies. Elle sait que rien d'utile ne peut être accompli dans nos Colonies qu'avec le concours des populations locales, et que le premier devoir de tous, fonctionnaires et colons, est de s'appliquer à relever leur niveau matériel et moral, à les rendre plus nombreuses, plus prospères, plus heureuses.

Une telle œuvre se heurte, en des pays sans moyens économiques, sans outillage et où l'administration ne parvient même pas à constituer ses cadres les plus élémentaires, à de grandes difficultés, parmi lesquelles l'indolence et la barbarie natives des autochtones sont les pires. N'oublions pas que dans les langues rudimentaires de ces primitifs, le mot « bonté » est le même qui signifie « faiblesse », et le mot « force » traduit en même temps le concept de « méchanceté ».

La Compagnie Forestière n'a pas les lourdes responsabilités ni la grande tâche qui incombent à l'administration. Elle s'efforce toutefois de seconder celle-ci, en apprenant à ses employés noirs les bienfaits du travail, en leur faisant apprécier les satisfactions matérielles que celui-ci procure.

L'une des Sociétés dont elle a repris la suite a, dès avant 1910, organisé et payé une mission de vaccination qui a jugulé dans la contrée le fléau, alors terrible, de la variole. Elle-même, dans ses contrats avec l'État, a suggéré la création d'un poste médical dont elle ferait les frais ; ce n'est pas sa faute si la subvention bénévole ainsi offerte a été affectée par une administration à court de ressources, au simple maintien d'un poste antérieurement existant. Récemment, elle a proposé d'attacher à ses équipes des infirmiers indigènes dont elle paierait les soldes ; ce n'est pas sa faute encore si les services de Brazzaville, manquant de personnel, n'ont pu jusqu'à présent lui donner satisfaction. En créant aujourd'hui des plantations, elle espère régulariser la production du caoutchouc et en rendre le travail plus aisé et plus rémunérateur pour ses engagés. Et j'ajoute qu'au cours des dix-sept années de son existence, elle n'a jamais reçu une seule communication de l'administration réclamant contre tel ou tel de ses agents pour sévices ou exactions, la révocation qu'elle s'est par contrat obligée à prononcer dans ce cas.

Les accusations de M. André Gide sont les premières qui aient été articulées contre elle. Je pense en avoir démontré la fragilité et l'inanité [18]. Je n'en éprouve par ailleurs aucun ressentiment contre un écrivain que je crois animé par des sentiments élevés d'humanité, mais qui n'a pas suffisamment contrôlé ses informations, ni cherché la vérité plus loin et plus haut que dans une première impression tout impulsive. La Compagnie Forestière ne voit dans ce regrettable incident, qui laisse en paix la conscience de ses dirigeants, qu'une raison de plus de redoubler de vigilance et d'efforts pour que ses intentions ne soient pas méconnues et que son rôle soit, comme elle le conçoit, celui d'un facteur de progrès et de prospérité.

Je m'excuse, Monsieur le Directeur, de la longueur de cette lettre et je vous prie d'agréer les assurances de ma haute considération.

WEBER.

---

§ 18. — En réponse à tout ceci et à ce qui précède, voir mon article de la *Revue de Paris* ci-après.

IV

La Détresse de notre Afrique Équatoriale. (Article paru dans la *Revue de Paris* du 15 octobre 1927)

I

Lorsque je me décidai à partir pour le Congo, le nouveau Gouverneur Général eut soin de m'avertir : — « Que n'allez-vous plutôt à la Côte d'Ivoire, me dit-il. Là tout va bien. Les résultats obtenus par nous sont admirables. Au Congo, presque tout reste à faire. » L'Afrique Équatoriale Française a toujours été considérée comme la « cendrillon » de nos colonies. Le mot n'est pas de moi ; il exprime parfaitement la situation d'une colonie susceptible sans doute de devenir une des plus riches et des plus prospères, mais qui jusqu'à présent est restée l'une des plus misérables et des plus dédaignées ; elle mérite de cesser de l'être. En France on commence à s'occuper d'elle. Il est temps. Au Gabon, par suite de négligences successives, la partie semble à peu près perdue [1]. Au Congo elle ne l'est pas encore si l'on

1. « ... La question de main-d'œuvre... se présente au Gabon avec un caractère d'extrême gravité. Ce n'est plus le développement plus ou moins rapide de nos exportations qui est en cause, mais notre renom de nation colonisatrice. La crise est arrivée à un tel degré qu'elle compromet la vie sociale indigène et l'existence même des populations...

« Les mesures que nous proposons sont absolument nécessaires si l'on veut éviter de voir disparaître ce qui reste de la population de la colonie. En en poursuivant l'application, les autorités administratives devront *avoir l'énergie nécessaire pour résister à certains intérêts particuliers* qui se croiront lésés, mais dont la considération ne saurait cependant compromettre l'œuvre coloniale que nous poursuivons en Afrique et dont la base est le respect de

apporte un prompt remède à certains défauts d'organisation, à certaines méthodes reconnues préjudiciables, supportables tout au plus provisoirement. Autant pour le peuple opprimé qui l'habite, que pour la France même, je voudrais pouvoir y aider. Les intérêts moraux et matériels des deux peuples, des deux pays, j'entends le pays colonisateur et le pays colonisé, s'ils ne sont liés, la colonisation est mauvaise.

Je sais qu'il est des maux inévitables ; ceux dus par exemple au climat ; des difficultés très lentement et coûteusement surmontables, dues à la situation géographique et à la configuration du pays (et celles du Congo sont particulièrement défavorables, expliquant, excusant dans une certaine mesure les lenteurs de sa mise en valeur) ; il est enfin certains sacrifices cruels, j'entends ceux qui se chiffrent par vies d'hommes, certaines misères douloureusement consenties en vue d'un plus grand bien-être futur — et je songe ici tout particulièrement à celle qu'entraîne l'établissement des grandes routes et surtout de la voie ferrée.

Aucun progrès, dans certains domaines, ne saurait être réalisé sans sacrifice de vies humaines. Sacrifice imposé ou généreusement consenti. Du moins s'il profite à la communauté, si, en fin de compte, il y a progrès, peut-on dire que ce sacrifice était utile. Le mal dont je m'occupe ici empêche le progrès d'un peuple et d'un pays ; il ruine une contrée pour le profit de quelques-uns. Je me hâte de dire qu'il est particulier à notre Afrique Équatoriale ; et plus spécialement encore au Moyen-Congo et au Gabon : il a disparu de l'Oubangui-Chari depuis que les Compagnies concessionnaires de cette colonie ont d'elles-mêmes renoncé à leurs privilèges.

Par quelle lamentable faiblesse, malgré l'opposition des compétences les plus avisées, le régime des Grandes Concessions fut-il consenti, en 1899, ce n'est point tant

l'indigène et l'amélioration de ses conditions de vie. » (Rapport de février 1927.)

là ce qui nous étonne. Car, après tout, ce régime put, en ce temps, paraître utile. Pour mettre en valeur un pays neuf, allait-on repousser les capitaux et les énergies, les bonnes volontés qui s'offraient ? Non ; l'étonnant, c'est qu'après avoir été reconnu néfaste, c'est qu'après avoir été dénoncé tant de fois par les Gouverneurs de la colonie, après qu'on se fut rendu compte qu'il ne s'agissait point d'une mise en valeur, mais bien d'un écrémage systématique du pays, d'une exploitation éhontée, l'affreux régime subsiste encore [1].

Mais lorsqu'on vient à reconnaître l'occulte puissance et l'entregent de ces sociétés, l'on cesse de s'étonner. C'est à Paris d'abord qu'est le mal. Et je veux bien croire que le cœur manquerait à certains responsables s'ils se représentaient nettement l'effet de leur coupable complaisance. Mais le Congo est loin. Et pourquoi chercher à connaître ce qu'il est si reposant d'ignorer ? Voudrait-on se renseigner, combien n'est-il pas difficile de découvrir ce que tant de gens ont si grand intérêt à cacher. Allez donc y voir ! Et quand on est là-bas, encore que de camouflages. On peut circuler durant des mois dans ce pays sans rien comprendre de ce qui se passe, sans rien en voir que du décor. Ainsi fis-je d'abord. J'ai raconté dans ma relation de voyage par quel hasardeux concours de circonstances mes yeux se sont ouverts. J'y reviendrai.

On ne voyage pas au Congo pour son plaisir. Ceux qui s'y risquent partent avec un but précis. Il n'y a là-bas que des commerçants, qui ne racontent que ce

1. « Qu'ont fait les colons en A.E.F. ? Assez peu de choses. Et ce n'est pas à eux qu'il faut s'en prendre, mais au régime détestable qui a été imposé à l'Afrique Équatoriale : le régime des Grandes Concessions... Dans peu de temps les Grandes Concessions auront définitivement quitté l'Afrique... L'Afrique sera un peu moins riche qu'avant leur venue », disait un des anciens Gouverneurs Généraux de l'A.E.F., M. Augagneur. « Dans peu de temps »... Espérons-le. Mais il est aujourd'hui sérieusement question de renouveler leurs privilèges. C'est bien pourquoi j'écris ces lignes.

qu'ils veulent ; des administrateurs qui disent ce qu'ils peuvent et n'ont droit de parler qu'à leurs chefs ; des chefs tenus par des considérations multiples ; des missionnaires dont le maintien dans le pays dépend souvent de leur silence. Parfois enfin quelques personnages de marque, en un glorieux raid, traversent la contrée entre deux haies de « Vive la France ! » et n'ont le temps de rien voir que ce que l'on veut bien leur montrer. Quand, par extraordinaire, un voyageur libre se hasarde là-bas, comme j'ai fait moi-même, sans autre souci que celui de connaître, la relation qu'il rapporte de son voyage ne diffère pas sensiblement de la mienne, où l'on s'étonne de retrouver la peinture des mêmes misères qu'un Auguste Chevalier par exemple dénonçait il y a déjà vingt ans. Rien n'a changé. Sa voix n'a pas été écoutée. L'on n'a pas écouté Brazza lui-même, et ceux qui l'ont approché savent avec quelle tristesse, dans les derniers temps de sa vie, il constatait les constants efforts pour discréditer son témoignage, pour étouffer sa voix [1]. Je n'ai pas grand espoir que la mienne ait plus de chance de se faire entendre. « Je tiens de source certaine, m'écrivait X., fort bien placé pour le savoir, que l'on s'apprête à *torpiller* votre livre. » Et c'est ce qui ne manqua pas d'arriver. Dès que l'on vit que mon témoignage courait risque d'être écouté, l'on s'ingénia à mettre en doute sa valeur ; je me vis traité d'esprit léger, d'imagination chimérique, de « chercheur de tares »... Ces accusations tendancieuses me laisseraient indifférent s'il ne s'agissait ici que de moi ; mais il y va du sort d'un peuple et de l'avenir d'un pays. Le reproche de partialité, que l'on me faisait également, je me défends de l'encourir. Tous les renseignements que je donnerai dans ces pages sont officiels. Même le

1. « ... Les rapports rapportés par la Mission Brazza n'ont pas été publiés, et les atrocités commises n'ont été soulignées que par quelques orateurs, et par quelques articles de revues ou de journaux. » (Extrait d'une lettre particulière de Mme de Brazza, février 1928.)

commentaire que j'y ajoute n'est le plus souvent qu'un centon impersonnel formé de phrases extraites de rapports administratifs. Car, tout au contraire de ce que certains ont pu dire, ce n'est nullement contre l'administration que je m'élève ; je ne déplore que son impuissance en face de ces maux que je signale ; et cet article n'a d'autre but que de tâcher de lui prêter main-forte.

« Que la haute administration, que le haut commerce prennent garde de vouloir mettre trop vite en coupe réglée une possession qu'à vrai dire nous connaissons insuffisamment et dont les indigènes ne sont pas encore initiés à ce que nous attendons d'eux », écrivait Savorgnan de Brazza en 1886. « Notre action, jusqu'à nouvel ordre, doit tendre surtout à préparer la transformation des indigènes en agents de travail, de production, de consommation. Ce qu'il faut redouter par-dessus tout, c'est de renverser en un jour l'œuvre de dix années, car l'intervention de la force, dans une œuvre préparée par la patience et la douceur, peut tout perdre d'un seul coup. »

Ces sages conseils ne furent pas suivis. Dès 1887, une compagnie fut créée au Gabon : la S.H.O., dans des conditions si scandaleuses que le Parlement la fit dissoudre. En dédommagement de quoi, les directeurs de la S.H.O. réclamèrent et obtinrent le droit de choisir un terrain de 3 à 400 000 hectares, donné en toute propriété. Deux ans plus tard, le Parlement approuva la formation de quarante compagnies, à qui 650 000 kilomètres carrés furent concédés. (Je rappelle que la superficie totale de la France est de 551 000 km^2.) Ces sociétés n'ont, du reste, pour la plupart, pas longtemps vécu. Certaines se sont transformées ; d'autres ont fusionné. Nous ne nous trouvons plus aujourd'hui en face que de quelques sociétés, et n'avons plus à nous occuper que de celles-ci.

Mais, avant de commencer à parler d'elles, je voudrais mettre mon lecteur en garde de confondre ces Concessions congolaises avec les concessions ordinaires telles que peuvent les obtenir les colons ou de grandes sociétés financières, pour la mise en culture d'un terrain ou l'exploitation de richesses minières. Celles-ci concourent, en même temps qu'à l'enrichissement du colon ou de la société, à l'enrichissement du pays et du peuple qui l'habite. Qu'un parti politique anticapitaliste les désapprouve, peu m'importe ici ; je prétends n'avoir pas à me solidariser avec ce parti pour m'élever contre les abus particuliers à l'A.E.F.

Le concessionnaire congolais obtint donc la propriété exclusive de tous les produits naturels [1] d'immenses régions à peu près inexplorées, aussi peu connues du gouvernement qui les accordait que du concessionnaire lui-même. Jusqu'à ce moment les produits de chasse et de cueillette avaient appartenu aux indigènes ; mais l'on peut à peine dire que ceux-ci furent expropriés, car, en fait, ils furent concédés eux-mêmes avec les terrains. Le concessionnaire put alors les contraindre au travail moyennant tels salaires qu'il se réservait toute liberté de fixer. Quant aux produits, il estimait que, dans ce cas, il n'avait plus à les payer.

Les concessionnaires s'engageaient par contre à verser au gouvernement de la colonie 15 p. 100 de leurs bénéfices, et à respecter les clauses d'un cahier des charges. Certaines de ces clauses prétendaient, il est vrai, protéger les « droits d'usage » que nos principes reconnaissent aux indigènes de toutes nos colonies. Ces clauses donnèrent satisfaction à l'esprit de justice de l'opinion publique et l'endormirent. En pratique elles ne furent jamais appliquées, et les populations habitant les immenses terrains concédés furent, en fait, réduites à un état qui ne diffère de l'esclavage, je voudrais que l'on me dise en quoi ?

Les Grands Concessionnaires du Congo parlent volontiers des importants services qu'ils rendent à la colonie et de leur « rôle civilisateur ». Qu'ils nous permettent d'examiner ces deux côtés de la question.

1. Caoutchouc, noix de palmes, ivoire, peaux d'animaux.

Prenons par exemple la Compagnie française du Haut-Congo, la plus importante des survivantes, dont les privilèges arrivent à expiration en 1929, mais, qui, si invraisemblable et alarmant que cela puisse paraître, semble en passe d'en obtenir le renouvellement.

La C.F.H.C. couvre une superficie de 2 600 000 hectares. De plus, la C.F.H.C. contrôle les territoires de l'ex-concession Alimaienne et de l'ex-concession N'Gogo-Sangha, de sinistre mémoire. Elle possède donc un monopole commercial absolu sur 5 600 000 hectares peuplés de 120 000 habitants (je donne les chiffres officiels).

Cette Compagnie, et les Grandes Compagnies en général, font grand état de l'aide indirecte qu'elles apportent au budget de la colonie par les redevances qu'elles lui versent (à savoir, en plus de quelques légères redevances fixes, le pourcentage de 15 p. 100 dont je parlais, sur les bénéfices effectués). Mais il est aisé, d'après le tableau des ventes, de calculer ce que la colonie eût regagné d'autre part en droits de douane et autres si la Grande Compagnie eût fait place au commerce libre. La haute autorité que je cite estime que, pour 10 millions de produits négociés dans une zone de commerce libre, la colonie peut percevoir 3 600 000 francs d'impôts directs ou indirects (laissant d'autre part 6 400 800 francs à l'indigène) ; tandis que les mêmes produits, vendus dans une région concédée, ne rapportent à la colonie que 900 000 francs, et ne laissent à l'indigène que 1 600 000 francs ; tant est grande la différence entre les prix payés par le commerce libre et ceux consentis par la Grande Compagnie [1].

Ajoutons que les Grandes Compagnies ne se montrent guère empressées de s'acquitter envers la

1. « Parallèlement, l'indigène restant pauvre, force nous est de proportionner son impôt personnel à ses ressources. La colonie perd encore, de ce fait, un million au moins chaque année, pour la seule concession C.F.H.C. », dit un rapport administratif.

colonie. N'a-t-il pas fallu toute l'énergie du Gouverneur Général actuel pour faire rentrer dans la caisse un million de redevances arriérées, dont certaines remontaient à dix ans ? Ce chiffre en dit long sur la faiblesse dont faisait preuve l'administration locale devant les Grands Concessionnaires.

Si d'une part le bas prix que le concessionnaire paye les produits naturels pousse l'indigène à refuser ou à limiter son concours, d'autre part les prix exagérément élevés des marchandises d'importation, *que seul le concessionnaire a le droit de vendre*, limitent, empêchent les achats. Encore les Compagnies Concessionnaires négligent-elles le plus souvent de fournir leurs factoreries des objets les plus nécessaires ou les plus appréciés par les indigènes. « Devant cette carence des Sociétés Concessionnaires et devant les nombreuses difficultés pour se procurer les articles d'importation européenne qu'il désire, l'indigène s'est vite découragé et n'a pas cherché par son travail à augmenter sa production », lisons-nous dans un rapport ; et dans un autre : « On imagine sans peine l'état d'esprit des indigènes, aujourd'hui parfaitement renseignés, qui savent de combien on les frustre dans chaque transaction, et qui attendent avec angoisse, mais sans beaucoup d'espoir, la fin de ce régime. »

Enfin, malgré ses bénéfices considérables, la C.F.H.C. n'a jamais rien fait pour améliorer le sort des indigènes qu'elle exploite : ni route, ni école, ni hôpital ; pas la moindre organisation sanitaire. Elle laissera en s'en allant, si tant est qu'elle s'en aille enfin, un pays saigné à blanc et des indigènes plus misérables qu'avant l'arrivée des blancs.

II

La Compagnie Forestière de Sangha-Oubangui a ceci de particulier qu'elle ne fait pas de bonnes affaires. C'est ce que nous apprend son directeur, et qu'elle a déjà perdu 45 p. 100 de son capital. « En seize exercices, nous dit-il, les actionnaires n'ont touché que six fois un dividende variant de 5 à 20 francs. » La C.F.S.O. travaille présentement à se renflouer et procède à l'émission d'actions nouvelles pour appeler à la rescousse de nouveaux capitaux, qui vont lui permettre de continuer à fatiguer la colonie.

Mais laissons de côté la question financière. J'ai traversé à pied les régions où opère la C.F.S.O. et puis parlé en connaissance de cause de ses rapports avec l'administration et avec les indigènes, ainsi que de son « rôle civilisateur ». J'ai pu constater, comme eût pu le faire n'importe quel voyageur averti, que les « plantations » dont parle le directeur de la C.F.S.O. (qui n'a jamais été au Congo et doit se reposer sur les rapports de ses agents) sont dérisoires ; que ce qu'il a dit au sujet des mesures d'hygiène, de prophylaxie, des campements de récolteurs, en un mot de toutes les mesures humanitaires prises en faveur des indigènes et que prescrit le cahier des charges, n'existe, le plus souvent, que sur le papier.

Je n'ai pas à m'étendre ici sur le dur travail auquel est astreinte toute la population mâle indigène, dans les territoires concédés à la C.F.S.O. (car il ne s'agit point seulement, comme on le verra, des seuls « engagés volontaires » et travailleurs recrutés spécialement par la Compagnie). L'on comprend de reste et sans qu'il soit utile d'insister, le funeste effet de ce régime, qui maintient les hommes constamment à de grandes distances de leur village, sur la vie de famille, sur la natalité, sur les cultures, et, partant, sur la prospérité générale du pays. Dans les territoires non concédés, le caoutchouc de céaras, cultivé à l'entour des villages, grâce à l'initiative du Gouverneur Lamblin, tend à remplacer le caoutchouc dit « de cueillette », produit naturel, auquel seule a droit la Société Concessionnaire ; l'autre, elle est obligée de l'acheter, ce qui fait qu'elle n'encourage pas beaucoup les cultures. L'on n'a, pour plus de détails, qu'à se reporter à ma relation de voyage.

Certains se sont émus de quelques atrocités, dont je dus me faire le dénonciateur, et que je relate au cours de ce récit[1]. L'avouerais-je ? Pour révoltants que fussent ces crimes, ils me paraissent beaucoup moins importants que quelques méfaits, d'apparence plus bénigne, que je dénonce sitôt après. Les premiers, abominables mais exceptionnels, n'étaient dus qu'au défaut de surveillance d'un administrateur insuffisant, qui, par la suite, obtint acquittement sur ce point. Les seconds, que je vais dire, dont la responsabilité incombe au même administrateur, présentent un caractère non accidentel ; leur constance même est alarmante. Comment ne pas y voir la conséquence naturelle, fatale, inéluctable, du régime appliqué à cette partie de la colonie ? Voici les faits — sans grande importance peut-être, je le répète — mais particulièrement révélateurs, et, si j'ose dire : exemplaires.

Sous les yeux de l'administrateur et du représentant de la C.F.S.O., des indigènes, fournisseurs de caoutchouc au marché mensuel de Bambio, avaient été brimés dans la cour même de la factorerie de la Compagnie, jusqu'à ce que mort de l'un d'eux s'ensuivît. Par ordre de l'administrateur, ces gens étaient punis pour n'avoir pas apporté une quantité de caoutchouc suffisante. Je ne puis entrer dans les détails et exposer comme quoi ces gens n'avaient nullement cherché à se soustraire au travail, mais que, vu la très grande distance où les forçait d'aller la dévastation progressive de la forêt (souvent à plus de huit jours de marche pour trouver encore du caoutchouc de liane), ils étaient demeurés un mois sans revenir, pour s'épargner le double trajet, rapportant le mois suivant double charge. Je signalais ces faits alarmants dans une lettre au Gouverneur ; une enquête administrative, déclenchée par ma lettre, vint à l'appui de mon récit et entraîna la mise

1. Il s'agit, en l'espèce, de représailles et « sanctions » exécutées avec férocité par quelques miliciens indigènes, qui furent, par la suite, condamnés.

en accusation de l'administrateur. Mais il ne me paraît pas qu'on ait cru devoir, dans cette affaire, s'appesantir sur le rôle de la C.F.S.O., dont la complicité ressort pourtant nettement de ces phrases du rapport du Procureur Général, chef du service judiciaire de l'A.E.F. :

« Celui-ci (M. P., l'administrateur en question), parce qu'il avait reçu l'ordre, dit-il, de forcer la production du caoutchouc, mit *au service des intérêts privés de la Compagnie Forestière* tout l'arsenal de ses pouvoirs disciplinaires dans le but d'activer l'apport de ce produit, qui était payé au prix modéré de 2 francs le kilo [1]..., et ces sanctions, il les appliqua, il faut le constater, *à des indigènes qui n'étaient liés à cette compagnie par aucun contrat de travail collectif ou individuel.*

« Contre ceux qui lui parurent insuffisamment actifs dans leurs travaux de récoltes, il prononça des peines d'*amende absorbant la totalité de leurs gains et le maximum des peines d'emprisonnement*. En outre il infligea à ceux qui furent particulièrement signalés *pour leur faible rendement*, un châtiment corporel : chargés de lourdes poutres, ils furent astreints à tourner sans arrêt *dans la cour de la factorerie*. Cette épreuve, commencée à huit heures du matin, ne fut arrêtée qu'à midi, à la suite de la chute d'un homme, Malingué, qui mourut la nuit suivante. »

Nous ne pouvons citer tout au long le reste de l'enquête ayant trait à l'état de la prison de Boda (lieu de résidence de l'administrateur) où les indigènes « insuffisamment actifs dans leurs travaux de récoltes » purgeaient leur peine, et où « de sérieuses présomptions », dit le rapport, permettent d'attribuer le nombre effarant des décès « au travail trop pénible, aux mauvais traitements, à l'alimentation insuffisante »... Quant au nombre des décès, M. P. l'administrateur « n'a

1. Payé de 10 à 15 francs, par le commerce libre, dans la contrée voisine.

même pas accompli cette élémentaire obligation de sa charge d'en tenir le compte ». (Et pour cause...)

« Nous n'avons pas à défendre la Compagnie Forestière, *puisque aussi bien elle est sous le contrôle de notre administration* », écrivait récemment à ce propos le collaborateur d'un grand journal parisien, laissant apparaître par ces mots son ignorance de la question. Dans toute la région de la forêt où la question du caoutchouc est étroitement mêlée à tous les problèmes qui peuvent surgir dans une circonscription, le rôle de l'administrateur est particulièrement difficile. Il est de force à tenir tête aux commerçants libres, qui ont besoin de lui, et qui le craignent. Les Grandes Sociétés ont montré maintes fois qu'elles ne craignaient nullement les administrateurs subalternes, ni même les supérieurs. Combien de fois les Gouverneurs Généraux qui se sont succédé au Congo, et le Gouverneur Général actuel, qui m'autorise à le dire, ont-ils dû céder aux pressions et accepter de placer, dans les territoires concédés, des administrateurs protégés par les Compagnies, des « créatures » de celles-ci ! Le Gouverneur Général lui-même ne s'est-il pas vu menacé dès qu'il eut fait connaître son intention formelle de s'opposer au renouvellement des privilèges d'une de ces Compagnies toutes-puissantes ? Et, de toute manière, que peut un administrateur, chef de subdivision, de circonscription même, insuffisamment rétribué, à la tête de territoires trop vastes, débordé de toutes parts par des fonctions et des attributions trop multiples — que peut-il, dis-je, en face d'un représentant de ces Compagnies, d'un agent plein d'attentions d'abord, très aimable, trop aimable, mais qui peut devenir menaçant, car il dispose pardevers lui de puissances et de protections dont dépend le plus souvent la carrière de l'administrateur.

Une sélection fatale s'opère : les mieux cotés, n'étant pas toujours, hélas ! les meilleurs, restent. Je n'entends nullement par ces mots jeter le discrédit sur aucun des administrateurs des régions concédées, ni même sur les agents des grandes compagnies ; mais je dis que, résultant de ce déplorable régime, les invitations aux abus de pouvoir, d'une part, aux complaisances, sinon même aux complicités, de l'autre, sont si fortes, qu'il faudrait, pour y résister, en l'absence de toute approbation, de tout encouragement, de tout appui, plus que de la simple honnêteté ; une valeur intellectuelle, une sorte d'héroïsme moral, auxquels le milieu n'invite guère, et que, même en France, on ne serait que bien rarement en droit d'espérer.

Deux articles récents, soucieux de discréditer mon témoignage, m'accusent de décourager toute initiative coloniale. Si le renouvellement des Grandes Concessions vient à être discuté par le Parlement, il faut s'attendre à voir les amis des Compagnies Concessionnaires chercher à tirer parti d'une confusion si favorable à leur cause. C'est pourquoi l'on ne saurait trop redire que l'effort colonisateur et l'existence d'un commerce actif dans nos colonies ne sont aucunement liés à un régime abusif qui tout au contraire les compromet. Je ne voudrais pas d'autre part que l'on se méprît et que cette question très particulière d'un abus localisé l'on cherchât à la noyer dans une discussion spéculative de principes et de théories. Cette question des Grandes Compagnies Concessionnaires, sous la forme que j'incrimine, n'existe, encore une fois, qu'au Congo (lorsqu'on tenta de soumettre au même régime notre colonie du Dahomey, le Gouverneur de celle-ci eut la fermeté de s'y opposer énergiquement [1]). Cette question échappe à la politique et mérite de rallier les consciences droites de tous les partis. Il est grand temps de se ressaisir, de mettre fin à un régime qui

1. « En 1900, M. Pascal, le Gouverneur du Dahomey, reçut une dépêche du Département disant en substance « que, le Congo étant partagé, on allait commencer le partage de l'A.O.F. », et on l'invitait à préparer « un projet de distribution du Dahomey en Grandes Concessions ». Le gouverneur Pascal protesta au nom des droits des indigènes et du principe de la liberté commerciale avec une véhémence telle que sa voix fut entendue. » (Extrait d'un rapport officiel.)

n'est pas seulement stupide et déplorablement onéreux, mais inhumain et déshonorant pour la France.

DERNIÈRE HEURE

I

Dans la séance du 23 novembre 1927, M. Fontanier, député du Cantal, occupa longuement la Chambre du scandaleux régime des Grandes Concessions. À défaut de rapports administratifs, toujours confidentiels, c'est à mes renseignements qu'il dut se reporter, et à mon livre dont il lut de nombreux passages. M. Léon Perrier, Ministre des Colonies, lui répondit.

Lorsque, à mon retour du Congo, j'allai remettre à M. Léon Perrier le rapport que je lui devais, je remportai l'impression la plus réconfortante de l'entretien qu'il me permit d'avoir avec lui. D'autre part l'envoi d'une commission d'enquête, aussitôt qu'il fut avisé de l'inquiétante mortalité parmi les indigènes réquisitionnés pour le chemin de fer de Brazzaville à Pointe-Noire, témoignait d'un zèle humanitaire efficace et qui ne se payait pas de mots. Les déclarations qu'il fit en ce jour à la Chambre contiennent mieux que des promesses ; elles annoncent comme déjà prises les mesures les mieux propres à nous rassurer :

« M. Fontanier a rappelé avec raison que l'administration coloniale doit surveiller très étroitement les contrats qui lient les travailleurs indigènes aux entre-

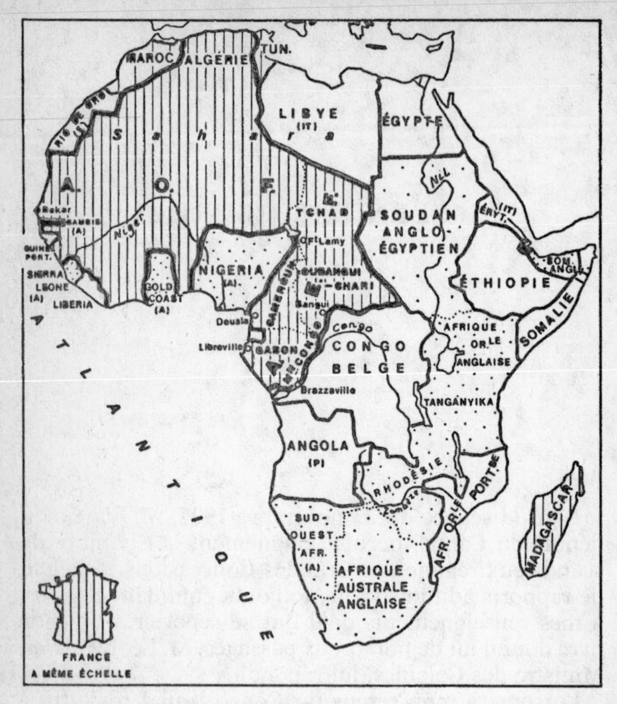

Carte générale

prises privées. Comme l'a fort bien dit notre collègue, un contrat ne vaut que par le contrôle qu'on exerce sur son exécution.

« C'est là une de mes préoccupations principales et je tiens à dire que je viens d'inviter les Gouverneurs des Colonies, notamment celui de l'Afrique Équatoriale, à organiser soigneusement ce contrôle de la main-d'œuvre, que je conçois sous une forme précise. J'ai indiqué au Gouverneur que je désirais que l'organisme de contrôle fût constitué par un ensemble de fonctionnaires comprenant un administrateur, un médecin et un commis.

« Ainsi le contrôle pourra porter, non seulement sur l'exécution matérielle du contrat, salaire, durée du travail, etc., mais encore sur l'état de santé des indigènes qui sont utilisés dans les concessions privées. »

J'applaudis de tout cœur.

M. Léon Perrier déclare ensuite :

« ... Ce régime des Grandes Concessions, tel qu'il a été institué doit prendre fin. Du reste, toutes les Grandes Concessions expirent en 1929. Je donne à la Chambre l'assurance qu'aucune d'elles ne sera renouvelée ou prolongée, du moins dans les conditions où elles ont été accordées. »

— C'est la victoire, direz-vous ; et l'on peut s'étonner que les journaux aient semblé si peu faire état d'un engagement qui ne tend à rien moins qu'à délivrer 120 000 nègres de l'esclavage [1].

Mais... Le privilège de la Compagnie Forestière Sangha-Oubangui, renouvelé sous une forme sans doute un peu modifiée en 1920, n'expire qu'en 1935 [2].

1. Je reproduis ici le chiffre donné par M. le Gouverneur Général Antonetti, pour la seule Concession de la C.F.H.C.

2. Un communiqué paru dans le journal *L'Information* du 29 novembre 1927 nous renseigne : Nous y apprenons que la Compagnie Forestière Sangha-Oubangui envisage une augmenta-

Comme M. le Ministre a déclaré que toutes les Grandes Concessions expiraient en 1929, c'est donc qu'il ne considère pas que le privilège dont jouit la Compagnie Forestière Shanga-Oubangui, puisse faire entrer celle-ci dans la catégorie des Grandes Concessions.

Le « *du moins dans les conditions où elles ont été accordées* » laisse entrevoir que ces engagements, en apparence si prometteurs, pourraient bien, si M. Perrier n'y veille, (mais sera-t-il encore au pouvoir pour y veiller), n'annoncer rien de plus qu'une assimilation prochaine des autres compagnies au régime actuel de la Forestière.

Rappelons que les immenses régions sur lesquelles s'étend l'empire de la Forestière sont celles mêmes où nous avons pu constater les abominables abus que je dénonçais dans mon *Voyage au Congo*.

L'attention, un instant émue par mon livre, puis presque aussitôt rassurée, se reposant sur des déclarations ministérielles, va-t-elle se rendormir... jusqu'au jour où, dans quelque vingt ans, un autre voyageur, poussé comme moi par la folle idée d'aller voir là-bas ce qui se passe, découvrant de nouvelles exactions, dénonçant de semblables horreurs, laissera comprendre au public que rien n'a changé de ces abus, que l'étiquette pour les couvrir ?

Puisse M. le Ministre lui-même ne pas se rassurer trop vite. Si excellentes que soient les décisions dont il nous fait part, le mal ne cessera que lorsque ces grandes privilégiées lâcheront prise — que lorsqu'on leur aura fait lâcher prise.

tion de son capital qui lui permette : « l'exécution du programme de plantation auquel est lié le renouvellement des concessions *en 1935* »... la C.F.S.O. veut « s'assurer dès maintenant les possibilités de maintenir un *privilège* qui constitue *la source la plus importante des revenus de la Compagnie* » (je ne le leur fais pas dire).

II

31 décembre 27.

M. Weber fait effort pour ramener mon accusation à une question personnelle : « M. Gide a été frappé par la révélation... On discute avec les esprits critiques, non pas avec les croyants », déclare-t-il à l'assemblée de ses actionnaires du 20 décembre 1927. Je me vois forcé de lui redire qu'il ne s'agit pas ici de mon opinion personnelle. Ce ne sont ni des impressions subjectives, ni même des raisons que je lui oppose ; ce sont des rapports officiels de hauts fonctionnaires coloniaux, dont il ne peut mettre en doute ni la compétence, ni l'autorité. En veut-il un de plus ?

La vie de ces hommes (les récolteurs de caoutchouc en forêt) est bien peu attrayante à côté de celle que mènent les sédentaires du village. Ils ignorent le séjour en famille et dans une bonne case. Partis pour la récolte, ils sont absents un mois environ, pendant lequel ils produisent de 5 à 30 kilos de caoutchouc. Le village est quelquefois éloigné de deux à trois jours du lieu d'exploitation. Ils y reviennent pour un jour, partent à la factorerie où ils vendent leurs paniers, rentrent au village et, vingt-quatre heures après, repartent pour la forêt...

Cet état nomade, qui ne cesse pas, est une véritable imposition.

... Un récolteur « part au caoutchouc » parce qu'on l'y fait partir. C'est un producteur qui paye toujours bien plus que sa capitation personnelle et celle de sa femme. Il est la ressource du village, acceptée par tous, sauf par lui.

De plus c'est en général un individu jeune qui est déclaré corvéable soit par sa famille même, soit par le chef. Son âge moyen est de quinze à seize ans seulement.

Vite fatigué par cette vie continuelle en forêt, il travaille avec dégoût pour un salaire dont la plus grande partie ne lui restera pas...

Constamment exposé à la piqûre des mouches, le récolteur devient, dès qu'il est trypanosomé, d'autant plus dangereux pour le village pendant les rares journées qu'il y passe, qu'il sera exceptionnellement visité par le médecin, à cause même de la continuité de son absence.

Suit un tableau dont voici le résumé :
Individus trypanosomés chez les sédentaires : 3,15 %.
Individus trypanosomés chez les récolteurs : 30,00 %.
Suspects de trypanosomiase chez les sédentaires : 5,18 %.
Suspects de trypanosomiase chez les récolteurs : 85,00 %.

Ces chiffres sont concluants. Ils montrent combien il est important de ne pas imposer au même individu un séjour continu dans la forêt où se trouve ce qu'offre peu le village : de nombreux gîtes à glossines, un travail fatigant, une alimentation forcément défectueuse.

Le rapport médical dont j'extrais ces lignes est de 1919. Quelques améliorations ont-elles été apportées ? Je voudrais le croire ; mais je n'en suis nullement convaincu. En tout cas, les conditions de vie et la longueur du séjour des travailleurs en forêt restent exactement les mêmes. La différence la plus notable avec 1919, c'est que, lorsque je parcourus la contrée, ce n'étaient plus seulement quelques adolescents désignés par un chef, mais bien tous les hommes valides, que l'on réquisitionnait pour la récolte du latex.

Je le répète : il y a là un état de choses qui ne dure que parce qu'il est ignoré du public — peut-être et, je veux bien le croire, de M. Weber lui-même.

III

En réponse indirecte à mes accusations, le *Journal des Débats* crut devoir rassurer ses lecteurs. En tête de son numéro du 8 janvier 1928 parut, sous le titre : « L'Exploitation d'une accusation » un article signé Édouard Payen : « La suppression pure et simple des concessions » paraît à M. Payen « une solution simpliste qui pourrait retarder beaucoup la mise en valeur de vastes régions et, par voie de conséquence, l'accroissement du bien-être des indigènes. »

Suit une description de la situation faite aux indigènes par ces sociétés de bienfaisance :

« La société entretient un approvisionnement d'environ deux mois de vivres de réserve. L'installation des cases a été surveillée.

« Le service médical est assuré par un médecin-major des troupes coloniales assisté de plusieurs infirmiers. Il dispose, pour donner ses soins aux indigènes, d'un hôpital de cent soixante-dix lits construit en briques et couvert en éverite, et comprenant salle de visite, salles de malades, laboratoire, salle d'opérations, pharmacie approvisionnée de médicaments, même les plus coûteux, reconnus comme étant les meilleurs pour le traitement des endémies qui frappent la population. Il existe, en outre, en dehors de l'hôpital, une infirmerie et plusieurs postes de secours.

« Une grande partie des travailleurs viennent de l'intérieur et sont recrutés par contrat. Ils sont soumis à leur arrivée à un examen médical et reçoivent le traitement exigé par leur état physiologique ; d'une manière presque générale, un traitement destiné à les débarrasser de la vermine qui est à l'origine de beaucoup de maladies graves du tube digestif. Ils sont affectés à des travaux légers : désherbage, propreté, plantations, jusqu'au moment où le médecin les juge aptes aux travaux normaux de l'exploitation.

« Un économat constitué par la société leur fournit, à prix coûtant, les marchandises de consommation indigène : étoffes, pagnes, ustensiles de cuisine, vêtements, verroterie, etc. La vente de l'alcool est absolument prohibée.

« Des dispositions sont enfin prises pour donner aux travailleurs quelques distractions : orchestre, cinéma, etc. »

On croit rêver : « Que les nègres sont donc heureux ! et que l'on est mal venu de se plaindre », doit penser l'honnête lecteur des *Débats*.

Mais de quelle société s'agit-il ? C'est ce que les *Débats* se gardent de nous laisser connaître. L'on ne put me renseigner, non plus au Ministère des Colonies qu'à l'Agence Économique de l'Afrique Équatoriale, où ceux à qui je montrai ledit article partagèrent ma stupeur. Ce dont parlait cet article existait-il ailleurs que dans la confiance abusée de son signataire ? Le certain, c'est que *rien* de tout cela n'existait encore au Congo lors de mon voyage, *rien* encore lorsque le Gouverneur Général déclarait que les grandes compagnies en question *n'avaient absolument rien fait pour le bien des indigènes*. Devions-nous supposer que telle Grande Concession menacée venait de tenter un immense et subit effort pour permettre à M. Payen un si réconfortant tableau ? Et, dans ce cas, ce Boucicautisme tardif laissait entendre que ladite Société prétendait bien éluder d'une manière ou d'une autre la déclaration que le Ministre des Colonies fit à la Chambre le 23 novembre 1927 : « ... Ce régime des grandes concessios, tel qu'il a été institué, doit prendre fin, etc. » Désireux d'en avoir le cœur net, j'écrivis au *Journal des Débats* pour obtenir quelques précisions. M. de Nalèche lui-même voulut bien me répondre : l'article signé Édouard Payen célébrait la *Société des Consortiums Forestiers et Maritimes des Grands Réseaux*.

O *Débats*, que ne le disiez-vous tout de suite. C'était donc là tout ce que l'on trouvait à m'opposer.

J'écrivis à M. de Nalèche :

Paris, le 8 février 1928.

Monsieur,

Je vous remercie des renseignements que vous voulez bien me donner au sujet de la Société à laquelle faisait allusion l'article des *Débats* du 8 janvier. La Société en question ne saurait être assimilée en bonne foi aux Grandes Concessions que je dénonce dans mon livre. Celles-ci ne doivent de continuer à vivre qu'à l'ignorance où l'on maintient le public des abus qu'entraîne fatalement leur exploitation. Tous les rapports administratifs qu'il m'a été donné de lire permettent de s'en rendre compte. Veuillez prendre connaissance des quelques citations que j'en fais.

Pourquoi chercher à ruiner mon témoignage lorsqu'il a déjà tant de peine à se faire entendre ? Quoi d'étonnant, lorsque des journaux comme le vôtre font la sourde oreille devant une protestation si juste, lorsqu'ils en faussent la direction, la signification, la portée, quoi d'étonnant si les journaux de partis extrêmes s'en emparent ? Ne pas consentir à reconnaître le mal (en limitant strictement le danger, ainsi que j'ai pris soin de faire, empêchant toute généralisation injurieuse et préjudiciable aux intérêts matériels et moraux de la France), c'est empêcher la guérison de ces plaies d'un pays malade et risquer de permettre au mal de s'étendre.

Estimez-vous vraiment que, pour l'honneur de la France, il vaille mieux dissimuler un état de choses qui, au dire des personnalités désintéressées les plus compétentes, devient un danger menaçant ?

Heureusement un article de M. A. Géraud, dans votre numéro du 28 janvier, remet en place les cartes brouillées par M. Payen. C'est cet article qui m'encourage à vous écrire, ainsi que le vif souvenir que j'ai gardé de ces autres articles auxquels M. Géraud fait allusion, parus également dans votre journal sous ce titre : *La Grande pitié des populations africaines* [1].

Dans l'exposé de la question des Concessions, exposé tout objectif, que je donne en appendice au second volume de ma relation de voyage, j'ai fait en sorte de ne point fournir des armes aux partis extrêmes. C'est vous qui ferez leur jeu si vous abandonnez à leurs seuls soins une cause qui déjà rallie les Administrateurs et Gouverneurs de la Colonie, ainsi que leurs chefs. Persuadez-vous qu'elle mérite de rallier tous les honnêtes gens.

Veuillez croire, Monsieur, etc.

1. Octobre 1924.

Voyage au Congo

Le retour du Tchad

ŒUVRES D'ANDRÉ GIDE

Aux Éditions Gallimard

Poésie

LES CAHIERS ET LES POÉSIES D'ANDRÉ WALTER

LES NOURRITURES TERRESTRES — LES NOUVELLES NOURRITURES

AMYNTAS

Soties

LES CAVES DU VATICAN

LE PROMÉTHÉE MAL ENCHAÎNÉ

PALUDES

Roman

LES FAUX-MONNAYEURS

Récits

LA SYMPHONIE PASTORALE

LA TENTATIVE AMOUREUSE

L'ÉCOLE DES FEMMES, *suivi de* ROBERT et de GENEVIÈVE

EL HADJ

THÉSÉE

Divers

LE RETOUR DE L'ENFANT PRODIGUE

SOUVENIRS DE LA COUR D'ASSISES

MORCEAUX CHOISIS

INCIDENCES

CORYDON

SI LE GRAIN NE MEURT

JOURNAL DES FAUX-MONNAYEURS

VOYAGE AU CONGO

LE RETOUR DU TCHAD

LE VOYAGE D'URIEN

DIVERS

PAGES DE JOURNAL 1929-1932

NOUVELLES PAGES DE JOURNAL

RETOUR DE L'U.R.S.S.

RETOUCHES À MON RETOUR DE L'U.R.S.S.

JOURNAL 1889-1939

DÉCOUVRONS HENRI MICHAUX

INTERVIEWS IMAGINAIRES

JOURNAL 1939-1942

ŒUVRES COMPLÈTES *(15 vol.)*

JOURNAL 1942-1949

LITTÉRATURE ENGAGÉE

AINSI SOIT-IL *ou* LES JEUX SONT FAITS

DOSTOÏEVSKI

Théâtre

THÉÂTRE (Saül, le Roi Candaule, Œdipe, Perséphone, le Treizième Arbre)

LE PROCÈS, *en collaboration avec J.-L. Barrault, d'après le roman de Kafka*

LES CAVES DU VATICAN, *farce d'après la sotie du même auteur*

Correspondance

CORRESPONDANCE AVEC FRANCIS JAMMES (1893-1938) *(préface et notes de Robert Mallet)*

CORRESPONDANCE AVEC PAUL CLAUDEL (1899-1926) *(préface et notes de Robert Mallet)*

CORRESPONDANCE AVEC PAUL VALÉRY (1890-1942) *(préface et notes de Robert Mallet)*

CORRESPONDANCE AVEC ANDRÉ SUARÈS (1908-1920) *(préface et notes de Sidney B. Braun)*

CORRESPONDANCE AVEC FRANÇOIS MAURIAC (1912-1950) *(introduction et notes de Jacqueline Morton — Cahiers André Gide n° 2)*

CORRESPONDANCE AVEC ROGER MARTIN DU GARD, I (1913-1934) et II (1935-1951) *(introduction par Jean Delay)*

CORRESPONDANCE AVEC HENRI GHÉON (1897-1944), I et II *(édition de Jean Tipy, introduction et notes de Anne-Marie Moulènes et Jean Tipy)*

CORRESPONDANCE AVEC JACQUES ÉMILE BLANCHE (1892-1939) *(présentation et notes par Georges-Paul Collet, Cahiers André Gide n° 8)*

CORRESPONDANCE AVEC DOROTHY BUSSY *(présentation de Jean Lambert)*

I. Juin 1918-décembre 1924 *(Cahiers André Gide n° 9)*
II. Janvier 1925-novembre 1926 *(Cahiers André Gide n° 10)*
III. Janvier 1937-janvier 1951 *(Cahiers André Gide n° 11)*

CORRESPONDANCE AVEC JACQUES COPEAU *(édition établie et annotée par Jean Claude, introduction de Claude Sicard, Cahiers André Gide nos 12 et 13)*

CORRESPONDANCE AVEC SA MÈRE (1880-1895) *(préface d'Henri Thomas, introduction de Claude Martin)*

CORRESPONDANCE AVEC VALERY LARBAUD (1905-1938) *(édition et introduction de Françoise Lioure, Cahiers André Gide n° 14)*

CORRESPONDANCE AVEC JEAN SCHLUMBERGER (1901-1950) *(édition établie, présentée par Pascal Mercier et Peter Fawcett)*

Bibliothèque de la Pléiade

JOURNAL 1889-1939

JOURNAL 1939-1949, SOUVENIRS

ANTHOLOGIE DE LA POÉSIE FRANÇAISE
ROMANS, RÉCITS ET SOTIES, ŒUVRES LYRIQUES

Chez d'autres éditeurs

DOSTOÏEVSKI
ESSAI SUR MONTAIGNE
NUMQUID ET TU ?
L'IMMORALISTE
LA PORTE ÉTROITE
PRÉTEXTES
NOUVEAUX PRÉTEXTES
OSCAR WILDE (In memoriam, De Profundis)
UN ESPRIT NON PRÉVENU

COLLECTION FOLIO

Dernières parutions

2251. Maurice Denuzière — *L'amour flou.*
2252. Vladimir Nabokov — *Feu pâle.*
2253. Patrick Modiano — *Vestiaire de l'enfance.*
2254. Ghislaine Dunant — *L'impudeur.*
2255. Christa Wolf — *Trame d'enfance.*
2256. *** — *Les Mille et Une Nuits,* I.
2257. *** — *Les Mille et Une Nuits,* II.
2258. Leslie Kaplan — *Le pont de Brooklyn.*
2259. Richard Jorif — *Le burelain.*
2260. Thierry Vila — *La procession des pierres.*
2261. Ernst Weiss — *Le témoin oculaire.*
2262. John Le Carré — *La Maison Russie.*
2263. Boris Schreiber — *Le lait de la nuit.*
2264. J.M.G. Le Clézio — *Printemps et autres saisons.*
2265. Michel del Castillo — *Mort d'un poète.*
2266. David Goodis — *Cauchemar.*
2267. Anatole France — *Le Crime de Sylvestre Bonnard.*
2268. Plantu — *Les cours du caoutchouc sont trop élastiques.*
2269. Plantu — *Ça manque de femmes!*
2270. Plantu — *Ouverture en bémol.*
2271. Plantu — *Pas nette, la planète!*
2272. Plantu — *Wolfgang, tu feras informatique!*
2273. Plantu — *Des fourmis dans les jambes.*
2274. Félicien Marceau — *Un oiseau dans le ciel.*
2275. Sempé — *Vaguement compétitif.*
2276. Thomas Bernhard — *Maîtres anciens.*
2277. Patrick Chamoiseau — *Solibo Magnifique.*

2278. Guy de Maupassant — *Toine.*
2279. Philippe Sollers — *Le lys d'or.*
2280. Jean Diwo — *Le génie de la Bastille (Les Dames du faubourg, III).*
2281. Ray Bradbury — *La solitude est un cercueil de verre.*
2282. Remo Forlani — *Gouttière.*
2283. Jean-Noël Schifano — *Les rendez-vous de Fausta.*
2284. Tommaso Landolfi — *La bière du pecheur.*
2285. Gogol — *Taras Boulba.*
2286. Roger Grenier — *Albert Camus soleil et ombre.*
2287. Myriam Anissimov — *La soie et les cendres.*
2288. François Weyergans — *Je suis écrivain.*
2289. Raymond Chandler — *Charades pour écroulés.*
2290. Michel Tournier — *Le médianoche amoureux.*
2291. C.G. Jung — *« Ma vie » (Souvenirs, rêves et pensées).*
2292. Anne Wiazemsky — *Mon beau navire.*
2293. Philip Roth — *La contrevie.*
2294. Rilke — *Les Carnets de Malte Laurids Brigge.*
2295. Vladimir Nabokov — *La méprise.*
2296. Vladimir Nabokov — *Autres rivages.*
2297. Bertrand Poirot-Delpech — *Le golfe de Gascogne.*
2298. Cami — *Drames de la vie courante.*
2299. Georges Darien — *Gottlieb Krumm (Made in England).*
2300. William Faulkner — *Treize histoires.*
2301. Pascal Quignard — *Les escaliers de Chambord.*
2302. Nathalie Sarraute — *Tu ne t'aimes pas.*
2303. Pietro Citati — *Kafka.*
2304. Jean d'Ormesson — *Garçon de quoi écrire.*
2305. Michel Déon — *Louis XIV par lui-même.*
2306. James Hadley Chase — *Le fin mot de l'histoire.*
2307. Zoé Oldenbourg — *Le procès du rêve.*
2308. Plaute — *Théâtre complet, I.*
2309. Plaute — *Théâtre complet, II.*
2310. Mehdi Charef — *Le harki de Meriem.*
2311. Naguib Mahfouz — *Dérives sur le Nil.*
2312. Nijinsky — *Journal.*
2313. Jorge Amado — *Les terres du bout du monde.*

2314. Jorge Amado — *Suor.*
2315. Hector Bianciotti — *Seules les larmes seront comptées.*
2316. Sylvie Germain — *Jours de colère.*
2317. Pierre Magnan — *L'amant du poivre d'âne.*
2318. Jim Thompson — *Un chouette petit lot.*
2319. Pierre Bourgeade — *L'empire des livres.*
2320. Émile Zola — *La Faute de l'abbé Mouret.*
2321. Serge Gainsbourg — *Mon propre rôle, 1.*
2322. Serge Gainsbourg — *Mon propre rôle, 2.*
2323. Thomas Bernhard — *Le neveu de Wittgenstein.*
2324. Daniel Boulanger — *Mes coquins.*
2326. Didier Daeninckx — *Le facteur fatal.*
2327. Jean Delay — *Avant Mémoire I.*
2328. Romain Gary — *Adieu Gary Cooper.*
2329. Alfred de Vigny — *Servitude et grandeur militaires.*
2330. Patrick Modiano — *Voyage de noces.*
2331. Pierre Moinot — *Armes et bagages.*
2332. J.-B. Pontalis — *Loin.*
2333. John Steinbeck — *La coupe d'or.*
2334. Gisèle Halimi — *La cause des femmes.*
2335. Khalil Gibran — *Le Prophète.*
2336. Boileau-Narcejac — *Le bonsaï.*
2337. Frédéric H. Fajardie — *Un homme en harmonie.*
2338. Michel Mohrt — *Le télésiège.*
2339. Vladimir Nabokov — *Pnine.*
2340. Vladimir Nabokov — *Le don.*
2341. Carlos Onetti — *Les bas-fonds du rêve.*
2342. Daniel Pennac — *La petite marchande de prose.*
2343. Guy Rachet — *Le soleil de la Perse.*
2344. George Steiner — *Anno Domini.*
2345. Mario Vargas Llosa — *L'homme qui parle.*
2347. Voltaire — *Zadig* et autres contes.
2348. Régis Debray — *Les masques.*
2349. Diane Johnson — *Dashiell Hammett : une vie.*
2350. Yachar Kemal — *Tourterelle, ma tourterelle.*
2351. Julia Kristeva — *Les Samouraïs.*
2352. Pierre Magnan — *Le mystère de Séraphin Monge.*
2353. Mouloud Mammeri — *La colline oubliée.*
2354. Francis Ryck — *Mourir avec moi.*
2355. John Saul — *L'ennemi du bien.*

2356. Jean-Loup Trassard *Campagnes de Russie.*
2357. Francis Walder *Saint-Germain ou la négociation.*
2358. Voltaire *Candide* et autres contes.
2359. Robert Mallet *Région inhabitée.*
2360. Oscar Wilde *Le Portrait de Dorian Gray.*
2361. René Frégni *Les chemins noirs.*
2362. Patrick Besson *Les petits maux d'amour.*
2363. Henri Bosco *Antonin.*
2364. Paule Constant *White spirit.*
2365. Pierre Gamarra *Cantilène occitane.*
2366. Hervé Guibert *À l'ami qui ne m'a pas sauvé la vie.*
2367. Tony Hillerman *Le peuple de l'ombre.*
2368. Yukio Mishima *Le temple de l'aube.*
2369. François Salvaing *De purs désastres.*
2370. Sempé *Par avion.*
2371. Jim Thompson *Éliminatoires.*
2372. John Updike *Rabbit rattrapé.*
2373. Michel Déon *Un souvenir.*
2374. Jean Diwo *Les violons du roi.*
2375. David Goodis *Tirez sur le pianiste!*
2376. Alexandre Jardin *Fanfan.*
2377. Joseph Kessel *Les captifs.*
2378. Gabriel Matzneff *Mes amours décomposés (Journal 1983-1984).*
2379. Pa Kin *La pagode de la longévité.*
2380. Robert Walser *Les enfants Tanner.*
2381. Maurice Zolotow *Marilyn Monroe.*
2382. Adolfo Bioy Casares *Dormir au soleil.*
2383. Jeanne Bourin *Les Pérégrines.*
2384. Jean-Denis Bredin *Un enfant sage.*
2385. Jerome Charyn *Kermesse à Manhattan.*
2386. Jean-François Deniau *La mer est ronde.*
2387. Ernest Hemingway *L'été dangereux (Chroniques).*
2388. Claude Roy *La fleur du temps (1983-1987).*
2389. Philippe Labro *Le petit garçon.*
2390. Iris Murdoch *La mer, la mer.*
2391. Jacques Brenner *Daniel ou la double rupture.*
2392. T. E. Lawrence *Les sept piliers de la sagesse.*
2393. Pierre Loti *Le Roman d'un spahi.*
2394. Pierre Louÿs *Aphrodite.*

2395. Karen Blixen — *Lettres d'Afrique 1914-1931.*
2396. Daniel Boulanger — *Jules Bouc.*
2397. Didier Decoin — *Meurtre à l'anglaise.*
2398. Florence Delay — *Etxemendi.*
2399. Richard Jorif — *Les persistants lilas.*
2400. Naguib Mahfouz — *La chanson des gueux.*
2401. Norman Mailer — *Morceaux de bravoure.*
2402. Marie Nimier — *Anatomie d'un chœur.*
2403. Reiser/Coluche — *Y'en aura pour tout le monde.*
2404. Ovide — *Les Métamorphoses.*
2405. Mario Vargas Llosa — *Éloge de la marâtre.*
2406. Zoé Oldenbourg — *Déguisements.*
2407. Joseph Conrad — *Nostromo.*
2408. Guy de Maupassant — *Sur l'eau.*
2409. Ingmar Bergman — *Scènes de la vie conjugale.*
2410. Italo Calvino — *Leçons américaines.*
2411. Maryse Condé — *La traversée de la Mangrowe.*
2412. Réjean Ducharme — *Dévadé.*
2413. Pierrette Fleutiaux — *Nous sommes éternels.*
2414. Auguste le Breton — *Du rififi chez les hommes.*
2415. Herbert Lottman — *Colette.*
2416. Louis Oury — *Rouget le braconnier.*
2417. Angelo Rinaldi — *La confession dans les collines.*
2418. Marguerite Duras — *L'amour.*
2419. Jean-Jacques Rousseau — *La nouvelle Héloïse I.*
2420. Jean-Jacques Rousseau — *La nouvelle Héloïse II.*
2421. Claude Brami — *Parfums des étés perdus.*
2422. Marie Didier — *Contre-visite.*
2423. Louis Guilloux — *Salido* suivi de *O.K., Joe!*
2424. Hervé Jaouen — *Hôpital souterrain.*
2425. Lanza Del Vasto — *Judas.*
2426. Yukio Mishima — *L'ange en décomposition.*
2427. Vladimir Nabokov — *Regarde, regarde les arlequins!*
2428. Jean-Noël Pancrazi — *Les quartiers d'hiver.*
2429. François Sureau — *L'infortune.*
2430. Daniel Boulanger — *Un arbre dans Babylone.*
2431. Anatole France — *Le Lys rouge.*
2432. James Joyce — *Portrait de l'artiste en jeune homme.*
2433. Stendhal — *Vie de Rossini.*
2434. Albert Cohen — *Carnets 1978.*

2435. Julio Cortázar — *Cronopes et Fameux.*
2436. Jean d'Ormesson — *Histoire du Juif errant.*
2437. Philippe Djian — *Lent dehors.*
2438. Peter Handke — *Le colporteur.*
2439. James Joyce — *Dublinois.*
2441. Jean Tardieu — *La comédie du drame.*
2442. Don Tracy — *La bête qui sommeille.*
2443. Bussy-Rabutin — *Histoire amoureuse des Gaules.*
2444. François-Marie Banier — *Les résidences secondaires.*
2445. Thomas Bernhard — *Le naufragé.*
2446. Pierre Bourgeade — *L'armoire.*
2447. Milan Kundera — *L'immortalité.*
2448. Pierre Magnan — *Pour saluer Giono.*
2449. Vladimir Nabokov — *Machenka.*
2450. Guy Rachet — *Les 12 travaux d'Hercule.*
2451. Reiser — *La famille Oboulot en vacances.*
2452. Gonzalo Torrente Ballester — *L'île des jacinthes coupées.*
2453. Jacques Tournier — *Jeanne de Luynes, comtesse de Verue.*
2454. Mikhaïl Boulgakov — *Le roman de monsieur de Molière.*
2455. Jacques Almira — *Le bal de la guerre.*
2456. René Depestre — *Éros dans un train chinois.*
2457. Réjean Ducharme — *Le nez qui voque.*
2458. Jack Kerouac — *Satori à Paris.*
2459. Pierre Mac Orlan — *Le camp Domineau.*
2460. Naguib Mahfouz — *Miramar.*
2461. Patrick Mosconi — *Louise Brooks est morte.*
2462. Arto Paasilinna — *Le lièvre de Vatanen.*
2463. Philippe Sollers — *La Fête à Venise.*
2464. Donald E. Westlake — *Pierre qui brûle.*
2465. Saint Augustin — *Confessions.*
2466. Christian Bobin — *Une petite robe de fête.*
2467. Robin Cook — *Le soleil qui s'éteint.*
2468. Roald Dahl — *L'homme au parapluie* et autres nouvelles.
2469. Marguerite Duras — *La douleur.*
2470. Michel Foucault — *Herculine Barbin dite Alexina B.*
2471. Carlos Fuentes — *Christophe et son œuf.*
2472. J.M.G. Le Clézio — *Onitsha.*

2473.	Lao She	*Gens de Pékin.*
2474.	David McNeil	*Lettres à Mademoiselle Blumenfeld.*
2475.	Gilbert Sinoué	*L'Égyptienne.*
2476.	John Updike	*Rabbit est riche.*
2477.	Émile Zola	*Le Docteur Pascal.*
2478.	Boileau-Narcejac	*... Et mon tout est un homme.*
2479.	Nina Bouraoui	*La voyeuse interdite.*
2480.	William Faulkner	*Requiem pour une nonne.*
2482.	Peter Handke	*L'absence.*
2483.	Hervé Jaouen	*Connemara Queen.*
2484.	Ed McBain	*Le sonneur.*
2485.	Susan Minot	*Mouflets.*
2486.	Guy Rachet	*Le signe du Taureau (La vie de César Borgia).*
2487.	Isaac Bashevis Singer	*Le petit monde de la rue Krochmalna.*
2488.	Rudyard Kipling	*Kim.*
2489.	Michel Déon	*Les trompeuses espérances.*
2490.	David Goodis	*Le casse.*
2491.	Sébastien Japrisot	*Un long dimanche de fiançailles.*
2492.	Yukio Mishima	*Le soleil et l'acier.*
2493.	Vladimir Nabokov	*La Vénitienne et autres nouvelles.*
2494.	François Salvaing	*Une vie de rechange.*
2495.	Josyane Savigneau	*Marguerite Yourcenar (L'invention d'une vie).*
2496.	Jacques Sternberg	*Histoires à dormir sans vous.*
2497.	Marguerite Yourcenar	*Mishima ou la vision du vide.*
2498.	Villiers de l'Isle Adam	*L'Ève future.*
2499.	D.H. Lawrence	*L'Amant de Lady Chatterley.*
2500.	Collectif	*Mémoires d'Europe I.*
2501.	Collectif	*Mémoires d'Europe II.*
2502.	Collectif	*Mémoires d'Europe III.*
2503.	Didier Daeninckx	*Le géant inachevé.*
2504.	Éric Ollivier	*L'escalier des heures glissantes.*
2505.	Julian Barnes	*Avant moi.*
2506.	Daniel Boulanger	*La confession d'Omer.*
2507.	Nicolas Bréhal	*Sonate au clair de lune.*
2508.	Noëlle Chatelet	*La courte échelle.*
2509.	Marguerite Duras	*L'Amant de la Chine du Nord.*

2510. Sylvie Germain — *L'enfant Méduse.*
2511. Yasushi Inoué — *Shirobamba.*
2512. Rezvani — *La nuit transfigurée.*
2513. Boris Schreiber — *Le tournesol déchiré.*
2514. Anne Wiazemsky — *Marimé.*
2515. Francisco González Ledesma — *Soldados.*
2516. Guy de Maupassant — *Notre cœur.*
2517. Roberto Calasso — *Les noces de Cadmos et Harmonie.*
2518. Driss Chraïbi — *L'inspecteur Ali.*
2519. Pietro Citati — *Histoire qui fut heureuse, puis douloureuse et funeste.*
2520. Paul Constant — *Le grand Ghâpal.*
2521. Pierre Magnan — *Les secrets de Laviolette.*
2522. Pierre Michon — *Rimbaud le fils.*
2523. Michel Mohrt — *Un soir, à Londres.*
2524. Francis Ryck — *Le silencieux.*
2525. William Styron — *Face aux ténèbres.*
2526. René Swennen — *Le roman du linceul.*
2528. Jerome Charyn — *Un bon flic.*
2529. Jean-Marie Laclavetine — *En douceur.*
2530. Didier Daeninckx — *Lumière noire.*
2531. Pierre Moinot — *La descente du fleuve.*
2532. Vladimir Nabokov — *La transparence des choses.*
2533. Pascal Quignard — *Tous les matins du monde.*
2534. Alberto Savinio — *Toute la vie.*
2535. Sempé — *Luxe, calme & volupté.*
2536. Graham Swift — *Le pays des eaux.*
2537. Abraham B. Yehoshua — *L'année des cinq saisons.*
2538. Marcel Proust — *Les Plaisirs et les jours (suivi de) L'indifférent.*
2539. Frédéric Vitoux — *Cartes postales.*
2540. Tacite — *Annales.*
2541. François Mauriac — *Zabé.*
2542. Thomas Bernhard — *Un enfant.*
2543. Lawrence Block — *Huit millions de façons de mourir.*
2544. Jean Delay — *Avant Mémoire II.*
2545. Annie Ernaux — *Passion simple.*
2546. Paul Fournel — *Les petites filles respirent le même air que nous.*

2547. Georges Perec — *« 53 jours ».*
2548. Jean Renoir — *Les cahiers du capitaine Georges.*
2549. Michel Schneider — *Glenn Gould piano solo.*
2550. Michel Tournier — *Le Tabor et Sinaï.*
2551. M.E. Saltykov-Chtchédrine — *Histoire d'une ville.*
2552. Eugène Nicole — *Les larmes de pierre.*
2553. Saint-Simon — *Mémoires II.*
2554. Christian Bobin — *La part manquante.*
2555. Boileau-Narcejac — *Les nocturnes.*
2556. Alain Bosquet — *Le métier d'otage.*
2557. Jeanne Bourin — *Les compagnons d'éternité.*
2558. Didier Daeninckx — *Zapping.*
2559. Gérard Delteil — *Le retour de l'Inca.*
2560. Joseph Kessel — *La vallée des rubis.*
2561. Catherine Lépront — *Une rumeur.*
2562. Arto Paasilinna — *Le meunier hurlant.*
2563. Gilbert Sinoué — *Le pourpre et l'olivier.*
2564. François-Marie Banier — *Le passé composé.*
2565. Gonzalo Torrente Ballester — *Le roi ébahi.*
2566. Ray Bradbury — *Le fantôme d'Hollywood.*
2567. Thierry Jonquet — *La Bête et la Belle.*
2568. Marguerite Duras — *La pluie d'été.*
2569. Roger Grenier — *Il te faudra quitter Florence.*
2570. Yukio Mishima — *Les amours interdites.*
2571. J.-B. Pontalis — *L'amour des commencements.*
2572. Pascal Quignard — *La frontière.*
2573. Antoine de Saint-Exupéry — *Écrits de guerre (1939-1944).*
2574. Abraham B. Yehoshua — *L'amant.*
2575. Denis Diderot — *Paradoxe sur le comédien.*
2576. Anonyme — *La Châtelaine de Vergy.*
2577. Honoré de Balzac — *Le chef-d'œuvre inconnu.*
2578. José Cabanis — *Saint-Simon l'admirable.*
2579. Michel Déon — *Le prix de l'amour.*
2580. Lawrence Durrell — *Le sourire du Tao.*
2581. André Gide — *Amyntas.*
2582. Hervé Guibert — *Mes parents.*
2583. Nat Hentoff — *Le diable et son jazz.*

2584. Pierre Mac Orlan — *Quartier Réservé.*
2585. Pierre Magnan — *La naine.*
2586. Naguib Mahfouz — *Chimères.*
2587. Vladimir Nabokov — *Ada ou l'Ardeur.*
2588. Daniel Boulanger — *été à la diable.*
2589. Louis Calaferte — *La mécanique des femmes.*
2590. Sylvie Germain — *La Pleurante des rues de Prague.*
2591. Julian Gloag — *N'éveillez pas le chat qui dort.*
2592. J.M.G. Le Clézio — *Étoile errante.*
2593. Louis Malle — *Au revoir, les enfants.*
2595. Jean-Bernard Pouy — *L'homme à l'oreille croquée.*
2596. Reiser — *Jeanine.*
2597. Jean Rhys — *Il ne faut pas tirer les oiseaux au repos.*
2598. Isaac Bashevis Singer — *Gimpel le naïf.*
2599. Andersen — *Contes choisis.*
2600. Jacques Almira — *Le Bar de la Mer.*
2602. Dominique Bona — *Malika.*
2603. John Dunning — *Les mécanos de la mort.*
2604. Oriana Fallaci — *Inchallah.*
2605. Sue Hubbell — *Une année à la campagne.*
2606. Sébastien Japrisot — *Le passager de la pluie*
2607. Jack Kerouac — *Docteur Sax.*
2608. Ruth Rendell/Helen Simpson — *Heures fatales : L'arbousier/chair et herbe.*
2609. Tristan L'Hermite — *Le Page disgracié.*
2610. Alexandre Dumas — *Les Trois Mousquetaires.*
2611. John Updike — *La concubine de saint Augustin* et autres nouvelles.
2612. John Updike — *Bech est de retour.*
2613. John Updike — *Un mois de dimanches.*
2614. Emmanuèle Bernheim — *Le cran d'arrêt.*
2615. Tonino Benacquista — *La commedia des ratés.*
2616. Tonino Benacquista — *Trois carrés rouges sur fond noir.*
2617. Rachid Boudjedra — *FIS de la haine.*
2618. Jean d'Ormesson — *La gloire de l'Empire.*
2619. Léon Tolstoï — *Résurrection.*
2620. Ingmar Bergman — *Cris et chuchotements* suivi de *Persona* et de *Le lien.*
2621. Ingmar Bergman — *Les meilleures intentions.*

2622. Nina Bouraoui — *Poing mort.*
2623. Marguerite Duras — *La Vie matérielle.*
2624. René Frégni — *Les nuits d'Alice.*
2625. Pierre Gamarra — *Le maître d'école.*
2626. Joseph Hansen — *Les ravages de la nuit.*
2627. Félicien Marceau — *Les belles natures.*
2628. Patrick Modiano — *Un cirque passe*
2629. Raymond Queneau — *Le vol d'Icare.*
2630. Voltaire — *Dictionnaire philosophique.*
2631. William Makepeace Thackeray — *La foire aux vanités.*
2632. Julian Barnes — *Love, etc.*
2633. Lisa Bresner — *Le sculpteur de femmes.*
2634. Patrick Chamoiseau — *Texaco.*
2635. Didier Daeninckx — *Play-back.*
2636. René Fallet — *L'amour baroque.*
2637. Paula Jacques — *Deborah et les anges dissipés.*
2638. Charles Juliet — *L'inattendu.*
2639. Michel Mohrt — *On liquide et on s'en va.*
2640. Marie Nimier — *L'hypnotisme à la portée de tous.*
2641. Henri Pourrat — *Bons, pauvres et mauvais diables.*
2642. Jacques Syreigeol — *Miracle en Vendée.*
2643. Virginia Woolf — *Mrs Dalloway.*
2645. Jerome Charyn — *Elseneur.*
2646. Sylvie Doizelet — *Chercher sa demeure.*
2647. Hervé Guibert — *L'homme au chapeau rouge.*
2648. Knut Hamsun — *Benoni.*
2649. Knut Hamsun — *La dernière joie.*
2650. Hermann Hesse — *Gertrude.*
2651. William Hjortsberg — *Le sabbat dans Central Park.*
2652. Alexandre Jardin — *Le Petit Sauvage.*
2653. Philip Roth — *Patrimoine.*
2654. Rabelais — *Le Quart Livre.*
2655. Dostoïevski — *Les frères Karamazov.*
2656. Dostoïevski — *L'idiot.*
2657. Lewis Carroll — *Alice au pays des merveilles.*
2658. Marcel Proust — *Le côté de Guermantes.*
2659. Honoré de Balzac — *Le Colonel Chabert.*
2660. Léon Tolstoï — *Anna Karénine.*
2661. Dostoïevski — *Crime et châtiment.*

2662. Le Guillou *Le rumeur du soleil.*
2663. Sempé-Goscinny *Le petit Nicolas et les copains.*
2664. Sempé-Goscinny *Les vacances du petit Nicolas.*
2665. Sempé-Goscinny *Les récrés du petit Nicolas.*
2666. Sempé-Goscinny *Le petit Nicolas a des ennuis.*
2667. Emmanuèle Bernheim *Un couple.*
2668. Richard Bohringer *Le bord intime des rivières.*
2669. Daniel Boulanger *Ursacq.*
2670. Louis Calaferte *Droit de cité.*
2671. Pierre Charras *Marthe, jusqu'au soir.*
2672. Ya Ding *Le cercle du petit ciel.*
2673. Joseph Hansen *Les mouettes volent bas.*
2674. Augustina Izquierdo *L'amour pur.*
2675. Augustina Izquierdo *Un souvenir indécent.*
2677. Philippe Labro *Quinze ans.*
2678. Stéphane Mallarmé *Lettres sur la poésie.*
2679. Philippe Beaussant *Le biographe.*
2680. Christian Bobin *Souveraineté du vide.*
2681. Christian Bobin *Le Très-Bas.*
2682. Frédéric Boyer *Des choses idiotes et douces.*
2683. Remo Forlani *Valentin tout seul.*
2684. Thierry Jonquet *Mygale.*
2685. Dominique Rolin *Deux femmes un soir.*
2686. Isaac B. Singer *Le certificat.*
2687. Philippe Sollers *Le secret.*
2688. Bernard Titiaux *Le passeur de lumière.*
2689. Fénelon *Les aventures de Télémaque.*
2690. Robert Bober *Quoi de neuf sur la guerre.*
2691. Ray Bradbury *La baleine de Dublin.*
2692. Didier Daeninckx *Le der des ders.*
2693. Annie Ernaux *Journal du dehors.*
2694. Knut Hamsun *Rosa.*
2695. Yachar Kemal *Tu écraseras le serpent.*
2696. Joseph Kessel *La steppe rouge.*
2697. Yukio Mishima *L'école de la chair.*
2698. Pascal Quignard *Le nom sur le bout de la langue.*
2699. Jacques Sternberg *Histoires à mourir de vous.*
2701. Calvin *Œuvres choisies.*
2702. Milan Kundera *L'art du roman.*
2703. Milan Kundera *Les testaments trahis.*

2704. Rachid Boudjedra — *Timimoun.*
2705. Robert Bresson — *Notes sur le cinématographe.*
2706. Raphaël Confiant — *Ravines du devant-jour.*
2707. Robin Cook — *Les mois d'avril sont meurtriers.*
2708. Philippe Djian — *Sotos.*
2709. Ernest Hemingway — *En ligne.*
2710. Gabriel Matzneff — *La prunelle de mes yeux.*
2711. Angelo Rinaldi — *Les jours ne s'en vont pas longtemps.*
2712. Henri Pierre Roché — *Deux Anglaises et le continent.*
2713. Orson Welles — *Une grosse légume.*
2714. Collectif — *Don Carlos et autres nouvelles.*
2715. François-Marie Banier — *La tête la première.*
2716. Julian Barnes — *Le porc-épic.*
2717. Jean-Paul Demure — *Aix abrupto.*
2718. William Faulkner — *Le gambit du cavalier.*
2719. Pierrette Fleutiaux — *Sauvée!*
2720. Jean Genet — *Un captif amoureux.*
2721. Jean Gionot — *Provence.*
2722. Pierre Magnan — *Périple d'un cachalot.*

Composition Euronumérique
Impression Brodard et Taupin
à La Flèche (Sarthe),
le 15 mai 1995.
Dépôt légal : mai 1995.
Numéro d'imprimeur : 6761 L-5.
ISBN 2-07-039310-0 / Imprimé en France.